KB182893

에듀윌이
너를
지지할게

E N E R G Y

시작하라.

그 자체가 천재성이고,
힘이며, 마력이다.

– 요한 볼프강 폰 괴테(Johann Wolfgang von Goethe)

에듀윌
한국사
노른자

에듀윌 한국사 교재엔
한국사 영양만점 노른자 페이지가 있습니다.

eduwill

초등 한국사도 에듀윌!

❝❝ 초등 한국사 공부의 시작을 함께해요 ❞❞

비주얼씽킹으로 쉽고 재미있는 한국사

💡 비주얼씽킹(Visual Thinking)이란?

비주얼씽킹이란 익힌 개념을 그림으로 자연스럽게 정리하는 공부법입니다. 글과 달리 직관적인 그림을 활용하여 학습 내용을 쉽게 기억하고 어려운 내용도 수월하게 이해할 수 있습니다.

💡 비주얼씽킹의 효과는?

비주얼씽킹 그림은 단순히 해당 내용을 그린 것이 아니라 한 번만 보아도 단번에 이해할 수 있도록 표현한 그림입니다. 오른쪽 그림을 볼까요? 영조의 탕평책을 표현한 그림입니다. 인형뽑기를 하는 영조의 모습을 통해 탕평책이 여러 붕당을 고루 등용하는 정책이었음을 알 수 있습니다.

영조의 탕평책을 인형뽑기 하는 모습으로 나타냈어요.

우리 민족의 이름을 일본식으로 바꾸도록 한 일제의 정책을 표현했어요.

왼쪽 그림을 보세요. '김복동'이라는 이름이 일본식 이름인 '스즈키'로 바뀌었지요? 왼쪽 그림은 1930년대 이후 일제가 우리 민족의 정신을 말살하기 위해 이름을 일본식으로 바꾸도록 한 정책을 표현하였어요. 이처럼 비주얼씽킹은 학습자의 이해도를 높여 준답니다.

빠른 시작과 쉬운 합격을 완성하는 에듀윌 한국사

✓ 교과서 기반 교재로 교과 공부도 충분히!

최신 교육과정 초등 사회 교과서의 내용을 반영하여 교재를 구성하였습니다. 한국사능력검정시험을 대비하면서 초등 교과 공부를 무리 없이 따라갈 수 있고, 일부 중학교 수준의 개념도 예습할 수 있습니다.

✓ 혼자서도 30일 만에 한국사 정복!

학습자 스스로 30일 동안 공부할 수 있도록 초등학생의 눈높이에 맞추어 한국사 개념을 적절하게 분배하였습니다. 또한 한국사가 어렵게 느껴지지 않도록 친절한 설명과 재미있는 그림 등을 수록하였습니다.

✓ 한능검 절대강자 에듀윌의 노하우 수록!

다수의 베스트셀러 1위를 달성한 에듀윌 한능검 교재의 노하우를 초등 교재에도 녹여 내었습니다. 철저한 기출분석을 토대로 만든 교재와 에듀윌만의 무료 강의, 다양한 부가 서비스를 활용하여 시험에 철저하게 대비할 수 있습니다.

한국사능력검정시험이란?

❝ 국민 자격증 한능검, 꼼꼼히 알려줄게요 ❞

01 시험 개요

학교 교육에서 한국사의 위상은 날로 추락하고 있는데, 주변 국가들은 역사 교과서를 왜곡하고 심지어 역사 전쟁을 도발하고 있습니다. 한국사의 위상을 바르게 확립하는 것이 무엇보다 시급한 실정입니다.

이러한 현실에서 우리 역사에 관한 패러다임의 혁신과 한국사 교육의 위상을 강화하기 위하여 국사편찬위원회에서는 한국사능력검정시험을 마련하였습니다.

국사편찬위원회는 우리 역사에 대한 관심을 제고하고, 한국사 전반에 걸쳐 역사적 사고력을 평가하는 다양한 유형의 문항을 개발하고 있습니다. 이를 통해 한국사 교육의 올바른 방향을 제시하고, 자발적 역사 학습을 통해 고차원적 사고력과 문제해결 능력을 배양하고자 합니다.

02 시험 목적

우리 역사에 대한
관심 확산·심화

균형 잡힌
역사의식 함양

역사 교육의
올바른 방향 제시

고차원적 사고력과
문제해결 능력 육성

03 응시 정보

- 주관 및 시행 기관: 국사편찬위원회
- 시행 횟수: 심화(1~3급) 연 4회 / 기본(4~6급) 연 2회
- 시험 시간: 심화 80분(10:00 ~ 11:40) / 기본 70분(10:00~11:30)
- 응시료: 심화 27,000원 / 기본 22,000원
- 성적 인정 유효 기간: 국가에서 지정한 별도의 유효 기간은 없으나 국가 기관·기업체마다 인정하는 기간 이 서로 다르므로 각 기관 및 기업 채용 가이드라인 확인이 필요함.

※ 위 정보는 주최측의 사정상 변경될 수 있습니다. 시험 접수 전 한국사능력검정시험 홈페이지를 확인하시기 바랍니다.

04 시험 종류

구분	인증 등급			문항 수
심화	1급(80점 이상)	2급(70점~79점)	3급(60점~69점)	50문항(5지 택1)
기본	4급(80점 이상)	5급(70점~79점)	6급(60점~69점)	50문항(4지 택1)

05 시험 일정

구분	시험 일시	합격자 발표
A회	매년 2월경	시험 일시 2주 후
B회	매년 4~5월경	
C회	매년 8월경	
D회	매년 10월경	

※ 위 일정은 주최측의 사정상 변경될 수 있습니다. 시험 접수 전 한국사능력검정시험 홈페이지를 확인하시기 바랍니다.
※ 위 시험 일정은 심화 급수 기준이며, 기본 급수는 연 2회 시행됩니다.

06 시험 TO DO 리스트

❶ 시험 전

시험 접수하기

- 한국사능력검정시험 홈페이지(historyexam.go.kr)에서 시험 원서를 접수합니다.
- 사진 등록 기간에 본인 식별이 가능한 사진을 등록하였는지 확인합니다.

❷ 시험 당일

준비물 챙기기

- 한국사능력검정시험 홈페이지에서 미리 출력한 수험표를 꼭 챙깁니다.
- 답안 작성을 위한 컴퓨터용 수성사인펜, 답안 수정을 위한 수정테이프 또는 수정액을 준비합니다.

❸ 합격자 발표일

합격 여부 확인하기

한국사능력검정시험 홈페이지에서 성적과 합격 여부를 확인합니다. 성적 통지서와 인증서는 한국사능력검정시험 홈페이지 또는 정부24에서 출력할 수 있습니다.

07 수험 가이드

한능검의 6가지 출제유형 ▼

❶ **역사 지식의 이해**
- 역사 탐구에 필요한 기본적인 지식을 갖고 있는가를 묻는 영역
- 역사적 사실·개념·원리 등의 이해 정도 측정

❷ **연대기의 파악**
- 역사의 연속성과 변화 및 발전을 이해하고 있는지를 묻는 영역
- 역사 사건이나 상황을 시대순으로 정확하게 이해하고 인과관계를 파악할 수 있는가를 측정

❸ **역사 상황 및 쟁점의 인식**
- 자료에 제시된 구체적 역사 상황과 주장 등을 찾을 수 있는가를 묻는 영역
- 다양한 형태로 주어진 자료에서 해결해야 할 과제를 포착하거나 변별해내는 능력이 있는지를 측정

❹ **역사 자료의 분석 및 해석**
- 자료에 나타난 정보를 해석하여 그 의미를 파악할 수 있는가를 묻는 영역
- 정보 분석을 바탕으로 자료의 시대적 배경과 사회적 의미를 해석할 수 있는가를 측정

❺ **역사 탐구의 설계 및 수행**
제시된 문제의 성격과 목적을 고려하여 절차와 방법에 따라 역사 탐구를 설계하고 수행할 수 있는 능력이 있는가를 묻는 영역

❻ **결론의 도출 및 평가**
주어진 자료의 타당성을 판별하고, 여러 자료를 종합하여 결론을 도출할 수 있는가를 묻는 영역

한능검 합격공략 KNOW HOW ▼

① **역사는 흐름! 한국사의 시간적 흐름 파악하기**
한국사의 전체적인 내용 및 흐름을 필수적으로 파악해야 합니다.

② **최신 3개년 기출분석으로 출제경향 습득하기**
출제경향을 파악하기 위해서는 최신 3개년 시험 경향을 습득하는 것이 가장 중요합니다.

③ **가장 중요한 것은 기출! 기출문제 반복 풀이하기**
한능검은 출제된 주제 및 선지가 반복 출제되기 때문에 기출문제를 여러 번 풀어보아야 합니다.

④ **시험 전 부가학습자료로 최종정리하기**
시험 직전에는 부가학습자료로 빠르게 복습하며 부족한 부분을 한번 더 점검해야 합니다.

한국사능력검정시험의 특징은?

66 지피지기면 백전백승! 한능검을 파헤쳐 보아요 99

키워드가 곧 문제 해결의 길잡이다!

51회 1번

이 영상은 (가) 시대의 대표적 무덤인 고인돌의 축조 과정을 재현한 것입니다. 이처럼 축조에 많은 노동력이 동원되어야 한다는 점을 통해 당시에 권력을 가진 지배자가 있었음을 알 수 있습니다.

48회 1번

저희 모둠은 (가) 시대의 대표적인 문화유산인 고인돌과 민무늬 토기를 소재로 우표를 제작하였습니다.

46회 1번

경상남도 남해군 당항리 고인돌 발굴 조사 과정에서 이 시대의 대표적 유물인 비파형 동검이 출토되었다. 발굴 관계자는 "고인돌의 구조와 비파형 동검 등 부장품을 통해 볼 때 이 지역에 유력한 지배자가 존재했던 것으로 추측된다."라고 밝혔다.

.........▶

고인돌
최근 3개년 9번 등장
(자료 및 선지 포함)

47회 3번

이것은 솟대 모형이야. 솟대는 이 나라의 소도에서 유래했다고도 해.

44회 2번

이와 같은 솟대는 한반도 남부에 위치했던 이 나라의 신성 지역인 소도에서 유래한 것이라고도 해.

.........▶

솟대, 소도
최근 3개년 6번 등장
(자료 및 선지 포함)

뻔히 나오는 선지만 나온다!

50회 2번

① 소도라고 불리는 신성 지역이 있었다.
② 읍락 간의 경계를 중시한 책화가 있었다.
③ 범금 8조를 통해 사회 질서를 유지하였다.
④ 여러 가(加)들이 별도로 사출도를 주관하였다.

▶ 소도라고 불리는
신성 지역이 있었다.
54·50·42·41·40회 총 5번 등장

▶ 범금 8조를 통해
사회 질서를 유지하였다.
54·50·49·48·47·46·45·43·42·41회
총 10번 등장

48회 2번

① 8조법으로 백성을 다스렸다.
② 영고라는 제천 행사를 열었다.
③ 지배자로 신지, 읍차 등이 있었다.
④ 읍락 간의 경계를 중시하는 책화가 있었다.

▶ 여러 가(加)들이 별도로
사출도를 주관하였다.
55·50·46·45·44·43·42회 총 7번 등장

▶ 읍락 간의 경계를 중시하는
책화가 있었다.
50·48·43·42·41회 총 5번 등장

41회 2번

① 독서삼품과를 실시하였다.
② 신지, 읍차 등의 지배자가 다스렸다.
③ 철을 생산하여 낙랑, 왜 등에 수출하였다.
④ 제가 회의에서 국가 중대사를 결정하였다.
⑤ 사회 질서를 유지하기 위한 범금 8조가 있었다.

▶ 철을 생산하여 낙랑, 왜 등에
수출하였다.
55·50·48·47·46·41회 총 6번 등장

한국사능력검정시험 대비는?

❝ 과학적이고, 단순하게, 빠르게 하세요 ❞

철저하고 완벽한 기출분석

① 3개년, 13회차, 650문항, 2,850개 기출선지 분석

2,850개 선지를 모두 분석하여 최신 출제경향에 맞는 핵심개념으로 구성했어요.

빈출키워드

- 동굴이나 막집 거주, 빗살무늬 토기, 가락바퀴, … 50회
- 동굴이나 막집 거주, 주먹도끼, 가락바퀴, … 54회
- 동굴이나 막집 거주, 가락바퀴, … 47회
- 동굴이나 막집 거주, 고인돌, … 55회

⋮
↓

동굴이나 막집 거주 10번, 가락바퀴 8번, …

기출선지

- 주로 동굴이나 강가의 막집에서 살았다. 55・54・51・48・44회
- 주로 동굴에 살면서 사냥과 채집을 하였다. 42회
- 주로 동굴이나 막집에 거주하였다. 50・49・47・43회
- 주로 동굴이나 막집에서 거주하였다. 45회

⋮
↓

주로 동굴이나 막집에서 살았다.

② 교과 중요개념 기반의 한능검 핵심이론 정리

초등 사회 교과서를 토대로 중요개념을 분석하고, 한능검 이론을 구성했어요.

교과 중요개념　　초등 사회 3-2 시대마다 다른 삶의 모습

① 옛날과 오늘날의 생활 모습
- 옛날의 도구와 생활 모습(구석기 시대~철기 시대)
- 농사 도구의 변화로 달라진 생활 모습
  (신석기, 청동기 시대)
- 음식과 옷을 만드는 도구의 변화로 달라진 생활 모습
  (신석기 시대)
- 집의 변화로 달라진 생활 모습(신석기, 청동기 시대)
  ⋮

한능검 핵심이론　　1단원 우리 역사의 시작과 발전

① 선사 시대와 청동기 시대
- 선사 시대의 생활 모습
- 청동기 시대의 생활 모습
  ⋮

합격을 앞당기는 특급혜택

오늘의 한국사 훑어보기 무료 강의(총 28강)

- 하루에 단 15분으로 한국사능력검정시험 기본 급수 대비 가능
- 취약한 단원만 골라 들을 수 있는 단원별 맞춤 학습 가능
- 이용 방법
  - **방법 1** 본책 내 QR 코드 스캔 후 강의 시청
  - **방법 2** 에듀윌 도서몰(book.eduwill.net) 접속 후 강의 시청

※ 에듀윌 회원가입 후 이용하실 수 있는 서비스입니다.

모바일 OMR 채점 & 성적 분석

- QR 코드를 활용한 쉽고 빠른 '응시 – 채점 – 성적 분석' 서비스 제공
- 이용 방법
  - **1단계** QR 코드 스캔 후 에듀윌 회원 로그인
  - **2단계** 모바일 OMR 답안 입력
  - **3단계** 채점 결과 & 성적 분석 확인

※ 에듀윌 회원가입 후 이용하실 수 있는 서비스입니다.
※ 모바일 OMR을 이용해 동일 회차를 여러 번 풀어볼 수 있으며, 채점 결과에는 최종 성적이 반영됩니다.

부가학습자료(PDF) 1종

- 한능검 핵심이론 요약집(PDF) 제공
- 이용 방법: 에듀윌 도서몰(book.eduwill.net) 접속 후 [부가학습자료] 에서 다운로드

30일 완성 공부 계획표

❝ 차근차근 따라오면 누구나 합격할 수 있어요 ❞

1강 강의, 본책, 부록
1일 __월__일

2강 강의, 본책, 부록
2일 __월__일

3강 강의, 본책, 부록
3일 __월__일

4강 강의, 본책, 부록
4일 __월__일

5강 강의, 본책, 부록
5일 __월__일

20일 __월__일

20강 강의, 본책, 부록

19강 강의, 본책, 부록
19일 __월__일

18강 강의, 본책, 부록
18일 __월__일

17강 강의, 본책, 부록
17일 __월__일

16강 강의, 본책, 부록
16일 __월__일

21일 __월__일

21강 강의, 본책, 부록

22강 강의, 본책, 부록
22일 __월__일

23강 강의, 본책, 부록
23일 __월__일

24강 강의, 본책, 부록
24일 __월__일

25강 강의, 본책, 부록
25일 __월__일

안녕! 나는 포포야.
30일 동안 한국사 여행을
함께할 짝꿍이지.
나와 함께라면 한국사가
재미있어질 걸?

공부 계획표 활용 방법

❶ 무료 강의 〈오늘의 한국사 훑어보기〉를 통해 오늘 공부할 내용을 미리 확인해요.
❷ 현재 나의 진도에 맞춰 본책을 공부해요.
❸ 부록 〈하루 한 장 한국사 따라쓰기〉로 본책에서 공부한 내용을 정리해요.
❹ 공부를 마무리한 후 빈칸에 공부한 날짜를 적어요.

6강
강의, 본책, 부록
6일 __월__일

7강
강의, 본책, 부록
7일 __월__일

8강
강의, 본책, 부록
8일 __월__일

9강
강의, 본책, 부록
9일 __월__일

10강
강의, 본책, 부록
10일 __월__일

11강
강의, 본책, 부록
11일 __월__일

15강
강의, 본책, 부록
15일 __월__일

14강
강의, 본책, 부록
14일 __월__일

13강
강의, 본책, 부록
13일 __월__일

12강
강의, 본책, 부록
12일 __월__일

26강
강의, 본책, 부록
26일 __월__일

27강
강의, 본책, 부록
27일 __월__일

28강
강의, 본책, 부록
28일 __월__일

29강
최종 기출
모의고사 1회
29일 __월__일

30강
최종 기출
모의고사 2회
30일 __월__일

최신 기출문제 분석의 모든 것

❝ 분석은 우리가 할게요, 여러분들은 풀기만 하세요 ❞

단원별 평균 출제 비중

최근 3개년의 기출문제를 분석하여 평균 출제 문항 수와 비율, 중요 키워드를 단원별로 정리하였습니다. 어떤 단원이 많이 출제되는지, 해당 단원에서 어떤 키워드가 중요한지 살펴 보아요.

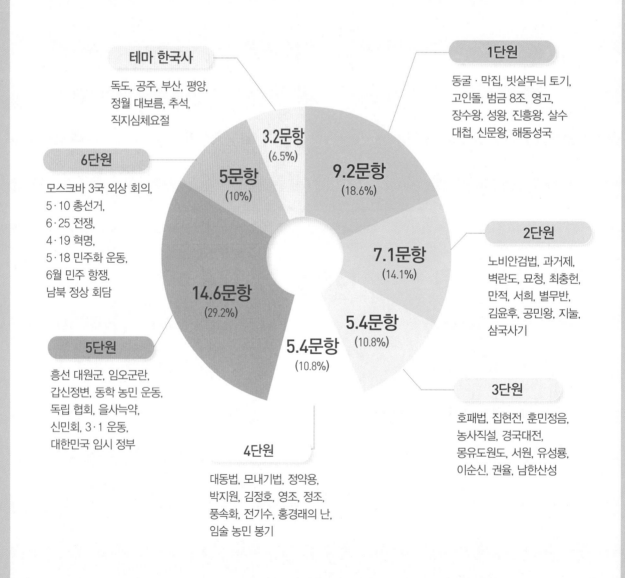

테마 한국사
독도, 공주, 부산, 평양,
정월 대보름, 추석,
직지심체요절

1단원
동굴 · 막집, 빗살무늬 토기,
고인돌, 범금 8조, 영고,
장수왕, 성왕, 진흥왕, 살수
대첩, 신문왕, 해동성국

6단원
모스크바 3국 외상 회의,
5 · 10 총선거,
6 · 25 전쟁,
4 · 19 혁명,
5 · 18 민주화 운동,
6월 민주 항쟁,
남북 정상 회담

2단원
노비안검법, 과거제,
벽란도, 묘청, 최충헌,
만적, 서희, 별무반,
김윤후, 공민왕, 지눌,
삼국사기

5단원
흥선 대원군, 임오군란,
갑신정변, 동학 농민 운동,
독립 협회, 을사늑약,
신민회, 3 · 1 운동,
대한민국 임시 정부

3단원
호패법, 집현전, 훈민정음,
농사직설, 경국대전,
몽유도원도, 서원, 유성룡,
이순신, 권율, 남한산성

4단원
대동법, 모내기법, 정약용,
박지원, 김정호, 영조, 정조,
풍속화, 전기수, 홍경래의 난,
임술 농민 봉기

3.2문항 (6.5%)
9.2문항 (18.6%)
5문항 (10%)
7.1문항 (14.1%)
14.6문항 (29.2%)
5.4문항 (10.8%)
5.4문항 (10.8%)

미리 보는 합격 인증서

한국사능력검정시험 인증서

성   명 :

생 년 월 일 :

성   별 :

합 격 등 급 :

위 사람은 제__회 한국사능력검정시험에서
위 급수에 합격하였기에 이 증서를 드립니다.

년   월   일

에 듀 윌

이렇게 구성되어 있어요!

30일간의 한국사 여행을 시작합니다!

우리 역사의
시작과 발전

❶

이만큼 출제되었어요!	이런 이야기를 배워요!
9.2문항 18.6% 최근 3개년 평균 출제 비중	1강 선사 시대와 청동기 시대 2강 고조선과 여러 나라의 성장 3강 삼국의 건국과 발전 4강 삼국의 사회·문화·대외 교류 5강 신라의 삼국 통일 6강 발해의 건국과 남북국의 문화

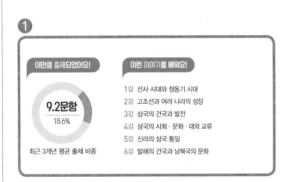

❷

❶ 단원별 기출 분석 & 수록 주제

최근 3개년 시험에 나온 문항 수와 출제 비중, 해당 단원에서 배울 이야기를 정리하였습니다. 기출 분석을 통해 앞으로 시험에 나올 내용도 예상해 볼 수 있어요.

❷ 한국사 그림 연표

해당 단원에서 배울 다양한 한국사 이야기를 그림 연표로 미리 살펴보아요. 중요 사건의 흐름을 파악할 수 있어요.

개념 이해하기 — 쉽고 상세한 설명으로 혼자서도 공부할 수 있어요!

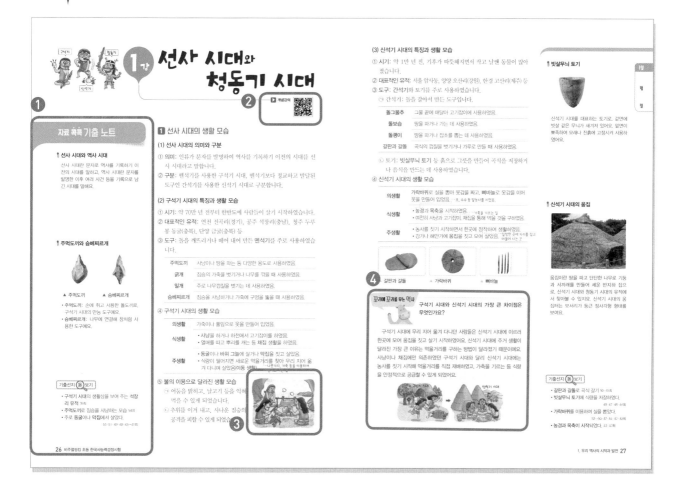

❶ 자료 콕콕 기출 노트

시험에 나온 자료와 개념 이해를 돕는 보충 설명을 정리하였습니다. 맨 아래에 위치한 '기출선지 돋보기'에서는 자주 출제된 선지를 한눈에 살펴볼 수 있어요.

❷ 바로 듣는 개념 동영상 강의

〈오늘의 한국사 훑어보기〉 강의를 쉽고 빠르게 들을 수 있도록 QR 코드를 수록하였어요. QR 코드를 찍어 강의를 들으면서 공부하세요.

❸ 개념이 쉬워지는 이미지 자료

한국사 개념을 쉽게 이해할 수 있도록 다양한 그림, 사진 자료를 제시하였습니다.

❹ 꼬리에 꼬리를 무는 역사 이야기

개념과 관련된 역사 이야기를 읽어 보며 한국사와 한 발짝 더 가까워져 보아요.

이렇게 구성되어 있어요!

실력
확인하기

그림으로 재미있게 정리하고 실력을 점검해 보아요!

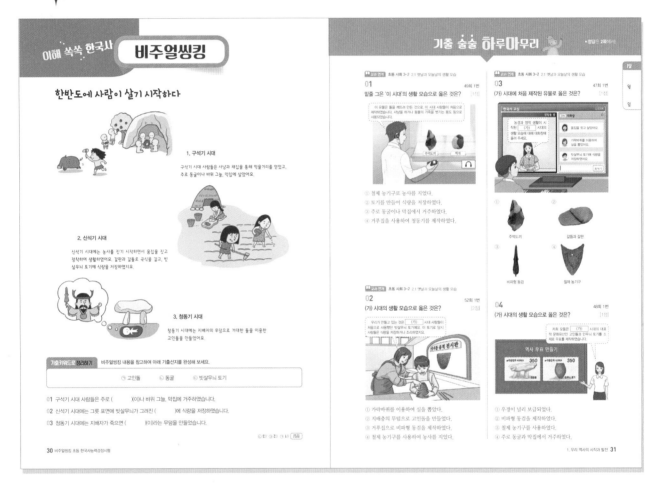

이해 쏙쏙 한국사 비주얼씽킹

앞에서 배운 내용을 쉽고 재미있게 정리할 수 있도록 핵심만 그림으로 수록하였습니다. 비주얼씽킹 내용을 읽어 보고 아래의 문제도 풀며 핵심 개념을 정리해 보아요.

기출 술술 하루 마무리

최신 기출문제를 풀어보며 현재 나의 실력을 점검해 봅니다. 교과 연계 문제는 별도로 표시하여 한눈에 파악할 수 있도록 하였어요. 틀린 문제는 다시 보며 꼼꼼히 공부해요.

학습을 완벽하게 마무리해 보세요!

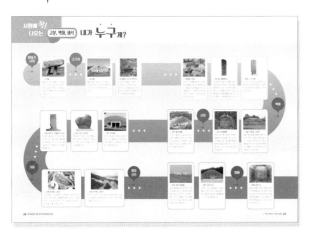

시험에 꼭! 나오는 자료

시험에 많이 출제된 사진 자료를 주제별로 묶어서 정리하였어요. 시험에 자주 등장하는 자료이니 눈에 익혀 두어요.

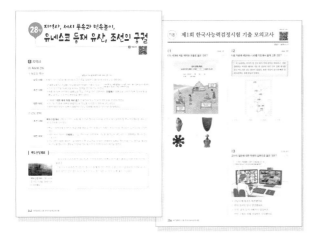

테마 한국사

시험에 1문제는 꼭 출제되는 지역사, 세시 풍속과 민속놀이, 유네스코 등재 유산 등을 정리하였습니다.

최종 기출 모의고사

기출문제로 만든 총 2회분의 모의고사를 수록하였습니다. 실제 시험장에서 문제를 푸는 마음가짐으로 답안지를 작성하며 풀어 보아요.

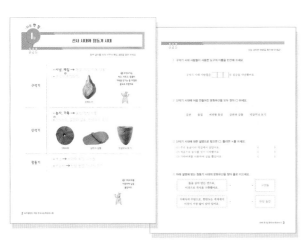

하루 한 장 한국사 따라쓰기(부록)

본책의 하루치 학습을 끝낸 후 한 장씩 풀어 보며 공부를 마무리해요. 핵심 내용을 따라 쓰고, 확인 문제를 풀면 완벽한 마무리를 할 수 있어요.

따라와!
같이 한국사 여행을
떠나 보자!

차례

1

우리 역사의 시작과 발전

1강 선사 시대와 청동기 시대

▶ 개념강의

📌 선사 시대와 역사 시대

선사 시대란 문자로 역사를 기록하기 이전의 시대를 말하고, 역사 시대란 문자를 발명한 이후 여러 사건 등을 기록으로 남긴 시대를 말해요.

📌 주먹도끼와 슴베찌르개

▲ 주먹도끼   ▲ 슴베찌르개

• **주먹도끼**: 손에 쥐고 사용한 돌도끼로, 구석기 시대의 만능 도구예요.
• **슴베찌르개**: 나무에 연결해 창처럼 사용한 도구예요.

기출선지 돋보기

• 구석기 시대의 생활상을 보여 주는 석장리 유적 39회
• 주먹도끼로 짐승을 사냥하는 모습 54회
• 주로 동굴이나 막집에서 살았다.
                              55·51·49·48·43~41회

1 선사 시대의 생활 모습

(1) 선사 시대의 의미와 구분

① 의미: 인류가 문자를 발명하여 역사를 기록하기 이전의 시대를 선사 시대라고 말합니다.
② 구분: 뗀석기를 사용한 구석기 시대, 뗀석기보다 정교하고 발달된 도구인 간석기를 사용한 신석기 시대로 구분합니다.

(2) 구석기 시대의 특징과 생활 모습

① 시기: 약 70만 년 전부터 한반도에 사람들이 살기 시작하였습니다.
② 대표적인 유적: 연천 전곡리(경기), 공주 석장리(충남), 청주 두루봉 동굴(충북), 단양 금굴(충북) 등
③ 도구: 돌을 깨뜨리거나 떼어 내어 만든 **뗀석기**를 주로 사용하였습니다.

주먹도끼	사냥이나 땅을 파는 등 다양한 용도로 사용하였음.
긁개	짐승의 가죽을 벗기거나 나무를 깎을 때 사용하였음.
밀개	주로 나무껍질을 벗기는 데 사용하였음.
슴베찌르개	짐승을 사냥하거나 가죽에 구멍을 뚫을 때 사용하였음.

④ 구석기 시대의 생활 모습

의생활	가죽이나 풀잎으로 옷을 만들어 입었음.
식생활	• **사냥**을 하거나 하천에서 고기잡이를 하였음. • 열매를 따고 뿌리를 캐는 등 **채집** 생활을 하였음.
주생활	• **동굴**이나 **바위 그늘**에 살거나 막집을 짓고 살았음. • 식량이 떨어지면 새로운 먹을거리를 찾아 무리 지어 옮겨 다니며 살았음(**이동 생활**). └ 나뭇가지, 가죽 등을 이용하여 임시로 지은 집

⑤ 불의 이용으로 달라진 생활 모습
　㉠ 어둠을 밝히고, 날고기 등을 익혀 먹을 수 있게 되었습니다.
　㉡ 추위를 이겨 내고, 사나운 짐승의 공격을 피할 수 있게 되었습니다.

(3) 신석기 시대의 특징과 생활 모습

① **시기**: 약 1만 년 전, 기후가 따뜻해지면서 작고 날쌘 동물이 많아졌습니다.

② **대표적인 유적**: 서울 암사동, 양양 오산리(강원), 한경 고산리(제주) 등

③ **도구**: **간석기**와 토기를 주로 사용하였습니다.

ㄱ **간석기**: 돌을 갈아서 만든 도구입니다.

돌그물추	그물 끝에 매달아 고기잡이에 사용하였음.
돌보습	땅을 파거나 가는 데 사용하였음.
돌괭이	땅을 파거나 잡초를 뽑는 데 사용하였음.
갈판과 갈돌	곡식의 껍질을 벗기거나 가루로 만들 때 사용하였음.

ㄴ **토기**: **빗살무늬 토기** 등 흙으로 그릇을 만들어 곡식을 저장하거나 음식을 만드는 데 사용하였습니다.

④ **신석기 시대의 생활 모습**

의생활	**가락바퀴**로 실을 뽑아 옷감을 짜고, **뼈바늘**로 옷감을 이어 옷을 만들어 입었음. ┌ 조, 수수 등 밭농사를 지었음.
식생활	• **농경**과 **목축**을 시작하였음. ┌ 가축을 기르는 일 • 여전히 사냥과 고기잡이, 채집을 통해 먹을 것을 구하였음.
주생활	• 농사를 짓기 시작하면서 한곳에 정착하여 생활하였음. • 강가나 해안가에 **움집**을 짓고 모여 살았음. └ 일정한 곳에 자리를 잡고 머물러 사는 것

▲ 갈판과 갈돌

▲ 가락바퀴

▲ 뼈바늘

꼬리에 꼬리를 무는 **역사**

구석기 시대와 신석기 시대의 가장 큰 차이점은 무엇인가요?

구석기 시대에 무리 지어 옮겨 다니던 사람들은 신석기 시대에 이르러 한곳에 모여 움집을 짓고 살기 시작하였어요. 신석기 시대에 주거 생활이 달라진 가장 큰 이유는 먹을거리를 구하는 방법이 달라졌기 때문이에요. 사냥이나 채집에만 의존하였던 구석기 시대와 달리 신석기 시대에는 농사를 짓기 시작해 먹을거리를 직접 재배하였고, 가축을 기르는 등 식량을 안정적으로 공급할 수 있게 되었어요.

빗살무늬 토기

신석기 시대를 대표하는 토기로, 겉면에 빗살 같은 무늬가 새겨져 있어요. 밑면이 뾰족하여 모래나 진흙에 고정시켜 사용하였어요.

신석기 시대의 움집

움집이란 땅을 파고 단단한 나무로 기둥과 서까래를 만들어 세운 반지하 집으로, 신석기 시대와 청동기 시대의 유적에서 찾아볼 수 있지요. 신석기 시대의 움집터는 모서리가 둥근 정사각형 형태를 보여요.

기출선지 돋보기

• 갈판과 갈돌로 곡식 갈기 50·45회
• 빗살무늬 토기에 식량을 저장하였다.
49·47·46·44회
• 가락바퀴를 이용하여 실을 뽑았다.
52~50·47·44·42·40회
• 농경과 목축이 시작되었다. 43·42회

🔖 반달 돌칼

돌을 갈아 만든 간석기로, 반달 모양의 돌
칼이에요. 청동기 시대에 곡식을 수확하는
데 사용한 도구이지요.

2 청동기 시대의 특징과 생활 모습

(1) 청동기 시대의 특징

① **시기**: 한반도와 그 주변 지역에서는 기원전 2000년경부터 청동기
가 등장하였습니다.

② **도구**: 청동기, 간석기, 토기를 사용하였습니다.

ㄱ 청동기

만드는 방법	구리에 주석 등을 섞고 불에 녹여 만들었음.
용도	재료가 귀하고 만들기도 어려워서 주로 지배자의 무기나 장신구, 하늘에 제사를 지내는 도구로 사용되었음.
종류	청동 검(**비파형 동검**), 청동 거울(**거친무늬 거울**), 청동 방울 등

ㄴ 간석기: 농사를 지을 때에는 여전히 돌과 나무로 만든 도구를
사용하였는데, 곡식을 수확하는 데 사용하였던 **반달 돌칼**이 대
표적이었습니다.

ㄷ 토기: 무늬가 없는 **민무늬 토기**가 다양한 형태로 만들어졌습니다.

▲ 비파형 동검

▲ 청동 거울

▲ 민무늬 토기

(2) 청동기 시대의 생활 모습

① 식생활과 주생활

식생활	농경이 본격적으로 이루어지고 일부 지역에서 벼농사가 시작되었음.
주생활	신석기 시대보다 땅 위로 올라오고 직사각형 형태의 바닥을 가진 움집을 짓고 살았음.

② **계급의 발생**: 농업 생산량이 증가하면서 재산을 많이 가진 사람과
적게 가진 사람이 생겨났으며, 지배를 하는 사람과 지배를 받는
사람으로 나뉘었습니다.

③ **고인돌**: 커다란 돌을 이용하여 만든 청동기 시대의 무덤으로, 지
배자의 무덤으로 알려져 있습니다.

④ **국가의 등장**: 지배자의 세력이 점점 커지면서 국가가 세워졌습니다.

기출선지 돋보기

- **거푸집**을 활용하여 **비파형 동검**을 제작
하였다. 49·48·41·40회
- **거친무늬 거울**을 사용하였다. 45·43회
- **반달 돌칼**을 사용하여 곡식을 수확하
였다. 51·46·44·41회
- **사유 재산**과 **계급**이 발생한 청동기 시
대 32회
- 지배층의 무덤으로 **고인돌**을 만들었다.
55·54·44~41회

꼬리에 꼬리를 무는 역사

청동기 시대의 특징을 알 수 있는 유적은 무엇일까요?

구석기 시대와 신석기 시대에는 여러 사람이 함께 무리 지어 살았고, 모든 사람이 평등한 사회였어요. 하지만 청동기 시대는 이전과 달라졌어요. 지배자가 등장했거든요. 청동기 시대에는 농사 기술이 발달하면서 모든 사람이 먹고도 남는 생산물, 즉 잉여 생산물이 생기기 시작했어요. 잉여 생산물을 나누는 과정에서 싸움이 벌어지고, 싸움에서 이긴 사람들과 진 사람들이 생겨나면서 지배하는 사람(지배자)과 지배를 받는 사람(피지배자)이 나타나게 되었지요.

이 시기의 대표적 유적인 고인돌을 살펴볼까요? 고인돌은 아래 그림과 같이 받침돌을 세우고 흙을 쌓아 경사로를 만들고, 덮개돌을 올린 다음 흙을 치워 만들었어요. 고인돌을 만드는 일은 굉장히 많은 사람이 동원되어야 하는 큰 규모의 공사였지요. 고인돌의 규모가 클수록 힘이 센 지배자의 무덤이었음을 짐작할 수 있겠지요? 따라서 고인돌은 당시에 큰 힘을 가진 지배자가 있었음을 알 수 있는 증거가 된답니다.

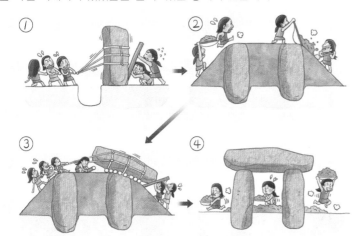

고인돌

한반도는 세계에서 고인돌이 가장 많이 남아 있는 곳이에요. 대표적인 유적은 전북 고창, 전남 화순, 인천 강화 지역에 남아 있어요. 이들 지역의 고인돌은 그 가치를 인정받아 유네스코 세계 유산으로 등재되었어요.

1일

월

일

비주얼씽킹

한반도에 사람이 살기 시작하다

1. 구석기 시대

구석기 시대 사람들은 사냥과 채집을 통해 먹을거리를 얻었고, 주로 동굴이나 바위 그늘, 막집에 살았어요.

2. 신석기 시대

신석기 시대에는 농사를 짓기 시작하면서 움집을 짓고 정착하여 생활하였어요. 갈판과 갈돌로 곡식을 갈고, 빗살무늬 토기에 식량을 저장하였지요.

3. 청동기 시대

청동기 시대에는 지배자의 무덤으로 거대한 돌을 이용한 고인돌을 만들었어요.

기출키워드로 정리하기   비주얼씽킹 내용을 참고하여 아래 기출선지를 완성해 보세요.

> ㉠ 고인돌   ㉡ 동굴   ㉢ 빗살무늬 토기

01 구석기 시대 사람들은 주로 (   )(이)나 바위 그늘, 막집에 거주하였습니다.

02 신석기 시대에는 그릇 표면에 빗살무늬가 그려진 (   )에 식량을 저장하였습니다.

03 청동기 시대에는 지배자가 죽으면 (   )(이)라는 무덤을 만들었습니다.

정답 01 ㉡ 02 ㉢ 03 ㉠

📖 **교과 연계** 초등 사회 3-2 2.1 옛날과 오늘날의 생활 모습

01
49회 1번

밑줄 그은 '이 시대'의 생활 모습으로 옳은 것은? [1점]

> 이 유물은 돌을 깨뜨려 만든 것으로, 이 시대 사람들이 처음으로 제작하였습니다. 사냥을 하거나 동물의 가죽을 벗기는 용도 등으로 사용되었습니다.

주먹도끼　　찍개

① 철제 농기구로 농사를 지었다.
② 토기를 만들어 식량을 저장하였다.
③ 주로 동굴이나 막집에서 거주하였다.
④ 거푸집을 사용하여 청동기를 제작하였다.

📖 **교과 연계** 초등 사회 3-2 2.1 옛날과 오늘날의 생활 모습

02
52회 1번

(가) 시대의 생활 모습으로 옳은 것은? [2점]

> 우리가 만들고 있는 것은 (가) 시대 사람들이 처음으로 사용했던 빗살무늬 토기예요. 이 토기로 당시 사람들은 식량을 저장하거나 조리하였지요.

암사동 유적 전시관

① 가락바퀴를 이용하여 실을 뽑았다.
② 지배층의 무덤으로 고인돌을 만들었다.
③ 거푸집으로 비파형 동검을 제작하였다.
④ 철제 농기구를 사용하여 농사를 지었다.

📖 **교과 연계** 초등 사회 3-2 2.1 옛날과 오늘날의 생활 모습

03
47회 1번

(가) 시대에 처음 제작된 유물로 옳은 것은? [1점]

한국사 교실　생방송 중　ON 대화창

> 농경과 정착 생활이 시작된 (가) 시대의 생활 모습에 대해 대화창에 올려 주세요.

움집을 짓고 살았어요.

가락바퀴를 이용하여 실을 뽑았어요.

빗살무늬 토기에 식량을 저장하였어요.

보내기

①
주먹도끼

②
갈돌과 갈판

③
비파형 동검

④
철제 농기구

04
48회 1번

(가) 시대의 생활 모습으로 옳은 것은? [1점]

> 저희 모둠은 (가) 시대의 대표적 문화유산인 고인돌과 민무늬 토기를 소재로 우표를 제작하였습니다.

역사 우표 만들기

대한민국 KOREA 350　고인돌
대한민국 KOREA 350　민무늬 토기

① 우경이 널리 보급되었다.
② 비파형 동검을 제작하였다.
③ 철제 농기구를 사용하였다.
④ 주로 동굴과 막집에서 거주하였다.

널리 인간을
이롭게 하노라~

고조선

2강 고조선과 여러 나라의 성장

▶ 개념강의

자료 콕콕 기출 노트

『삼국유사』

『삼국유사』는 고려 시대의 승려인 일연이 지은 역사책이에요. 고조선을 세운 단군왕검을 우리 민족의 시조로 기록하였어요.

단군왕검

'단군'은 하늘에 제사를 지내는 사람, '왕검'은 부족을 다스리는 지배자라는 의미로, 고조선이 제정일치의 사회였음을 알 수 있어요.
└→ 제사(종교)와 정치가 일치된 사회로, 지배자가 제사장과 정치 지배자를 함께 담당하는 사회를 의미함.

기출선지 돋보기

• 청동기 문화를 바탕으로 세워졌다. 49회

1 최초의 국가 고조선

(1) 단군왕검의 고조선 건국 이야기

① 기록된 책: 『삼국유사』 등에 단군왕검 이야기가 실려 전해 옵니다.

② 내용: 하늘에서 내려온 환웅과 곰에서 사람으로 변한 웅녀 사이에서 태어난 단군왕검이 아사달에 도읍을 정하고 우리 역사상 최초의 국가인 고조선을 세웠습니다.

③ 알 수 있는 사실
  ㉠ 하늘의 자손임을 내세워 지배자의 신성함을 강조하였습니다.
  ㉡ 환웅이 바람, 비, 구름을 다스리는 사람들을 데리고 왔다는 것으로 보아 고조선이 농경 사회였음을 알 수 있습니다.
  ㉢ 환웅과 웅녀 사이에 단군왕검이 태어났다는 것으로 보아 환웅이 거느리고 온 무리가 곰을 숭배하는 무리와 결합하였음을 알 수 있습니다.
  └→ 신과 같은 종교적 대상으로 삼아 우러러 보거나 공경하는 것

단군왕검 이야기

└→ 풍백은 바람을, 우사는 비를, 운사는 구름을 다스리는 사람을 의미함.

아주 오래 전 하늘 나라를 다스리는 하느님(환인)에게 환웅이라는 아들이 있었다. 환웅은 '널리 인간을 이롭게 한다.'라는 뜻을 품고 땅으로 내려가 풍백, 우사, 운사를 거느리고 인간 세계를 다스렸다. 이때 곰 한 마리와 호랑이 한 마리가 있었는데, 둘은 사람이 되고자 환웅을 찾아갔다. 환웅은 이들에게 100일 동안 마늘과 쑥을 먹고 햇빛을 보지 않으면 사람이 될 것이라고 하였다. …… 환웅은 곰이 변한 여인(웅녀)을 아내로 맞이하여 아들을 낳았는데 이 분이 단군왕검이다. 단군왕검은 아사달을 도읍으로 하여 나라를 세우고 나라 이름을 조선이라 하였다.

└→ 위만 조선, 혹은 이성계가 세운 조선과 구분하기 위해 고조선이라고 부름.

(2) 고조선의 건국과 발전

① 고조선의 건국

시기와 도읍	기원전 2333년, 단군왕검이 아사달을 도읍으로 세웠음.
건국 이념	'인간을 널리 이롭게 한다.'는 홍익인간의 이념
의의	청동기 문화를 바탕으로 등장한 우리 역사상 최초의 국가

② 고조선의 문화 범위

　　㉠ 고조선은 만주 지역과 한반도의 서북부 지역까지 세력을 넓혔습니다.

　　㉡ 고조선의 문화 범위는 비파형 동검, 탁자식 고인돌의 출토 지역을 통하여 대략적으로 짐작할 수 있습니다.

③ 고조선의 발전

　　㉠ 강력한 힘을 가진 왕이 등장하였고, 중국과 맞설 정도로 성장하였습니다.

　　㉡ **위만**이 무리를 이끌고 고조선에 들어와 준왕을 몰아내고 왕위를 차지하였습니다(위만 조선의 성립). → 이후 **철기 문화**를 본격적으로 받아들였습니다.

④ 8조법(범금 8조)을 통해 알 수 있는 고조선의 사회 모습

　　㉠ 사회 질서가 엄격하였고, 사람의 생명을 중요하게 생각하였습니다.

　　㉡ 개인의 재산(사유 재산)이 인정되었습니다.

　　㉢ '곡식으로 갚는다.'라는 말을 통해 농경 사회였음을 알 수 있습니다.

　　㉣ '노비'라는 말을 통해 신분 사회였음을 알 수 있습니다.

▲ 고조선의 문화 범위

고조선의 8조법

┗ 지금은 3개 조항만 전해짐.

• 사람을 죽인 자는 사형에 처한다.

• 남을 다치게 한 자는 곡식으로 갚는다.

• 도둑질을 한 자는 노비로 삼는다. 용서를 받으려면 50만 전을 내야 한다.

꼬리에 꼬리를 무는 역사

고조선은 왜 멸망하게 되었을까요?

　철기 문화를 본격적으로 받아들인 고조선은 주변 지역을 정복하며 세력을 키웠어요. 또한 고조선은 중국 한나라와 한반도 남쪽에 위치한 진나라 사이에서 **중계 무역**을 하며 큰 이익을 얻었지요.

┗ 어떤 나라로부터 사들인 물건을 그대로 또 다른 나라에 수출하는 방식의 무역

중국의 한나라는 중계 무역을 독점하고 영토를 넓히던 고조선과 대립하였고, 마침내 한나라의 황제인 무제가 고조선 침략을 명령하였어요. 고조선은 1년여 동안 한나라에 맞서 싸웠지만, 고조선 내부에서 분열이 일어나 수도인 왕검성이 함락되고, 결국 멸망하였지요(기원전 108년).

　이후에 한반도는 어떻게 되었을까요? 한나라는 옛 고조선의 땅에 4개의 군현(낙랑, 임둔, 진번, 현도)을 설치하여 지배하였어요. 이 중 낙랑은 가장 오랫동안 한반도에 남아 있었답니다.

미송리식 토기

청동기 시대에 사용된 민무늬 토기로, 평북 의주 미송리 동굴에서 많이 발견되었어요. 고조선의 대표적인 문화유산 중 하나예요.

바둑판식 고인돌과 탁자식 고인돌

▲ 바둑판식 고인돌　▲ 탁자식 고인돌

고인돌은 모양에 따라 바둑판식과 탁자식 등으로 구분해요. 바둑판식은 땅 밑에 무덤방을 만들고 4~5개의 받침돌을 올린 뒤 덮개돌을 올려 높이가 낮은 반면에, 탁자식은 4개의 받침돌을 세워 무덤방을 만든 뒤 덮개돌을 올려 비교적 높은 모습이에요.

기출선지 돋보기

• 범금 8조를 통해 사회 질서를 유지하였다. 54·50~45·43~40회

• 한 무제의 공격으로 멸망하였다.
　51·49·46회

철제 농기구

청동보다 단단한 철로 다양한 도구(칼, 창, 도끼, 낫 등)가 만들어져 널리 사용되었어요.

사출도

부여에 있던 4개의 행정 구역으로, 가축의 이름을 딴 마가(말), 우가(소), 저가(돼지), 구가(개)의 대가들이 각각 다스린 별도의 영역이에요.

서옥제

혼인을 약속하고 신부 집 뒤편에 신랑이 지낼 집(서옥)을 짓고 지내다가, 자녀를 낳아 성장하면 아내와 자녀를 데리고 신랑 집으로 돌아갔던 풍습이에요.

기출선지 돋보기

- [철기 시대] **철제 농기구**를 제작하여 사용하였다. 49·48·46·45회
- [부여] 여러 가(加)들이 별도로 **사출도**를 다스렸다. 55·50·46~42·40회
- [부여] 12월에 **영고**라는 제천 행사를 열었다. 52·50·48~45·43~41회
- [고구려] **서옥제**라는 혼인 풍습이 있었다. 55·54·47·46·44회

2 철기의 사용과 여러 나라의 성장

(1) 철기의 사용

① **시기**: 한반도와 주변 지역에서는 기원전 5세기경에 철기가 보급되었습니다.

② **용도**: 청동보다 단단한 철을 이용해 무기나 농사 도구 등을 만들어 사용하였습니다.

③ **영향**

　㉠ 철제 농기구의 사용으로 곡식의 수확량이 늘어나는 등 농업이 크게 발달하였습니다.

　㉡ 철제 무기의 사용으로 전쟁이 늘어나고, 보다 강력한 나라들이 등장하였습니다.

(2) 여러 나라의 성장

① **고조선 이후 등장한 여러 나라**

　㉠ 고조선이 멸망한 후 한반도와 그 주변 지역에서는 여러 나라가 등장하였습니다.

　㉡ 철기 문화를 바탕으로 한 부여, 고구려, 옥저, 동예, 삼한(마한, 진한, 변한) 등이 등장하여 서로 경쟁하였습니다.

▲ 고조선 이후 등장한 여러 나라

② **부여**

정치	왕은 중앙을 다스렸고, 왕 아래의 마가·우가·저가·구가의 대가들이 **사출도**를 다스렸음.
제천 행사	12월에 **영고**라고 불리는 제천 행사를 열었음.
풍습	흰옷을 즐겨 입었고, 순장의 풍습이 있었음.

　└ 왕이나 귀족 등이 죽었을 때 신하나 노비 등을 함께 묻었던 장례 풍습

③ **고구려**

정치	5개의 부족이 연합하여 성립되었으며, 나라의 중요한 일은 **제가 회의**를 통해 결정하였음.
제천 행사	10월에 **동맹**이라고 불리는 제천 행사를 열었음.
풍습	**서옥제**라는 혼인 풍습이 있었음.

　└ 고구려의 귀족(제가)들이 모여 국가의 중요한 일을 결정하였던 회의 기구

④ 옥저와 동예

구분	옥저	동예
정치	왕이 없었고, 읍군·삼로 등으로 불리는 군장이 나라를 다스렸음.	
경제	해안가에 자리하여 해산물이 풍부하였음.	특산물로 **단궁**(짧은 활), **과하마**(키가 작은 말), **반어피**(바다표범 가죽)가 유명하였음.
제천 행사	기록이 남아 있지 않음.	10월에 **무천**이라는 제천 행사를 열었음.
풍습	가족 공동 무덤, **민며느리제**의 풍습이 있음.	족외혼을 지켰고, **책화**의 풍습이 있었음.

└ 같은 부족끼리 결혼하는 것을 금지하고 다른 부족에서 배우자를 찾았던 풍습

옥저의 민며느리제

여자 나이 10살이 되기 전에 혼인을 약속한다. 신랑 집에서는 여자를 데려와서 기른다. 여자가 어른이 되면 친정으로 돌려보내고 신랑 집에서 돈을 낸 뒤 다시 데려온다.

⑤ 삼한(마한, 진한, 변한)
  ㉠ 성립: 한반도 남부 지방에서는 여러 소국들이 연합한 마한, 진한, 변한이 발전하였고 이들을 삼한이라 불렀습니다.
  ㉡ 정치(제정 분리): 신지·읍차 등으로 불리는 부족장이 있었고, 제사장인 **천군**이 있어서 신성 구역인 **소도**를 다스렸습니다. 소도는 정치 지배자도 함부로 드나들지 못하는 특수 구역이었습니다.
  └ 제사와 정치를 구분하였던 사회를 말함.
  ㉢ 경제: 벼농사가 발달하였고, 저수지를 축조하였습니다.
  ㉣ 제천 행사: 5월과 10월에 **계절제**를 열었습니다.
  ㉤ 변한의 철 생산: 낙동강 하류의 **변한** 지역에서는 **철**이 많이 생산되어 낙랑이나 왜(일본)에 철을 수출하였습니다.

2일

월

일

▌가족 공동 무덤

가족 구성원이 죽으면 시체를 임시로 묻었다가 나중에 온 가족의 뼈를 모아 커다란 목곽에 함께 모았던 풍습이에요.

▌민며느리제

신랑 집에서 장차 며느리가 될 여자아이를 데려다 키운 후 성인이 되면 신랑 쪽에서 신부 집에 대가를 치르고 정식으로 결혼하던 풍습이에요.

▌책화

다른 부족의 경계를 침범하면 노비나 소, 말 등으로 보상하였던 제도예요.

기출선지 돋보기

- [옥저] **가족의 유골을 한 목곽에 안치하**는 풍습이 있었다. 46·45회
- [옥저] 혼인 풍습으로 **민며느리제**가 있었다. 43·40회
- [동예] 10월에 **무천**이라는 제천 행사를 열었다. 46·44회
- [동예] 읍락 간의 경계를 중시한 **책화**가 있었다. 50·48·43~41회
- [삼한] **신지, 읍차** 등의 지배자가 있었다. 51·48·47·43·41회
- [삼한] 제사장인 **천군**과 신성 구역인 **소도**가 있었다. 50·42~40회

고조선과 여러 나라가 등장하다

고조선

단군왕검이 홍익인간의 정신으로 우리 역사상 최초의 국가인 고조선을 세웠어요. 위만이 고조선의 왕이 된 이후에는 철기 문화를 본격적으로 수용하였지요. 이후 고조선이 중계 무역의 이득을 독점하자 한나라가 고조선을 공격하여 멸망시켰어요.

여러 나라의 성장

부여에서는 왕 아래에 마가, 우가, 저가, 구가 등의 가들이 사출도를 다스렸어요.

옥저에는 여자아이를 미리 데려와 신부로 맞이하는 민며느리제가 있었어요.

동예에는 각 부족의 영역을 중시하는 '책화'라는 풍습이 있었어요.

기출키워드로 정리하기   비주얼씽킹 내용을 참고하여 아래 기출선지를 완성해 보세요.

| ㉠ 단군왕검 | ㉡ 민며느리제 | ㉢ 사출도 | ㉣ 책화 |

01 고조선은 (   )이/가 세운 우리 역사상 최초의 국가입니다.

02 부여에는 왕이 직접 다스리는 중앙 지역 외에 여러 가들이 다스리는 (   )이/가 있었습니다.

03 옥저에는 (   )(이)라는 혼인 풍습이 있었습니다.

04 동예에는 다른 부족의 영역을 침범하면 노비나 소, 말 등으로 갚게 하는 (   )(이)라는 풍습이 있었습니다.

정답 01 ㉠ 02 ㉢ 03 ㉡ 04 ㉣

기출 술술 하루마무리

교과 연계 초등 사회 5-2 1.1 나라의 등장과 발전

01

48회 2번

밑줄 그은 '이 나라'에 대한 설명으로 옳은 것은? [1점]

> 환웅과 웅녀 사이에서 태어난 단군왕검이 아사달에 도읍을 정하고 이 나라를 세웠다고 전해져요.

① 8조법으로 백성을 다스렸다.
② 영고라는 제천 행사를 열었다.
③ 지배자로 신지, 읍차 등이 있었다.
④ 읍락 간의 경계를 중시하는 책화가 있었다.

03

52회 2번

학생들이 공통으로 이야기하고 있는 나라를 지도에서 옳게 찾은 것은? [2점]

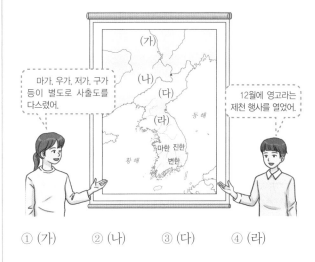

> 마가, 우가, 저가, 구가 등이 별도로 사출도를 다스렸어.

> 12월에 영고라는 제천 행사를 열었어.

① (가)　② (나)　③ (다)　④ (라)

교과 연계 초등 사회 5-2 1.1 나라의 등장과 발전

02

49회 2번

다음 퀴즈의 정답으로 옳은 것은? [2점]

> 1단계 청동기 문화를 바탕으로 성립하였다.
> 2단계 평양성을 도읍으로 삼았다.
> 3단계 범금 8조가 있었다.
> 4단계 한 무제의 공격으로 멸망하였다.

> 제시된 단계별 힌트를 종합하여 알 수 있는 국가는 어디일까요?

① 동예　② 부여　③ 고구려　④ 고조선

04

47회 3번

밑줄 그은 '이 나라'에 대한 설명으로 옳은 것은? [3점]

> 이것은 솟대 모형이야. 솟대는 이 나라의 소도에서 유래했다고도

> 이 나라에는 제사장인 천군도 있었어.

① 범금 8조로 백성을 다스렸다.
② 영고라는 제천 행사를 열었다.
③ 서옥제라는 혼인 풍습이 있었다.
④ 신지, 읍차 등의 지배자가 있었다.

우리는 영토를 크게 넓히고 전성기를 이끌었다!

근초고왕 광개토대왕 장수왕 진흥왕

3강 삼국의 건국과 발전

▶ 개념강의

고구려와 백제의 관계

초기의 백제는 고구려의 양식을 따라서 돌을 쌓아 올려 무덤을 만들었어요. 서울 석촌동에 있는 계단식 돌무지무덤은 고구려의 돌무지무덤과 유사해 백제의 지배층이 고구려에서 내려온 사람들이었다는 것을 알 수 있어요.

▲ 장군총(고구려)

▲ 서울 석촌동 고분군의 계단식 돌무지무덤(백제)

1 삼국과 가야의 건국 이야기

(1) 고구려의 건국 이야기

① 해모수와 유화 사이에서 알을 깨고 주몽이 태어났습니다.
② 주몽은 부여에서 내려와 졸본 지역에 자리를 잡고 **고구려**를 세웠습니다.

주몽 이야기

하늘에서 내려온 해모수와 하백의 딸 유화 사이에서 알을 깨고 남자아이가 태어났다. 어릴 때부터 활을 잘 쏘아 그를 주몽이라고 불렀다. 부여의 다른 왕자들이 주몽을 시기하여 죽이려고 하자, 주몽은 자신을 따르는 무리를 이끌고 남쪽으로 내려와 졸본에 고구려를 세웠다.

주몽

(2) 백제의 건국 이야기

① 주몽이 부여에 두고 온 아들 유리가 고구려로 오자 주몽의 다른 아들인 비류와 온조가 남쪽으로 내려왔습니다.
② 비류는 미추홀(인천 지역), **온조**는 **위례성**(한강 유역)에 각각 나라를 세웠습니다.
③ 비류가 세운 나라는 바닷가 지역이라 농사가 잘 되지 않아 멸망하였으며, 이후 온조가 세운 나라에 흡수되었습니다.

온조 이야기

유리가 주몽을 찾아와 후계자가 되자, 비류와 온조는 무리를 이끌고 남쪽으로 내려왔다. 비류는 미추홀에, 온조는 위례성에 자리를 잡았다. 비류가 죽고 나서 그의 백성들은 온조에게 왔고, 이후 나라가 커지자 이름을 백제라고 하였다.

고구려
미추홀 비류 온조 위례성

기출선지 돋보기

• [고구려] 주몽이 졸본 지역에서 건국하였다. 27회
• [백제] 하남 위례성에 도읍을 정하였다. 42회

(3) 신라의 건국 이야기

신라의 여섯 촌장들이 알에서 태어난 아이에게 **박혁거세**라는 이름을 지어 주고, 박혁거세를 왕으로 추대하였습니다.
└ 윗사람으로 떠받드는 것

┃ 박혁거세 이야기 ┃

신라(사로국)의 여섯 촌장들이 모여 남쪽을 바라보니, 우물 곁에 이상한 기운이 번개처럼 땅에 내려오더니 백마 한 마리가 꿇어앉아 절을 하는 모양을 하고 있었다. 그곳에 있던 붉은 알을 깨 보니 남자아이가 나왔다. 촌장들은 알의 모양이 박과 같으니 성을 '박'이라 하고, 세상을 밝게 한다는 뜻에서 '혁거세'라는 이름을 짓고, 신라의 첫 번째 왕으로 삼았다.

(4) 가야의 건국 이야기

① 마을 사람들이 '**구지가**'를 부르며 왕을 보내 달라고 기원하자 하늘에서 황금알 여섯 개가 들어 있는 금빛 상자가 내려왔습니다.
② 여섯 개의 황금알에서 남자아이들이 나왔는데, 가장 먼저 태어난 **김수로**가 **금관가야**의 왕이 되었습니다.

┃ 김수로 이야기 ┃

구지봉에서 이상한 소리가 들리자 마을 사람들이 그곳에 모였다. 하늘에서 "하늘이 나에게 명령하여 이곳에 나라를 새로 세우고 임금이 되라 하셨다. 너희들은 '거북아, 거북아 머리를 내어라. 머리를 내어놓지 않으면 구워 먹으리라.'라고 노래하며 춤을 추라. 그러면 곧 대왕을 맞이할 수 있을 것이다."라는 소리가 들렸다.

사람들은 그 말에 따라 함께 기뻐하며 노래하고 춤추었다. 이후 하늘에서 금빛 상자가 내려왔다. 상자에는 황금알 여섯 개가 있었는데, 얼마 뒤 여섯 명의 남자아이가 나왔다. 가장 먼저 태어난 아이가 김수로였다. 여섯 아이들은 자라서 각각 여섯 가야국의 임금이 되었다.

 꼬리에 꼬리를 무는 역사
삼국과 가야의 건국 이야기에는 어떤 의미가 담겨 있을까요?

건국 이야기에 따르면 고구려의 주몽, 신라의 박혁거세, 가야의 김수로 등은 모두 알에서 태어난 것으로 전해져요. 고대 사람들에게 새는 하늘과 지상을 오가며 하늘의 뜻을 전하는 특별한 존재였어요. 그러므로 새가 낳은 알에서 태어난 왕도 하늘과 인간 세계를 연결해 주는 특별한 존재가 되는 것이지요.

삼국과 가야의 왕들은 건국 이야기를 통해 일반 사람과는 다른 신성한 존재임을 내세웠으며, 특별한 존재인 자신을 따라야 함을 강조하였어요.

┃ 김해 수로왕릉

금관가야를 세운 김수로왕의 왕릉은 오늘날 경남 김해에 위치해 있어요.

기출선지 돋보기

• [금관가야] **구지가**가 나오는 건국 신화를 분석한다. 54회
• [금관가야] **김수로왕**의 건국 이야기가 삼국유사에 전해진다. 35회

▌중앙 집권 국가

중앙 집권 국가란 모든 힘이 중앙의 왕에게 집중되어 강한 왕권을 중심으로 나라를 통치하는 체제를 말해요. 삼국의 왕들은 왕권을 강화하였고, 영토를 확장하였으며, 율령을 반포하는 등 왕을 중심으로 통치 기반을 다지고, 불교를 받아들여 왕권을 뒷받침하도록 하였어요.

▌율령

율령이란 법체계를 말해요. 삼국은 왕을 중심으로 한 율령을 반포하여 통치 기반과 왕권을 강화하였어요.

▌호우명 그릇(청동 '광개토 대왕'명 호우)

밑바닥에 광개토 대왕의 왕호가 적혀 있는 청동 그릇으로, 신라의 도읍이었던 경주의 호우총에서 출토되었어요. 당시 고구려와 신라의 관계를 보여 주는 유물이에요.

기출선지 돋보기

- [고국천왕] 빈민 구제를 위해 **진대법을** 실시하였다. 50~48·44·41회
- [소수림왕] 고구려가 전진으로부터 **불교를** 수용하였다. 45·41회
- [소수림왕] **태학을** 설립하여 인재를 양성하였다. 49·47·43·41회
- [광개토 대왕] **영락이라는 연호를** 사용하였다. 50·47·46·43·42회
- [장수왕] 고구려가 **평양으로** 천도하였다. 49·47·45·41·40회

---

2 삼국과 가야의 발전

(1) 고구려의 성장과 발전

① 발전 과정: 2세기 태조왕 때 삼국 중 가장 먼저 국가의 기틀을 마련하였으며, 5세기 광개토 대왕과 장수왕 때 전성기를 맞이하였습니다.
→ 세력이 가장 크고 왕성한 시기

② 도읍의 이동: 졸본 → 국내성 → 평양성

③ 주요 왕들의 업적

유리왕	졸본에서 국내성으로 도읍을 옮겼음.
태조왕	중앙 집권 체제의 기틀을 마련하였음.
고국천왕	을파소의 건의를 받아들여 **진대법을** 실시하였음.
소수림왕	중국으로부터 **불교를** 수용하였고, 교육 기관인 **태학을** 설립하였으며, **율령을** 반포하였음.
광개토 대왕	• 동부여를 정복하고 요동 지역으로 진출하여 영토를 넓혔음. • 백제를 공격하여 한강 이북 지역을 차지하였음. • 신라를 도와 신라에 침입한 왜군을 격퇴하였고, 신라 및 가야에 영향력을 미쳤음. • '**영락**'이라는 독자적인 연호를 사용하였음.
장수왕	• 도읍을 **평양성**으로 옮기고 백제와 신라를 압박하였음 (남진 정책). → 신라와 백제가 동맹을 맺고 대항하였음 (나 · 제 동맹). • 백제의 한성을 함락하고 한강 유역을 모두 차지하였음. • 아버지 광개토 대왕의 업적을 나타내기 위해 광개토 대왕릉비를 만들었고, **한강** 유역을 차지하였음.

→ 해의 단위를 나타내기 위해 사용하는 이름

④ 고구려의 전성기 때 영토(5세기)

 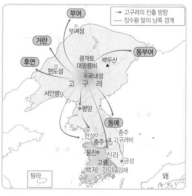 

범례: → 고구려의 진출 방향 / — 장수왕 말의 남쪽 경계

▲ 광개토 대왕릉비: 광개토 대왕의 정복 활동 등이 새겨져 있는 비석이에요.

▲ 5세기 고구려의 전성기(광개토 대왕 · 장수왕)

▲ 충주 고구려비: 장수왕이 한강 유역을 정복한 뒤 세운 것으로 추정되는 비석이에요.

⑤ 고구려의 특징

㉠ 가난한 백성들을 구제하기 위해 봄에 굶주린 백성에게 곡식을 빌려주었다가 가을에 추수할 때 돌려받는 진대법을 실시하였습니다.

㉡ 계루부를 비롯한 5개의 부족이 중심 세력이었으며, 귀족들은 **제가 회의를** 열어 나라의 중요한 일을 결정하였습니다.

(2) 백제의 성장과 발전

① 발전 과정: 3세기 고이왕 때 나라의 기틀을 마련하였고, 4세기 근초고왕 때 삼국 중 가장 먼저 전성기를 맞이하였습니다.

삼국 중 가장 먼저 전성기를 이루었지!!

② 도읍의 이동: 위례성(서울) → 웅진 (공주) → 사비(부여)

③ 주요 왕들의 업적

관리들이 입는 옷의 색깔을 의미함. 관리의 등급별로 옷의 색깔을 정해 위계질서를 정비하고자 하였음.

고이왕	관리들의 복색과 등급을 정비하였음.
근초고왕	• 남해안까지 영토를 넓혔음. • 고구려의 평양성을 공격하여 고국원왕을 전사시키고, 황해도 일부 지역을 차지하였음. • 중국, 일본 등 이웃 나라와 활발하게 교류하였음.
침류왕	중국으로부터 **불교**를 수용하였음.
무령왕	• 지방의 주요 지역에 설치된 **22담로**에 왕족을 파견하였음. • 중국 남조의 양나라와 교류하였음.
성왕	• 고구려의 침입으로 위기에 빠진 백제의 중흥을 위해 노력하였음. <u>쇠퇴하던 것을 다시 일어나게 함.</u> • 도읍을 웅진(공주)에서 **사비(부여)**로 옮기고, 나라 이름을 일시적으로 '**남부여**'로 고쳤음. • 신라와 동맹을 맺고 한강 하류 지역을 회복하였으나 신라 진흥왕의 배신으로 한강 유역을 다시 빼앗겼으며, 신라와 전투(관산성 전투)를 벌이다가 전사하였음.

④ 백제의 전성기 때 영토(4세기)

▲ 4세기 백제의 전성기(근초고왕)

⑤ 백제의 특징

ⓐ 부여씨와 8성의 귀족이 지배층의 중심이 되었습니다. 귀족들은 정사암이라는 바위에 모여 재상을 선출하고, 국가의 중요한 일을 결정하였습니다(**정사암 회의**).

ⓑ 지방의 주요 지역에 **담로**를 설치하고 왕족을 파견하여 다스렸습니다.

🏯 서울 풍납 토성

서울 송파구에 위치한 풍납 토성은 흙을 다져서 만든 토성이에요. 이곳이 백제의 첫 도읍이었던 위례성이었을 것으로 전해지고 있어요.

🏯 공주 공산성

백제는 고구려 장수왕의 공격으로 한성(위례성)을 잃고 웅진(공주)으로 도읍을 옮겼어요. 충남 공주에 있는 공산성은 웅진(공주)을 방어하기 위한 산성이었어요.

기출선지 돋보기

• [근초고왕] **평양성을 공격하여 고국원왕을 전사시켰다.** 41회
• [침류왕] **동진으로부터 불교를 수용하였다.** 43·42회
• [무령왕] **22담로에 왕족을 파견하였다.** 54·51~47·43~41회
• [성왕] 수도를 웅진에서 **사비**로 옮겼다. 50·46·43·41회
• [성왕] 백제가 국호를 **남부여**로 변경하였다. 50·45·43·42회
• **정사암**에서 국가의 중대사를 결정하였다. 52·44·42회

화랑도

신라의 청소년으로 이루어진 단체로, 화랑들은 몸과 마음을 수련하며 수많은 낭도를 이끌었어요. 화랑도는 이후에 신라가 삼국을 통일하는 데 큰 공을 세웠어요.

황룡사와 황룡사 9층 목탑(모형)

진흥왕은 황룡사를, 선덕 여왕은 황룡사의 중심에 9층 목탑을 만들었어요. 황룡사와 황룡사 9층 목탑은 모두 고려 시대에 몽골의 침입으로 불에 타 없어졌고, 지금은 그 터만 남아 있어요.

기출선지 돋보기

통일의 기반을 닦은 것이 이 몸이다!

- [지증왕] 이사부를 보내 우산국을 복속시켰다. 50·49·47~43·41·40회
- [법흥왕] 이차돈의 순교를 계기로 불교를 공인하였다. 51·44회
- [법흥왕] 신라가 금관가야를 병합하였다. 47·45·40회
- [진흥왕] 대가야를 정복하여 영토를 확대하였다. 47·45·43회
- [선덕 여왕] 황룡사 구층 목탑이 건립되었다. 52·40회

(3) 신라의 성장과 발전

① 발전 과정: 삼국 중 가장 늦은 4세기 내물왕 때 나라의 기틀을 마련하였고, 6세기 진흥왕 때 전성기를 맞이하였습니다.

② 주요 왕들의 업적

내물왕	• 나라의 기틀을 마련하였고, 김씨가 왕위를 세습하기 시작하였음. • '마립간'이라는 칭호를 사용하였고, 왜군이 쳐들어오자 고구려 광개토 대왕의 도움으로 왜군을 격퇴하였음.
지증왕	• '왕'이라는 칭호를 사용하였고, 나라 이름을 '신라'로 정하였음. • 농사를 짓는 데 소를 이용하기 시작하였음(우경 실시). • 이사부로 하여금 우산국(울릉도, 독도)을 정복하게 하였음.
법흥왕	• 불교를 공인하였고, 율령을 반포하였음. ─ 이차돈의 순교로 불교가 공인되었음. • 금관가야를 병합하였고, '건원'이라는 연호를 사용하였음.
진흥왕	• 화랑도를 국가 조직으로 정비하였음. • 대가야를 정복하였음. • 백제 성왕과 함께 고구려가 차지하였던 한강 상류 유역을 빼앗았고, 이후 백제까지 공격하여 한강 유역을 독차지하였음. • 4개의 진흥왕 순수비와 단양 신라 적성비를 세웠음. • 황룡사를 세웠으나 오늘날에는 남아 있지 않음. • 거칠부에게 역사서인 『국사』를 편찬하게 하였음.
선덕 여왕	• 여성으로서 처음으로 신라의 왕위에 올랐음. • 천문 관측을 위한 첨성대를 세웠음. • 황룡사 9층 목탑 등을 세웠으나 오늘날에는 남아 있지 않음.

③ 신라의 전성기 때 영토(6세기)

▲ 서울 북한산 신라 진흥왕 순수비: 진흥왕이 한강 유역을 정복하고 세운 비석이에요.

진흥왕이 영토를 넓히고, 그 지역을 살피며 세운 비석으로 서울 북한산 진흥왕 순수비, 창녕비, 황초령비, 마운령비가 있음.

▲ 6세기 신라의 전성기(진흥왕)

▲ 단양 신라 적성비: 적성 지역을 차지한 것을 기념하고 공을 세운 신하들의 공훈을 새긴 비석이에요.

④ 신라의 특징

㉠ 골품 제도라는 신분제에 따라 사회가 구성되었습니다.

㉡ 나라의 중요한 일은 귀족들의 회의 기구인 화백 회의를 통해 만장일치로 결정하였습니다.

(4) 가야의 성립과 발전

① **성립**: 낙동강 유역의 변한 지역에서 여러 개의 나라들이 모여 가야를 이루었습니다.

② **중심 세력의 변화**: 전기에는 **김해** 지역의 **금관가야**가, 후기에는 **고령** 지역의 **대가야**가 가야 연맹을 주도하였습니다.

③ 금관가야와 대가야

└→가야는 여러 나라가 연맹을 이룬
연맹 왕국의 형태였음.

금관가야	• 낙동강 하류 유역에 위치하여 해상 활동에 유리하였음. • 질 좋은 **철**이 많이 생산되어 **낙랑, 왜 등 주변 나라에 수출**하였음. • 고구려의 공격을 받아 세력이 약화되었음.
대가야	• 풍부한 농업 생산량을 바탕으로 성장하였음. • 질 좋은 철이 생산되었음. • 백제와 신라의 압력으로 세력이 위축되었음.

▲ 가야 연맹의 주도 세력 변화

④ 멸망

㉠ 고구려, 백제, 신라와는 달리 가야는 중앙 집권 국가로 발전하지 못하고 연맹 왕국 단계에서 멸망하였습니다.

㉡ 백제와 신라의 끊임없는 간섭과 압력 속에 금관가야는 신라의 법흥왕 때 병합되었고, 대가야는 신라 진흥왕의 공격으로 멸망하였습니다.

김해 대성동 고분군

금관가야의 지배층이 묻혀 있는 곳이에요. 이곳에서는 토기를 비롯한 금관가야의 다양한 유물이 출토되었어요.

기출선지 돋보기

우리에게는 우수한 철이 있지!

김수로왕

• [금관가야] 낙랑과 왜에 철을 수출했어요. 51·48~46회
• [금관가야] 법흥왕 때 신라에 복속되었다. 42회
• 대가야가 신라의 공격으로 멸망하였다. 47회

비주얼씽킹

삼국이 전성기를 이룩하다

고구려

고구려는 광개토 대왕과 장수왕 때 전성기를 이루었어요. 광개토 대왕은 주로 북쪽, 장수왕은 남쪽으로 영토를 넓혔지요.

백제

백제는 근초고왕 때 삼국 중 가장 먼저 전성기를 이루었어요. 성왕 때에는 수도를 사비(부여)로 옮겼어요.

신라

신라의 진흥왕은 한강 유역을 모두 차지하는 등 영토를 크게 넓히고 4개의 순수비와 단양 신라 적성비 등을 세웠어요.

가야

가야는 낙동강 유역에서 연맹 국가를 이루며 성장하였지만 주변 강대국인 백제와 신라의 압박을 받았어요.

기출키워드로 정리하기 비주얼씽킹 내용을 참고하여 아래 기출선지를 완성해 보세요.

> ㉠ 사비   ㉡ 장수왕   ㉢ 진흥왕

01 고구려 (   )은/는 수도를 평양으로 옮기고 남쪽으로 영토를 넓혔습니다.

02 백제 성왕은 수도를 웅진에서 (   )(으)로 옮겼습니다.

03 신라 (   )은/는 한강 유역을 모두 차지하고 신라의 전성기를 이끌었습니다.

정답 01 ㉡ 02 ㉠ 03 ㉢

3일
일
일

📖교과 연계 초등 사회 5-2 1.1 나라의 등장과 발전

01
47회 2번

(가)~(다)를 일어난 순서대로 옳게 나열한 것은? [2점]

고구려의 발전 과정

(가) 영락 연호 사용 / (나) 태학 설립 / (다) 평양 천도

① (가) – (나) – (다)   ② (가) – (다) – (나)
③ (나) – (가) – (다)   ④ (다) – (나) – (가)

02
50회 3번

학생들이 공통으로 이야기하고 있는 왕으로 옳은 것은? [2점]

사비로 도읍을 옮겼어.

남부여로 국호를 바꿨어.

신라와 연합하여 한강 하류 지역을 되찾았어.

① 성왕   ② 무열왕
③ 근초고왕   ④ 소수림왕

📖교과 연계 초등 사회 5-2 1.1 나라의 등장과 발전

03
51회 5번

밑줄 그은 '나'의 업적으로 옳은 것은? [2점]

나는 신라의 제23대 왕으로 병부를 설치하고, 율령을 반포하였소.

① 녹읍을 폐지하였다.
② 불교를 공인하였다.
③ 독서삼품과를 시행하였다.
④ 북한산에 순수비를 세웠다.

04
51회 3번

(가) 나라의 경제 상황에 대한 설명으로 옳은 것은? [2점]

초대합니다

창작 뮤지컬 '김수로왕과 허황옥'

알에서 태어나 ___(가)___ 을/를 건국하였다고 전해지는 김수로왕이 아유타국의 공주였던 허황옥을 만나 혼인하게 된 이야기를 한 편의 뮤지컬로 선보입니다. 많은 관람 바랍니다.

• 일시: 2021년 ○○월 ○○일 20:00
• 장소: 김해 대성동 고분군 앞 특설 무대

① 낙랑과 왜에 철을 수출하였다.
② 모내기법이 전국으로 확산하였다.
③ 물가 조절을 위해 상평창을 두었다.
④ 활구라고도 불린 은병을 제작하였다.

고대의 무덤을 살펴보면 삼국 문화의 특징을 엿볼 수 있어요.

장군총　무령왕릉　천마총

4강 삼국의 사회·문화·대외 교류

▶ 개념강의

개념강의

자료 콕콕 기출 노트

무용총 접객도

귀족

시중을 드는 사람

고구려의 무덤인 무용총 안에 그려져 있는 벽화예요. 고구려 사람들은 신분에 따라 사람의 크기를 다르게 그렸어요.
└ 건물이나 동굴, 무덤 등의 벽에 그린 그림

삼국 시대의 노비

삼국 시대에는 죄를 짓거나 전쟁에서 포로가 되면 노비가 되었어요.

기출선지 돋보기

• [고구려] 제가 회의에서 중요한 일을 결정하였다. 49회
• [백제] 정사암에 모여 국가 중대사를 결정하였다. 52·44·42회
• [신라] 화백 회의에서 국가의 중대사를 결정하였다. 55·46·45·42회

1 삼국 시대 사람들의 생활 모습

(1) 삼국 시대의 신분 제도

① 특징: 삼국 시대 사람들은 태어날 때부터 신분이 정해져 있었으며, 신분에 따라 하는 일, 사는 집, 입는 옷 등이 달랐습니다.

② 삼국 시대의 신분
　　　　　　　고구려의 제가 회의, 백제의 정사암 회의, 신라의 화백 회의 등

귀족	• 지배 계층으로 많은 토지와 노비를 소유하였음. • 귀족 회의에 참여하여 나라의 중요한 정책을 결정하였음.
평민	• 대부분 농업에 종사하였음. • 나라에 세금을 냈으며, 나라의 큰 공사에 동원되었음. • 전쟁이 일어나면 나가서 싸워야 했음.
노비	• 가장 낮은 신분으로, 주인이 사고파는 대상이었음. • 귀족의 토지를 대신 농사짓거나 주인이 시키는 일을 하였음.

꼬리에 꼬리를 무는 역사

신라의 신분 제도인 골품제에 대해 알아볼까요?

신라는 주변 지역을 정복하고, 정복한 지역의 지배자들을 세력에 따라 강한 세력과 약한 세력으로 구분 지어 신라의 지배층으로 편입하였어요. 그 과정에서 **골품제**가 만들어졌지요.

신라의 골품제는 주로 왕족이었던 성골과 진골, 그 아래에 귀족의 신분이었던 6두품~4두품, 그리고 거의 평민과 같은 신분이었던 3두품~1두품으로 이루어졌어요. 신분의 구분은 매우 엄격하였고, 골품에 따라 오를 수 있는 관직의 한계가 정해져 있었으며, 집의 크기, 옷의 색깔까지 구분되었어요.

(2) 삼국 시대 사람들의 의식주 생활 모습

① **의생활**: 귀족들은 베나 비단을 이용하여 화려한 옷을 지어 입었으며, 일반 백성들은 활동하기 편한 옷을 입었습니다.
② **식생활**: 철제 농기구와 소를 이용하여 농사를 지었고, 벼농사가 널리 이루어졌으며 귀족들은 쌀밥, 백성들은 잡곡밥을 먹었습니다.
③ **주생활**: 귀족들은 기와집에, 일반 백성들은 초가집에 살았습니다.

2 삼국 시대의 문화

(1) 삼국 시대의 종교

① 불교

전래	• 중국에서 전래되었으며, 왕실의 주도로 수용되었음. • 삼국의 불교는 **왕권 강화**에 기여하였음. • 고구려는 소수림왕, 백제는 침류왕 때 불교를 받아들였음. • 신라는 귀족들의 반대로 공인되지 못하다가 **법흥왕** 때 **이차돈**의 순교를 계기로 공인되었음. ┌─자기가 믿는 신앙을 위해 목숨을 바치는 일
불교 문화재	• 고구려: **금동 연가 7년명 여래 입상** 등 • 백제: 서산 용현리 마애여래 삼존상, 익산 미륵사지 석탑, 부여 정림사지 5층 석탑 등 • 신라: 경주 배동 석조 여래 삼존 입상, **경주 분황사 모전 석탑** 등

▲ **금동 연가 7년명 여래 입상(고구려)**: 고구려의 불상으로, 뒷면에 '연가 7년' 등의 글자가 새겨져 있어 만들어진 시기를 추정할 수 있어요.

▲ **부여 정림사지 5층 석탑(백제)**: 목탑 양식을 따르되, 보다 단순히 하여 만들어진 석탑이에요. 이후 당나라가 백제를 정벌한 사실을 탑에 기록하였어요.

▲ **경주 분황사 모전 석탑(신라)**: 돌을 벽돌 모양으로 다듬어 쌓아 올린 탑(모전 석탑)이에요. 현재 남아 있는 신라 석탑 중 가장 오래된 것이지요.

② 도교

┌─인간 세계를 떠나 자연과 벗하여 살며, 질병에 걸리거나 늙거나 죽지도 않는 신선의 존재를 믿고 신선이 되기를 바라는 사상

전래	신선 사상 등과 관련 있는 종교로, 일찍이 삼국에 전래되었음.
도교 관련 문화재	• 고구려: 강서대묘의 사신도 등 • 백제: **산수무늬 벽돌, 백제 금동 대향로** 등

종교 의식이나 제사 때 향을 피우는 도구 ┘

▲ **강서대묘 사신도 중 현무도(고구려)**: 사신도는 도교에서 동서남북 네 방위를 수호하는 신(동쪽은 청룡, 서쪽은 백호, 남쪽은 주작, 북쪽은 현무)을 그린 그림이에요. 현무도는 북쪽을 수호하는 상상의 동물인 현무를 나타낸 그림이지요.

▲ **산수무늬 벽돌(백제)**: 충남 부여에서 출토된 유물로, 신선 사상을 바탕으로 산과 구름, 나무 등을 표현하였어요.

▲ **백제 금동 대향로**: 불교를 상징하는 연꽃 위에 신선들의 세계가 묘사되어 있으며, 백제인의 뛰어난 공예 기술과 예술적 수준을 보여주어요.

🔖 **서산 용현리 마애여래 삼존상(백제)**

부처의 모습이 부드러운 미소를 띠고 있어 '백제의 미소'라고도 불려요.

🔖 **익산 미륵사지 석탑(백제)**

백제 무왕 때 만들어진 석탑이에요. 우리나라에 남아 있는 석탑 중 가장 오래되었으며, 목탑의 건축 양식을 그대로 따라 만들어졌어요.

기출선지 돋보기

• [금동 연가 7년명 여래 입상] 고구려에서 만들어진 것으로, **연호**가 새겨져 있는 점이 특징입니다. 20회
• [경주 분황사 모전 석탑] 돌을 벽돌 모양으로 다듬어 쌓아 올렸다. 49회
• [백제 금동 대향로] 부여 능산리 절터에서 출토된 이 유물은 **도교**와 **불교** 사상이 함께 반영된 백제의 뛰어난 문화유산으로 학계가 주목하고 있습니다. 41회

경주 첨성대(신라)

신라 선덕 여왕 때 하늘의 별, 해와 달의 모습 등을 관측하기 위해 만들어진 천문대예요.

칠지도(백제)

일곱 개의 가지가 달린 모양의 칼로, 근초고왕 시기에 백제가 왜에 전해 준 것으로 추정되고 있어요. 백제와 일본의 교류를 보여 주는 문화유산이에요.

기출선지 돋보기

- [고구려] 글과 활쏘기를 가르치는 **경당**을 두었다. 52·51·44·41회
- [신라] 거칠부가 **국사**를 편찬하였다. 44·43회
- [백제] 왜에 **칠지도**를 보냈다. 49회

---

(2) 삼국 시대의 학문과 과학 기술 발달

① 유학 교육

ㄱ 고구려: 유학 교육 기관인 **태학**(수도)과 **경당**(지방)을 설치하였습니다. → 소수림왕 때 설치되었음. → 글과 활쏘기를 가르쳤음.

ㄴ 백제: 유학 교육을 담당하는 오경박사를 두었습니다.

ㄷ 신라: 임신서기석이 발견되어 신라인들이 유학을 공부하였음을 알 수 있습니다. → 비석에는 신라의 두 청년이 함께 유학을 공부하겠다고 다짐하는 내용이 적혀 있음.

② 역사서의 편찬: 고구려에서는 영양왕 때 『신집』, 백제에서는 근초고왕 때 『서기』, 신라에서는 **진흥왕 때 『국사』**를 편찬하였습니다.

③ 천문학의 발달: 고구려의 고분 벽화에 천문도가 그려져 있으며, 신라 선덕 여왕 때 천문 현상을 관측하는 **첨성대**가 만들어졌습니다. → 별의 위치와 움직임을 나타낸 그림

④ 금속 기술의 발달: 백제의 **칠지도 · 백제 금동 대향로**, 신라의 금관 등을 통해 삼국 시대에 금속을 다룬 기술을 엿볼 수 있습니다.

(3) 삼국과 가야의 고분

① 삼국과 가야 고분의 특징

고구려	초기에는 돌을 쌓아 올린 **돌무지무덤**, 중기 이후에는 돌로 방을 만들고 그 위를 흙으로 덮은 **굴식 돌방무덤**을 만들었음.
백제	• 초기에는 고구려의 영향을 받아 **돌무지무덤**을 만들었으나, 도읍을 웅진(공주)으로 옮긴 이후에는 **굴식 돌방무덤**을 주로 만들었음. • 중국 남조의 영향을 받아 **벽돌무덤**을 만들기도 하였음.
신라	• 시신과 껴묻거리를 넣은 나무 덧널을 만들고 그 위에 돌을 쌓은 뒤 흙으로 덮은 **돌무지덧널무덤**을 만들었음. • 통일 이후에는 **굴식 돌방무덤**을 만들었음.
가야	산등성이에 무덤을 많이 만들었음.

※ 시신과 함께 묻는 물건

꼬리에 꼬리를 무는 역사

굴식 돌방무덤과 돌무지덧널무덤의 차이를 알아볼까요?

고구려에서 주로 만들어진 굴식 돌방무덤은 돌방 위에 흙을 덮어 만든 무덤으로, 내부의 유물들은 대부분 도굴당하였고, 돌방과 무덤 내부에 그린 벽화들만 남아 있어요. 백제도 고구려의 영향으로 굴식 돌방무덤을 만들었답니다.

반면 신라 사람들이 만든 돌무지덧널무덤은 독특한 구조로 도굴이 어려워서 많은 유물이 그대로 보존될 수 있었답니다.

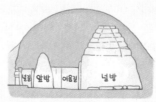

▲ 굴식 돌방무덤

▲ 돌무지덧널무덤

② 고구려의 고분

　　㉠ 종류: 장군총, 무용총, 각저총, 강서대묘, 안악 3호분 등
　　　　　　　　　　　　　　　　┌─ 굴식 돌방무덤

　　㉡ 특징: 다양한 **벽화**가 남아 있어 고구려 사람들의 생각과 의식주 생활 모습을 엿볼 수 있습니다(예 무용총의 수렵도와 무용도, 각저총의 씨름도, 강서대묘의 현무도, 안악 3호분의 행렬도).

▲ 장군총: 고구려의 대표적인 돌무지무덤이에요.

▲ 무용총 수렵도: 사냥을 하는 모습을 그린 벽화에요.

▲ 무용총 무용도: 무용하는 모습이 그려져 있는 벽화예요.

③ 백제의 고분

　　㉠ 종류: **서울 석촌동 고분**, **공주 무령왕릉**, 부여 능산리 고분군(부여 왕릉원) 등

　　㉡ 특징: 무덤에서 다양한 유물이 출토되어 백제의 발달된 문화를 엿볼 수 있습니다(예 무령왕릉 출토 유물: 금제 관식, 금 귀걸이, 금동 신발, 석수).
　　　　　　　　　　　　　　　└─ 금으로 만들어진 왕관 장식

▲ 서울 석촌동 고분: 서울에 있는 백제 초기의 무덤으로, 고구려의 양식을 따라 계단식 돌무지무덤으로 만들어졌어요.

▲ 공주 무령왕릉: 공주에 있는 백제 무령왕의 무덤으로, 중국 남조의 영향을 받아 내부를 벽돌로 쌓은 벽돌무덤이에요.

④ 신라의 고분

　　㉠ 종류: 금관총, **천마총**, **황남대총** 등

　　㉡ 특징: 신라의 돌무지덧널무덤은 도굴이 쉽지 않아 다양한 유물들이 출토되었습니다(예 금관, 금제 허리띠, 금제 관식, **천마도**).

▲ 경주 금관총 금관 및 금제 관식

▲ 경주 천마총 금제 관식

▲ 경주 천마총 장니 천마도: 말을 탄 사람에게 흙이 튀지 않도록 말안장 양쪽에 늘어뜨려 놓는 장니에 하늘을 나는 말 그림이 그려져 있어요.

■ **중국 지안의 고구려 유적지**

중국 지린성 지안에서는 고구려의 도읍이었던 국내성, 환도산성 등의 성곽과 장군총, 각저총, 무용총 등의 무덤을 살펴볼 수 있어요.

■ **공주 무령왕릉 출토 유물**

공주 무령왕릉은 백제 제25대 왕인 무령왕의 무덤으로, 지석이 출토되어 무덤의 주인공이 무령왕이라는 사실이 밝혀졌어요. 도굴되지 않고 껴묻거리가 온전히 남아 있어, 백제의 수준 높은 금은 세공품들이 발굴될 수 있었지요.

기출선지 돋보기

• [공주 무령왕릉] 이것은 **충청남도 공주**에 있는 **백제 왕의 무덤**입니다. 무덤 안에서 출토된 **묘지석**을 통해 누구의 무덤인지 알 수 있습니다. 26회

자료 콕콕 기출 노트

고령 지산동 고분군(대가야)

고령 지역에 위치하여 무덤 주인은 대가야의 왕과 귀족일 것으로 여겨지고 있어요. 철제 갑옷과 투구, 금동관 등이 발견되었어요.

⑤ 가야의 고분

⊙ 종류: 김해 수로왕릉, 김해 대성동 고분군, 고령 지산동 고분군 등

⊙ 특징: **철기 문화가** 발달하여 철로 만든 다양한 유물들과 토기 등이 출토되었습니다(예 철제 갑옷과 투구, 가야 금동관, 가야 토기).

┌ 금관가야(김해)

┌ 대가야(고령)

▲ 철제 갑옷과 투구　　▲ 가야 금동관

3 삼국 시대의 대외 교류

(1) 삼국 및 가야 문화의 일본 전파

고구려	• 승려 **담징**은 종이와 먹 만드는 방법을 전해 주었음. • 승려 **혜자**는 일본으로 건너가 쇼토쿠 태자의 스승이 되었음.
백제	• 근초고왕 때 **아직기**와 **왕인**은 천자문(한문)과 논어(유학)를 전해 주었음. • 성왕 때 **노리사치계**가 불경과 불상을 전해 주었음.
신라	배 만드는 방법, 연못을 만드는 방법, 도자기를 만드는 방법, 불상 등을 전해 주었음.
가야	철제 기술과 **토기 제작** 기술을 전해 주었음.

┌ 가야의 토기는 일본의 토기인 스에키에 영향을 주었음.

└ 백제는 삼국 중 일본과 가장 밀접한 관계를 맺었으며, 일본의 고대 문화에 가장 많은 영향을 주었음.

꼬리에 꼬리를 무는 역사

일본의 문화가 삼국의 영향을 받았음을 어떻게 알 수 있나요?

오늘날 일본에 남아 있는 유물과 유적을 살펴보면 일본의 문화가 삼국의 영향을 받았음을 알 수 있어요.

먼저 고구려의 수산리 고분 벽화와 일본의 다카마쓰 고분 벽화를 살펴보세요. 그림 속 사람들을 표현한 방법이 비슷한 것을 알아볼 수 있나요? 여성들이 입은 주름치마의 모양도 비슷하지요? 또한 일본의 목조 미륵보살 반가 사유상은 삼국 시대에 만들어진 금동 미륵보살 반가 사유상과 얼굴 모습과 자세, 손 모양까지 매우 닮아 있어요.

일본 호류사 금당 벽화(복원)

일본 호류사의 금당 벽화는 고구려의 승려 담징이 그렸다고 전해져요.

▲ 수산리 고분 벽화(고구려)

▲ 다카마쓰 고분 벽화(일본)

▲ 목조 미륵보살 반가 사유상(일본)과 금동 미륵보살 반가 사유상(삼국)

(2) 삼국 시대 중국 및 서역과의 교류

① 중국과의 교류: 고구려의 고분에는 중국 신화에 나오는 신이나 상상의 동물(예 사신도) 등이 그려져 있으며, 백제에서는 중국 남조의 영향으로 벽돌무덤(예 공주 무령왕릉)이 만들어졌습니다.

② 서역과의 교류

옛 중국의 서쪽에 있었던 여러 나라를 모두 이르는 말

⊙ 고구려 각저총의 벽화에는 매부리코에 눈이 부리부리한 **서역인**의 모습이 그려져 있습니다.

ⓒ 신라 고분에서 발견된 유리병 및 잔, 금제 장식 보검 등을 통해 신라가 서역과 활발히 교류하였음을 알 수 있습니다(예 황남대총의 유리병 및 잔, 경주 계림로 보검).

▲ 황남대총 유리병 및 잔, 경주 계림로 보검(신라): 서역에서 전해진 것으로 보이는 유물이에요.

각저총 씨름도(고구려)

고구려의 각저총에는 고구려인이 서역인과 씨름을 하는 모습이 그려져 있어 고구려가 서역과 교류하였음을 알 수 있어요.

삼국이 문화를 발전시키다

고구려의 문화유산

금동 연가 7년명 여래 입상은 불상 뒷면에 글귀가 새겨져 있어요. 강서대묘의 현무도는 도교 사상이 잘 드러나는 고구려의 고분 벽화예요.

백제의 문화유산

서산 용현리 마애여래 삼존상은 부드러운 미소를 지녀 '백제의 미소'라고 불려요. 백제 금동 대향로는 백제의 우수한 금속 공예 기술을 보여 주는 문화유산이에요.

신라의 문화유산

경주 분황사 모전 석탑은 선덕 여왕 때 돌을 벽돌 모양으로 다듬어 쌓은 석탑이에요. 선덕 여왕은 하늘의 별 등을 관측하기 위해 첨성대도 세웠어요.

기출키워드로 정리하기 비주얼씽킹 내용을 참고하여 아래 기출선지를 완성해 보세요.

> ㉠ 금동 연가 7년명 여래 입상 ㉡ 서산 용현리 마애여래 삼존상 ㉢ 첨성대

01 (   )은/는 불상 뒷면에 새겨진 글귀를 통해 고구려의 불상임이 밝혀졌습니다.

02 (   )은/는 백제의 미소라고 불립니다.

03 신라 선덕 여왕 때 별을 관측하기 위해 (   )을/를 만들었습니다.

정답 01 ㉠ 02 ㉡ 03 ㉢

01

51회 7번

(가)에 들어갈 제도로 옳은 것은?   [1점]

우리 신라에서는 (가) 때문에 큰 재주와 공이 있어도 진골이 아니면 승진에 제한이 있지 않은가?

그러게 말일세. 심지어 집의 크기도 제한하고 있지.

① 화랑도   ② 골품 제도
③ 화백 회의   ④ 상수리 제도

📖 교과 연계 초등 사회 5-2 1.1 나라의 등장과 발전

02

50회 4번

(가)에 들어갈 문화유산으로 옳은 것은?   [2점]

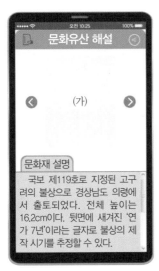

문화유산 해설

(가)

문화재 설명

국보 제119호로 지정된 고구려의 불상으로 경상남도 의령에서 출토되었다. 전체 높이는 16.2cm이다. 뒷면에 새겨진 '연가 7년'이라는 글자로 불상의 제작 시기를 추정할 수 있다.

①   ②

③   ④

📖 교과 연계 초등 사회 5-2 1.1 나라의 등장과 발전

03

48회 4번

(가) 국가에 대한 설명으로 옳은 것은?   [2점]

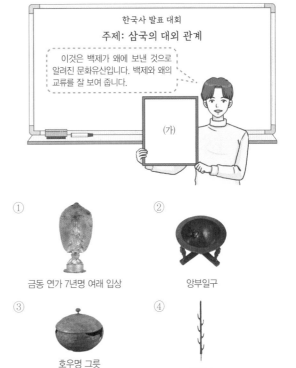

① 진대법을 시행하였다.
② 상수리 제도를 두었다.
③ 지방에 22담로를 설치하였다.
④ 골품제라는 신분 제도가 있었다.

04

51회 6번

(가)에 들어갈 문화유산으로 옳은 것은?   [2점]

한국사 발표 대회
주제: 삼국의 대외 관계

이것은 백제가 왜에 보낸 것으로 알려진 문화유산입니다. 백제와 왜의 교류를 잘 보여 줍니다.

(가)

①
금동 연가 7년명 여래 입상

②
앙부일구

③
호우명 그릇

④
칠지도

나는 당나라를 몰아내고 삼국을 통일하였다. 우리 민족을 하나로 만들기 위해 노력할 것이다.

5강 신라의 삼국 통일

▶ 개념강의

자료 콕콕 기출 노트

백암성

중국 랴오닝성에 위치한 고구려의 산성이에요. 고구려가 외적의 침입을 막아 내는 데 큰 역할을 하였어요.

안시성 싸움(민족 기록화)

당나라는 안시성 근처에 흙산을 쌓고 성 안쪽을 공격하였으나, 고구려 군은 흙산을 빼앗고 당나라 군을 물리쳤어요.

기출선지 돋보기

- 을지문덕이 살수에서 대승을 거두었다.
  47·46회
- 천리장성을 축조하여 당의 침략에 대비하였다. 50·48회
- 고구려가 안시성 전투에서 당의 군대를 물리쳤다. 47·45·43·41·40회

1 삼국 시대의 대외 관계

(1) 고구려와 수나라의 전쟁

① 배경: 수나라가 중국을 통일하고, 고구려를 위협하였습니다.
② 살수 대첩(612년): 수나라의 양제가 많은 군사를 거느리고 고구려를 침략하였으나, 고구려의 **을지문덕** 장군이 살수(청천강)에서 수나라 군대를 크게 무찔렀습니다.
③ 이후의 상황: 수나라가 멸망하게 되었습니다.

꼬리에 꼬리를 무는 역사

고구려의 을지문덕 장군은 수나라의 침입을 어떻게 물리쳤나요?

수나라의 양제는 우중문에게 30만 별동대를 주고 평양성을 공격하도록 하였어요. 을지문덕 장군은 항복하는 척 하며 상황을 살폈고, 수나라의 군인들이 많이 지쳐 있다는 것을 알게 되었어요. 이에 을지문덕 장군은 수나라 군대를 평양성 근처까지 유인했어요. 평양성에 다다른 수나라 군인들은 지치고 굶주린 상태였어요. 이때 을지문덕 장군이 우중문에게 시를 보내 돌아갈 것을 경고하였어요. 더 이상의 싸움이 어렵다고 판단한 우중문은 후퇴할 것을 결정하였지요. 돌아가던 수나라 군대가 살수(청천강)에 다다르자 을지문덕은 수나라의 군대를 크게 무찔렀어요.

> 신묘한 책략은 하늘의 이치를 다했고 오묘한 계책은 땅의 이치를 꿰뚫었노라. 전쟁에 이겨 이미 공이 높으니 만족함을 알고 그만두기를 바라노라.
> ー「삼국사기」ー

(2) 고구려와 당나라의 전쟁

① 배경: 수나라의 뒤를 이어 등장한 당나라가 고구려를 위협하였고, 고구려의 **연개소문**은 왕을 죽이고 정권을 독차지하였습니다.
② 안시성 싸움(645년): └ 당나라와 친선 관계를 유지하려던 영류왕을 내쫓고 새 왕(보장왕)을 세웠으며, 당나라에 강경한 정책을 펼쳤음.
  ㉠ 당나라의 태종이 군사를 이끌고 고구려에 쳐들어와 여러 성을 점령하고, 안시성을 공격하였습니다.
  ㉡ 안시성의 성주와 백성들은 힘을 합쳐 당나라 군대를 막아 냈습니다.
③ 이후의 상황: 고구려의 국력이 약해졌습니다.

(3) 삼국 통일 이전의 상황

① 당시의 상황: 고구려가 수·당과 전쟁을 벌이고 있을 무렵 신라는 백제 의자왕의 연이은 공격으로 대야성을 비롯한 많은 영토를 잃고, 위기를 맞았습니다.

② 신라와 당나라의 동맹(나·당 동맹) ── 둘 이상의 조직이 서로 힘을 합쳐 하나의 목적을 위해 행동하기로 맹세하여 맺는 약속

　㉠ 위기에 처한 신라는 **김춘추**를 보내 고구려에 동맹을 요청하였으나 **연개소문**의 반대로 실패하였습니다.

　㉡ 신라의 김춘추는 다시 당나라에 가서 도움을 요청하였고, 그 결과 신라와 당나라의 동맹이 이루어졌습니다.

③ 신라와 당나라의 목적

　㉠ 신라: 당나라의 도움을 받는 대신 대동강 이북의 고구려 땅을 당나라에게 양보하기로 약속하였습니다.

　㉡ 당나라: 고구려를 공격하기 위해 신라와 연합하였습니다.

2 신라의 삼국 통일

(1) 신라의 삼국 통일 과정

① 나·당 동맹 결성: 신라와 당나라가 연합하였습니다.

② 백제의 멸망(660년)

배경	잦은 전쟁으로 인해 백제의 국력이 약해졌음. → 신라와 당나라 연합군(나·당 연합군)이 백제를 공격하였음.
황산벌 전투 (660년)	• 백제의 **계백** 장군이 황산벌에서 5천의 군사를 이끌고 신라 김유신 장군의 5만 군대와 맞서 싸웠음. • 처음에는 백제가 승리하였으나, 관창 등 화랑의 활약으로 결국 신라가 승리하였음.
사비성 함락	나·당 연합군에 의해 백제의 도읍인 사비성이 함락되어 백제가 멸망하였음.

③ 고구려의 멸망(668년)

배경	수·당과의 전쟁으로 고구려의 국력이 약해졌고, 연개소문이 죽은 뒤 내부에서 권력 다툼이 일어났음.
평양성 함락	나·당 연합군의 공격으로 고구려의 도읍인 평양성이 함락되어 고구려가 멸망하였음.

📖 김춘추와 연개소문

김춘추는 고구려에 가서 백제가 신라를 위협하고 있으니, 군대를 파견하여 도와줄 것을 요청하였어요. 고구려의 연개소문은 죽령 이북 지역(한강 유역)이 원래 고구려 땅이니 그곳을 돌려주면 도와주겠다고 하였고, 김춘추가 이를 거절하였지요.

📖 김춘추(태종 무열왕)

당나라에 가서 나·당 동맹을 이끌어 냈고, 김유신과 함께 삼국 통일의 발판을 마련하였어요. 진덕 여왕이 죽고 왕위를 이을 사람이 없자, 김춘추는 귀족들의 추천으로 왕위에 올랐어요. 성골만 왕이 될 수 있었던 당시 신라에서 진골 출신으로 왕이 된 최초의 인물이지요.

📖 김유신

금관가야 왕족의 후손으로, 화랑 출신 장군이에요. 황산벌 전투에서 승리함으로써 백제를 멸망시키는 등 삼국 통일에 큰 공을 세웠지요.

기출선지 돋보기

• [신라] **김춘추**가 당과의 군사 동맹을 성사시켰다. 47·43회

• 황산벌에서 최후의 전투를 벌이는 **계백** 46회

• [백제, 고구려] **나·당 연합군**의 공격으로 **멸망**하였다. 41회

자료 콕콕 기출 노트

🔖 안승

고구려의 왕족으로, 고구려 부흥 운동을 벌였어요. 신라는 보덕국을 세워 안승을 왕으로 임명하였지요.

🔖 경주 문무 대왕릉(대왕암, 통일 신라)

당나라를 몰아내고 삼국 통일을 이룬 문무왕은 자신을 화장하여 동해에 묻으면 동해의 용이 되어 왜구를 막겠다는 유언을 남겼어요.
└─ 시체를 불에 태워 장사를 지내는 것

기출선지 돋보기

- 흑치상지가 백제 부흥 운동을 전개하였다. 47회
- 백제 부흥군이 백강 전투에서 패배하였다. 39회
- 안승을 왕으로 하는 보덕국이 세워졌다. 46회
- 매소성에서 당의 군대를 물리쳤다. 39회

꼬리에 꼬리를 무는 역사

백제와 고구려의 멸망 이후 유민들은 무엇을 하였나요?
└─ 망하여 없어진 나라의 백성

　백제 멸망 이후 백제의 유민들은 나라를 다시 일으키기 위해 힘을 모았어요. 도읍이었던 사비성 근처의 충청도 지방을 중심으로 백제 부흥 운동이 일어났지요. 대표적으로 임존성에서 **흑치상지**가, 주류성에서 **복신**과 **도침**이 백제 부흥군을 이끌었어요. 이후 백제 부흥군을 돕기 위해 합류한 왜(일본)의 군대가 **백강 전투**에서 나·당 연합군에게 패하면서 백제 부흥군도 진압되었고, 부흥 운동은 결국 실패하고 말았어요.

　고구려의 멸망 이후에도 고구려 부흥 운동이 일어났어요. 요동 지역의 오골성에서 **고연무**, 한성 지역의 **검모잠**과 **안승**이 대표적이었어요. 고구려의 부흥 운동은 내부의 분열로 실패하였고, 안승은 신라에 항복하였어요. 한편 신라는 당나라를 견제하기 위해 고구려 유민의 나라인 보덕국을 세우고 안승을 보덕국의 왕으로 임명하는 등 고구려의 부흥 운동을 지원하였어요. 고구려의 유민들은 이후 발해를 건국하여 고구려의 기상을 이어 갔답니다.

④ 신라와 당나라의 전쟁(나·당 전쟁)
　㉠ 원인: 백제와 고구려를 멸망시킨 후 당나라가 한반도 전체를 지배하려고 하였습니다.
　㉡ 전개: 신라의 문무왕은 백제와 고구려의 유민들과 함께 당나라와 전쟁을 벌였습니다.
　㉢ 신라와 백제, 고구려의 유민들은 **매소성과 기벌포 등지에서 승리**함으로써 당나라 군대를 물리쳤습니다.
└─ 매소성 전투(675년), 기벌포 전투(676년)

▲ 고구려·백제의 부흥 운동과 나·당 전쟁

⑤ 삼국 통일의 완성(676년): 신라의 문무왕은 대동강 이남 지역에서 당나라의 군대를 몰아내고 삼국 통일을 이룩하였습니다.

(2) 삼국 통일의 의의와 한계

① 의의: 고구려·백제·신라를 하나로 모아 민족 문화 발전의 토대를 마련하였습니다.
② 한계: 통일 과정에서 외세(당나라)를 이용하였고, 대동강 이북의 땅을 잃었다는 점에서 한계가 있습니다.
└─ 고구려의 북쪽 영토

3 삼국 통일 이후의 신라

(1) 통일 이후 신라의 정치와 경제

① 진골의 왕위 계승: 김유신의 도움으로 태종 무열왕(김춘추)이 즉위하였고, 이후 그의 직계 후손(진골)들이 왕위를 독점하였습니다.

② 통일 이후 주요 왕들의 업적

문무왕	**삼국 통일을 완성**하였고, 옛 고구려와 백제의 유민들을 통합하는 정책을 펼쳤음.
신문왕	• 귀족들의 반란(**김흠돌의 난**)을 진압하고 왕권을 강화하였음. • **관료전을 지급**하고, **녹읍을 폐지**하였음. • 지방 행정 구역을 **9주 5소경**으로 정비하였음. • 유학 교육 기관인 **국학**을 설치하였음. • 문무왕 때부터 짓기 시작한 감은사를 완성하였고, 감은사지 3층 석탑을 세웠음.

꼬리에 꼬리를 무는 역사

신문왕과 관련된 만파식적 이야기를 알아볼까요?

신문왕의 아버지인 문무왕은 동해의 용이 되어 왜구를 막겠다는 유언을 남기고 대왕암에 묻힌 인물로, 불교의 힘으로 왜의 침입을 막기 위해 동해안에 절을 짓기 시작했어요. 이후에 신문왕은 아버지를 위하여 절을 완공하고 감은사라는 이름을 붙였는데, 바다의 용이 드나들 수 있도록 건물 아래에 동쪽을 향해 구멍을 만들어 놓았다고 해요.

▲ 경주 감은사지 3층 석탑(통일 신라)

어느 날 신문왕은 동해 가운데 작은 산이 감은사 쪽으로 떠내려 온다는 이야기를 듣고, 그곳에 가서 문무왕과 김유신이 보냈다는 용을 만나게 돼요. 용은 낮에는 둘로 나뉘고 밤에는 하나로 합쳐지는 대나무를 주며 그것으로 피리를 만들면 천하가 태평해질 것이라고 하였어요. 신문왕은 이 대나무를 베어 **만파식적**이라는 피리를 만들었어요. 만파식적을 불면 적군이 물러나고 병이 나았으며, 가뭄이 들면 비가 오고, 장마 때는 날이 개었으며, 바람이 잠잠해지고, 파도가 잔잔해졌다고 해요.

③ 신라 촌락 문서(민정 문서)

만든 까닭	백성들로부터 세금을 정확하게 걷고 노동력을 동원하기 위해 만들었음.
내용	• 지방 촌주가 3년에 한 번씩 작성하였음. • 마을의 면적, 사람의 수, 논밭의 넓이, 뽕나무 및 가축의 수 등을 기록하였음.

└─→ 신라 때 마을을 다스리던 사람으로, 나라에서 그 지방의 힘 있는 사람을 촌주로 임명하였음.

🍃 녹읍과 관료전

녹읍과 관료전은 벼슬을 가진 귀족들에게 지급된 토지예요. 녹읍은 지급 받은 토지에 대한 수조권뿐만 아니라 그곳에 살고 있는 농민들의 노동력을 동원할 수 있었던 반면에 관료전은 수조권만 지급되어 귀족의 힘을 약화시켰지요.

세금을 거두어들일 수 있는 권리↙

🍃 신라 촌락 문서(민정 문서)

신라 촌락 문서는 서원경(오늘날 청주)에 속한 촌을 비롯한 4개 촌락의 경제 상황을 기록한 문서로, 일본에서 발견되었어요. 이를 통해 당시 사람들의 생활 모습을 엿볼 수 있지요. 오늘날에는 일본 도다이지(동대사)에 보관되어 있어요.

기출선지 돋보기

• [신문왕] 김흠돌의 난을 진압하였다.
47·45·43회

• [신문왕] 지방 행정 구역으로 **9주 5소경**을 두었다. 42·41회

• [신문왕] **관료전을 지급**하고 **녹읍을 폐지**하였다. 51·49·46회

• [신문왕] **국학을 설립**하였다. 49회

• [신라 촌락 문서] 서원경에 속한 촌을 비롯한 4개 촌락의 경제 상황이 기록되어 있어요. 51회

자료 콕콕 기출 노트

▮ 통일 신라의 9주 5소경

▮ 경주 원성왕릉 무인석

곱슬머리, 진한 눈썹 등을 통해 서역인의 모습을 살펴볼 수 있어요.

기출선지 돋보기

• [신문왕] 9주 5소경을 설치하였다.
55·49·45·43회

• 중앙군으로 9서당을 편성하였다.
50·44회

• [원성왕] 인재 선발을 목적으로 독서삼품과를 실시하였다. 51~49·47·45~40회

(2) 통일 이후 신라의 통치 체제 정비

① 중앙 제도의 정비: 중앙 정치는 왕의 명령을 받들어 집행하는 집사부(장관: 시중)를 중심으로 운영되었고, 귀족들의 회의 기구였던 화백 회의와 귀족들의 대표자였던 상대등의 기능은 축소되었습니다.

② 지방 제도의 정비: 전국을 9주로 나누고, 주요 지역에 5소경을 설치하여 도읍인 금성(경주)이 동남쪽에 치우쳐 있는 것을 보완하려고 하였습니다.

③ 군사 제도의 정비
 ㉠ 중앙군으로 9서당, 지방군으로 10정을 배치하였습니다.
 ㉡ 중앙군에는 신라인뿐만 아니라 옛 고구려인, 옛 백제인, 말갈인도 포함되어 민족을 통합하는 기능을 하였습니다.

④ 유교 정치 이념의 수용
 ㉠ 국학을 설립하여 유교 교육을 실시하였습니다.
 ㉡ 원성왕 때 독서삼품과를 시행하여 유교 경전에 대한 이해 수준에 따라 관리를 뽑고자 하였습니다. 그러나 귀족들의 반대로 성과를 얻지 못하였습니다.

(3) 통일 이후 신라의 대외 교류

① 여러 나라와의 교류

신라와 당나라	• 사신이 오갔고, 상인들의 무역이 활발하게 이루어졌음. • 중국의 산둥반도에 신라 사람들의 집단 거주지인 신라방 및 신라방을 관리하는 행정 기구인 신라소, 신라관(여관), 신라원(절) 등이 설치되었음.
신라와 발해	• 초기에는 적대적이었으나 점차 교류를 이어 갔음. • 신라도를 통해 교류하였음. ┌ 발해의 상경으로부터 신라로 통하는 교통로
신라와 서역	• 통일 신라의 최대 무역항인 울산항을 통해 아라비아 상인들이 오고 갔음. • 서역인의 모습이 나타난 경주 원성왕릉의 석상을 통해 신라가 서역과 교류하였음을 알 수 있음.

돌을 조각하여 만든 사람이나 동물의 모양

② 장보고의 활동
 ㉠ 당나라의 장군이었던 장보고는 신라로 돌아와 왕의 허락을 얻어 청해진을 설치하였습니다.
 ㉡ 해적을 무찔러 신라인의 해상 무역로를 보호하였고 당과 신라, 일본 사이에서 국제 무역을 주도하였습니다.

꼬리에 꼬리를 무는 역사

해상왕 장보고에 대해 더 알아볼까요?

당나라의 군인으로 머물던 장보고는 당나라에서 신라 사람들이 해적에게 잡혀 노비로 팔리는 것을 보고 신라로 돌아와 왕에게 건의하여 **완도**에 해상 무역 기지이자 군사 기지인 청해진을 설치하였어요. 이후 장보고는 청해진을 중심으로 해적을 무찌르고 신라 사람들의 해상 무역로를 보호하였어요.

장보고는 중국 산둥반도에 **법화원**이라는 절을 짓고 무역의 근거지로 삼았으며, 당나라와 신라, 일본과의 해상 무역을 주도하였어요. 신라 말, '해상왕'이라고 불리며 활약하였던 장보고는 이후 중앙 귀족의 왕위 다툼에 휘말려 암살당하였어요.

🔖 경주 동궁과 월지(통일 신라)

문무왕 때 만든 별궁과 인공 연못으로, 왕이 귀족들과 함께 잔치를 벌이던 곳이에요. 이곳에서는 귀족의 놀이 문화를 알 수 있는 나무 주사위와 초의 심지를 자르는 데 사용한 금동 초 심지 가위 등이 발견되었어요.

기출선지 돋보기

• [장보고] 청해진을 중심으로 해상 무역이 전개되었다. 52·48·46·41·40회

비주얼씽킹

신라, 삼국을 통일하다

1. 고구려와 수의 전쟁

고구려의 을지문덕 장군이 살수에서 수나라의 대군을 물리쳤어요.

2. 고구려와 당의 전쟁

고구려의 연개소문은 당나라에 강경하게 대응하였고, 고구려 사람들이 안시성에서 당의 대군을 물리쳤지요. 신라는 백제의 압박으로 고구려에 도움을 요청하였어요.

3. 신라와 당의 동맹

고구려와의 동맹에 실패한 신라는 당나라와 동맹을 맺고, 백제와 고구려를 차례로 멸망시켰어요.

4. 신라의 삼국 통일

신라는 매소성, 기벌포 전투에서 당나라 군대를 물리치고 삼국 통일을 완성하였어요.

기출키워드로 정리하기　비주얼씽킹 내용을 참고하여 아래 기출선지를 완성해 보세요.

> ㉠ 매소성　　㉡ 안시성　　㉢ 을지문덕

01 고구려 (　　　　)은/는 살수에서 수의 대군을 물리쳤습니다.

02 고구려는 (　　　　)에서 당나라의 대군을 물리쳤습니다.

03 신라는 (　　　　), 기벌포 등지에서 당나라 군대를 물리치고 삼국 통일을 완성하였습니다.

정답　01 ㉢　02 ㉡　03 ㉠

01
48회 6번

밑줄 그은 '이 전투'로 옳은 것은? [1점]

나는 이 전투에서 우문술, 우중문이 이끄는 수의 30만 대군을 격퇴하였소.

① 귀주 대첩
② 살수 대첩
③ 안시성 전투
④ 처인성 전투

02
49회 6번

(가)에 해당하는 인물로 옳은 것은? [2점]

모집

고연무 장군이 압록강을 넘어 오골성을 공격했다지.

고구려 부흥을 위해 우리도 힘을 보태세.

고구려 부흥군은 당신을 원하고 있다!

(가) 이/가 안승을 왕으로 세워 당에 대항한다네.

① 계백
② 검모잠
③ 김유신
④ 흑치상지

📖교과 연계 초등 사회 5-2 1.1 나라의 등장과 발전

03
54회 5번

다음 가상 일기의 밑줄 그은 '이 전투'로 옳은 것은? [2점]

676년 ○○월 ○○일
매소성 전투에서 승리한 우리 신라군이 설인귀가 이끄는 당군을 이 전투에서 또다시 격파하였다는 소식을 들었다. 수많은 사람의 희생 끝에 삼국 통일이 눈앞에 다가왔으니, 이제 백성들이 좀 더 편안하게 살 수 있는 세상이 되었으면 좋겠다.

① 살수 대첩
② 기벌포 전투
③ 안시성 전투
④ 황산벌 전투

04
49회 8번

(가)에 해당하는 인물로 옳은 것은? [1점]

저는 지금 완도 청해진 유적 상공에 있습니다. (가) 은/는 이곳을 거점으로 삼아 해적을 소탕하고 당, 일본과의 해상 무역을 주도하였습니다.

① 원효
② 설총
③ 장보고
④ 최치원

1. 우리 역사의 시작과 발전 **61**

고구려를 계승한 발해는 독자적인 문화를 발전시켰어요.

신라는 불교를 중심으로 문화를 꽃피웠어요.

6강 발해의 건국과 남북국의 문화

▶ 개념강의

📍 남북국 시대

남쪽에는 삼국을 통일한 신라가, 북쪽에는 발해가 자리 잡았던 시기를 남북국 시대라고 해요. '남북국'이라는 용어는 조선 후기 실학자인 유득공이 『발해고』라는 책에서 처음으로 사용하였어요.

📍 고구려를 계승한 발해

高麗 고려

▲ 일본에서 발견된 목간

일본은 발해에 사신을 보내면서 발해를 '고려(고구려)'라고 표현하였어요. 당시 발해의 주변 나라들이 발해를 고구려의 계승국으로 인정하고 있었음을 알 수 있지요.

기출선지 돋보기 🔍

• [무왕] 장문휴로 하여금 당의 등주를 공격하게 하였다. 51·46·41회

• 전성기에 해동성국이라 불렸다.
54·50·47·45·42·41회

1 발해의 정치와 문화

(1) 발해의 건국(698년)

① 고구려 멸망 이후의 상황: 당나라는 고구려 유민들을 당으로 끌고 가 직접 다스리려고 하였습니다.

② 건국: 고구려의 장수였던 대조영은 당나라의 혼란을 틈타 고구려 유민과 말갈족을 이끌고, 동모산 지역에 발해를 세웠습니다.

(2) 발해의 발전과 멸망

① 주요 왕들의 업적

무왕	• 당나라와 신라에 **적대적**이었으며, 일본과 교류하였음. • **장문휴를 보내 당나라의 산둥반도(등주)를 공격**하였음.
문왕	• 당나라와 **화친**하였으며, 일본 및 신라와도 교류하였음. • 도읍을 중경 → 상경 → 동경으로 옮겼음.
선왕	• 영토를 크게 넓혔고, 옛 고구려의 영토를 대부분 차지하였음. • 이후 당나라로부터 바다 동쪽의 번성한 나라라는 뜻에서 '**해동성국**'으로 불리며 전성기를 맞이하였음.

② 멸망(926년): 거란의 침략으로 멸망하였으며, 발해의 유민들 중 일부는 고려에 흡수되었습니다.

꼬리에 꼬리를 무는 역사

발해는 어느 나라를 계승하였나요?

발해는 고구려의 문화와 기상을 이어받은 나라예요. 발해와 일본이 주고받은 외교 문서를 살펴보면 관련 기록을 찾을 수 있지요.

발해의 왕은 일본에 국서를 보내 "우리는 옛 고구려의 땅을 회복하고 부여의 풍습을 가졌다."라고 밝혔으며, 스스로를 고려(고구려)의 왕이라고 칭하기도 하였어요. 발해 스스로가 **고구려를 계승한 나라**임을 알리고 있는 증거랍니다.

(3) 발해의 통치 체제 정비

중앙 정치 제도	• 당나라의 제도를 본받아 3성 6부를 운영하였으나, 명칭이나 기능면에서 독자적인 모습을 보였음. • 유학 교육 기관인 **주자감**을 설치하였음.
지방 제도	선왕 때 5경 15부 62주를 설치하였음.
군사 제도	중앙군으로 10위를 설치하였고, 지방군을 두었음.

> '충,인,의,지,예,신'이라는 6부를 두었음.

(4) 발해의 대외 교류

① 당나라: 무왕 때 산둥반도를 공격하는 등 대립하였으나 문왕 이후 관계를 개선하여 활발히 교류하였으며, 당나라의 문물을 받아들였습니다.

② 신라: 초기에 대립하였으나, 신라도 등을 통하여 교류가 이루어졌습니다.

> 발해에서 신라로 연결된 교통로

③ 일본 및 그 밖의 나라: 일본과 친선 관계를 맺었으며, 거란 및 중앙아시아의 여러 나라와도 교류하였습니다.

2 신라와 발해의 종교와 문화

(1) 신라의 유학과 과학 기술의 발달

① 6두품 출신의 대표적인 유학자

설총	원효의 아들로, 이두를 정리하였고 『화왕계』를 지었음.
최치원	시무 10여 조의 개혁안을 제시하였으나 진골 귀족의 반대로 받아들여지지 않았음.

> 우리말을 한자의 음과 뜻을 빌려서 적는 것

② 과학 기술의 발달: 『무구정광대다라니경』을 통해 신라의 발달된 목판 인쇄술 및 제지술을, 범종을 통해 금속 주조 기술을 엿볼 수 있습니다.

> 예 성덕 대왕 신종

최치원에 대해 더 알아볼까요?

> 당나라에서 외국인을 대상으로 하였던 과거 시험

▲ 최치원

최치원은 신라의 6두품 출신이에요. 당나라에 유학하던 중 18세에 빈공과에 합격해 벼슬을 하였고, 당나라에서 농민 봉기가 일어났을 때 '토황소격문'을 지어 이름이 널리 알려졌어요. 이후 신라로 돌아온 최치원은 신라 말 어지러운 나라의 상황을 알고, 개혁을 주장하며 진성 여왕에게 개혁안을 올리기도 하였어요. 하지만 6두품이라는 신분의 한계로 최치원의 의견은 받아들여지지 않았어요. 이것은 신라 사회의 한계로, 신라가 멸망하는 원인이 되기도 하였답니다.

발해의 영역

상경, 중경, 동경, 서경, 남경을 5경으로 하였고, 15부와 62주를 설치하였어요.

『무구정광대다라니경』(통일 신라)

경주 불국사 3층 석탑(석가탑)을 보수하는 과정에서 발견된 것으로, 세계에서 가장 오래된 목판 인쇄물로 알려져 있어요.

기출선지 돋보기

• [발해] 유학 교육 기관으로 **주자감**을 설립하였다. 42회
• [발해] 5경 15부 62주로 지방 행정 제도를 정비하였다. 52·42회
• [최치원] 진성 여왕에게 **시무책 10여 조**를 올렸다. 51회

자료 콕콕 기출 노트

원효와 의상

▲ 원효   ▲ 의상

(2) 신라의 불교문화

① 대표적인 승려

> 불교에서 말하는 이상 세계로, 괴로움이 없고 편안하며 자유로운 장소를 말함.

원효	• 6두품 출신으로, 어려운 불경 대신 '나무아미타불'만 외우면 누구나 극락정토에 갈 수 있다고 하였음. • 무애가를 지어 불렀음. • 『대승기신론소』, 『십문화쟁론』 등을 지었음. • 불교를 일반 백성들에게 전파하여 불교의 대중화에 기여하였음.
의상	• 진골 귀족 출신으로, 영주 부석사와 양양 낙산사 등 여러 절을 세웠음. • 신문왕 때 중국으로부터 화엄 사상을 들여왔고, 「화엄일승법계도」를 남겼음.
혜초	인도와 중앙아시아의 여러 나라를 방문하고 『왕오천축국전』이라는 기행문을 저술하였음.

② 불교 문화재
통일 신라 때에는 **불국사와 석굴암, 불국사 다보탑과 3층 석탑(석가탑), 감은사지 3층 석탑**, 성덕 대왕 신종, 법주사 쌍사자 석등, 『무구정광대다라니경』 등의 불교 문화재가 만들어졌습니다.

▲ 경주 불국사: '부처님의 나라'라는 뜻으로, 불국토를 지상 세계에 표현하였어요. 청운교와 백운교 등이 있어 돌을 다루는 신라인의 솜씨를 엿볼 수 있지요. 고대 한국 절의 특별한 사례로서 유네스코 세계 유산으로 지정되었어요.

▲ 경주 불국사의 석탑: 불국사 안에는 다보탑과 3층 석탑(석가탑)이 세워져 있어요.

▲ 경주 석굴암: 화강암으로 만들어진 석굴 안에 **본존불**을 중심으로 여러 조각상들이 배치되어 있어요. 건축 기술과 예술적 가치를 인정받아 유네스코 세계 유산으로 등재되었어요.

▲ 성덕 대왕 신종: '에밀레종'이라고도 불리며, 오늘날 우리나라에 남아 있는 종들 가운데 가장 큰 종으로 알려져 있어요.

▲ 보은 법주사 쌍사자 석등: 충북 보은에 위치한 통일 신라의 석등이에요.

기출선지 돋보기

- [원효] **무애가를 만들어 불교 대중화**에 힘썼다. 50·41회
- [원효] 모든 진리는 한마음에서 나온다는 **일심 사상**을 주장하였으며, **대승기신론소** 등을 저술하였다. 50·41회
- [혜초] **왕오천축국전**을 저술하다. 45·44·40회
- [경주 불국사 3층 석탑] 무구정광대다라니경이 발견되었습니다. 49·47회

(3) 발해의 문화

① 발해 문화의 특징

    ㉠ **고구려 문화를 바탕**으로 당나라와 말갈 등의 문화를 받아들여 독자적인 문화를 발전시켰습니다.

    ㉡ 불교를 믿는 사람들이 많았고, 불교문화가 발달하였습니다.

② 대표적인 문화재: 발해 석등, **돌사자상, 이불 병좌상**, 연꽃무늬 기와, 정효 공주 묘와 정혜 공주 묘, 온돌, 상경성의 주작대로 등

발해 석등

발해의 도읍이었던 상경의 절터에서 발견된 석등이에요. 발해의 대표적인 문화유산으로, 높이가 약 6m에 달하는 거대한 석등이에요.

▲ 돌사자상: 발해 문왕의 딸인 정혜 공주 묘에서 출토되었어요.

▲ 연꽃무늬 수막새: 불교를 상징하는 연꽃을 표현한 기와예요.

▲ 이불 병좌상: 두 불상이 나란히 앉아 있는 모습이에요.

꼬리에 꼬리를 무는 역사

유물과 유적을 통해 발해 문화의 특징을 살펴볼까요?

┌─ 기와 끝에 다는 장식물

연꽃무늬 수막새, 치미, 온돌, 정혜 공주 묘의 무덤 양식 등은 발해가 고구려 문화의 영향을 받았음을 알 수 있는 대표적인 유물과 유적이에요.

연꽃무늬 수막새와 치미, 온돌 유적은 고구려와 발해 유적에서 모두 발견되었는데, 특히 온돌은 중국과 다른 우리나라 고유의 난방 방식으로 고구려와 발해 문화의 유사성을 보여 주고 있어요. 또한 정혜 공주 묘는 고구려와 같은 굴식 돌방무덤으로 만들어졌고, 천장을 만든 방식(모줄임천장)이 고구려와 비슷해요.

한편 정효 공주 묘는 당나라의 영향을 받아 벽돌무덤으로 만들어졌지만, 천장 모양이 고구려와 비슷하게 만들어져 고구려와 당나라 문화의 흔적을 모두 엿볼 수 있어요.

▲ 고구려의 치미
▲ 발해의 치미

▲ 고구려의 온돌 유적
▲ 발해의 온돌 유적

정효 공주 묘

발해 문왕의 딸인 정효 공주의 묘에 남아 있는 벽화를 통해 발해 사람들의 생활 모습을 알 수 있어요.

비주얼씽킹

남북국 시대가 성립하다

발해의 건국과 발전

대조영은 고구려 유민과 말갈인을 이끌고 발해를 건국하였어요.

전성기인 선왕 시기에는 중국으로부터 해동성국이라고 불렸어요.

발해는 고구려를 계승한 국가임을 나타내었어요.

신라 말의 사회 모순

통일 신라의 승려

신라에는 골품제가 있어 능력이 뛰어나도 승진할 수 있는 관직에 한계가 있었어요.

원효는 일심 사상, 무애가 등을 통해 불교의 대중화에 힘썼으며, 의상은 신라에 화엄종을 들여오고 여러 절을 세웠어요.

기출키워드로 정리하기 | 비주얼씽킹 내용을 참고하여 아래 기출선지를 완성해 보세요.

| ㉠ 골품제 | ㉡ 대조영 | ㉢ 원효 | ㉣ 해동성국 |

01 ( )은/는 고구려 유민과 말갈인을 이끌고 동모산 부근에서 발해를 세웠습니다.

02 발해는 전성기에 중국으로부터 ( )(이)라고 불렸습니다.

03 신라에는 폐쇄적인 신분 제도인 ( )이/가 있었습니다.

04 신라의 ( )은/는 일심 사상을 주장하는 등 불교의 대중화를 위해 노력하였습니다.

㉣ 04 ㉡ 03 ㉣ 02 ㉡ 01 **정답**

📖교과 연계 초등 사회 5-2 1.1 나라의 등장과 발전

01
51회 10번

다음 다큐멘터리에서 볼 수 있는 장면으로 가장 적절한 것은? [2점]

★ 다큐멘터리 기획안 ★

해동성국이라 불렸던 ○○

1. 기획 의도: 대조영이 건국한 ○○의 발전 과정을 주변국과의 관계를 통해 살펴본다.
2. 장면
   #1. 상경 용천부에 도착한 일본 사신단

   ……

① 6진을 개척하는 김종서
② 처인성에서 싸우는 김윤후
③ 당의 등주를 공격하는 장문휴
④ 정족산성에서 교전하는 양헌수

02
50회 7번

(가) 인물에 대한 설명으로 옳은 것은? [2점]

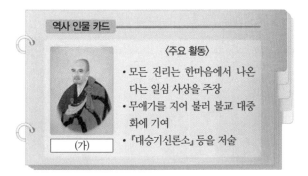

역사 인물 카드

〈주요 활동〉
• 모든 진리는 한마음에서 나온다는 일심 사상을 주장
• 무애가를 지어 불러 불교 대중화에 기여
• 「대승기신론소」 등을 저술

(가)

① 세속 5계를 지었다.
② 십문화쟁론을 저술하였다.
③ 수선사 결사를 제창하였다.
④ 영주 부석사를 건립하였다.

📖교과 연계 초등 사회 5-2 1.1 나라의 등장과 발전

03
51회 4번

(가)에 들어갈 문화유산으로 옳은 것은? [3점]

문화유산 카드

(가)

● 종목: 국보 제21호
● 소재지: 경상북도 경주시
● 소개: 2층 기단 위에 3층의 탑신을 세우고, 그 위에 상륜부를 조성한 통일 신라의 전형적인 석탑 양식을 보여 줌. 도굴로 손상된 탑을 보수하던 중 내부에서 무구정광대다라니경이 발견됨.

①
화엄사 사사자 삼층 석탑

②
정림사지 오층 석탑

③
감은사지 삼층 석탑

④
불국사 삼층 석탑

📖교과 연계 초등 사회 5-2 1.1 나라의 등장과 발전

04
54회 9번

밑줄 그은 '국가'에 대한 설명으로 옳은 것은? [1점]

① 수의 침략을 물리쳤다.
② 기인 제도를 실시하였다.
③ 독서삼품과를 시행하였다.
④ 해동성국이라고도 불렸다.

시험에 꼭! 나오는 [고분, 벽화, 비석] 내가 누구게?

청동기 시대

▲ 고인돌

청동기 시대 지배자의 무덤입니다. 전북 고창, 전남 화순, 인천 강화 지역의 고인돌은 유네스코 세계 유산으로 등재되었습니다.

고구려

▲ 장군총

돌을 쌓아 올려 만든 돌무지 무덤입니다. 고구려의 왕릉으로, 중국 지린성에 위치해 있습니다.

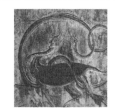

▲ 강서대묘 사신도(현무도)

고구려 강서대묘의 벽에 그려진 사신도 중 현무도입니다. 사신도는 동서남북을 지키는 네 가지 상징적인 동물로, 현무는 북쪽 방위신입니다.

▲ 서울 북한산 진흥왕 순수비

신라 진흥왕이 한강 유역을 차지한 후 서울 북한산에 세운 비석입니다. 조선 후기에 김정희가 진흥왕 순수비임을 밝혔습니다.

▲ 단양 신라 적성비

경상북도 단양군 적성면에 위치한 신라의 비석으로, 진흥왕이 한강 상류 지역을 차지하고 세웠습니다.

▲ 경주 천마총

경주 천마총은 천마도가 발견되어 이름 붙여진 신라의 무덤으로, 돌무지덧널무덤의 구조로 만들어졌습니다.

가야

▲ 김해 대성동 고분군

김수로왕이 건국하였다고 전해지는 금관가야의 고분군으로, 경남 김해에 위치해 있습니다. 갑옷과 투구 등 철기 제작 수준이 높았던 금관가야의 유물이 출토되었습니다.

▲ 고령 지산동 고분군

대가야의 고분군으로, 경북 고령에 위치해 있습니다. 금동관, 철제 갑옷과 투구 등 다양한 유물이 출토되었습니다.

통일 신라

▲ 무용총 수렵도

중국 지린성에 위치한 고분인 무용총에서 발견된 벽화입니다. 말을 타고 화살을 쏘거나 사냥을 하는 장면이 묘사되어 있어 고구려의 기상이 잘 나타나 있습니다.

▲ 광개토 대왕릉비

장수왕이 아버지 광개토 대왕의 업적을 나타내기 위해 세운 비석으로, 중국 지린성에 위치합니다. 광개토 대왕의 영토 확장과 신라에 침입한 왜군 격퇴 과정이 기록되어 있습니다.

▲ 충주 고구려비

고구려가 남한강 유역까지 진출하고 세운 비석입니다. 한반도에서 발견된 유일한 고구려 비석입니다.

백제

▲ 경주 황남대총

신라의 돌무지덧널무덤으로, 경주 시내의 고분군 중 가장 큰 규모입니다. 서역과의 교류를 알 수 있는 유리병, 유리잔 등이 출토되었습니다.

신라

▲ 공주 무령왕릉

충남 공주에 위치한 백제 무령왕의 무덤입니다. 중국 남조의 영향으로 내부를 벽돌로 쌓아 만들었으며, 무덤의 주인을 알 수 있는 묘지석이 발견되었습니다.

▲ 서울 석촌동 고분군

서울 석촌동에 위치한 백제 초기의 계단식 돌무지무덤입니다. 무덤의 양식이 고구려의 영향을 받은 것으로 보아 백제의 지배층이 고구려계 유이민임을 알 수 있습니다.

▲ 경주 문무 대왕릉

삼국 통일을 완성하였던 신라 문무왕의 바다 무덤으로, 대왕암이라고도 합니다. 문무왕은 용이 되어 나라를 지키기 위해 자신의 시신을 화장하고 동해에 묻도록 하였습니다.

▲ 경주 김유신묘

신라의 삼국 통일에 큰 공을 세운 김유신 장군의 묘입니다. 굴식 돌방무덤으로, 둘레돌에 12지신상을 새겼습니다.

발해

▲ 정효 공주 묘

발해 문왕의 딸인 정효 공주의 무덤입니다. 당나라의 무덤 양식과 고구려의 무덤 양식을 함께 살펴볼 수 있어 발해 문화의 특징을 알 수 있는 중요한 유적입니다.

고려 시대

918년
고려
건국

고구려를 계승해 나라
이름을 고려라 하겠소
왕건

993년
강동 6주
획득

서희

1170년
무신
정변

문신들을
전부 죽이자!
억
으악
문신 살려~ 그동안
차별해서 미안해.

1270년 ~ 1273년
삼별초의
항쟁

삼별초
이곳이 무너지면
제주도로 간다!
와
몽골
고려
와
진도

1356년
쌍성총관부
수복

쌍성총관부를 수복해
원나라에 빼앗긴
우리 땅을 되찾자!
원
빵
공민왕
쌍성총관부

후삼국을 통일하고 민족을 하나로 통합하였다. | 호족 세력을 누르고 왕권을 강화했지. | 유교 이념을 바탕으로 고려의 기틀을 다졌다.

태조 | 광종 | 성종

7강 고려의 건국과 발전

▶ 개념강의

자료 콕콕 기출 노트

후삼국의 성립

후고구려와 후백제가 세력을 넓히고, 신라의 영토가 경상도 일부 지역으로 줄어들었어요. 이 시기를 후삼국 시대라고 해요.

기출선지 돋보기

• 김헌창이 난을 일으켰다.
　　　　　　　　　　51·48·46·43·40회
• 원종과 애노가 봉기하였다. 55·47·44·43회
• 요즘에는 호족이 후원하는 선종이 유행한다네. 36회
• [후고구려] 궁예가 철원으로 천도하였다.
　　　　　　　　　　46회
• [후고구려] 마진이 국호를 태봉으로 변경하였다. 50·43·41회

---

1 신라 말의 상황과 후삼국의 성립

(1) 신라 말의 상황

① 지배층의 권력 다툼과 왕권의 약화 ┌ 김헌창의 난 등이 일어났음.
　㉠ 중앙 귀족들 간의 치열한 왕위 다툼으로 왕권이 약화되었습니다.
　㉡ 지방에 대한 중앙의 통제력이 약화되자, 나라의 재정이 어려워졌고, 농민들에게서 더 많은 세금을 거두었습니다.

② 농민 봉기: 농민들의 생활이 어려워지자 **원종과 애노의 난** 등의 농민 봉기가 곳곳에서 일어났습니다.

③ 새로운 세력의 성장

6두품	• 골품제로 인해 능력이 뛰어나도 높은 관직에 오를 수 없었기 때문에 주로 학문과 종교에서 활약하였음(예) 최치원, 원효, 설총). • 골품제에 불만을 품고 개혁을 요구하였으나 받아들여지지 않았음.
호족	• 신라 말기에 출현한 지방 세력으로 스스로 성주 또는 장군이라고 칭하였음(예) 궁예, 견훤, 왕건). • 독자적으로 군대를 거느리고 백성에게 세금을 거두는 등 지방을 실질적으로 다스렸음.

④ 새로운 사상의 유행
　㉠ 선종: 불교의 교리보다 실천을 통한 깨달음을 강조하였습니다.
　㉡ 풍수지리설: 땅의 생김새에 따라 인간의 길흉화복이 정해진다고 주장하였습니다. ┌ 좋은 일과 나쁜 일 등을 아울러서 이르는 말

(2) 후삼국의 성립

① 후백제의 건국(900년) ┌ 신라의 군인 출신이라고 전해짐.
　㉠ **견훤**이 완산주(전주)를 도읍으로 후백제를 세웠습니다.
　㉡ 충청도와 전라도의 옛 백제 땅을 대부분 차지하였습니다.

② 후고구려의 건국(901년) ┌ 신라의 왕족 출신이라고 전해짐.
　㉠ **궁예**가 송악(개성)을 도읍으로 후고구려를 세웠습니다.
　㉡ 이후 도읍을 철원으로 옮기고, 나라 이름을 태봉으로 고쳤습니다.
　㉢ 궁예는 스스로를 미륵불이라고 부르며 난폭한 정치를 하다가 민심을 잃고 왕건에 의해 왕위에서 쫓겨났습니다. ┌ 현실 세계에 나타나 중생을 구원한다고 알려진 부처

2 고려의 건국과 후삼국 통일

(1) 고려의 건국과 왕건의 정책

① 고려의 건국 과정

ㄱ 배경: **왕건**은 궁예의 부하로 전쟁에서 많은 공을 세웠으며, 궁예는 난폭하게 나라를 다스려 백성들과 호족들의 원망을 샀습니다.

ㄴ 고려 건국(918년): 왕건은 호족과 백성들의 지지를 얻어 궁예를 몰아내고 왕위에 올랐으며, 고구려를 계승한다는 의미로 나라 이름을 '고려'라고 하였습니다.

② 건국 초기 고려 태조(왕건)의 정책 ─── 왕건의 고향이자 고려의 도읍. 개경이라고도 함.

ㄱ 도읍을 철원에서 **송악(개성)**으로 옮겼습니다(919년).

ㄴ 군사들이 백성에게 피해를 주지 않도록 하였습니다.

ㄷ 후백제를 공격하는 동시에 신라와는 화친하는 정책을 펼쳤습니다.

(2) 고려의 후삼국 통일 과정과 의의

① 고려의 후삼국 통일 과정

후백제와 고려의 전투	• **공산 전투**(927년): 고려가 공산(대구)에서 후백제군에게 크게 패하였음. • **고창 전투**(930년): 고려가 고창(안동)에서 후백제군을 크게 물리쳤음. ┌ 오늘날 안동에서는 고창 전투에서 유래한 차전놀이 (동채싸움)가 전해져 내려오고 있음.
견훤의 귀순	견훤의 큰아들인 신검이 왕위를 차지하기 위해 견훤을 금산사에 가두고 스스로 왕이 되었음. → 견훤이 후백제를 탈출하여 고려에 투항하였음(935년).
신라의 항복	신라의 마지막 왕인 경순왕이 스스로 나라를 고려에 바치고 항복하였음(935년).
고려의 후삼국 통일	왕건이 신검의 후백제를 공격하여 승리하고(**일리천 전투**), 후백제를 멸망시키며 후삼국을 통일하였음(936년).

② 고려의 후삼국 통일의 의의

ㄱ 고려는 신라에서 소외되었던 지방 세력이 중심이 되어 세운 나라이기 때문에 지방 세력의 정치 참여가 확대되었습니다.

ㄴ 후백제와 신라를 통합하고, 발해 유민까지 받아들여서 실질적인 민족 통일을 이루었습니다.

▲ 고려의 후삼국 통일 과정

태조 왕건의 청동상

청동으로 태조 왕건의 모습을 표현하여 만든 청동상이에요. 청동상에서 태조 왕건은 황제가 쓰는 관을 쓰고 있어요. 이를 통해 고려가 황제 국가라는 것을 드러내고자 했음을 알 수 있어요.

김제 금산사(미륵전)

전북 김제의 금산사는 견훤이 갇혀 있던 곳이에요. 금산사 미륵전은 전쟁 때 불에 타 다시 지어진 것으로, 조선 후기의 건축물로 유명해요.

기출선지 돋보기

• 왕건이 **고창 전투**에서 승리하였다. 46회
• 고려에 항복하는 **경순왕** 47회
• 신검의 군대가 **일리천 전투**에서 패배하였다. 47회

자료 콕콕 기출 노트

사심관 제도와 기인 제도

- **사심관 제도**: 힘이 센 호족을 사심관으로 삼아 출신 지역을 관리하게 한 제도 예요.
- **기인 제도**: 유력한 지방 호족의 아들을 인질로 삼아 수도에 머물도록 한 제도 예요.

태조 왕건의 영토 확대

태조 왕건은 옛 고구려의 땅을 되찾기 위해 북진 정책을 추진하여 고려의 영토를 청천강에서 영흥 지방까지 확대하였어요.

기출선지 돋보기

- [태조] **기인 제도**를 처음 시행하여 지방 호족을 견제하였다. 47·44·42·41회
- [태조] 빈민 구제를 위해 **흑창**을 처음으로 설치하였다. 49·48·44·42·40회
- [태조] **훈요 10조**를 남겼다. 51·50회
- [광종] **노비안검법**이 시행되었다.
  55·51·49·46·45·43~40회
- [광종] **쌍기의 건의**를 받아들여 **과거제**를 실시하였다. 55·49·44·41·40회

---

3 고려의 발전

(1) 고려 초기의 기틀 마련

① 태조 왕건의 정책

호족 우대 및 견제	• 왕권의 안정을 위해 호족 세력과 혼인하였고, 호족에게 관직과 '왕'씨 성을 하사하는 등 호족을 우대하였음. • **사심관 제도, 기인 제도**를 통해 호족을 견제하려고 하였음.
민족 통합	신라와 후백제 출신 사람들뿐만 아니라 발해의 유민들도 적극적으로 받아들였음.
북진 정책	옛 고구려의 땅을 되찾기 위해 북쪽으로 영토를 넓혀 나갔고, 고구려의 도읍이었던 서경(평양)을 중시하였음.
민생 안정	• 백성의 생활을 안정시키기 위해 세금을 줄여 주었음. • 빈민 구제 기관인 **흑창**을 설치하였음.

훈요 10조

└─ 태조 왕건이 남긴 유언으로, 후대 왕들이 지킬 것을 당부하였음.

제1조 불교의 힘으로 나라를 세웠으니 불교를 장려할 것
제2조 모든 절은 풍수지리설에 따라 세우고 함부로 짓지 말 것
제3조 왕위는 맏아들이 계승하는 것을 원칙으로 하되, 맏아들이 현명하지 못하면 신하들이 추대하여 다른 아들이 계승하도록 할 것
제4조 우리나라는 사람과 땅이 중국과 다르니 중국의 제도를 억지로 따르지 말고, 거란의 제도를 본받지 말 것
제5조 옛 고구려의 수도인 서경(평양)을 중시할 것
제6조 불교 행사인 팔관회와 연등회를 성대히 할 것

② 광종의 정책

㉠ 목적: 호족 세력을 견제하고 왕권을 강화하기 위한 정책을 펼쳤습니다.

㉡ 주요 정책

노비안검법	호족의 힘을 약화시키기 위해 양인이었다가 억울하게 호족의 노비가 된 사람들을 조사하여 신분을 되찾아 주었음.
과거 제도	관직을 독차지하고 있는 호족들을 견제하기 위해 시험을 통해 유교 지식과 능력 있는 사람을 관리로 선발하였음.
연호 사용	'광덕', '준풍' 등의 독자적인 연호를 사용하였음.
공복 제정	관리의 복색을 관등에 따라 구분하였음.

쌍기의 건의로 실시하였음.

③ 성종의 정책

ㄱ **최승로의 시무 28조**를 받아들여 유교를 정치 이념으로 삼았습니다.

ㄴ 유교의 정치 원리를 바탕으로 고려의 정치 제도(**2성 6부제**)를 만들었고, 왕은 신하들과 의논을 충분히 거친 다음 나라의 일을 결정하였습니다.

ㄷ 지방을 통제하기 위해 **12목**에 **지방관**을 파견하였고, 유교 교육 기관인 국자감을 정비하였습니다.

▌ 시무 28조

'나라에서 실시해야 할 28가지 정책'이라는 뜻으로, 성종의 명에 따라 최승로가 올린 개혁안임.

제7조 지방의 호족들이 백성들을 괴롭히는 경우가 많으니 가까운 곳부터 관리를 파견하여 백성들을 보호해야 합니다.

제20조 불교를 믿는 것은 내세의 복을 구하는 일이고 유교를 행해 나라를 다스리는 것은 오늘의 급한 일입니다. 오늘은 아주 가깝고 내세는 지극히 먼 것이니 현재 필요한 것을 버리고 지극히 먼 내세에 힘쓰는 것은 옳은 일이 아닙니다.

(2) 고려의 통치 체제

① 중앙 정치 제도

ㄱ 2성 6부: **중서문하성**을 중심으로 상서성과 6부를 설치하였습니다.

ㄴ 회의 기구인 **도병마사**(군사와 국방 문제)와 식목도감(법 및 각종 시행 규칙 제정)을 설치하였습니다.

ㄷ 그 밖에 중추원(군사 기밀과 왕명 전달), **어사대**(관리들의 비리 감찰), 삼사(회계 담당) 등을 두었습니다.

② 지방 행정 제도

5도 양계	• 국경 지대에 양계(북계, 동계)를 설치하고 나머지 지역을 5도로 나누었음. • 각 도에는 안찰사를 파견하였고, 5도 아래의 일반 군현에는 수령을 파견하였음.
3경	개경과 서경(평양), 동경(경주)을 3경이라 하였음.
향, 소, 부곡	• 나라에 필요한 물품을 생산하기 위한 특수 행정 구역이었음. • 일반 군현 지역에 비해 차별을 받았음.

▲ 고려의 지방 행정 구역

▌ 고려의 중앙 정치 기구

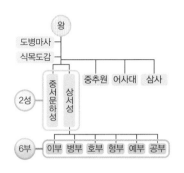

고려는 당나라의 3성 6부제의 영향을 받았지만, 실질적으로는 2성 6부제로 운영하였어요.

▌ 3경

처음에는 개경, 서경(평양), 동경(경주)을 3경이라 하였으나, 이후에는 남경(서울)을 동경 대신에 3경으로 불렀어요.

기출선지 돋보기

자네의 말대로 유교를 치국의 근본 이념으로 삼겠다.

성종   최승로

• [성종] 최승로가 **시무 28조**를 건의하였다. 45·40회

• [성종] **12목**을 설치하고 **지방관**을 파견하였다. 55·51~49·40회

• [어사대] 관리의 부정과 **비리를 감찰**하였다. 48·42회

• **향, 부곡, 소** 등의 특수 행정 구역이 있었어요. 43·42회

장양수 홍패

고려 시대에 장양수라는 사람이 받은 홍패예요. 홍패란 과거에 급제한 사람에게 주었던 일종의 증서예요.

③ **군사 제도**: 중앙에는 2군 6위를 설치하였고 5도에는 주현군을, 양계에는 주진군을 두었습니다.

④ **교육 제도**: 개경에는 최고 교육 기관인 **국자감**을, 지방에는 향교를 설치하였고, 주로 유학을 가르쳤습니다.

⑤ **관리 등용 방법**: 주로 **음서**와 **과거**로 관리를 선발하였습니다.

음서 제도	왕족의 후손, 나라에 큰 공을 세운 사람, 5품 이상 관리의 자손을 시험 없이 관직에 임명하는 제도
과거 제도 ┕ 무과는 거의 시행되지 않았음.	• 시험을 통해 관리를 뽑는 제도로 양인 이상이면 누구나 과거를 볼 수 있었음. • 종류: 제술과와 명경과를 통해 문관을 뽑는 문과, 기술관을 뽑는 잡과, 승려를 뽑는 승과가 있었음. • 실질적으로 문과는 귀족이나 향리의 자제들이, 잡과는 양인들이 주로 응시하였음.

⑥ **전시과 제도**

ㄱ 관리를 18등급으로 나누어 토지(전지와 시지)를 나누어 주던 제도입니다.

ㄴ 경종 때 처음으로 실시되었고, 이후에 여러 번 개정되었습니다.

꼬리에 꼬리를 무는 역사

고려의 토지 제도인 전시과에 대해 자세히 알아볼까요?

　고려의 왕들은 신하들에게 나라의 일을 한 대가로 토지를 주었어요. 토지를 주었다는 의미는 그 땅의 농민들에게서 세금을 거둘 수 있는 권리(수조권)를 주었다는 뜻이에요. 이때 토지를 누구에게 어떻게 줄 것인지를 정해 놓은 제도가 바로 전시과예요.

　전시과로 지급받은 토지는 자손에게 물려주지 않는 것이 원칙이었지만, 실제로 잘 지켜지지 않았기 때문에 시간이 흐를수록 나누어 줄 토지가 부족해졌어요. 그래서 경종 때 처음 실시된 전시과는 이후 여러 번 개정되어 토지를 지급받는 관리의 범위가 조절되었어요.

나랏일로 고생하고 있으니 이 땅에서 세금을 거두시오.

⑦ **백성들을 보호하는 시설**

의창(흑창)	흉년이 들어 백성들의 생활이 어려워지면 봄에 백성들에게 곡식을 빌려주었다가 가을에 거두어들인 빈민 구제 기구 ┕ 고구려의 진대법, 조선의 환곡과 비슷함. 태조 왕건 때 흑창이라고 하였다가 성종 때 의창으로 명칭을 바꾸었음.
상평창	• 물가를 조절하던 기관 • 풍년에는 곡식을 사들였다가 흉년에는 싼값으로 곡식을 팔았음.
혜민국	백성들의 질병을 치료해 주었던 기관

기출선지 돋보기

• 중앙군으로 **2군 6위**를 두었다. 42회
• [전시과] **전지**와 **시지**를 품계에 따라 지급하였다. 51·45회
• 물가 조절을 위해 **상평창**이 설치되었다. 51·46·45회
• 백성들에게 약을 제공하는 **혜민국**을 설치했어요. 45회

(3) 고려 사람들의 생활 모습

① 신분 제도: 고려 사람들은 태어날 때부터 신분이 정해져 있었습니다.

양인	귀족	고려의 지배층으로 높은 관직에 올라 나라의 중요한 일을 결정하였음.
	중류층	궁궐의 실무를 담당하는 하급 관리, 지방 행정을 도와주는 향리, 하급 군인이나 하급 장교, 기술관 등
	양민	• 대부분 농민으로 백성의 대부분을 차지하였음. • 나라에 세금을 냈으며 나라에서 하는 일에 동원되었음.
천민		가장 낮은 계층으로 노비, 광대, 뱃사공 등이 있었음.

└ 고려 시대에는 농민을 백정이라고 하였음.

② 고려 여성의 삶

㉠ 재산 상속에 있어서 아들과 딸이 똑같은 권리를 가졌습니다.

㉡ 족보에 아들과 딸을 구분하지 않고 태어난 순서에 따라 적었습니다.

㉢ 여성은 재혼을 할 수 있었고, 가정생활에서 남녀를 크게 차별하지 않았습니다.

고려 시대 귀족들의 생활 모습

▲ 아집도 대련(일부)

고려 시대 귀족들이 이상으로 삼은 생활 모습을 나타낸 그림이에요.

고려, 후삼국을 통일하다

궁예와 후고구려

후고구려를 세운 궁예는 미륵 신앙을 이용하여 강압적인 정치를 펼쳤어요.

고려의 건국과 후삼국 통일

왕건은 민심을 잃은 궁예를 몰아내고 고려를 건국하였어요. 이후 신라의 항복을 받고 후백제를 멸망시켜 후삼국을 통일하였지요.

광종의 업적

고려 광종은 실력 있는 사람을 뽑아 관리로 등용하고, 호족의 힘을 약화시키기 위해 과거제를 시행하였어요.

성종의 업적

고려 성종은 최승로의 시무 28조를 수용하여 유교를 국가의 통치 이념으로 삼았어요.

기출키워드로 정리하기 비주얼씽킹 내용을 참고하여 아래 기출선지를 완성해 보세요.

㉠ 과거제   ㉡ 시무 28조   ㉢ 왕건

01 (   )은/는 궁예를 몰아내고 고려를 건국하였으며, 후삼국을 통일하였습니다.

02 고려 광종은 쌍기의 건의를 받아들여 (   )을/를 실시하였습니다.

03 고려 성종 때 최승로가 (   )을/를 건의하였습니다.

정답 01 ㉢ 02 ㉠ 03 ㉡

📖 교과 연계 초등 사회 5-2 1.2 독창적 문화를 발전시킨 고려

01
54회 10번

(가)에 들어갈 내용으로 옳은 것은? [2점]

(앞면)   (뒷면)

• 상주 가은현에서 태어남
• (가)
• 공산 전투에서 고려에 승리함
• 아들 신검에 의해 금산사에 유폐됨
• 고려에 투항함

① 철원으로 천도함
② 후백제를 건국함
③ 훈요 10조를 남김
④ 경주의 사심관으로 임명됨

📖 교과 연계 초등 사회 5-2 1.2 독창적 문화를 발전시킨 고려

02
52회 10번

밑줄 그은 '나'에 대한 설명으로 옳은 것은? [2점]

나는 왕으로 즉위해 나라 이름을 고려라 정하였습니다. 이후 신라의 항복을 받고 후백제를 격파하여 후삼국을 통일하였습니다.

① 전국을 8도로 나누었다.
② 천리장성을 축조하였다.
③ 화통도감을 설치하였다.
④ 사심관 제도를 시행하였다.

03
51회 12번

(가)에 들어갈 내용으로 옳은 것은? [2점]

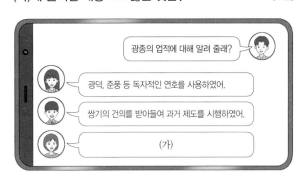

광종의 업적에 대해 알려 줄래?

광덕, 준풍 등 독자적인 연호를 사용하였어.

쌍기의 건의를 받아들여 과거 제도를 시행하였어.

(가)

① 훈요 10조를 남겼어.
② 교정도감을 설치하였어.
③ 노비안검법을 실시하였어.
④ 12목에 지방관을 파견하였어.

04
50회 15번

(가)에 들어갈 왕의 업적으로 옳은 것은? [2점]

학습 주제

(가), 고려의 통치 체제 마련

시무 28조 수용 | 국자감 정비 | 상평창 설치
경학박사 지방 파견 | 2성 6부제 마련

① 12목 설치
② 집현전 개편
③ 경국대전 편찬
④ 독서삼품과 실시

7일

월

일

8강 고려의 대외 관계와 무신 정권

▶ 개념강의

자료 콕콕 기출 노트

고려 전기의 대외 무역

개경 근처의 예성강 하구에 위치한 벽란도는 고려 무역의 중심지였어요.

1 고려 초기의 대외 관계와 무역

(1) 고려 초기의 대외 관계

① 송나라와의 관계

ㄱ 특징: 고려와 송나라는 건국 이래로 친선 관계를 유지하였습니다.

ㄴ 교류를 한 목적

고려	송나라를 통해 발달된 문화를 받아들이고자 함.
송나라	고려의 군사력을 통해 거란과 여진을 견제하고자 함.

② 거란과의 관계: 고려는 건국 초부터 북진 정책을 추진하여 거란과 사이가 좋지 않았고, 거란이 발해를 멸망시킨 후 거란을 더욱 적대하였습니다.

③ 여진과의 관계: 여진은 고려를 부모의 나라로 생각하고 말과 가죽 등의 토산물을 바쳤고, 고려는 식량이나 관직 등을 주었습니다.

(2) 고려의 무역

① 고려 무역의 중심지: 벽란도가 국제 무역항으로 발달하였습니다.

② 고려와 여러 나라의 무역

ㄱ 송나라와 가장 활발하게 무역을 하였고, 거란 및 여진과 교류하였습니다.

ㄴ 벽란도에는 송나라, 일본, 아라비아 상인들이 오고 갔으며, 아라비아 상인들에 의해 고려는 '코리아'라는 이름으로 외국에 알려지기 시작하였습니다.

┌ 조개껍데기 등을 박아 넣어 그릇이나
  가구의 표면을 장식한 것

구분	고려의 수출품	고려의 수입품
송나라	금, 은, 나전 칠기, 화문석, 인삼, 종이, 먹 등	서적, 비단, 약재, 악기 등
거란	농기구, 곡식, 문방구	은, 모피, 말
여진	농기구, 곡식, 포목	은, 모피, 말
일본	곡식, 인삼, 서적	유황, 수은
아라비아 상인	금, 은, 비단	수은, 향료, 산호

기출선지 🔍 돋보기

• [송과의 무역] 비단, 서적 등을 수입하고 종이, 인삼 등을 수출하였습니다. 35회
• 벽란도가 국제 무역항으로 번성하였다. 47·45·41회

(3) 고려의 화폐

① 고려의 다양한 화폐: **건원중보**(성종), 삼한통보 · **해동통보** · 은병
(숙종) 등이 만들어졌습니다.

② 화폐의 유통: 조정에서는 화폐의 사용을 늘리려고 하였지만, 백성
들은 화폐보다는 주로 쌀이나 옷감을 이용하여 거래를 하였습니다.

🔺 건원중보: 고려 시대 최초의 화폐로, 철이나 동으로 만들어졌어요.

🔺 해동통보: 고려 숙종 때 만들어진 금속 화폐 예요.

🔺 은병(활구): 우리나라의 지형을 본떠서 은으로 만든 호리병 모양의 화폐이며, 활구라고도 불렸어요.

💡 **공음전**

나라에서 5품 이상의 고위 관리들에게 나누어 준 토지로, 자식에게 물려줄 수 있었기 때문에 문벌의 경제적 기반이 되었어요.

8일

월

일

2 문벌 사회의 동요와 무신 정권

(1) 흔들리는 문벌 사회

① 고려 전기 문벌의 형성

　㉠ 문벌의 형성: 대대로 높은 관직을 독차지하였고, 왕실 또는 세력이 비슷한 가문들끼리 거듭된 혼인 관계를 맺어 문벌을 이루고 권력을 장악하였습니다(예 경원 이씨).

　㉡ 문벌의 특징: 음서 제도나 공음전 등의 특혜를 누렸습니다.

② 이자겸의 난(1126년)

배경	경원 이씨 집안은 왕실과의 거듭된 혼인으로 세력을 키워 왔는데, 특히 **이자겸**은 예종과 인종에게 딸들을 시집보내 최고의 권력자가 되었음.
전개	이자겸의 권력이 지나치게 커져 왕의 권력을 위협하자, 인종이 이자겸을 제거하려고 하였고, 이를 눈치 챈 이자겸이 반란을 일으켰으나 실패하였음.
영향	문벌 사회가 흔들리기 시작하였음.

③ 묘청의 서경 천도 운동(1135년)

배경	• 이자겸의 난으로 사회가 혼란스러워졌음. • 여진족이 세운 금나라와의 외교 문제가 발생하였음.
전개	묘청 등은 풍수지리설을 내세워 **서경(평양)**으로 천도할 것과 황제를 칭하고 연호를 사용할 것, 금나라를 정벌할 것을 왕에게 건의하였음. → **김부식** 등 개경을 기반으로 한 문벌의 반대로 서경 천도 운동이 실패하였음. → 묘청 등 서경 천도를 지지하는 세력들이 반란을 일으켰음(묘청의 난). → 김부식이 이끄는 관군에 의해 묘청 세력이 진압되었음.
영향	문벌 사회가 분열되었음.

┌ 도읍을 옮기는 것

🔍 **기출선지 돋보기**

• [성종] 건원중보를 발행하였다. 50·42회
• [숙종] 삼한통보와 해동통보를 주조하는 장인 39회
• [숙종] 활구라고도 불리는 은병이 제작되었다. 51·49·43회
• [묘청] 서경 천도 운동을 일으켰다.
　　　　　　　　　　　　　　　　44·42~40회
• [묘청] 칭제 건원과 금국 정벌을 주장하였다. 49·47·41회

▌교정도감

최씨 무신 정권 때 만들어진 정치 기구로, 국정을 총괄하는 역할을 하였어요.

(2) 무신 정권의 성립과 변천

① 배경: 무신에 대한 차별과 문신 위주의 정치로 무신들의 불만이 높았습니다.

② 무신 정변의 발생(1170년): 정중부 등의 무신들이 정변을 일으켜, 이후 100여 년 동안 무신들이 권력을 장악하였습니다.

꼬리에 꼬리를 무는 역사

무신 정변은 왜 일어나게 되었을까요?

┌ 무관을 뽑는 과거 시험

고려 시대에는 무과가 거의 실시되지 않았고, 하급 군인에게 주어지던 토지도 제대로 지급되지 않았어요. 또한 무신들은 관직의 승진에 제한이 있었고, 군대의 최고 지휘권도 문신에게 있었기 때문에 전쟁 경험이 많은 무신들도 문신의 명령을 받아야 했어요. 북방 민족을 물리친 서희와 강감찬, 윤관 모두 과거를 통해 벼슬을 시작한 문신들이었답니다. 고려의 무신 차별은 오래전부터 계속되었고, 무신들의 불만이 컸어요. ┌ 주로 손을 써서 상대를 공격하였던 전통 무술

그러던 중 의종이 무신들에게 오병수박희라는 무예 시합을 하도록 했어요. 이때 칠순이 넘은 대장군 이소응이 시합에서 빠지려고 하자 젊은 문신 한뢰가 이소응의 뺨을 때린 사건이 벌어져요. 이 일은 무신들이 참았던 불만을 터뜨리는 계기가 되었어요.

그날 밤 정중부, 이의방 등의 무신들은 문신들을 죽이고 의종을 몰아낸 후 새 왕을 왕위에 올리고, 정권을 장악하였지요.

문신들을 전부 죽이자!

문신 살려~ 그동안 차별해서 미안해.

③ 무신 정권

㉠ 무신 정권의 성립과 변천: 정중부, 경대승, 이의민(성립기) → 최씨 무신 정권(최충헌, 최우, 최항, 최의) → 김준, 임연, 임유무(쇠퇴기)

㉡ 무신 간의 권력 다툼: 권력을 차지하기 위한 무신 간의 싸움이 이어지면서 최고 권력자가 계속 바뀌었고 나라의 정치가 크게 어지러웠습니다.

㉢ 무신들의 횡포: 무신들은 불법적으로 백성들의 토지를 빼앗고, 세금을 함부로 거두어들였습니다.

㉣ 최씨 무신 정권

최충헌	• 최충헌이 최고 권력자가 된 이후 약 60년 동안 최씨 무신 정권이 이어졌음. • 교정도감을 설치하여 국가의 중요 정책을 결정하였음.
최우	• 정방을 설치하여 관리의 인사권을 장악하였음. • 군사 기반으로 사병 부대인 삼별초를 조직하였음.

기출선지 돋보기

덜

덜

• 최충헌이 교정도감을 설치하였다.

51·50·40회

• [최우] 정방을 설치하고 인사권을 행사하였다. 48·40회

	1170										1270
최고 권력자의 변화	이의방	정중부	경대승	이의민	최충헌	최우	최항	최의	김준	임연 임유무	
최고 권력 기구의 변천	중방			교정도감		교정도감, 정방					

▲ 무신 정권 시기 최고 권력자와 최고 권력 기구의 변천
└▸ 무신들의 회의 기구로 무신 정권 초기에 최고 권력 기구였음.

④ 농민과 하층민의 봉기
┌▸ 고려 시대의 특수 행정 구역

ⓐ **망이·망소이의 난**: 공주 명학소의 망이와 망소이는 '소'에 대한 차별에 반대하며 반란을 일으켰습니다.

ⓑ **만적의 난**: 노비 신분의 만적은 신분 차별을 없앨 것을 주장하며 개경에서 반란을 일으키려 하였습니다.

ⓒ **김사미·효심의 난**: 김사미와 효심은 신라 부흥을 외치며 반란을 일으켰습니다.

▲ 고려 무신 정권 시기 하층민의 봉기

꼬리에 꼬리를 무는 역사

시기별로 고려를 지배하였던 지배층을 살펴볼까요?

고려 건국의 중심 세력이었던 호족은 나라의 기틀이 잡히면서 문벌이 되어 고려의 지배층을 이루었어요. 이자겸과 김부식이 대표적인 문벌이지요. 그러던 중 무신 정변이 일어났고, 약 100여 년간 무신들이 권력을 차지하였는데, 정중부와 이의민, 최충헌 등이 대표적이었어요. 무신 정권은 13세기에 몽골이 침입하면서 흔들리게 되었고, 고려 왕실이 몽골(훗날 원나라)과 강화를 맺은 이후 완전히 세력을 잃게 되지요.
└▸ 최우가 권력을 잡은 시기에 침입하였음.

고려가 원나라의 간섭을 받게 되면서 기철 등 권문세족이 새로운 지배층이 되었어요. 권문세족들은 원나라를 가까이하는 친원적 성향을 나타냈고, 주로 음서 제도를 통해 관직을 얻었으며, 대농장을 경영하는 등 백성들을 수탈하였지요. 이러한 고려 사회의 폐단을 없애기 위해 신진 사대부가 등장하였어요. 정몽주, 정도전 등의 신진 사대부는 성리학을 배우고 과거를 통해 관직에 진출하였고, 고려 말의 개혁과 조선의 건국을 이끌었답니다.

호족 → 문벌(이자겸) → 무신(최충헌) → 권문세족(기철) → 신진 사대부(정도전)

▌무신 정권 시기 농민과 하층민의 봉기

무신 정권 시기 집권자가 계속 바뀌면서 중앙 정부의 지방 통제력이 약화되었어요. 지배층의 수탈도 심해져서 하층민의 고통은 더욱 커졌지요. 또한 천민 출신의 무신이 집권자가 되는 경우도 있어 하층민의 신분 상승 욕구를 자극하여 곳곳에서 봉기가 일어났어요.

▌망이·망소이 기념탑

무신 정권 시기에 봉기를 일으켰던 망이·망소이의 기념탑은 공주 명학소가 있던 곳으로 추정되는 대전에 위치해 있어요.

기출선지 돋보기

• **만적**이 개경에서 반란을 도모하였다.
　　　　　　　　　　　　　55·46·41회

• **김사미와 효심의 난**이 일어났다. 44회

• [신진 사대부] **성리학**을 이념적 기반으로 삼았다. 28회

비주얼씽킹

문벌 사회가 흔들리고 무신 정변이 일어나다

고려의 대외 무역

벽란도

개경 근처 예성강 하구의 벽란도에는 송나라와 아라비아의 상인이 드나들며 무역을 하였어요.

이자겸의 난

대표적인 문벌로 막강한 권력을 가진 이자겸이 자신의 권력을 믿고 반란을 일으켰어요.

묘청의 서경 천도 운동

어림도 없지!

서경으로 가야 한다고!

김부식   묘청

묘청 등 서경 세력은 서경(평양)으로 천도할 것과 금나라를 정벌할 것 등을 주장하였으나 개경 세력의 반대로 뜻을 이루지 못하였어요.

무신 정변

덜 덜..

확! 그냥~

무신에 대한 차별 대우에 반발하여 무신들이 정변을 일으키고 권력을 장악하였어요.

기출키워드로 정리하기   비주얼씽킹 내용을 참고하여 아래 기출선지를 완성해 보세요.

㉠ 묘청	㉡ 무신 정변	㉢ 벽란도	㉣ 이자겸

01 고려 시대에는 (　　　　)이/가 국제 무역항으로 번성하였습니다.

02 인종이 (　　　　)을/를 제거하여 왕권을 강화시키려 하자, 그가 반란을 일으켰습니다.

03 (　　　　) 등은 풍수지리설을 내세워 서경으로 천도할 것을 주장하였습니다.

04 고려 시대에 무신에 대한 차별이 원인이 되어 (　　　　)이/가 일어났습니다.

정답   01 ㉢   02 ㉣   03 ㉠   04 ㉡

01
50회 14번

다음 상황을 볼 수 있었던 국가의 경제 정책에 대한 설명으로 옳은 것은? [2점]

① 건원중보를 발행하였다.
② 신해통공을 단행하였다.
③ 연분 9등법을 시행하였다.
④ 관수 관급제를 실시하였다.

03
48회 14번

(가) 시기에 있었던 사실로 옳은 것은? [3점]

 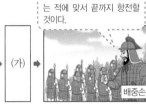

① 김헌창이 난을 일으켰다.
② 최우가 정방을 설치하였다.
③ 묘청이 금 정벌을 주장하였다.
④ 서희가 강동 6주를 획득하였다.

02
54회 12번

다음 가상 인터뷰에 나타난 사건으로 옳은 것은? [2점]

① 묘청의 난   ② 김흠돌의 난
③ 홍경래의 난   ④ 원종과 애노의 난

9강 북방 민족의 침입과 고려의 극복

▶ 개념강의

자료 콕콕 기출 노트

▌고려의 강동 6주

서희의 담판으로 고려는 압록강 유역의 여진족을 몰아내고 강동 6주를 얻어 영토를 넓혔어요.

1 거란 침입의 격퇴와 여진 정벌

(1) 거란의 침입과 격퇴

① 거란의 1차 침입과 서희의 외교 담판(993년)

배경	거란은 송나라와의 관계를 끊을 것과 고려가 차지한 옛 고구려 땅을 내놓을 것을 요구하며 고려를 침입하였음.
서희의 외교 담판	고려의 서희가 거란 장수 소손녕과 담판을 벌여 거란과 교류할 것을 약속하고, 거란군이 스스로 물러나도록 하였음.
결과	압록강 유역의 여진족을 몰아내고 강동 6주를 얻어 고려의 영토가 압록강 부근까지 넓어졌음.

▌서희의 담판

② 거란의 2차 침입과 양규의 활약
  ㉠ 배경: 고려가 거란과의 약속을 어기고 송나라와의 관계를 계속 이어 나가자 거란이 다시 고려를 침입하였습니다.
  ㉡ 양규의 활약: 거란의 침입으로 개경이 함락되기도 하였지만, 양규가 이끄는 고려군에게 큰 피해를 입고 돌아갔습니다.

③ 거란의 3차 침입과 강감찬의 귀주 대첩

배경	거란은 강동 6주를 돌려 달라고 요구하며 고려를 침입하였음.
귀주 대첩 (1019년)	거란이 대군을 이끌고 쳐들어왔지만, 강감찬이 이끄는 고려군이 귀주에서 거란군을 크게 무찔렀음.

④ 이후의 상황: 거란을 물리친 고려는 북방 민족의 침입을 막기 위하여 개경에 나성을 쌓고, 국경 지역에 <u>천리장성</u>을 쌓았습니다.
└ 압록강 하구 ~ 동해안

기출선지 돋보기

- [거란의 1차 침입] 서희가 외교 담판으로 강동 6주를 확보하였다. 50·48·44~42회
- [거란의 3차 침입] 강감찬이 귀주에서 거란군을 물리쳤다. 50·45·43회
- 거란의 침입을 막기 위하여 천리장성을 축조하였다. 49·48·43회

(2) 여진의 위협과 윤관의 여진 정벌

① 여진의 성장: 여진이 세력을 키우고 고려 국경을 위협하였습니다.

② 윤관의 여진 정벌(1107년)과 동북 9성의 축조

    ㉠ **윤관**은 기병 중심의 여진족에 맞서기 위해 **별무반**이라는 특수 부대를 조직하여 여진을 정벌하였습니다.

    ㉡ 여진을 몰아내고 **동북 9성**을 쌓았으나 이후 여진의 계속된 침입에 방어가 어렵게 되자 조공을 약속받고 동북 9성을 돌려주었습니다.

③ 이후의 상황: 여진족이 금나라를 세우고 고려를 위협하였습니다.
> 금나라가 고려에 군신 관계를 요구하자 당시 집권자 이자겸이 정권 유지를 위해 금나라의 요구를 받아들였음.

2 몽골의 침략과 삼별초의 항쟁

(1) 몽골의 침략과 대몽 항쟁

① 몽골 침략 당시의 상황: 칭기스칸이 몽골족을 통일하고, 아시아 대부분을 점령하는 등 세계적인 대제국을 건설하였습니다.

② 몽골의 침략과 고려의 대응

1차 침입	• 몽골의 침입(1231년): 고려에 왔다가 돌아가던 몽골 사신(저고여)이 살해당한 일을 구실로 몽골이 고려에 쳐들어왔음. • 고려군(박서)과 백성들은 귀주성에서 몽골군의 공격을 막아 내었음. • 이듬해 무신 정권은 도읍을 강화도로 옮기고 몽골에 항쟁하였음.
2차 침입	• 승려 **김윤후**가 **처인성**에서 백성들과 함께 몽골군을 물리쳤음(처인성 전투). • 대구 부인사에 보관되어 있던 초조대장경판이 불에 탐.
3차 침입	• 부처의 힘으로 몽골군을 물리치기 위해 **팔만대장경판**을 만들기 시작함. • 몽골군이 경주까지 쳐들어와 **황룡사 9층 목탑**이 불에 탐.

> 육지와 가까우면서도 해안의 지형이 험해 바다 싸움에 약했던 몽골에 항쟁하기 유리한 지역이었음.

> 부처의 힘으로 거란의 침입을 막기 위해 만든 대장경

꼬리에 꼬리를 무는 역사

몽골의 침략 때 김윤후의 활약을 알아볼까요?

김윤후는 고려 시대의 승려 출신 장수예요. 몽골이 쳐들어왔을 때 1232년 처인성(2차 침입)에서, 1253년 충주성(5차 침입)에서 큰 승리를 거두었어요. 특히 충주성 전투 때 김윤후는 사람들에게 먹을 것을 나누어 주고 노비 문서를 태우면서 "공을 세우면 귀천을 가리지 않고 벼슬을 내릴 것이다."라고 하며 사기를 끌어올렸고, 사람들은 죽음을 무릅쓰고 싸워 충주성에서 몽골군을 물리칠 수 있었어요.
> 신분의 귀하고 천함

> 힘을 다해 몽골군과 싸우자! 공을 세우면 귀하고 천함을 가리지 않고 벼슬을 내릴 것이다.

윤관

여진이 국경을 위협하자 왕에게 건의하여 신기군(기병), 신보군(보병), 항마군(승려 부대)으로 편성된 별무반을 조직하고 여진을 정벌하였어요.

9일

일

일

척경입비도

고려가 여진족을 물리친 뒤 국경을 표시하는 비석을 세우고 있는 모습을 그린 조선 후기 그림이에요.

처인성 전투(민족 기록화)

오늘날 경기 용인 지역인 처인성에서 김윤후가 활을 쏘아 몽골 장군 살리타를 사살하였고, 처인 부곡민들은 몽골군을 크게 물리쳤어요.

기출선지 돋보기

• 윤관의 건의로 **별무반**을 편성하였다.
> 51·49·48·42·40회

• **동북 9성**을 축조하였다.
> 55·50~47·45·43~40회

• 김윤후가 **처인성**에서 몽골군을 물리쳤다. 51·50·45·43·42회

• [몽골의 침입] **황룡사 구층 목탑**이 소실되었다. 48·41회

삼별초

무신 정권의 최고 권력자였던 최우가 도적을 잡기 위해 설치한 야별초(좌별초, 우별초)와 이후 몽골에서 탈출한 포로들을 모아 조직한 신의군을 합쳐 삼별초라고 하였어요. 원래 최씨 무신 정권의 사병(개인 부대)이었지만 몽골의 침입 때 정규 군대로 편성되어 몽골에 항쟁하였지요.

③ **전쟁의 피해**: 국토가 황폐해졌고, 많은 사람이 죽거나 포로로 끌려갔으며 문화유산이 불에 타는 피해를 입었습니다.

④ **몽골과의 강화 체결과 개경 환도**: 고려 정부는 몽골과 강화를 맺고, 40여 년간의 항쟁을 마치고 개경으로 돌아왔습니다.
└ 전쟁 등으로 수도를 옮겼다가 다시 옛 수도로 돌아오는 것

(2) 삼별초의 항쟁

① **배경**: 배중손 등이 이끈 **삼별초**는 고려 왕실의 개경 환도와 해산 명령을 거부하고 몽골과 계속 항쟁하였습니다.

② **근거지의 이동**: 강화도 · 진도(**배중손** 지휘), 제주도(김통정 지휘)로 근거지를 옮기며 고려 조정과 몽골에 끝까지 항쟁하였습니다.

③ **결과**: 고려와 몽골의 연합군에 의해 진압되었습니다.

▲ 삼별초의 이동

제주 항파두리 항몽 유적지

강화도에서 진도(용장산성)를 거쳐 제주도로 옮겨 간 삼별초는 제주 항파두성에서 몽골에 대항하여 끝까지 싸웠어요.

3 원 간섭기와 공민왕의 개혁
└ 중국 본토를 중심으로 유럽과 아시아에 걸친 거대한 지역을 지배한 몽골족의 나라

(1) 원 간섭기의 고려

① **원나라의 내정 간섭과 수탈**

내정 간섭	• 고려의 왕자들은 원나라에서 성장한 뒤 원나라의 공주와 결혼하고, 고려로 돌아와 왕위를 이었음. • 고려 왕들의 이름 앞에 '충성할 충(忠)' 자를 붙이게 하였으며(예 충렬왕, 충선왕, 충목왕 등), 왕실을 지칭하는 이름을 낮추어 부르도록 하였음. • 정동행성을 설치하여 고려의 내정을 간섭하였음. • 쌍성총관부, 동녕부, 탐라총관부를 설치하여 고려의 영토 일부를 직접 다스리고자 하였음.
수탈	• 공녀와 환관을 요구하였음. • 금, 은, 매, 인삼 등의 물자를 빼앗아 갔음.

└ 일본을 정벌하기 위해 설치하였으나 원정이 실패한 이후에도 고려에 남아 고려의 내정을 간섭하였음.

② **권문세족의 성장**: 원나라와 친밀한 관계가 있는 사람들이 권문세족으로 성장하여 권력을 장악하였습니다(예 기철).
└ 공녀 출신으로 원나라의 황후가 되었던 기황후의 오빠

③ **몽골풍과 고려양**: 원나라와 고려 사이에 문화 교류가 활발해지며 서로의 문화가 유행하였습니다.

▲ 변발과 족두리 · 연지

　ㄱ **몽골풍**: 원나라의 영향으로 고려에 유행하던 몽골식 풍습입니다(예 변발, 족두리와 연지, 호복).

　ㄴ **고려양**: 몽골에서 유행한 고려의 문화를 말합니다.

기출선지 돋보기

• 배중손이 삼별초를 이끌고 몽골군과 싸웠다. 54회
• 정동행성이 설치되었다. 49·43·42회
• 지배층을 중심으로 변발과 호복이 유행했어요. 51·46회

(2) 공민왕의 개혁

① 배경: 홍건적의 난 등으로 원나라의 힘이 약화되었습니다. ┌─ 원나라 말에 일어난 한족 반란군으로, 머리에 붉은 두건을 써서 홍건적이라고 불렀음.

② 목적: **공민왕**은 원나라의 간섭에서 벗어나고, 왕권을 강화하기 위하여 개혁 정책을 추진하였습니다.

③ 반원 자주 정책

    ㉠ 기철 등의 친원 세력을 제거하고 내정 간섭 기구였던 정동행성 이문소를 없앴습니다. ┌─ 정동행성의 부속 기구

    ㉡ **쌍성총관부를 공격**하여 원나라에 빼앗긴 고려의 땅(철령 이북 지역)을 되찾았습니다.

▲ 공민왕의 영토 수복

    ㉢ 변발, 호복(몽골식 옷) 등 몽골의 풍습을 금지시키고, 고려의 전통을 되살리고자 하였습니다.

④ **전민변정도감의 설치**: 전민변정도감을 설치하여 권문세족들이 불법으로 차지한 토지를 원래 주인에게 돌려주고, 강제로 노비가 된 사람들을 양인으로 되돌리고자 하였습니다.

⑤ **결과**: 권문세족의 반발, 홍건적과 왜구의 침략 등으로 실패하였습니다.

전민변정도감

땅(전)과 노비(민)를 조사하여 바로잡는(변정) 관청(도감)이라는 뜻이에요. 공민왕은 신돈을 등용하고 임시 기구인 전민변정도감을 설치하여 개혁을 실시하였어요.

기출선지 돋보기

친원 세력을 몰아내고 고려의 위상을 바로 세운다!

- 친원 세력인 **기철 등이 숙청**되었다. 44회
- 정동행성 이문소가 폐지되었다. 48회
- 쌍성총관부를 공격하여 철령 이북의 땅을 수복하였다. 50·49·43회
- 신돈을 등용하고 전민변정도감을 운영하였다. 51·49·45·44·41·40회

비주얼씽킹

고려, 북방 민족의 침입에 대항하다

1. 서희의 외교 담판

거란의 1차 침입 당시 서희가 적장 소손녕과 외교 담판을 벌여 강동 6주를 획득하였어요.

2. 윤관의 여진 정벌

신보군   신기군   항마군

윤관은 신보군, 신기군, 항마군으로 구성된 별무반을 편성하여 여진을 정벌하고 동북 9성을 쌓았어요.

3. 삼별초의 항쟁

고려 정부가 몽골과 강화를 맺고 개경으로 환도한 이후에도 삼별초는 강화도, 진도, 제주도로 옮겨 가며 몽골에 저항하였어요.

4. 공민왕의 반원 자주 정책

고려 공민왕은 쌍성총관부를 공격하여 원나라에 빼앗겼던 영토를 되찾고, 원나라의 풍속인 변발과 호복 등을 금지하였어요.

기출키워드로 정리하기 비주얼씽킹 내용을 참고하여 아래 기출선지를 완성해 보세요.

| ㉠ 공민왕 | ㉡ 별무반 | ㉢ 삼별초 | ㉣ 서희 |

01 거란이 쳐들어오자 (   )이/가 외교 담판으로 강동 6주를 확보하였습니다.

02 윤관의 건의로 여진에 대항하기 위한 (   )이/가 편성되었습니다.

03 배중손 등이 이끈 (   )은/는 근거지를 옮기며 몽골군과 싸웠습니다.

04 (   )은/는 쌍성총관부를 공격하여 철령 이북의 땅을 되찾았습니다.

정답 01 ㉣ 02 ㉡ 03 ㉢ 04 ㉠

📖**교과 연계** 초등 사회 5-2 1.2 독창적 문화를 발전시킨 고려

01

51회 13번

(가)에 들어갈 인물로 옳은 것은? [1점]

> 거란의 3차 침입 때 (가) 이/가 귀주에서 적의 대군을 격파하고 큰 승리를 거두었어요.

① 서희　　② 윤관　　③ 강감찬　　④ 최무선

📖**교과 연계** 초등 사회 5-2 1.2 독창적 문화를 발전시킨 고려

03

54회 14번

다음 외교 문서를 보낸 국가에 대한 고려의 대응으로 옳은 것은? [2점]

> 칸께서 살리타 등이 이끄는 군대를 너희에게 보내 항복할지 아니면 죽임을 당할지 묻고자 하신다. 이전에 칸께서 보낸 사신 저고여가 사라져서 다른 사신이 찾으러 갔으나, 너희들은 활을 쏘아 그를 쫓아냈다. 너희가 저고여를 살해한 것이 확실하니, 이제 그 책임을 묻고 있는 것이다.

① 이자겸이 사대 요구를 수용하였다.
② 서희가 소손녕과 외교 담판을 벌였다.
③ 김윤후 부대가 처인성에서 적장을 사살하였다.
④ 강감찬이 군사를 이끌고 귀주에서 크게 승리하였다.

02

50회 13번

(가) 인물의 활동으로 옳은 것은? [2점]

① 우산국을 정복하였다.
② 4군 6진을 설치하였다.
③ 강동 6주를 확보하였다.
④ 동북 9성을 축조하였다.

04

52회 15번

학생들이 공통으로 이야기하고 있는 왕의 업적으로 옳은 것은? [2점]

① 균역법을 시행하였다.
② 독서삼품과를 실시하였다.
③ 삼강행실도를 편찬하였다.
④ 철령 이북의 땅을 되찾았다.

드디어 팔만대장경판을 완성했구나!

10강 고려 문화의 발전

▶ 개념강의

자료 콕콕 기출 노트

▌불교의 종파

- **교종**: 깨달음을 얻기 위해서 불교 경전을 공부해야 한다고 주장한 종파예요.
- **선종**: 참선을 통해 깨달음을 얻어야 한다고 주장한 종파예요.
- **천태종**: 교종을 중심으로 선종을 통합하려고 하였던 불교의 한 종파예요.

1 불교와 불교 문화재

(1) 불교와 고려 사람들의 생활

① 불교의 발전
- ㉠ 고려 시대에는 왕실 및 귀족들의 후원으로 불교가 발전하였고, 백성들에게 널리 퍼졌습니다.
- ㉡ 왕족과 귀족 출신 승려가 많았고, 과거 시험에도 승려를 뽑는 승과가 있었습니다.

② 대표적인 승려

	┌ 대각국사라는 칭호를 받았음.
의천	• 문종의 넷째 아들로 승려가 되어 활동하였음. • **해동 천태종**을 창시하였고, 교종 중심의 선종 통합을 주장하였음. • 화폐를 만들어 사용할 것을 주장하였음.
지눌	• 선종을 중심으로 교종을 통합하려 하였음. • 불교계의 개혁을 위해 **수선사 결사(정혜결사)**를 조직하였음.
	└ 보조국사라는 칭호를 받았음.

③ 대표적인 불교 행사: 훈요 10조에서 팔관회와 연등회가 강조되었습니다.

팔관회	• 가을 추수가 끝난 후에 열렸음. • 불교, 도교, 민간 신앙 등 여러 종교가 어우러진 행사였음. • 송나라의 상인과 여진의 사신이 참석하는 등 다른 나라와의 교류가 이루어지기도 하였음.
연등회	매년 초에 열렸으며, 사람들이 궁궐과 전국 곳곳에 수많은 등불을 밝히고 밤새도록 행렬을 지어 돌아다니며 소원을 빌었음.

꼬리에 꼬리를 무는 역사

고려 시대의 불교 행사인 팔관회의 모습을 살펴볼까요?

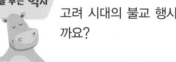

팔관회는 원래 불교의 여덟 가지 계율을 지키던 행사였으나, 고려 시대에 다양한 종교와 사상을 아우르는 복합 문화 행사로 자리잡았어요. 다른 나라의 상인과 사신들도 참석하였으며, 팔관회가 열리면 고려 사람들은 음악과 무용, 놀이를 함께 즐기며 나라의 평안과 발전을 기원하였어요.

기출선지 돋보기

- [의천] 교종과 선종의 통합에 힘썼으며, 화폐를 주조할 것을 주장하였습니다.
  39회
- [의천] 해동 천태종을 창시하였다.
  47·40회
- [지눌] 수선사 결사를 제창하였다.
  50·45·44·41·40회

④ 절의 경제 활동

  ㉠ 절에서는 땅이나 곡식을 농민들에게 빌려주고 이자를 받기도 하였습니다.

  ㉡ 승려들은 직접 생산한 종이, 기와 등의 물건을 사람들에게 팔았습니다.

  ㉢ 절은 나라로부터 땅과 노비를 받았을 뿐만 아니라 경제 활동을 통해 얻은 넓은 토지를 소유하였습니다.

  ㉣ 절이 소유한 토지를 나타내기 위해 땅의 경계에 장생표를 세우기도 하였습니다(예 양산 통도사 국장생석표).

(2) 불교 문화재

① 불상 및 탑

불상	• 왕과 귀족뿐만 아니라 지방 세력들이 자신들의 세력을 과시하기 위해 불상을 만들었음. • 거대한 불상들이 많이 등장하였고, 인체의 균형이 맞지 않거나 개성 있는 모습을 하기도 하였음. • 파주 용미리 마애이불 입상, **논산 관촉사 석조 미륵보살 입상**, 영주 부석사 소조 여래 좌상 등
탑	• 높은 층수와 다양한 형태의 탑이 만들어졌음. • 원나라의 영향을 받아 화려한 탑이 만들어지기도 하였음. • 승려의 사리나 유골을 모시기 위해 만든 승탑도 있었음. • 개성 현화사 7층 석탑, **평창 월정사 8각 9층 석탑**, **개성 경천사지 10층 석탑**, 여주 고달사지 승탑 등

└→ 깨달음을 얻은 사람들을 화장한 뒤 나오는 구슬 모양의 유골

▲ 파주 용미리 마애 이불 입상: 천연 암벽을 활용하여 만든 거대한 불상 이에요.

▲ 논산 관촉사 석조 미륵보살 입상: 약 18m의 거대한 불상으로, '은진 미륵'이라고도 불려요.

▲ 영주 부석사 소조 여래 좌상: 신라의 영향을 받은 불상으로, 흙으로 만들어졌어요.

▲ 평창 월정사 8각 9층 석탑: 송나라의 영향을 받은 탑이에요.

▲ 개성 경천사지 10층 석탑: 원나라의 영향을 받았으며 대리석으로 만들어졌어요.
└→ 조선 초기의 서울 원각사지 10층 석탑에 영향을 주었으며, 현재 국립 중앙 박물관에 소장되어 있음.

▲ 여주 고달사지 승탑: 통일 신라의 양식을 계승해 팔각원당형으로 만들어진 승탑이에요.

양산 통도사 국장생석표

국장생석표란 국가의 명에 의해 세워진 돌로 만든 장생표라는 뜻이에요.

기출선지 돋보기

• [논산 관촉사 석조 미륵보살 입상] 이 불상은 고려 광종 때 만들어진 것으로 전해진다. 높이가 약 18m에 이르는데, 인체 비례가 불균형한 모습으로 당시 지방 세력의 독특한 개성과 미의식을 보여 주고 있다. 41회

• [개성 경천사지 10층 석탑] **원의 영향**을 받아 **대리석**으로 제작되었다. 49회

수월관음도

부처의 가르침을 찾아 떠난 선재 동자가 관세음보살을 만나는 장면을 비단 위에 그린 그림이에요.

② **불화 및 불교 미술품**: 부처의 모습을 나타낸 화려하고 아름다운 불화와 다양한 불교 미술품을 남겼습니다(예 수월관음도).

③ **불교 건축물**: 영주 부석사 무량수전과 안동 봉정사 극락전, 예산 수덕사 대웅전 등은 고려 시대를 대표하는 건축물입니다.

현재 남아 있는 가장 오래된 목조 건축물

지붕을 받치는 공포가 기둥 위에만 있는 주심포 양식으로 만들어짐.

기둥은 안정감을 주는 배흘림 기법으로 가운데 부분이 볼록하게 만들어짐.

▲ 영주 부석사 무량수전

2 귀족 문화의 발달

(1) 고려청자

① **발달 배경**: 조상들의 전통적인 기술을 바탕으로 송나라의 기술을 받아들여 발달하였습니다.

② **우수성**: 은은한 푸른빛의 색깔과 선의 흐름, 상감 기법 등을 통해 고려의 우수한 도자기 제작 기법을 알 수 있습니다.

③ **상감 청자**: 도자기의 겉 표면에 무늬를 파내고, 파인 자리에 다른 색의 흙을 메우는 상감 기법으로 만든 청자입니다.

예산 수덕사 대웅전

주심포 양식

안동 봉정사 극락전, 영주 부석사 무량수전과 같이 주심포 양식으로 만들어진 건축물이에요.

▲ 청자 참외모양 병 　▲ 청자 상감 운학 　▲ 청자 상감 모란문 　▲ 청자 사자형

└ 상감 기법을 활용하지 않은 순청자 　문 매병 　표주박 모양 주전자 　뚜껑 향로

꼬리에 꼬리를 무는 역사

고려청자의 제작 기법에는 어떤 방법들이 있었을까요?

고려 시대에 도자기를 만드는 방법에는 양각, 음각, 상감, 투각 등이 있었어요. 양각은 무늬가 겉으로, 음각은 무늬가 안으로 들어가도록 새기는 기법이고, 상감은 무늬를 새긴 자리에 다른 색의 흙을 넣는 기법이며, 투각은 필요한 부분을 남기고 나머지 부분을 파내는 기법이에요.

기출선지 **돋**보기

• [안동 봉정사 극락전] 현존하는 가장 오래된 목조 건축물입니다. 21회

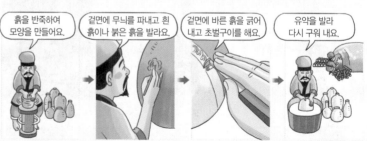

흙을 반죽하여 모양을 만들어요.

겉면에 무늬를 파내고 흰 흙이나 붉은 흙을 발라요.

겉면에 바른 흙을 긁어내고 초벌구이를 해요.

유약을 발라 다시 구워 내요.

▲ 상감 청자 만드는 방법

(2) 공예품(나전 칠기)

① 나전 칠기: 겉면에 옻칠을 한 다음 조개, 전복 등의 껍데기를 여러 가지 모양으로 박아 넣거나 붙여서 장식한 상자나 그릇 등을 말합니다.

② 이용: 귀족들의 생활 도구와 불교 도구를 중심으로 발달하였습니다.

▲ 나전 경함: 전복 등의 껍데기를 가늘게 잘라 내어 장식한 것으로, 겉면에 옻칠을 하여 오래 보존될 수 있었어요.

3 과학 기술의 발달

(1) 인쇄술의 발달

① 목판 인쇄술과 활판 인쇄술의 발달

목판 인쇄술	• 글자를 목판에 새겨 하나의 목판으로 글자를 찍어 내는 방식 • 한 종류의 책을 대량으로 인쇄하는 데 유리하였음. • 거란의 침입을 막기 위해 만든 초조대장경판, 몽골의 침입을 이겨 내기 위해 만든 팔만대장경판 등이 있음.
활판 인쇄술	• 금속으로 한 글자씩 만든 다음 활자를 조합하여 글자를 찍어 내는 방식 • 여러 종류의 책을 찍어 내는 데 유리하였음. • 금속 활자로 찍어 낸 『상정고금예문』, 『직지심체요절』 등이 있음. └→ 현재 전해지지 않음.

② 팔만대장경

　㉠ 부처의 가르침인 불교 경전(대장경)을 모아 만든 것으로, 목판에 새긴 경판의 수가 8만여 장이 넘어 이름이 붙여졌습니다.

　㉡ 불교의 힘으로 **몽골**의 침입을 이겨 내기 위해 다양한 분야의 사람들이 함께 참여하여 만들었습니다.

　㉢ 고려 목판 인쇄술의 우수성을 보여 주는 팔만대장경판은 유네스코 세계 기록 유산에, 팔만대장경판을 보관하고 있는 해인사 장경판전은 유네스코 세계 유산에 등재되었습니다.

③ **『직지심체요절』**: 1377년 청주 흥덕사에서 인쇄되었으며, 현재 남아 있는 것 중 세계에서 가장 오래된 금속 활자본으로, 유네스코 세계 기록 유산에 등재되었습니다.

▲ 해인사 대장경판(팔만대장경판)

▲ 『직지심체요절』

합천 해인사 장경판전

▲ 해인사 장경판전에 보관된 팔만대장경판

경남 합천 해인사에 있는 건물로, 팔만대장경판을 보존하기 위해 온도와 습도가 자연스럽게 조절되도록 만들어졌어요. 팔만대장경판은 고려 시대의 문화유산이지만, 해인사 장경판전은 조선 초기의 문화유산이라는 사실에 주의하세요.

기출선지 돋보기

• [팔만대장경] 부처의 힘으로 **몽골**의 침입을 물리치고자 만들었다. 52회

• [직지심체요절] 현존하는 가장 오래된 금속 활자본이다. 55·52회

옷감의 재료

▲ 삼

▲ 목화

▲ 모시풀

▲ 누에고치

삼은 삼베, 목화는 무명, 모시풀은 모시, 누에고치는 비단을 만드는 재료가 되었어요. 비단은 값이 비싸서 주로 귀족들이 옷을 지어 입는 데 사용하였어요.

(2) 목화의 재배

① **목화의 재배**: 고려 말, 문익점이 원나라에서 목화씨를 가져와 목화 재배법을 전국에 알렸습니다.

② **목화 재배 이후 달라진 점**: 고려 사람들의 의생활에 큰 변화가 나타났습니다.

목화솜을 이용해 옷이나 이불을 만들면 겨울을 따뜻하게 보낼 수 있어.

목화 재배 이전	목화 재배 이후
• 고려의 귀족들은 비단이나 가죽으로, 백성들은 삼베나 모시 등으로 옷을 지어 입었음. • 삼베나 모시 등은 얇고 바람이 잘 통해서 겨울에 추위를 막기 어려웠음.	• 목화솜을 이용하여 옷이나 이불을 만들어 백성들도 겨울을 따뜻하게 보낼 수 있게 되었음. • 목화의 솜을 실로 만든 다음 그 실로 옷감(무명)을 만들어 옷을 지어 입었음.

(3) 화약의 개발과 왜구의 격퇴

① **당시의 상황**: 고려 말, 왜구의 침략으로 백성들이 어려움을 겪었습니다.

② **최무선의 화약 개발**: **최무선**은 왜구의 침입으로부터 나라를 지키기 위해 화약이 필요하다고 생각하고, 연구 끝에 화약을 만드는 데 성공하였습니다.

③ **화통도감의 설치와 화포의 제작**: 최무선은 나라에 건의하여 화약과 화포를 만드는 관청인 **화통도감**을 설치하고, 여러 종류의 화기를 만들었습니다.

④ **진포 대첩**: 최무선은 화약과 화포를 이용하여 진포(군산) 등지에서 왜구를 크게 무찔렀습니다.

꼬리에 꼬리를 무는 역사

고려 말의 상황을 더 자세히 알아볼까요?

고려 말 북쪽에서는 홍건적이, 남쪽에서는 왜구가 침략하여 백성들이 많은 어려움을 겪었어요. 홍건적의 일부는 원나라의 토벌에 밀려 고려까지 내려왔는데, 개경이 함락되고 공민왕이 피란을 갈 정도로 큰 문제가 되었지요.

왜구 또한 개경을 위협할 정도로 고려를 괴롭혔는데, 왜구들은 해안을 지나 내륙 지방까지 침입하여 백성들을 마구 죽이고 식량이나 물건을 빼앗았어요. 이때 최무선은 왜구의 침입으로부터 나라를 지키기 위해 화약과 화포를 발명하여 진포 등지에서 왜구를 물리쳤어요. 그리고 최영, 이성계 등은 홍건적과 왜구의 침략을 물리치면서 백성들의 마음을 얻고 세력을 키웠답니다.

기출선지 돋보기

- [최무선] **화통도감**을 설치하고 화약과 화포를 제조하였다. 45·40회
- **최무선**이 **진포**에서 왜구를 격퇴하였다. 47·45회
- **최영**이 군대를 지휘하여 **홍건적**을 물리쳤다. 54회

4 유학의 발달과 역사책의 편찬

(1) 유학의 발달

① 고려 건국 이후 성종이 유교 이념을 채택하면서 불교는 종교적 기능을 담당하고, 유교가 정치적 기능을 담당하였습니다.

② 성종 때 유학 교육을 위해 최고 교육 기관인 **국자감**을 세웠습니다.

③ 고려 말, 충렬왕 때 안향을 통해 **성리학**이 전래되었고, **신진 사대부**가 등장하였습니다.
└─ 성리학을 통해 고려 사회를 개혁하고자 한 세력으로, 고려 말에 등장하였음.

④ 충선왕이 원나라의 수도에 만권당을 세웠고, 이곳에서 이제현 등 고려 학자들이 원의 학자들과 교류하였습니다.

(2) 역사책의 편찬

① 삼국 시대의 역사를 다룬 책

『삼국사기』	• 고려 중기에 왕의 명령을 받고 **김부식**이 편찬하였음. • 우리나라에 현재 남아 있는 역사책 중 가장 오래되었음. • 유교적인 입장에서 서술되었음.
『삼국유사』	• 고려가 원나라의 간섭을 받고 있을 때 승려 **일연**이 편찬하였음. • 단군왕검의 고조선 건국 이야기, 불교 관련 이야기 및 다양한 설화와 풍속이 담겨 있음.

▲ 『삼국사기』

▲ 『삼국유사』

② 그밖에 「동명왕편」, 『제왕운기』 등이 편찬되었습니다.

「동명왕편」

이규보가 지은 서사시로, 고구려를 세운 주몽(동명왕)을 영웅으로 찬양하는 시와 이야기를 담았어요.

10일
월
일

『제왕운기』

이승휴는 단군부터 고려 시대까지의 역사를 시로 서술한 『제왕운기』를 지었어요.

기출선지 돋보기

• [안향] **성리학**을 처음으로 소개하였다. 49·42회
• [이제현] **만권당**에서 원의 유학자들과 교류하였다. 51·40회
• [김부식] **삼국사기**를 편찬하였다. 51·49·43회
• [삼국유사] **불교사**를 중심으로 고대의 민간 설화 등이 수록되었다. 42회
• [삼국유사] 자주적 입장에서 **단군의 건국 이야기**를 수록하였다. 44회

고려, 불교문화의 발전을 이루다

의천의 활동

의천은 교종과 선종으로 나뉘어 다투던 불교 종파들을 통합하기 위해 해동 천태종을 창시하였어요.

고려의 문화유산

고려 시대에는 논산 관촉사 석조 미륵보살 입상처럼 지방 세력의 개성이 강하게 드러나는 불상이 만들어졌어요. 고려청자는 고려 기술과 문화의 우수성을 잘 보여 주지요.

인쇄술의 발달

몽골이 고려를 침입해 오자 고려는 부처의 힘으로 몽골군을 물리치기 위해 팔만대장경판을 만들었어요.

역사서의 편찬

김부식은 유교 정신을 담은 『삼국사기』, 일연은 불교사를 중심으로 단군왕검 이야기 등을 담은 『삼국유사』를 지었어요.

기출키워드로 정리하기	비주얼씽킹 내용을 참고하여 아래 기출선지를 완성해 보세요.

> ㉠ 삼국유사   ㉡ 의천   ㉢ 팔만대장경판

01 (   )은/는 교종과 선종의 통합에 힘써 해동 천태종을 창시하였습니다.

02 (   )은/는 부처의 힘으로 몽골군을 물리치기 위해 만들어졌습니다.

03 일연이 쓴 (   )에는 불교사를 중심으로 고대의 민간 설화 등이 수록되었습니다.

정답 01 ㉡ 02 ㉢ 03 ㉠

기출 술술 하루마무리

■ 정답은 19쪽에서!

01
54회 16번

다음 퀴즈의 정답으로 옳은 것은? [2점]

이 인물은 정혜결사를 조직하였으며, 선과 교를 함께 닦아야 한다는 정혜쌍수를 주장하였습니다. 보조국사라고도 하는 이 인물은 누구일까요?

한국사 퀴즈 대회

 ① 지눌
 ② 요세
 ③ 혜초
 ④ 원효

📖교과 연계 초등 사회 5-2 1.2 독창적 문화를 발전시킨 고려

02
52회 17번

(가)에 들어갈 문화유산에 대한 설명으로 옳은 것은? [2점]

이곳 합천 해인사 장경판전에는 고려 시대에 제작된 (가) 이/가 현재까지 잘 보존되어 있습니다. 그 이유는 건물의 통풍이 잘되도록 위아래 창의 크기를 서로 다르게 하였고 안쪽 흙바닥 속에 숯과 횟가루를 넣어 습도를 조절하였기 때문입니다.

① 승정원에서 편찬하였다.
② 시정기와 사초를 바탕으로 제작하였다.
③ 현존하는 가장 오래된 금속 활자본이다.
④ 부처의 힘으로 몽골의 침입을 물리치고자 만들었다.

📖교과 연계 초등 사회 5-2 1.2 독창적 문화를 발전시킨 고려

03
51회 15번

다음과 같은 기법으로 제작된 문화유산으로 옳은 것은? [2점]

도자기 표면에 무늬 새기기 → 무늬에 다른 색의 흙 메우기 → 다른 색 흙을 긁어내어 무늬 나타내기

① 기마 인물형 토기
② 백자 철화 끈무늬 병
③ 청자 참외 모양 병
④ 청자 상감 모란문 표주박 모양 주전자

04
54회 11번

밑줄 그은 '이 책'으로 옳은 것은? [1점]

이 책은 승려 일연이 쓴 역사서입니다. 왕력, 기이, 흥법 등 9편으로 구성되어 있으며, 단군의 고조선 건국 이야기가 실려 있습니다.

① 발해고
② 동국통감
③ 동사강목
④ 삼국유사

시험에 꼭! 나오는 탑, 불상 내가 누구게?

삼국시대

▲ 금동 연가 7년명 여래 입상 (고구려)

고구려의 불상으로, 뒷면에 글자가 새겨져 있어 만들어진 시기를 추정할 수 있습니다.

▲ 서산 용현리 마애여래 삼존상(백제)

부처의 모습이 부드러운 미소를 띠고 있어 '백제의 미소'라고도 불립니다.

▲ 경주 배동 석조 여래 삼존 입상 (신라)

경주에 있는 삼국 시대 신라의 불상입니다.

발해

▲ 발해 석등

발해의 도읍이었던 상경성의 절터에 남아 있는 석등으로, 높이가 6m에 이릅니다.

▲ 이불 병좌상

두 부처가 나란히 앉아 있는 모습을 한 발해의 불상입니다.

▲ 영광탑

중국 지린성에 위치한 발해의 벽돌탑입니다.

고려시대

▲ 평창 월정사 8각 9층 석탑

다각 다층형의 석탑으로, 고려 전기의 대표적인 탑입니다.

▲ 개성 경천사지 10층 석탑

원나라의 영향을 받아 화려하고 섬세하게 표현된 고려 시대의 석탑입니다.

▲ 여주 고달사지 승탑

통일 신라의 양식을 계승해 팔각원당형으로 만들어진 고려의 승탑입니다.

▲ 익산 미륵사지 석탑(백제)

백제의 석탑으로, 목탑의 건축 양식을 그대로 따라 만들어졌습니다.

▲ 부여 정림사지 5층 석탑 (백제)

목탑 양식을 따르되, 보다 단순화해서 만든 석탑입니다.

▲ 경주 분황사 모전 석탑(신라)

돌을 벽돌 모양으로 다듬어 쌓아 올린 석탑입니다.

▲ 경주 불국사 다보탑

3층 석탑과 함께 불국사 안에 있는 통일 신라의 석탑입니다.

▲ 경주 불국사 3층 석탑

불국사 안에 있는 3층 석탑으로,『무구정광대다라니경』이 발견되었습니다.

▲ 경주 석굴암 석굴

석굴 안에 본존불을 중심으로 여러 조각상들이 배치되어 있습니다.

통일 신라

▲ 하남 하사창동 철조 석가여래 좌상

쇠로 만든 철불로, 고려 시대에 만들어진 불상입니다.

▲ 파주 용미리 마애이불 입상

자연 암석을 몸체로 하여 만든 고려 시대의 거대한 불상입니다.

▲ 논산 관촉사 석조 미륵보살 입상

우리나라에서 가장 큰 석불 입상으로, 높이가 약 18m에 이르는 고려 시대의 거대한 불상입니다.

에듀윌이
너를
지지할게
ENERGY

위대한 일들을 이루기 전에
스스로에게 위대한 일들을 기대해야 한다.

– 마이클 조던(Michael Jordan)

3

조선 전기

11강 조선의 건국과 국가 기틀의 마련

▶ 개념강의

자료 콕콕 기출 노트

▌성리학

송나라 때 주희(주자)가 집대성한 유학의 한 종류로, 우주의 원리와 인간의 마음을 탐구하는 학문이에요. 고려 말에 안향에 의해 전래되었어요.

▌이성계의 4불가론

이성계는 요동 정벌이 무리하다고 판단하여 아래 네 가지 이유를 들어 반대하였어요.
• 작은 나라가 큰 나라를 치는 것은 불가하다.
• 농사일이 바쁜 여름철에 군사를 일으키는 것은 옳지 못하다.
• 요동 정벌의 틈을 타 왜구가 공격할 수 있다.
• 장마철이라 무기가 녹슬고 전염병에 걸릴 수 있다.

기출선지 돋보기

• [신흥 무인 세력] 홍건적과 왜구를 격퇴하며 성장하였다. 29회
• [신진 사대부] 성리학을 이념적 기반으로 삼았다. 28회
• 최영이 요동 정벌을 추진하였다. 45·44회
• 위화도에서 회군하는 이성계 46회

1 조선의 건국 과정

(1) 고려 말, 새로운 세력의 등장

① 고려 말의 혼란스러운 상황
  ㉠ 나라 밖: 북으로는 홍건적, 남으로는 왜구의 침략에 시달렸습니다.
  ㉡ 나라 안: 권문세족이 권력과 토지를 독차지하며 사회가 부패해졌습니다. 한편 **성리학**이 보급되어 이를 바탕으로 고려 사회를 개혁하려는 움직임이 나타났습니다.

② 새로운 세력의 등장

신흥 무인 세력	• 홍건적과 왜구를 격퇴하는 과정에서 크게 활약한 사람들로, 고려 말에 중심 세력으로 성장하였음. • 대표적인 인물: 이성계 등 ┌ 황산 대첩에서 왜구를 물리쳤음.
신진 사대부	• 성리학을 받아들이고 공부하였음. • 지방의 향리나 하급 관리 출신으로, 대부분 과거를 통해 중앙 관직을 얻었음. • 권문세족과 불교의 비리를 비판하였고, 신흥 무인 세력과 손잡고 고려 사회를 개혁하고자 하였음. • 대표적인 인물: 이색, 정몽주, 정도전, 조준 등

(2) 위화도 회군과 조선의 건국

① **당시의 상황**: 명나라는 고려의 영토인 철령 이북의 땅이 자신들의 땅이라며 넘겨줄 것을 요구하였습니다. ┌ 원나라를 멸망시킨 중국의 통일 왕조

② 위화도 회군(1388년)

고려의 요동 정벌 추진	최영 등은 명나라의 요구에 반대하며 요동 지역을 정벌할 것을 주장하였고, 우왕은 **이성계**에게 요동 정벌을 명령하였음.
이성계의 반대	이성계는 네 가지 이유를 들어 요동 정벌에 반대하였으나 받아들여지지 않음. └ 4불가론이라고 함.
위화도 회군	요동 정벌을 위해 북으로 향하던 이성계는 압록강 하구의 위화도에서 군대를 돌려 개경으로 진격하였음.
이성계의 권력 장악	이성계는 우왕과 최영 등을 제거하고 권력을 장악하였음.

③ **신진 사대부의 분화**: 새로운 왕조의 수립에 대한 의견이 달라 신진 사대부가 갈라졌습니다.

온건 개혁파	• 새로운 왕조의 수립을 반대하고, 고려 왕조를 유지하며 개혁할 것을 주장하였음. • 대표적인 인물: 이색, **정몽주** 등
급진 개혁파	• 고려를 멸망시키고, 새 왕조를 수립할 것을 주장하였음. • 대표적인 인물: **정도전**, 조준 등

④ **과전법의 실시**: 신흥 무인 세력인 이성계와 신진 사대부인 정도전 등은 과전법을 실시하여 나라의 재정을 확보하였고, 신진 사대부의 경제 기반을 마련하였습니다.

⑤ **조선의 건국(1392년)**

㉠ 정몽주 등의 온건 개혁파 세력을 제거하고 이성계가 왕위에 올라 새 왕조를 수립하였습니다.

㉡ 태조 이성계는 나라 이름을 '조선'이라 정하고, 유교를 국가 통치의 근본이념으로 삼았으며, 이듬해 도읍을 한양(서울)으로 옮겼습니다.
→ 고조선을 계승한다는 뜻에서 나라 이름을 조선이라고 하였음.

 꼬리에 꼬리를 무는 역사

새로운 왕조의 수립을 반대하였던 정몽주에 대해 알아볼까요?

정몽주는 이색에게 성리학을 배웠던 대표적인 신진 사대부예요. 정도전과 함께 공부하며 우정을 나누기도 했지만, 정도전과 달리 고려 왕조를 유지한 채 개혁할 것을 주장하였지요.

▲ 정몽주

이방원(이성계의 아들로 이후에 태종이 되는 인물)은 정몽주의 반대 때문에 이대로는 새 왕조의 수립이 어렵다고 판단하고, 정몽주를 만나서 함께 새 왕조를 세우자고 설득하였어요. 하지만 정몽주는 고려에 대한 충성심을 버릴 수 없다며 이방원의 제안을 거절하였고, 이후 이방원이 보낸 자객에 의해 개성의 선죽교에서 죽임을 당하게 되지요. 이때 이방원과 정몽주가 주고받은 하여가와 단심가를 살펴보면, 두 인물의 생각을 자세히 알아볼 수 있답니다.

이런들 어떠하리. 저런들 어떠하리. 만수산 드렁칡이 얽혀진들 어떠하리. 우리도 이같이 얽혀 백 년까지 누리리라.
└ 하여가 ┘

정몽주

이 몸이 죽고 죽어, 일백 번 고쳐 죽어 백골이 진토되어 넋이라도 있고 없고 임 향한 일편단심이야 가실 줄이 있으랴.
└ 단심가 ┘

이방원 (태종)

과전법

고려 말에 만들어진 과전법은 관료의 등급에 따라 토지의 수조권(세금을 거둘 권리)을 나누어 주는 제도로, 조선 왕조 초기에 기본적인 토지 제도가 되었어요. 과전법으로 전직 관리(은퇴한 관리)와 현직 관리(관직을 담당하고 있는 관리)에게 경기 지역 토지의 수조권을 주었어요.

11일

월

일

개성 선죽교

조선 건국을 반대하던 정몽주는 이방원(훗날의 태종)에 의해 선죽교에서 죽임을 당하였어요.

기출선지 돋보기

• 과전법을 실시하였다. 45·43회
• [과전법] 전·현직 관리에게 토지의 수조권을 지급하였어요. 51회

한양을 도읍으로 정한 까닭

나라의 중심에 위치하였고, 주변에 넓은 평야가 있었으며, 한강이 있어 물을 쉽게 구할 수 있었어요. 또한 육로 및 수로 교통이 편리하였고, 산으로 둘러싸여 있어 외적의 침입을 방어하기에 유리하였답니다.

(3) 조선의 도읍, 한양

① 한양을 설계한 정도전: **정도전**은 유교에 따라 나라를 다스리기 위해서 유교 정신을 담아 한양의 모습을 설계하였고, 주요 건축물들의 위치와 이름을 정하였습니다.

② 주요 건축물들의 위치와 역할

'왕과 백성이 태평성대를 누릴 큰 복을 빈다.'라는 뜻을 지닌 궁궐로, 임진왜란 때 불에 탔지만 이후 흥선 대원군이 다시 세웠음.

경복궁	• 조선 시대에 처음으로 지어진 정궁 • 정문인 광화문 이외에도 근정전, 사정전, 경회루, 향원정 등 다양한 건물이 있음.
종묘	• 경복궁을 등지고 섰을 때 왼쪽에 위치함. • 역대 왕과 왕비의 신주를 모신 사당으로, 나라의 안녕을 기원하기 위한 제사를 지냈음. 죽은 사람의 이름 등을 적은 나무패
사직단	• 경복궁을 등지고 섰을 때 오른쪽에 위치함. • 토지의 신과 곡식의 신에게 제사를 지냈음.
사대문과 종루	• 한양을 둘러싸는 성곽을 쌓고, 동서남북에 네 개의 문과 종을 걸어 두기 위한 종루를 만들었음. → 인, 의, 예, 지, 신 • 유교의 가르침에 따라 사대문과 종루의 이름을 지었음. • 흥인지문(동대문), 돈의문(서대문), 숭례문(남대문), 숙정문(소지문, 북대문), 보신각(종루)

서울의 궁궐과 주요 건축물

조선에는 정궁인 경복궁 외에도 창덕궁, 창경궁, 덕수궁 등의 궁궐이 지어졌어요.

▲ **경복궁 근정전**: 국가의 중요 의식이 거행되거나 외국의 사신을 맞이하는 행사가 열리던 건물이에요.

▲ **종묘**: 역대 왕과 왕비의 신주를 모신 왕실의 사당으로, 유네스코 세계 유산으로 등재되었어요.

▲ **사직단**: 나라에서 토지의 신과 곡식의 신에게 제사를 지내던 제단이에요.

꼬리에 꼬리를 무는 역사

조선의 건국을 주도한 정도전에 대해 알아볼까요?

정도전은 조선의 건국을 주도하고, 새 왕조의 기틀을 마련한 인물이에요. 정도전에 의해 경복궁, 종묘와 사직단, 사대문과 종루 등 건축물의 위치가 정해지고 이름이 지어졌어요.

성리학을 연구한 정도전은 재상에게 권한을 주어 백성을 위한 정치를 이끌어야 한다고 주장하였고, 이성계의 여덟 번째 왕자인 방석을 세자로 책봉하도록 하였지요. 한편 강한 왕권을 바탕으로 나라를 운영해야 한다고 생각한 이방원은 왕위 계승을 두고 정도전과 대립하였어요. 이후 정도전은 이방원에 의해 죽임을 당하였지요.

▲ 정도전

정도전은 『**조선경국전**』을 편찬하였고, 불교의 해로움을 지적한 『**불씨잡변**』을 남겼어요. 정도전의 죽음 이후 그의 시와 그림을 모아 간행한 『삼봉집』에는 조선의 건국 이념이 잘 담겨 있답니다.

기출선지 돋보기

• 한양으로 천도하였다. 44~42회
• [정도전] 조선경국전을 저술하였다. 51·42회
• 왕자의 난이 일어나 **정도전** 등이 피살되었다. 35회

2 조선 초기의 기틀 마련과 통치 체제의 정비

(1) 주요 왕의 업적

① **태조(이성계)**: 나라 이름을 '조선'으로 하고, 도읍을 한양으로 옮겼으며 경복궁을 지었습니다.

② **태종(이방원)**

사병 혁파, 6조 직계제 실시	• 목적: 왕권 강화를 위한 정책이었음. • 사병 혁파: 왕족과 신하들의 사병(개인 병사)을 없앴음. • **6조 직계제**: 나랏일을 의정부를 거치지 않고 6조로부터 직접 보고받아 결정하였음.
지방 행정 제도 정비	전국을 8도로 나누어 정비하였고, 각 도에 관찰사를 파견하여 다스리도록 하였음.
호패법 실시	• 16세 이상의 남자는 무조건 호패를 지니고 다니도록 하여 인구를 정확하게 파악하고자 하였음. • 호패법을 통해 백성들로부터 보다 정확하게 세금을 거두고, 백성들을 군대에 동원하였음.
신문고 설치	백성의 억울한 일을 직접 듣고 해결하기 위해 신문고를 설치하였음.

└ 억울한 일을 당한 백성이 대궐 밖에 걸린 '신문고'라는 북을 두드려 왕에게 직접 자신의 사연을 말하도록 한 제도. 실제로는 여러 절차를 거쳐야 했기 때문에 일반 백성들이 이용하기 어려웠음.

③ **세종**
- ㉠ **집현전**을 운영하였고, **훈민정음**을 창제하였습니다.
- ㉡ **측우기**, 앙부일구, 자격루 등 여러 과학 기구를 제작하였습니다.
- ㉢ 『**농사직설**』, 『삼강행실도』, 『칠정산』 등을 편찬하였습니다.
- ㉣ **쓰시마섬**을 정벌하고, **4군과 6진**을 개척하여 영토를 넓혔습니다.
  └ 우리나라에서는 '대마도'라고 불렀음.

④ **세조(수양 대군)**
- ㉠ 계유정난을 일으켜 권력을 장악하고, 어린 조카(단종)를 몰아낸 뒤 왕위에 올랐습니다.
- ㉡ 『경국대전』의 편찬을 시작하였습니다.
- ㉢ 현직 관리에게만 토지의 수조권을 주는 **직전법**을 실시하였습니다.

⑤ **성종**
- ㉠ 『**경국대전**』을 완성·반포하여 조선을 다스리는 기본 법전으로 삼았고, 조선의 문물과 제도를 완성하였습니다.
- ㉡ 지리서인 『동국여지승람』, 역사서인 『동국통감』, 음악서인 『악학궤범』 등 다양한 서적을 편찬하였습니다.

호패

호패는 신분에 따라 다른 모양으로 만들어졌어요. 호패에는 이름과 신분, 사는 곳, 생년월일 등 기본 정보가 담겨 있었지요.

11일

월

일

집현전

세종 때 궁궐 안에 두었던 학문 연구 기관으로, 경연을 통해 왕의 자문 역할을 하였어요. 집현전은 세조 때 폐지되었으나 성종 때 집현전을 계승한 홍문관이 설치되었어요.

기출선지 돋보기

- [태종] **호패법**을 실시하였다.
  54·48·46~44·41회
- [세종] **집현전**을 설치하였다.
  54·50·49·47·44·41·40회
- [세종] **농사직설**을 간행하여 우리 풍토에 맞는 농사법을 보급하였다. 48·42회
- [세종] **4군 6진**이 개척되었다.
  55·54·52·50~48·45~41회
- [세조] 현직 관리에게 수조권을 지급하는 **직전법**을 실시하였다. 50·48·44~42회
- [성종] **경국대전**을 편찬(반포)하였다.
  50·48·47회

조선 시대 중앙 정치 조직

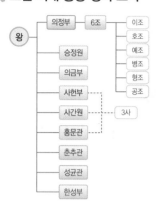

수령

조선 시대의 8도 아래에 있었던 부, 목, 군, 현에 파견된 지방관을 통틀어 수령이라고 해요. 수령들은 농업과 교육을 장려하고, 백성들의 살림살이를 살폈으며, 세금을 걷는 것은 물론 재판과 군사의 업무까지 담당하였어요.

성균관의 명륜당

명륜당은 성균관의 학생들이 유학을 배우고 토의하던 강당이었어요.

기출선지 돋보기

• [승정원] 왕명의 출납을 담당하였어. 51회
• [사헌부] 관리의 비리를 감찰하고 풍기를 단속하였다. 40회
• 전국을 8도로 나누었다. 54·52회
• [수령] 지방의 행정, 사법, 군사권을 행사하였다. 39회
• 최고 교육 기관으로 성균관이 있었어요. 51회

(2) 통치 체제의 정비

① 중앙 정치 제도

ㄱ 의정부에서 정책을 결정하였고, 6조를 중심으로 정책이 운영되었습니다.
ㄴ 왕과 신하들을 견제하기 위해 언론 기능을 담당한 3사(사간원, 사헌부, 홍문관)를 설치하였습니다.
ㄷ 국왕의 직속 기관으로 승정원과 의금부 등을 설치하였습니다.

의정부	영의정, 좌의정, 우의정으로 구성된 최고 정책 결정 기구
6조	이조(관리의 인사), 호조(세금 관련 업무), 예조(교육과 과거 시험 및 외교), 병조(국방), 형조(형벌 관련 업무), 공조(건설이나 산업 관련 업무)
3사	사헌부(관리들의 비리 감찰), 사간원(왕에게 잘못된 일을 고치도록 이야기하는 역할), 홍문관(왕의 자문에 답하는 기능)
승정원	왕의 비서 기관으로, 왕의 명령을 전달하였음.
의금부	왕의 직속 사법 기관으로, 나라의 큰 범죄를 다스렸음.
기타	춘추관(역사서 편찬), 한성부(한양의 행정과 치안 담당)

② 지방 행정 제도

ㄱ 전국을 8도로 나누었고, 그 아래에 부·목·군·현 등을 두었습니다.
ㄴ 부·목·군·현에는 수령을 파견하여 향리의 도움을 받아 백성을 다스리도록 하였고, 도에는 관찰사를 파견하여 수령을 감독하도록 하였습니다. └지방의 수령을 도와 행정 실무를 처리하던 사람들을 말함. 이방, 호방, 예방, 병방, 형방, 공방의 6방으로 이루어졌음.

▲ 조선 시대의 8도

③ 군사 제도

ㄱ 중앙군인 5위는 궁궐 수비와 한양의 방어를 담당하였습니다.
ㄴ 지방군으로는 각 도에 병영과 수영을 설치하고, 각각 병마절도사와 수군절도사를 파견하여 군대를 지휘하도록 하였습니다.

④ 교육 및 과거 제도

┌소과(과거 시험 중 하나)에 합격한 생원, 진사에게 입학 자격이 주어졌음.

교육 제도	• 나라에서는 한양에 최고 교육 기관인 성균관과 4부 학당을 설치하고, 지방의 주요 고을에 향교를 설치하였음. • 개인이 설립한 서원과 서당(초등 교육 기관) 등이 있었음.
과거 제도	• 관리를 뽑는 시험으로, 3년마다 실시하는 것이 원칙이었음. • 문과(문관 선발), 무과(무관 선발), 잡과(기술관 선발)가 실시되었음.

⑤ 교통 및 통신 제도

조운	각 지역에서 거두어들인 세금을 배를 이용하여 한양으로 옮기던 제도
파발	말을 타고 가거나 사람이 걸어가서 문서를 전달하던 제도
봉수	밤에는 횃불, 낮에는 연기를 이용하여 위급함을 알리던 제도

꼬리에 꼬리를 무는 역사

정몽주 등 온건 개혁파를 이은 사림 세력에 대해 알아볼까요?

조선 건국과 그 이후의 여러 사건들에서 공을 세우고 높은 벼슬을 차지한 세력

인과 덕을 바탕으로 백성을 다스리는 도리

조선의 건국을 반대하던 정몽주 등의 학문과 정신을 이어받아 지방에 거주하였던 유학자들을 사림이라고 해요. 이들은 의리와 도덕을 중요시하는 왕도 정치의 실현을 주장하였어요. 주로 성종 때 과거를 통해 중앙에 진출하였고, 3사 등에서 관직을 지내며 당시 집권 세력이었던 훈구파의 잘못을 지적하였지요.

사림들이 큰 화를 입었다는 의미에서 '사화'라는 이름이 붙여졌음.

사림파와 훈구파는 정치적으로 대립하였고, 이후 네 번의 **사화**가 발생하며 사림들이 대거 중앙에서 쫓겨나기도 하였답니다. 이 시기의 대표적인 사림이 바로 **조광조**예요. 하지만 사림은 향촌 사회에서 서원과 향약을 바탕으로 세력을 꾸준히 키워 선조 때에는 중앙 정치의 주도권을 장악하였어요.

조광조를 역모로 몰아 죽입시다.

기묘사화

척신 정치 청산하라!
척신 정치 포용!

동인 / 서인
영남 학파 / 기호 학파
김효원 / 심의겸

사림들은 기존에 정권을 차지하고 비리를 저질렀던 사람들을 어떻게 처리할 것인가를 두고 동인과 서인으로 나누어지면서 **붕당**을 형성하였고, 서로 간의 비판과 견제를 통해 붕당 정치를 전개하였어요.

⬤ 암행어사

조선 시대에, 왕의 명령으로 지방 수령이 어떤 일을 하고 있는지 조사하고 백성의 어려움을 살펴서 개선하는 일을 맡아 하던 임시 벼슬을 말해요.

⬤ 마패

관리들은 나랏일을 위해 중앙에서 지방으로 이동할 때 각 고을에 설치된 역참에서 말을 구해 쓸 수 있었어요. 이때 나랏일을 하는 관리임을 보여 주는 둥근 구리 패를 마패라고 했어요.

대표 사림인 김종직이 「조의제문」에 쓴 글을 보고 세조가 단종의 왕위를 빼앗은 일을 비판한 것이라 여겼음.

⬤ 사화의 발생

- **무오사화**: 연산군은 사림 세력이 자신의 조상인 세조를 비판한 글을 사초에 실었다는 이유로 사림을 탄압했어요.
- **갑자사화**: 연산군이 자신의 어머니의 죽음과 관련된 사람들을 제거했어요.
- **기묘사화**: 조광조의 급진적인 개혁에 부담을 느낀 왕(중종)과 훈구파가 사림을 제거했어요.
- **을사사화**: 왕의 외척 간에 권력 다툼이 벌어져 사림들도 피해를 입었어요(명종).

기출선지 돋보기

- **조의제문**이 빌미가 되어 **무오사화**가 일어났다. 38회
- [조광조] 소격서를 폐지하였다. 51·45·42회
- [기묘사화] 위훈 삭제를 주장한 조광조 일파를 축출하였다. 50·42회

새로운 왕조, 조선이 세워지다

조선의 건국과 정도전

정도전 등 신진 사대부는 이성계와 힘을 합쳐 조선을 세웠어요. 정도전은 수도인 한양을 설계하고 『조선경국전』 등을 지었지요.

태종의 업적

태종은 왕족과 신하들의 사병을 빼앗고, 6조 직계제를 시행하는 등 국왕 중심의 통치 체제를 만들기 위해 힘썼어요.

세종의 업적

세종은 우리 풍토에 맞는 농사법을 정리한 『농사직설』을 편찬하는 등 백성들을 위한 다양한 정책을 펼쳤어요.

성종의 업적

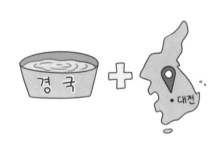

성종은 세조 때부터 편찬하기 시작한 『경국대전』을 완성하여 국가의 기본 통치 규범을 마련하였어요.

기출키워드로 정리하기 비주얼씽킹 내용을 참고하여 아래 기출선지를 완성해 보세요.

| ㉠ 경국대전 | ㉡ 농사직설 | ㉢ 정도전 | ㉣ 태종 |

01 (　　　　)은/는 한양의 모습을 설계하고, 조선경국전을 저술하였습니다.

02 (　　　　)은/는 사병을 혁파하고, 6조 직계제와 호패법을 실시하였습니다.

03 세종은 (　　　　)을/를 간행하여 우리 풍토에 맞는 농사법을 보급하였습니다.

04 성종은 (　　　　)을/를 완성 · 반포하였습니다.

정답 01 ㉢ 02 ㉣ 03 ㉡ 04 ㉠

기출 술술 하루마무리

■ 정답은 21쪽에서!

📖 교과 연계 초등 사회 5-2 1.3 민족 문화를 지켜 나간 조선

01

51회 17번

(가)에 들어갈 내용으로 옳은 것은? [2점]

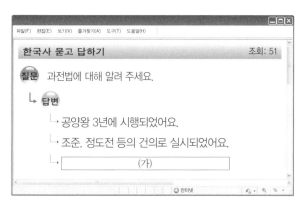

① 공인이 등장하는 배경이 되었어요.
② 토지 소유자에게 지계를 발급하였어요.
③ 전지와 시지를 품계에 따라 나누어 주었어요.
④ 전·현직 관리에게 토지의 수조권을 지급하였어요.

02

48회 17번

(가)에 들어갈 내용으로 옳은 것은? [2점]

① 균역법을 시행하였다.
② 직전법을 실시하였다.
③ 5군영 체제를 완성하였다.
④ 6조 직계제를 시행하였다.

📖 교과 연계 초등 사회 5-2 1.3 민족 문화를 지켜 나간 조선

03

48회 20번

밑줄 그은 '이 왕'의 업적으로 옳은 것은? [1점]

① 4군 6진을 개척하였다.
② 경국대전을 완성하였다.
③ 대동여지도를 제작하였다.
④ 백두산정계비를 건립하였다.

04

50회 21번

(가)에 들어갈 기구로 옳은 것은? [2점]

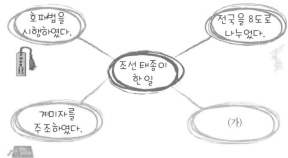

① 승정원 ② 어사대 ③ 집사부 ④ 홍문관

3. 조선 전기 **113**

12강 조선의 문화와 과학의 발전

 개념강의

자료 콕콕 기출 노트

▮ 조공

작은 나라가 큰 나라에 때를 맞추어 예물을 바치는 일을 말해요. 조선 전기에 조선이 명나라에 조공을 바치면, 명나라도 조선에 답례품을 보냈어요.

▮ 혼일강리역대국도지도

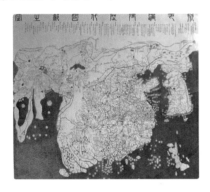

조선 태종 때 만든 세계 지도로, 오늘날 전해 내려 오는 세계 지도 중 아시아에서 가장 오래된 지도로 알려져 있어요. 유럽, 인도, 아프리카까지 그려져 있으며, 중국과 조선은 크게, 일본은 작게 그려져 있어 당시 조선이 중국을 중요시했음을 알 수 있어요.

기출선지 돋보기

- [명] 동지사, 정조사, 성절사 등이 있었다. 45회
- 일본의 요청을 받아들여 3포가 개항되었다. 41회
- 이종무가 쓰시마섬(대마도)을 정벌하였다. 54·50·47·46·43회

1 조선 전기 주변 나라와의 대외 관계

(1) 조선 전기 명나라와의 관계

① 건국 초기: 조선이 요동 정벌을 추진하여 불편한 관계였습니다.

② 태종 이후 조선과 명나라의 관계(사대 관계)

　㉠ 조선은 명나라에 조공을 하였으며, 명나라로부터 선진 문물을 받아들여 자주적이고 실리적인 외교를 추진하였습니다.

　㉡ 조선과 명나라는 친선 관계를 유지하였고, 사신을 주고받으며 문화적·경제적으로 활발하게 교류하였습니다.

 꼬리에 꼬리를 무는 역사

조선이 추진하였던 외교 정책의 특징을 살펴볼까요?

조선 시대의 외교 정책은 **사대교린**을 원칙으로 이루어졌어요.

사대란 큰 나라를 받들어 섬긴다는 뜻으로, 명나라에 대한 정책을 의미해요. 명나라에 대해 조선이 사대하였다고 해서 조선이 명나라의 지배를 받았다거나 명나라에 속한 나라였다고 이해하면 안 돼요. 당시 동아시아의 질서 속에서 조선은 명나라를 큰 나라로 인정하였고, 그 대신 명나라의 발달된 문물을 받아들이는 등 실리를 추구하였어요. 한편 교린이란 이웃 나라와 교류하며 친하게 지낸다는 뜻으로, 여진 및 일본에 대한 정책을 의미해요. 조선은 여진과 일본을 잘 달래면서 필요할 때는 무력을 사용하였지요.

(2) 조선 전기 일본과의 관계(교린 관계)

회유책	부산포(부산), 염포(울산), 제포(창원) 등 세 개의 항구를 열어 제한적으로 무역을 허용하기도 하였음(3포 개항).
강경책	세종 때 **이종무**를 시켜 **쓰시마섬(대마도)**을 정벌하였음.

(3) 조선 전기 여진과의 관계(교린 관계)

① **회유책**: 국경 근처에 무역소를 설치하여 여진과의 무역을 제한적으로 허용하였고, <u>귀순한</u> 여진족에게는 관직과 토지 등을 주어 조선에 정착하도록 하였습니다.
└─ 적이었던 사람이 반항심을 없애고 스스로 돌아서서 순응하는 것

② **강경책**: 여진족이 조선의 국경을 넘어와 식량을 빼앗고 물건을 약탈하는 등 백성을 괴롭힐 때에는 여진을 무력으로 정벌하였습니다.

③ **4군 6진의 개척**

  ㉠ 세종은 최윤덕과 김종서를 시켜 여진을 정벌하고 각각 4군과 6진을 설치하였으며, 이곳에 남쪽의 백성들을 <u>이주</u>시켜 살도록 하였습니다.
  └─ 원래 살던 곳에서 다른 곳으로 거처를 옮기는 것

  ㉡ 조선의 영토가 압록강과 두만강까지 확대되었고, 이때부터 오늘날과 같은 국경선이 확정되었습니다.

◀ **세종 때 개척한 4군과 6진**: 여진족의 침입이 잦아지자 세종은 최윤덕에게 압록강 유역의 4군을, 김종서에게 두만강 유역의 6진을 개척하도록 하였어요.

2 조선 전기의 문화 발전

(1) 훈민정음(한글) 창제

① **세종이 훈민정음을 창제한 까닭**

  ㉠ 당시에 사용하던 중국의 한자는 일반 백성들이 배우기 어려웠고, 글자를 모르는 백성들의 생활이 불편하였기 때문입니다.

  ㉡ 일반 백성들도 쉽게 배우고 쓸 수 있는 문자를 만들기 위해서입니다.

② **훈민정음의 창제**: 세종이 직접 연구하여 만들었으며, 1446년에 반포하였습니다.

③ **훈민정음의 의미와 특징**

훈민정음	'백성을 가르치는 바른 소리'라는 의미
특징	• 사람의 발음 기관(혀, 입술과 목구멍)과 하늘, 땅, 사람의 모양을 본떠 만들었음. • 글자를 통해 모든 소리를 표현할 수 있었고, 과학적인 원리에 따라 만들어져 쉽게 배울 수 있었음.
의의	• 일반 백성들도 쉽게 문자를 읽고 쓸 수 있게 되었음. • 민족 문화가 발전할 수 있는 계기가 마련되었음.

④ **훈민정음의 사용**: 양반들은 훈민정음을 '언문'이라고 얕잡아 부르며 잘 사용하지 않았으며, 주로 부녀자와 백성들이 사용하였습니다.
└─ 점잖지 못하고 상스러운 말을 적는 문자라는 뜻으로, 한글을 천하게 여겨 부르던 말

■ 훈민정음 해례본

훈민정음 해례본에는 세종의 훈민정음 반포문과 집현전 학자들이 쓴 해설서가 담겨 있어요. 이 책은 그 우수성을 인정받아 유네스코 세계 기록 유산으로 등재되었지요.

12일

일

일

기출선지 돋보기

• 무역소를 설치하여 **여진**과 교역했어요.
48회

• [여진] **4군 6진**이 개척되었다.
55·54·52·50~48·45~41회

• 여진을 몰아내고 **6진**을 개척하는 **김종서** 51·46회

• [세종] 훈민정음을 창제(반포)하였다.
52·46·44~41회

『삼강행실도』

백성들에게 모범이 되는 우리나라와 중국의 충신, 효자, 열녀 등의 이야기를 모아 엮은 책이에요. 백성들도 유교 윤리를 쉽게 배울 수 있도록 그림을 곁들여 만들었어요.

『동국여지승람』

성종 때 편찬된 지리서로 각 지방의 지리와 풍속, 인물 등을 기록하였어요.

기출선지 돋보기

- [조선왕조실록] **시정기**와 **사초**를 바탕으로 제작되었다. 55·44·42회
- [성종] 조선의 기본 법전인 **경국대전을 편찬(반포)**하였다. 39회
- [세종] **농사직설**을 간행하여 우리 풍토에 맞는 농사법을 보급하였다. 42회
- [세종] 한양(서울)을 기준으로 천체 운동을 계산한 **칠정산** 내편 51·46·41회

(2) 다양한 편찬 사업

우수성을 인정받아 유네스코 세계 기록 유산으로 등재되었음.

『조선왕조실록』	• 태조부터 철종까지의 역사를 시간 순서대로 기록한 책 • 왕이 죽고 다음 왕이 즉위하면 각 관청의 문서들과 사초를 종합하여 편찬하였고, 전국의 사고에 보관하였음.
『동국통감』	• 성종 때 완성한 역사책 • 고조선부터 고려 말까지의 역사를 기록하였음.
『경국대전』	세조 때 만들기 시작하여 성종 때 완성한 조선 최고의 법전
『삼강행실도』	세종 때 유교 윤리를 백성에게 알리기 위해 편찬하였음.
『농사직설』	세종 때 만든 농법서로, 우리나라의 자연과 실정에 맞는 농사법을 담아 편찬하였음.
혼일강리역대 국도지도	태종 때 만들어진 동양에서 가장 오래된 세계 지도
『악학궤범』	성종 때 편찬된 조선 시대의 음악을 정리한 책
『칠정산』	세종 때 한양을 중심으로 조선에 맞는 역법을 정비하여 편찬한 것으로, 조선 시대 과학 발전의 수준을 보여 줌.

나라의 중요한 책을 보관하던 창고

해와 달, 별 등의 움직임을 이용하여 날짜와 계절 등을 정하는 방법

▲ 『조선왕조실록』　　▲ 『경국대전』　　▲ 『악학궤범』

꼬리에 꼬리를 무는 역사

『경국대전』에는 어떤 내용이 담겨 있나요?

오늘날의 헌법과 비슷한 『경국대전』은 유교 이념을 바탕으로 만들어져 나라를 다스리는 기본 법전의 역할을 하였으며, 국가의 통치 원칙이 포함되어 있었어요.

『경국대전』에는 관청의 종류와 관리의 임명, 백성들이 내야 하는 세금, 과거 시험과 같은 의례, 군사 훈련과 국방, 재판과 형벌, 도로 건설과 산업 등 조선의 기틀을 규정하는 내용이 담겨 있었지요. 뿐만 아니라 토지·가옥·노비의 매매나 결혼을 할 수 있는 나이 등과 같은 백성들의 일상생활까지도 규정하였어요.

땅과 집을 사면 100일 안에 관청에 보고해야 합니다.

남자는 15세, 여자는 14세가 되어야 결혼할 수 있어요.

3 과학 기술의 발전

(1) 천문학의 발달

① 발달 배경
- ㉠ 조선의 왕은 백성 생활의 안정과 농업의 발전을 위해 천문과 역법을 연구하였습니다.
- ㉡ 하늘의 움직임은 왕의 권위와 연결되었기 때문에 천문과 역법을 중요하게 여겼습니다.

② 과학 기구의 발명: 세종은 **장영실** 등에게 과학 기구를 만들도록 하였습니다.

③ 세종 때 만들어진 다양한 과학 기구

혼천의, 간의	천체의 운행과 그 위치를 측정하는 천체 관측 기구
앙부일구	• 해의 움직임으로 시간과 절기를 알 수 있는 해시계 • 청동으로 만든 솥 모양 안에 철침을 세워 두고 햇빛을 받은 침의 그림자가 바닥에 비친 위치와 길이로 시각과 절기를 나타냈음.　┌입춘, 하지, 처서, 동지 등 계절을 구분하기 위해 한 해를 스물넷으로 나눈 것
자격루	• 물의 양이 변함에 따라 시각을 측정하는 물시계 • 날씨에 상관없이 일정한 시각이 되면 종과 북, 징이 울려 자동으로 시각을 알려 주었음.
측우기	각 지역의 강우량을 재는 데 사용된 기구로 세계 최초로 발명되었음.　┌일정 기간 동안 내린 비의 양
수표	하천 물의 높이를 측정하기 위해 설치한 기구

▲ 혼천의

▲ 간의

▲ 앙부일구

▲ 자격루

▲ 측우기

▲ 수표

④ **의의**: 과학 기구의 발명으로 백성들은 시간과 절기를 정확하게 알게 되었고, 농사를 짓는 데 큰 도움이 되었습니다.

장영실

관노비였던 어머니를 따라 천민의 신분이었지만 이후 벼슬에 올라 활동하였던 과학자예요. 과학 기술에 뛰어난 재능을 보여 태종 때부터 궁궐에서 일하기 시작하였고, 세종 때에는 혼천의, 간의, 앙부일구, 자격루, 수표 등 다양한 과학 기구들을 만들었어요.

12일

일

일

기출선지 돋보기

- [장영실 등] 해시계인 **앙부일구** 제작에 참여하였다. 38회
- 스스로 시간을 알리는 물시계 **자격루** 38회
- 강우량 측정을 위한 **측우기**가 만들어졌다. 38회

『농사직설』

씨앗을 저장하고 거름을 주는 방법. 다양한 곡식의 재배법 등 농사짓는 방법이 소개되어 있어요.

(2) 농업 기술의 발달

① 조선 시대의 농업 정책: 농업을 국가의 근본 산업으로 삼았고, 농업과 관련된 서적들을 편찬하였습니다.

② 『농사직설』의 편찬: 세종 때 우리나라의 환경에 맞는 농사법을 보급하기 위하여 각 지역의 농민들의 경험을 직접 조사하여 만들었습니다.

(3) 의술의 발달

① 일반 백성들도 의술의 혜택을 받을 수 있도록 우리나라에서 생산되는 약재들을 보급하고자 하였습니다.

② 세종 때 조선에서 생산되는 약재에 대한 정보를 정리하여 『향약집성방』을 편찬하였습니다.

(4) 인쇄술의 발달

① 고려의 금속 활자 기술을 계승하여 발전시켰습니다.

② 주자소를 설치하고 활자를 개량하여 태종 때에는 계미자가 만들어졌고, 이후에 세종 때에는 갑인자가 만들어졌습니다.

└─ 금속 활자를 만들고, 활자를 조합하여 책을 찍어 내던 관청

(5) 무기의 개발

① 신기전과 화차: 대규모의 적을 공격하기 위해 화약이 달린 화살인 신기전이 발명되었고, 수백 개의 신기전 등을 한번에 발사할 수 있는 화차가 만들어졌습니다.

② 전함: 판옥선과 거북선 등이 만들어졌습니다.

판옥선

조선 시대에 주로 만들어진 판옥선은 배의 방향을 빠르게 바꿀 수 있어 전투에 유리하였어요.

조선 전기의 그림

조선 전기에는 지배층인 양반이 선비다운 기품을 갖추기 위해 예술에 관심을 쏟으면서 양반 사대부를 중심으로 한 문화가 발달하였어요. 15세기에 그려진 대표적인 그림으로는 안견의 몽유도원도와 강희안의 고사관수도가 있어요. 16세기에는 여성 화가인 신사임당이 초충도 등의 작품을 남겼어요.

▲ 안견의 몽유도원도: 세종의 아들인 안평 대군이 꾼 꿈 이야기를 듣고 안견이 그린 그림이에요. 꿈속에서 본 신선이 사는 세상인 무릉도원의 모습이 담겨 있지요.

▲ 강희안의 고사관수도: 양반 출신의 화가인 강희안이 그린 그림이에요. 바위에 기댄 선비가 흐르는 물을 바라보는 여유로운 모습을 표현하였지요.

기출선지 돋보기

• 금속 활자 인쇄 기술의 향상을 보여 주는 **갑인자** 46회
• 화약을 이용한 신무기인 **신기전** 38회
• 안평 대군의 꿈을 소재로 그린 안견의 **몽유도원도** 39회

조선 전기에 유행하였던 도자기를 살펴볼까요?

조선 시대에는 유교에 따라 소박하고 실용적인 도자기가 만들어졌어요. 조선 초기에 인기를 끌었던 대표적인 도자기는 **분청사기**예요. 분청사기는 회색 또는 회백색의 흙으로 빚은 그릇의 표면에 흰색의 흙을 분처럼 발라 다시 구워 낸 것으로, 고려 말부터 조선 초까지 유행하였어요. 한편 16세기 이후에는 사람들의 영향으로 흰색의 **백자**가 널리 사용되었어요.

▲ 분청사기 철화
연어문 병

▲ 백자 달항아리

▲ 백자 철화
끈무늬 병

12일

월

일

이해 쏙쏙 한국사 비주얼씽킹

조선, 민족 문화가 발전하다

4군 6진의 개척

여진이 조선의 국경을 침입하자 세종 때 최윤덕과 김종서를 보내 4군과 6진을 개척하였어요.

훈민정음 창제

세종은 백성들의 문자 생활을 위해 과학적인 원리가 담긴 훈민정음을 창제·반포하였어요.

과학 기술의 발전

세종 때 장영실 등이 혼천의, 자격루, 앙부일구 등 여러 과학 기구를 만들었어요.

조선 전기의 그림

안견은 안평 대군이 꿈에서 본 이상 세계에 대한 이야기를 듣고 몽유도원도를 그렸어요.

기출키워드로 정리하기   비주얼씽킹 내용을 참고하여 아래 기출선지를 완성해 보세요.

> ㉠ 4군 6진   ㉡ 몽유도원도   ㉢ 자격루   ㉣ 훈민정음

01 조선 세종 때 여진족을 몰아내고 (   )을/를 설치하였습니다.

02 세종이 (   )을/를 창제·반포하였습니다.

03 세종 때 장영실 등이 자동으로 시간을 알려주는 물시계인 (   )을/를 만들었습니다.

04 안견이 안평 대군의 꿈 이야기를 듣고 (   )을/를 그렸습니다.

㉡ 04. ㉢ 03. ㉣ 02. ㉠ 01. **정답**

📖 **교과 연계** 초등 사회 5-2 1.3 민족 문화를 지켜 나간 조선

01

51회 21번

(가)에 해당하는 책으로 옳은 것은? [2점]

조선 제9대 국왕인 성종의 재위 기간에는 통치에 관한 규범들을 확립하기 위해 많은 서적이 편찬되었다. 국가 운영 전반에 대한 법률을 담은 [(가)] 이/가 반포되었으며, 국가의 의례를 정비한 국조오례의와 궁중 음악을 집대성한 악학궤범이 완성되었다.

① 택리지

② 경국대전

③ 농사직설

④ 동의보감

📖 **교과 연계** 초등 사회 5-2 1.3 민족 문화를 지켜 나간 조선

02

50회 18번

(가)에 들어갈 책으로 옳은 것은? [2점]

○○ 박물관

[(가)]

충신, 효자, 열녀의 이야기를 담아 세종 때 편찬된 책

효자 최록백이 아버지의 묘를 지켰어요.

① 동의보감

② 악학궤범

③ 삼강행실도

④ 용비어천가

📖 **교과 연계** 초등 사회 5-2 1.3 민족 문화를 지켜 나간 조선

03

48회 19번

(가)에 들어갈 과학 기구로 옳은 것은? [1점]

[(가)] 는 자동으로 시간을 알려 주는 장치를 갖춘 물시계입니다. 이 시계가 알려 주는 시간에 따라 도성 문을 열고 닫았으며, 궁궐 호위병들은 임무를 교대하였습니다.

① 자격루

② 측우기

③ 혼천의

④ 앙부일구

04

48회 21번

(가)에 들어갈 그림으로 옳은 것은? [2점]

이 작품은 조선 전기를 대표하는 그림으로, 안평 대군이 꿈에서 본 이상 세계에 대한 이야기를 듣고 안견이 그린 것입니다.

가상 현실 체험으로 만나는 조선 회화 특별전

[(가)]

①

무동도

②

세한도

③

인왕제색도

④

몽유도원도

12일

일

일

지배층 양반!!
양반
중간 계층 중인!!
중인
평범한 백성 상민!!
상민
천한 신분 천민!!
천민

13강 유교의 전통과 생활

▶ 개념강의

자료 콕콕 기출 노트

▌서원의 구조

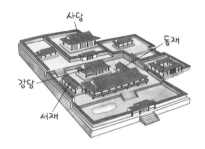

사당
동재
강당
서재

서원의 중앙에는 학생들이 유학을 배우는 강당이 있고, 양옆으로 학생들의 기숙사였던 동재와 서재가 있어요. 강당의 맞은편에는 제사를 지내던 사당이 배치되어 있지요.

기출선지 돋보기

- 최고 교육 기관으로 **성균관**이 있었어요.
  51회
- [향교] 유학 진흥을 위하여 **전국의 부·목·군·현에 하나씩** 설립되었다. 40회
- [향교] 중앙에서 **교수나 훈도**를 임명하였다. 45·40회
- [주세붕] 최초의 서원인 **백운동** 서원을 설립하였다. 48·41회

1 조선 시대의 유교 전통

(1) 유교를 근본으로 삼은 조선

① 유교 질서에 따른 조선의 모습

　㉠ 관리가 되기 위해서는 유교 경전을 공부해야 했습니다.

　㉡ 신분에 따라 해야 할 일을 엄격하게 구분하였습니다.

　㉢ 농사를 중요시했고, 개인의 자유로운 상업 활동을 막았습니다.

② 유교 교육 기관의 설립

　㉠ 성균관과 향교: 한양에는 최고 교육 기관인 **성균관**과 4부 학당을, 지방에는 향교를 설치하였습니다.

　㉡ **서원**

	┌ 어질고 덕망이 높았던 유학자들
의미	선현에 대한 제사와 양반 자제들의 교육을 위해 설립된 조선 시대의 사설 교육 기관
역할	지방 유생들의 모임 장소로, 사림이 여론을 형성하는 역할을 하기도 하였음. ┘어떤 사건이나 현상 등에 대한 공통된 생각이나 의견

꼬리에 꼬리를 무는 역사

우리나라에 처음 세워진 서원은 무엇일까요?

사림들은 성리학적 이념을 향촌 사회에 보급하고 유학자를 키우기 위하여 서원을 세웠어요. 최초의 서원은 중종 때 주세붕이 세운 **백운동 서원**이에요. 이곳은 고려 후기에 성리학을 도입하였던 안향을 기리는 제사를 지내기 위해 세워진 곳이지요.

▲ 영주 소수 서원

이후 백운동 서원은 명종으로부터 '소수 서원'이라는 현판과 책, 토지와 노비 등을 받았어요. 이와 같이 왕이 현판을 내려 준 서원을 사액 서원이라고 하는데, 사액 서원은 왕에게 토지와 노비를 받을 뿐만 아니라 세금도 면제받을 수 있었어요. 이 일을 계기로 서원이 전국 곳곳에 세워지게 되어 성리학의 연구와 발달에 기여하였어요. 서원은 향약과 함께 향촌 사회에서 사림들이 세력을 키우는 데 큰 역할을 하였지요.

③ 향약의 실시

  ㉠ 의미: 마을 사람들이 지켜야 할 자치 규약으로 백성들끼리 서로 도우며, 유교 윤리를 실천하도록 하였습니다.

  ㉡ 4대 덕목: 예절 바른 풍속을 서로 본받고(예속상교), 잘못된 일은 서로 규제하고(과실상규), 좋은 일은 서로 권하며(덕업상권), 어려운 일을 당하면 서로 돕는 것(환난상휼)을 말합니다.

(2) 삼강오륜과 관혼상제

① 삼강오륜

삼강	• 군위신강: 신하는 임금을 섬겨야 함. • 부위자강: 아들은 아버지를 섬겨야 함. • 부위부강: 아내는 남편을 섬겨야 함.
오륜	• 군신유의: 임금과 신하 사이에는 의리가 있어야 함. • 부자유친: 부모와 자식 사이에는 친함이 있어야 함. • 부부유별: 부부 사이에는 분별이 있어야 함. • 장유유서: 어른과 아이 사이에는 순서가 있어야 함. • 붕우유신: 친구 사이에는 믿음이 있어야 함.

② 관혼상제

관례	15세가 넘으면 어른이 되었음을 알리는 성년식을 치렀음.
혼례	결혼하는 사람은 평생을 함께할 것을 약속하는 혼례를 치렀음.
상례 (장례)	사람이 죽으면 상복을 입고 장례를 치렀음.
제례	부모님이 돌아가신 후 정성을 다하여 제사를 지냈음.

2 조선 시대 사람들의 생활 모습

(1) 조선 시대의 신분 질서

① 특징: 태어날 때부터 신분이 정해졌고, 신분에 따라 해야 할 일이 엄격하게 정해져 있었습니다.

② 구분

  ㉠ 법제적으로 조선의 신분은 크게 양인과 천인으로 나뉘었습니다. ┌ 양천제

  ㉡ 양인은 다시 양반, 중인, 상민으로 나누어져 실제로는 양반, 중인, 상민, 천민(천인)의 네 가지의 신분으로 구분되었습니다.

┌ 이황의 학문과 덕행을 기리기 위해
  안동 도산 서원이 세워졌음.

이황과 이이

▲ 이황　　　　▲ 이이

• 이황: 군주가 지켜야 할 도리를 도식으로 설명한 「성학십도」를 지었어요. 조선 시대의 붕당 중 동인은 이황의 학문을 계승하였지요. 이황은 천 원권 지폐에 그려져 있답니다.

• 이이: 현명한 신하의 역할을 강조한 「성학집요」를 지었으며 수미법 등 여러 사회 개혁안을 주장하였어요. 서인은 이이의 학문을 계승하였지요. 이이는 오천 원권 지폐에 그려져 있답니다.

13일

월

일

삼강오륜과 관혼상제

조선 시대에는 유교의 이념에 따라 모든 사람이 지켜야 하는 덕목으로 삼강오륜을, 일상생활에서는 관혼상제의 예절을 강조하였어요.

기출선지 돋보기

• [향약] 유교 윤리를 보급하는 데 이바지하였다. 29회

• [이황] 성학십도를 저술하였다.
　　　　　　　　　47·46·44·40회

• [이이] 성학집요를 저술하였다. 54·48·41회

서얼

양반인 아버지와 정실부인이 아닌 다른 여자 사이에서 태어난 자식을 말해요. 조선 시대의 서얼들은 높은 벼슬에 오르지 못하는 등 차별 대우를 받았어요.

강강술래

이순신 장군이 임진왜란 때 활용한 전술에서 유래했다는 설이 있어요.

기출선지 돋보기

- [역관] 외국으로 가는 사신의 통역을 전담하였다. 39회
- [첩의 자식] 서얼이라 불리기도 하였다. 26회
- [상민] 법적으로는 과거에 응시할 수 있었다. 26회
- [천민, 노비] 최하층인 천인 신분이었다. 26회

③ 신분에 따른 생활 모습

양반	• 주로 과거 시험을 통해 관리가 됨. • 높은 관리가 되어 나라의 중요한 일을 결정하였고, 넓은 토지와 많은 노비를 가졌음.
중인	• 기술관(의관, 역관, 율관 등), 중앙과 지방의 관청에서 일하는 서리나 향리, 양반의 자손 중 첩의 자식인 서얼 등으로 구성되었음. • 잡과를 통해 선발된 기술관에는 의학을 공부해 아픈 사람을 치료한 의관, 법률을 담당한 율관, 외국 사신이 왔을 때 통역을 담당한 역관 등이 있었음. • 양반에 비해 차별을 받았으며, 높은 벼슬에 오르기 어려웠음.
상민	• 농업·어업·수공업·상업 등에 종사하였으나, 대부분 농민이었음. • 양인이었기 때문에 원칙적으로 과거 시험을 볼 수 있었으나, 시간적·경제적인 이유로 응시하기 어려웠음. • 나라에 세금을 내고, 군대에 가야 했으며, 성곽 등을 지을 때 동원되었음.
천민	• 대부분 노비였으며, 백정(가축을 잡는 직업)·광대·무당 등 천한 직업에 종사하던 사람도 있었음. • 노비는 나라 또는 개인의 재산처럼 여겨져 물건처럼 사고팔 수 있었으며, 상속이 가능하였음. • 국가에 속한 노비(공노비)와 개인이 소유한 노비(사노비)가 있었음.

┌ 한 사람이 죽은 후에 다른 사람에게
  토지 등의 재산을 물려주는 것

(2) 민속놀이와 여가 생활

① 민속놀이: 마을 사람들이 함께 모여 풍년을 기원하며 놀이를 하였습니다.

고싸움놀이	두 편으로 나누어 '고'를 서로 부딪쳐 승부를 겨루는 놀이
강강술래	추석날 밤에 여성들이 둥글게 손을 잡고 도는 놀이
줄다리기	굵은 밧줄을 마주 잡고 당겨서 승부를 겨루는 놀이

② 여가 생활: 신분과 성별에 따라 여가 생활 모습이 달랐습니다.

ㄱ 양반: 남자는 시 짓기와 활쏘기, 바둑, 승경도놀이 등을 즐겼고, 여자는 수 놓기나 책 읽기 등을 즐겼습니다.

ㄴ 상민: 씨름이나 윷놀이, 고누 등을 하였고, 남자들은 짚으로 물건을 만들고 여자들은 베 짜기 등으로 시간을 보냈습니다.

꼬리에 꼬리를 무는 역사

고려와 조선 시대 사람들이 즐겼던 격구에 대해 알아볼까요?

격구란 말을 타고 달리면서 긴 막대기로 공을 쳐서 상대방의 문에 넣는 놀이예요. 페르시아에서 시작되어 중국을 거쳐 우리나라에 전래되었다고 해요. 격구는 고려 중기 이후 궁중에서 크게 유행하였어요. 이 놀이를 하려면 말 타는 실력이 뛰어나야 하기 때문에 조선 시대에는 무예 훈련에 활용되기도 하였어요.

승경도놀이

▲ 승경도 말판

넓은 종이에 옛 벼슬의 이름을 써 놓고 주사위 등을 굴려서 나온 수에 따라 말을 옮기며 벼슬의 오르고 내림을 겨루던 놀이예요.

고누

▲ 김홍도의 고누놀이

조선 후기의 화가 김홍도가 그린 고누놀이하는 청년들의 모습이예요. 고누란 땅이나 종이 위에 말판을 그려 놓고 두 편으로 나누어 말을 많이 따거나 말 길을 막는 것을 다투는 놀이예요.

비주얼씽킹

유교 원리에 따라 국가가 운영되다

유교 통치 이념의 확립

조선은 유교를 숭상하는 나라였어요. 유교를 국가의 통치 이념으로 삼았을 뿐 아니라 유교가 사람들의 생활 모습에도 큰 영향을 미쳤어요.

유교 교육 기관의 설립

조선 시대에는 유교를 교육하기 위한 여러 교육 기관이 설립되었어요. 수도에는 성균관 과 4부 학당, 지방에는 향교와 서원이 세워졌어요.

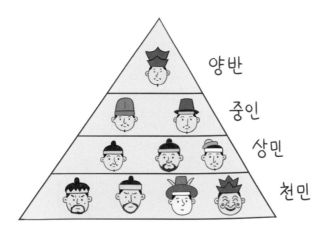

조선의 신분 제도

조선의 신분은 크게 양인과 천인(천민)으로 나뉘었고, 양인 은 다시 양반, 중인, 상민으로 나누어졌어요.

기출키워드로 정리하기 비주얼씽킹 내용을 참고하여 아래 기출선지를 완성해 보세요.

| ㉠ 서원 | ㉡ 유교 | ㉢ 천민 |

01 조선은 (   )을/를 국가의 통치 이념으로 삼았습니다.

02 조선 시대에 지방 곳곳에 유교 교육 기관인 (   )이/가 세워졌습니다.

03 조선의 신분은 양반, 중인, 상민, (   )(으)로 나뉘었습니다.

기출 술술 하루마무리

■ 정답은 25쪽에서!

01

51회 19번

교사의 질문에 대한 학생의 답변으로 옳지 <u>않은</u> 것은?

[2점]

조선 시대의 교육 기관에 대해 말해 볼까요?

① 책을 읽고 활쏘기를 익히는 경당이 있었어요.

② 서울의 4부 학당에서는 중등 교육을 담당했어요.

③ 최고 교육 기관으로 성균관이 있었어요.

④ 사림이 세운 서원이 있었어요.

02

47회 22번

(가) 인물의 활동으로 옳은 것은?

[3점]

이곳은 도산 서원 상덕사로 (가) 의 위패를 모신 사당입니다. 그는 풍기 군수, 성균관 대사성 등의 관직을 역임하였으며 예안 향약을 만들었습니다.

① 거중기를 설계하였다.

② 대마도를 정벌하였다.

③ 성학십도를 저술하였다.

④ 대동여지도를 제작하였다.

03

54회 21번

(가) 인물의 활동으로 옳은 것은?

[3점]

화폐로 보는 역사 인물

이 화폐에는 (가) 의 모습과 그가 태어난 강릉 오죽헌 등이 그려져 있습니다. 그는 조선 시대 유학자이자 정치가로 수미법을 주장하였습니다.

① 앙부일구를 제작하였다.

② 성학집요를 저술하였다.

③ 시무 28조를 건의하였다.

④ 화통도감 설치를 제안하였다.

04

52회 16번

다음에 해당하는 문화유산으로 옳은 것은?

[1점]

세계유산 | 세계기록유산 | 무형문화유산

기본 정보 | 상세 설명

두 사람이 상대방의 샅바나 바지의 허리춤을 잡고 상대를 바닥에 넘어뜨리는 민속놀이이다. 이 놀이는 남북한이 공동으로 등재를 신청하여 2018년에 유네스코 무형 문화유산이 되었다.

① 씨름

② 택견

③ 강강술래

④ 남사당놀이

14강 임진왜란과 병자호란

▶ 개념강의

자료 콕콕 기출 노트

♦ 유성룡

▲ 『징비록』

임진왜란 당시 재상이었던 유성룡은 왜적의 침입에 대비하여 선조에게 이순신과 권율을 등용할 것을 건의하였어요. 또한 임진왜란 중에 조총 부대가 포함된 훈련도감을 만들 것을 요청하였지요. 그는 전쟁이 끝난 후 지난 일을 경계하고 다시는 이런 일이 일어나지 않도록 대비하기 위해 『징비록』을 저술하였어요.

1 임진왜란

(1) 임진왜란이 일어나기 전의 상황

① 일본의 상황: 도요토미 히데요시가 오랜 전쟁 끝에 분열되어 있던 일본을 통일하고, 대륙 침략에 대한 욕심을 키웠습니다.

② 조선의 상황

   ㉠ 오랜 평화로 인해 국방에 소홀하여 군사력이 약화되었습니다.

   ㉡ 당시 선조는 사신들을 보내 일본이 전쟁을 일으킬지 살펴보라고 하였는데, 조선에 돌아온 사신들의 주장이 엇갈렸습니다.

   ㉢ 선조는 전쟁이 일어날 것 같지 않다고 주장한 김성일의 보고를 듣고, 전쟁 준비를 하지 않았습니다.

③ 일본의 사정을 살피고 돌아온 사신들의 주장

김성일	전쟁이 일어날 것 같지 않다고 주장하였음.
황윤길	일본은 전쟁 준비가 한창이니, 일본의 침입에 대비해야 한다고 주장하였음.

꼬리에 꼬리를 무는 **역사**

임진왜란의 상황을 알 수 있는 기록물에는 무엇이 있나요?

임진왜란 때의 상황을 알아볼 수 있는 대표적인 기록물에는 『난중일기』와 『징비록』이 있어요.

『난중일기』는 임진왜란 때 바다에서 큰 승리를 거두었던 이순신 장군이 남긴 일기예요. 이순신은 7년 동안 임진왜란을 치르는 와중에도 거의 날마다 일기를 썼다고 해요. 일기에는 그날의 날씨와 전쟁터의 지형, 백성들의 생활 모습, 전쟁의 상황, 그곳에서 든 생각이나 느낌 등이 담겨 있지요.

『징비록』은 임진왜란 당시 재상이었던 유성룡이 쓴 책이에요. 『난중일기』와 달리 『징비록』은 전쟁이 모두 끝난 후에 저술되었어요. 벼슬에서 물러난 유성룡은 임진왜란 전후의 상황을 되돌아보고, 다시는 이와 같은 일이 일어나지 않도록 대비하기 위해 이 책을 남겼지요. 『징비록』에는 임진왜란 이전의 일본과의 관계, 전쟁 당시에 활약한 인물들, 백성들의 생활 모습과 더불어 전쟁 당시에 주고받은 문서 등이 담겨 있답니다.

기출선지 **돋**보기

• [유성룡] 징비록을 저술하였다. 52회

(2) 임진왜란의 발발

① 일본군의 침입(1592년): 일본은 '정명가도'를 내세우며 조선을 쳐
  들어왔습니다.
    └─일본은 "명나라를 공격하려고 하니 길을 내어
      달라."라고 요구하며 조선을 침입하였음.

② 부산진과 동래성 함락: 조선은 일본군의 침입에 맞서 싸웠으나, 조
  총으로 무장한 일본군에 의해 부산진과 동래성이 함락되었습니다.

③ 충주 탄금대 전투의 패배와 한성 점령: **충주 탄금대 전투**에서 일본
  군에 패하면서 **신립**이 지키던 충주의 방어선이 무너졌고, 20여
  일 만에 한성(한양)이 점령되었습니다.

④ 선조의 피란과 원군 요청: 선조는 의주로 피란을 떠났고, 명나라
  에 지원군을 요청하였습니다.
    └─난리를 피하여 몸을 옮기는 것

⑤ 일본군의 북진: 한성 점령 이후 일본군은 평양성을 점령하였고,
  함경도까지 침략하였습니다.

(3) 이순신과 수군의 활약

전쟁 이전	**이순신**은 전쟁에 대비해 거북선을 만들고 군사를 훈련시켰음.
수군의 활약	• 전쟁이 일어나자 이순신이 이끄는 조선의 수군은 곳곳에서 승리를 거두었고, 조선군의 사기가 높아졌음. • 육군과 수군이 연합하여 상륙하려던 일본의 계획은 이순신과 조선 수군의 활약으로 실패하였음. • 주요 해전: 사천 해전(거북선이 처음 등장한 전투), **한산도 대첩, 명량 대첩**, **노량 해전**(이순신이 전사한 전투) 등
영향	수군의 활약으로 조선은 제해권을 장악하였고, 일본군의 보급로를 차단하였으며, 전라도 지역의 곡창 지대를 지켰음.

└─정유재란 때의 전투

└─조선의 바다를 일본군이 마음대로
  사용하지 못하게 한 것을 말함.

꼬리에 꼬리를 무는 역사

이순신이 해전에서 승리할 수 있었던 까닭은 무엇
일까요?

임진왜란 때 수군을 이끌었던 **이순신**은 크고 작은
해전에서 단 한 차례의 패배 없이 승리하여 일본군에
게 공포의 대상이 되었어요.

▲ 이순신

조선의 수군이 연이은 승리를 거둘 수 있었던 이유
로는 강력한 화포, 판옥선과 **거북선**, 이순신의 뛰어난
전략을 꼽을 수 있어요. 조선의 주력 배였던 판옥선은
일본군의 배보다 방향을 쉽게 바꿀 수 있어 지형이 복잡하고 물살이 센
남해에서 저력을 발휘했어요. 돌격선인 거북선이 적의 진영을 뚫고 화포
를 쏘아 전열을 흐트러뜨리면, 판옥선이 그 뒤를 따라 적의 배를 침몰시
켰지요.

또한 이순신은 육지의 드나듦이 심하고 섬이 많은 남해의 복잡한 지형
을 이용하여 치밀한 전략을 세워 조선군의 피해를 최소화하면서도 숫자
가 훨씬 많았던 일본군을 물리칠 수 있었어요. 특히 명량 대첩에서는 울
돌목으로 일본군을 유인해 13척의 배로 10배가 넘는 일본군의 배를 침몰
시켜 큰 승리를 거두었지요.

조총

유럽에서 전래된 서양식 무기로, 일본은
서양의 상인들을 통해 조총을 들여왔어요.
탄약을 총신에 넣고 심지를 끼워 불을 붙
여 발사하였어요.

동래부순절도

임진왜란 때 동래성에서 벌어진 전투 모
습을 그린 그림이에요. 동래 부사 송상현
과 조선군, 백성들이 일본군에 맞서 힘껏
싸우는 모습이 표현되어 있어요.

기출선지 돋보기

• 신립이 탄금대에서 배수의 진을 치고
  싸웠다. 43·41·40회
• [선조] 한성이 점령되어 **왕이 의주로 피
  신**하였다. 30회
• 이순신이 한산도 해전에서 대승을 거두
  었다. 31회
• 이순신이 명량 해전에서 승리하였다.
  43·41·40회

자료 콕콕 기출 노트

곽재우

임진왜란이 일어나자 경남 의령에서 의병을 일으킨 곽재우는 붉은 옷을 입고 싸웠다고 해서 홍의 장군이라고 불렸어요.

학익진

적이 공격해 오면 가운데의 거북선은 뒤로 물러나고, 양옆의 판옥선이 앞으로 달려 나가 적을 포위하여 공격하는 전술이에요.

기출선지 돋보기

- 곽재우, 고경명 등이 의병장으로 활약하였어요. 50·41회
- [진주 대첩] 진주성에서 적을 물리치는 김시민 28회
- [행주 대첩] 권율이 행주산성에서 크게 승리하였다. 50·48·45·41·40회
- 조·명 연합군은 일본군에게 빼앗겼던 평양성을 탈환함으로써 전쟁 초반의 열세를 만회하였어요. 39회

└ 백성들이 자발적으로 일으킨 부대

(4) 의병과 관군의 활약

① 의병들의 활약

㉠ 의병: 전국에서 일어나 일본군과 싸웠습니다.

㉡ 대표적인 의병장: 곽재우, 고경명, 사명대사, 서산대사, 정문부 등이 전국 곳곳에서 백성들을 이끌었습니다.

② 의병과 관군의 활약: 의병과 관군이 함께 힘을 합쳐 김시민은 진주성(진주 대첩), 권율은 행주산성(행주 대첩) 등에서 큰 승리를 거두었습니다.

③ 조선과 명 연합군의 승리: 명나라의 원군이 도착하여 조선군과 연합하였고, 평양성을 되찾는 등 승리를 거두었습니다.

▲ 임진왜란의 전개

꼬리에 꼬리를 무는 역사

임진왜란의 3대 대첩을 알아볼까요?

임진왜란 때 일본군에 맞서 크게 승리한 세 개의 전투를 3대 대첩이라고 해요. 이순신이 이끈 수군의 한산도 대첩, 관군과 의병이 함께 싸웠던 진주 대첩과 행주 대첩이지요.

한산도 대첩에서 이순신은 적을 유인하며 돌격선 역할을 하던 거북선이 후퇴하면서 판옥선들이 양쪽을 따르는 모양으로 배를 배치하였는데, 이 모습이 마치 학의 날개를 닮았다고 하여 **학익진 전법**이라고 해요. 조선의 수군은 학익진 전법으로 일본군을 포위하였고, 화포로 공격하여 큰 승리를 거두었어요.

한편 진주성을 향해 일본군이 쳐들어오자 김시민이 이끄는 관군과 백성들은 성을 기어오르는 일본군을 막기 위해 끓는 물을 붓거나 짚에 불을 붙여 던지는 등 온 힘을 다하여 일본군의 공격을 막아 내었지요.

권율이 이끄는 관군과 백성들은 행주산성에서 일본군의 침입에 대항하여 성을 방어하였는데, 이때 여성들도 행주치마에 돌을 주워 나르는 등 처절한 전투가 벌어졌다고 해요. 백성들의 노력으로 일본군을 크게 무찌를 수 있었지요.

(5) 정유재란의 발발과 왜란의 극복

① 전세가 불리해지자 일본은 강화 회담을 제안하였습니다.
② 강화 회담이 결렬되자 일본이 다시 조선을 침략하였습니다(정유재란).
③ 수군과 의병의 활약, 조선과 명나라 연합군의 승리 등으로 일본군의 기세가 꺾였습니다.
④ 도요토미 히데요시의 죽음 이후 일본군이 물러갔고, 노량 해전을 끝으로 7년간의 전쟁이 끝났습니다.

(6) 임진왜란의 영향

① 전쟁 당시 조선의 변화
  ㉠ **비변사**의 기능이 강화되어 나랏일을 운영하는 최고 기구가 되었습니다.
  ㉡ 임진왜란 중에 직업 군인인 **훈련도감**이 설치되었고, 속오군이 편성되었습니다.

② 임진왜란 이후의 상황

조선	• 인구가 크게 줄어들고 국토가 황폐해졌음. • 세금이 걷히지 않아 나라의 재정이 어려워졌음. • 불국사와 경복궁 등 문화유산이 불에 타거나 책, 도자기 등 많은 문화재를 일본에 빼앗겼음.
일본	• 도쿠가와 이에야스에 의해 새로운 정권이 들어섰음. • 조선에서 끌고 간 도자기 기술자들, 약탈한 문화재와 책 등으로 문화를 발전시킬 수 있었음. ┌ 예 이삼평
명나라	• 조선에 군대를 보내 국력이 약해졌음. • 명나라의 세력이 약해진 틈을 타 여진족이 세력을 확장하여 후금을 세웠고, 명나라를 위협하였음.

2 병자호란

(1) 광해군의 중립 외교
┌ 나라 사이의 분쟁이나 전쟁에 관여하지
① 당시의 상황 않고 중간 입장을 지키는 것
  ㉠ 선조의 뒤를 이어 조선의 왕이 된 **광해군**은 임진왜란으로 입은 피해를 복구하기 위해 노력하였습니다.
  ㉡ 명나라의 국력이 약해졌고, 여진이 세운 후금이 세력을 키웠습니다.
  ㉢ 후금의 위협을 받은 명나라는 조선에 지원군을 요청하였습니다.

② 중립 외교 정책
  ㉠ 후금의 공격에 명나라가 군대를 요청하자, 광해군은 후금과의 전쟁을 피하기 위해 **강홍립**을 시켜 명나라를 돕는 척하다가 후금에 항복하도록 하였습니다.
  ㉡ 광해군의 실리적인 **중립 외교**로 조선은 전쟁에 휘말리지 않고 전쟁으로 입은 피해 복구에 집중할 수 있었습니다.

비변사

비변사는 원래 전쟁과 같은 상황에서 의견을 모으기 위해 설치한 임시 기구였는데, 임진왜란을 거치면서 비변사의 권력이 커져 국가 정책을 논의하는 기구가 되었어요. 임진왜란 이후에 비변사는 의정부를 대신하여 최고 통치 기구의 역할을 하였지요.

훈련도감

선조 때 임진왜란 중에 만들어진 직업 군인이었어요. 조총을 사용한 포수와 활을 사용한 사수, 칼을 사용한 살수로 구성되었지요.

이삼평 기념비

이삼평은 임진왜란 때 일본에 끌려간 도자기 기술자로, 일본의 도자기 발달에 크게 기여하였어요. 일본은 이삼평을 위해 기념비를 세웠어요.

기출선지 **돋**보기

• 조총으로 무장한 **훈련도감** 군인 48회
• [**광해군**] 명과 후금 사이에서 중립적 외교를 추진하였다. 40회

강화산성

강화읍을 둘러싼 산성으로, 고려 시대에 몽골의 침입에 대항하여 쌓았어요. 정묘호란과 병자호란 때 왕족이 피신하였던 곳이지요.

(2) 인조의 즉위

① **당시의 상황**: 일부 신하들은 광해군의 중립 외교가 명나라에 대한 은혜를 저버리는 행위라고 반대하였습니다.

② **광해군의 폐위와 인조의 즉위**: 중립 외교에 반대하던 신하들(서인 세력)은 광해군이 어머니를 유폐시키고 동생인 영창 대군을 죽게 한 일(폐모살제)을 구실로 광해군을 폐위시키고 강화도로 유배 보낸 뒤, 인조를 새 임금으로 세웠습니다(**인조반정**).

③ **인조의 친명배금 정책**: 인조는 후금을 멀리하고 명나라와 친교를 맺는 정책(**친명배금** 정책)을 추진하였습니다.

(3) 정묘호란(1627년)

① **배경**: 인조가 명나라를 가까이하고 후금을 멀리하였습니다.

② **전개 과정**

발발	후금은 명나라와 싸우기 전에 조선을 먼저 침략하였음.
전개	인조는 강화도로 피신하였고, 의병과 관군이 후금에 항쟁하였음.
결과	명나라와의 싸움을 앞두고 있던 후금은 조선과 형제의 관계를 맺고 돌아갔음.

(4) 병자호란(1636년)

① **배경**: 임금(청)과 신하(조선)의 관계 후금은 국력을 키워 나라 이름을 '청'으로 바꾸고, 조선에 군신 관계를 맺을 것을 요구하였습니다.

② **발발**: 조선이 청나라의 요구를 거부하자, 청나라 황제가 직접 군대를 이끌고 조선을 침략하였습니다.

③ **전개**

　㉠ 임경업 장군이 백마산성에서 항전하였지만 한성이 함락되었고, 인조는 **남한산성**으로 피신하여 청나라 군대에 저항하였습니다.

　㉡ 신하들은 청나라와 끝까지 싸울 것을 주장하는 편(주전파)과 화해할 것을 주장하는 편(주화파)으로 나누어졌습니다.

④ **결과**: 남한산성이 포위되자, 인조가 삼전도에서 청나라의 황제에게 항복하였고, 청나라와 조선은 군신 관계를 체결하였습니다.

▲ 병자호란의 전개

기출선지 돋보기

- 광해군이 **인조반정**으로 폐위되었다. 55회
- 서인 정권이 **친명배금 정책**을 추진하였다. 49회
- [정묘호란] 후금의 군대 3만 명이 쳐들어오자 국왕은 **강화도**로 피란하였습니다. 37회
- [병자호란] **청 태종**이 황제를 칭하고 **군신 관계**를 요구하였습니다. 37회
- [병자호란] 임경업이 **백마산성**에서 항전하였다. 46·45회
- [병자호란] 국왕이 **남한산성**에서 항전하였다. 41회

(5) 병자호란 이후의 상황

┌ 인조의 뒤를 이어 효종으로 즉위하였음. 왕이 된 후
└ 청을 정벌해 복수하자는 북벌을 추진하였음.

① 인조의 아들인 소현 세자와 봉림 대군을 비롯한 많은 사람들이 청나라에 포로로 잡혀갔습니다.

② 조선은 청나라에 사대하며 조공을 하였고, 청나라가 전쟁을 할 때에는 군대를 보내야 했습니다.

┌ 청나라가 러시아와 싸웠던 전
└ 투(나선 정벌)에 조선의 조총
   부대가 동원되었음.

꼬리에 꼬리를 무는 역사

인조가 피신하였던 남한산성에 대해 알아볼까요?

경기 광주, 성남, 하남 지역에 걸쳐 있는 **남한산성**은 조선 시대에 한양의 남쪽을 지키던 산성이에요. 병자호란이 일어나자 인조는 정묘호란 때처럼 강화도로 피신하려 했어요. 그러나 강화도로 가는 길목이 청나라 군대에 막히자 방향을 돌려 남한산성으로 피신하였지요. 이곳에서 인조와 신하들은 40여 일 동안 머무르며 청나라에 대항하였어요. 남한산성은 그 가치를 인정받아 2014년에 유네스코 세계 유산으로 등재되었지요.

▲ 남한산성 동문

▲ 남한산성 수어장대

▌삼전도비

인조가 청나라 황제에게 항복한 내용이 담긴 비석으로, 서울 송파구에 위치해 있어요.

임진왜란과 병자호란이 일어나다

1. 임진왜란

임진왜란 초기 조선군은 일본군에 밀려 어려움을 겪었지만 이순신의 수군과 각지의 의병, 관군의 활약과 명나라 군대의 도움으로 일본을 물리쳤어요.

2. 광해군의 중립 외교

광해군은 임진왜란 때 조선을 도와준 명나라와 성장하고 있던 후금 사이에서 실리적인 중립 외교를 추진하였어요.

3. 인조반정

광해군의 중립 외교 등에 반발한 서인 세력은 반정을 일으켜 광해군을 몰아내고 인조를 왕으로 세웠어요.

4. 병자호란

후금이 청으로 나라 이름을 바꾸고 조선을 침략하였어요. 인조와 신하들은 남한산성에서 청나라 군대에 맞섰지만 결국 항복하였어요.

기출키워드로 정리하기   비주얼씽킹 내용을 참고하여 아래 기출선지를 완성해 보세요.

㉠ 광해군	㉡ 남한산성	㉢ 이순신	㉣ 중립 외교

01 임진왜란 때 (   )이/가 명량에서 큰 승리를 거두었습니다.

02 광해군은 명과 후금 사이에서 실리적인 (   )을/를 추진하였습니다.

03 서인 세력은 (   )을/를 폐위시키고 인조를 왕으로 세웠습니다.

04 청나라가 쳐들어오자 인조는 (   )(으)로 피신하여 청나라 군대에 대항하였습니다.

㉡ 70 ㉡ 03 ㉣ 02 ㉢ 10 **정답**

📖교과 연계 초등 사회 5-2 1.3 민족 문화를 지켜 나간 조선

01
48회 23번

(가) 전쟁 중에 있었던 사실로 옳은 것은? [2점]

> 진주성에서 진주 목사 김시민의 지휘 아래 관군과 백성들이 일본군에 맞서 싸우고 있습니다. 곽재우 등이 이끄는 의병 부대도 성 밖에서 이를 지원하고 있는데요. 이 전투가 일본의 침략으로 시작된 ___(가)___ 의 흐름에 어떤 영향을 미칠지 관심이 모아지고 있습니다.

진주성에서 치열한 전투 중

① 천리장성이 축조되었다.
② 권율이 행주산성에서 승리하였다.
③ 황룡사 9층 목탑이 불타 없어졌다.
④ 윤관이 별무반 편성을 건의하였다.

📖교과 연계 초등 사회 5-2 1.3 민족 문화를 지켜 나간 조선

02
51회 26번

(가)에 들어갈 장면으로 가장 적절한 것은? [2점]

 ➡ (가) ➡

①
서경으로 수도를 옮기고 금나라를 정벌하자!
서경
개경

②
위화도
요동 정벌은 불가하다. 개경으로 회군하라.

③
광해군이 유배 가는 모습을 보니 세상 참 덧없군.

④
나 이종무가 대마도를 정벌하러 왔다.

📖교과 연계 초등 사회 5-2 1.3 민족 문화를 지켜 나간 조선

03
47회 23번

(가) 전쟁에 대한 탐구 활동으로 적절한 것은? [2점]

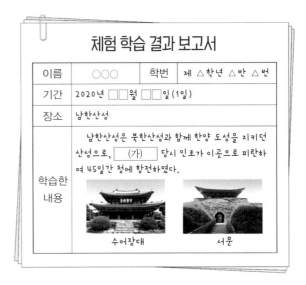

체험 학습 결과 보고서

이름	○○○	학번	제 △학년 △반 △번
기간	2020년 □□월 □□일 (1일)		
장소	남한산성		
학습한 내용	남한산성은 북한산성과 함께 한양 도성을 지키던 산성으로, __(가)__ 당시 인조가 이곳으로 피란하여 45일간 청에 항전하였다.		

수어장대   서문

① 보빙사의 활동을 조사한다.
② 삼별초의 이동 경로를 찾아본다.
③ 삼전도비의 건립 배경을 파악한다.
④ 을미의병이 일어난 계기를 살펴본다.

14일

일

일

시험에 꼭! 나오는 건축물 내가 누구게?

고려 시대

▲ 안동 봉정사 극락전
고려 시대에 지어졌으며, 현재 남아 있는 가장 오래된 목조 건축물입니다.

▲ 예산 수덕사 대웅전
고려 시대의 목조 건축물로, 주심포 양식으로 만들어진 건축물입니다.

▲ 영주 부석사 무량수전
고려 시대의 목조 건축물로, 배흘림 기법과 주심포 양식을 살펴볼 수 있습니다.

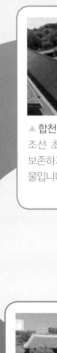

▲ 합천 해인사 장경판전
조선 초기에 팔만대장경판을 보존하기 위해 만들어진 건축물입니다.

▲ 창덕궁
태종 때 경복궁 동쪽에 지어진 궁궐로, 아름다움을 인정받아 유네스코 세계 유산으로 등재되었습니다.

▲ 성균관 명륜당
성균관은 조선 최고의 유학 교육 기관으로, 명륜당은 유학을 배우고 토의하던 강당입니다.

▲ 영주 소수 서원
성리학을 도입한 안향을 기리기 위해 세운 최초의 서원인 백운동 서원이 사액을 받아 소수 서원으로 이름이 바뀌었습니다.

조선
전기

▲ 경복궁
조선 태조 때 처음으로 지어
진 정궁으로, 임진왜란 때 불
에 탔으나 흥선 대원군 때 다
시 지어졌습니다.

▲ 종묘
조선 왕조의 역대 왕과 왕비
의 신주를 모신 사당입니다.

▲ 흥인지문
서울 도성의 동쪽 대문으로,
유교 이념의 하나인 '인'을 넣
어 이름을 붙였습니다.

▲ 숭례문
서울 도성의 남쪽 대문으로,
유교 이념의 하나인 '예'를 넣
어 이름을 붙였습니다.

▲ 사직단
조선 시대에 토지의 신과 곡식
의 신에게 제사를 지내던 곳입
니다.

▲ 남한산성
병자호란 때 청나라에 저항하
였던 곳으로, 유네스코 세계 유
산으로 등재되었습니다.

▲ 보은 법주사 팔상전
충북 보은에 위치한 법주사에
있는 조선 시대의 목조 건축물
입니다.

조선
후기

▲ 수원 화성
정조 때 세워진 것으로, 유네
스코 세계 유산으로 등재되었
습니다.

조선 후기

1610년
동의보감 편찬

1678년
숙종, 상평통보 본격 발행

1742년
영조, 탕평비 건립

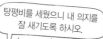

탕평비를 세웠으니 내 의지를 잘 새기도록 하시오.

1796년
정조, 화성 완성

1862년
임술 농민 봉기

삼정의 문란을 바로잡자!

탐관오리를 몰아내자!

와

와아

와

15강 전란의 극복과 조선 사회의 변화

▶ 개념강의

자료 콕콕 기출 노트

▌영정법

조선 시대에 백성이 내야 하는 세금은 크게 전세, 공납, 역이 있었어요. 그중 전세는 토지에 부과되는 세금이었는데, 인조 때 풍년과 흉년에 상관없이 일정 액수만 내게 하는 영정법을 시행해 백성의 부담을 줄여 주었어요.

1 전란 이후 조선의 상황
→ 전쟁으로 인한 난리

(1) 임진왜란과 병자호란 이후의 상황

① 인구의 감소: 전쟁으로 많은 사람이 죽거나, 포로로 잡혀 갔습니다.

② 농토의 황폐화: 전쟁으로 오랫동안 농사를 짓지 않아 토지가 황폐해졌고, 백성들의 생활은 더욱 어려워졌습니다.

③ 나라 재정의 감소: 백성들의 생활이 어려워지자, 세금이 잘 걷히지 않아 나라의 살림이 어려워졌습니다.

(2) 임진왜란의 피해를 극복하기 위한 광해군의 노력

① 토지 조사의 실시: 농사짓는 토지를 다시 조사하여 세금을 정확하게 거두고, 나라의 재정을 늘리고자 하였습니다.

② 대동법의 실시

배경	임진왜란 이후 백성의 생활이 어려워졌으며, 방납의 폐단이 발생하였음. → 어떤 일이나 행동에서 나타나는 옳지 못한 경향이나 해로운 현상
목적	백성들의 공납 부담을 줄여 주기 위해 시행하였음. → 집집마다 특산물을 내던 세금
내용	세금으로 특산물을 내는 대신 토지 면적에 따라 쌀이나 베·무명, 동전 등으로 납부하게 하였음.
실시 지역	광해군 때 경기도에서 처음 실시되었음. → 인조 때 강원도로 확대되었음. → 효종 때 충청도와 전라도로 확대되었음. → 숙종 때 함경도와 평안도, 제주도를 제외하고 전국적으로 실시되었음. → 잉류 지역이라 하여 세금을 한양으로 보내지 않고 그 지역에서 자체적으로 사용하였음.
영향	관청의 필요 물품을 사서 납부하는 공인이 등장하였음.

③ 『동의보감』의 편찬

ⓐ 허준은 왕의 명령으로 선조 때부터 『동의보감』을 만들기 시작하여 광해군 때 완성하였습니다.

ⓑ 『동의보감』은 우리 땅에서 자라고 주변에서 쉽게 구할 수 있는 약초를 소개하고 질병에 대한 치료법을 정리한 의학서로, 유네스코 세계 기록 유산으로 등재되었습니다.

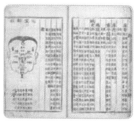

▲ 『동의보감』: 허준이 1610년에 완성한 의학서로, 전통 의학을 집대성하였어요.

기출선지 (돋)보기

• [대동법] 특산물을 쌀, 면포(옷감), 동전 등으로 납부하게 하였다. 41회
• [광해군] 대동법을 처음 시행하였다. 48회
• [대동법] 관청에 물품을 조달하는 공인의 등장 배경이 되었다. 42회
• [허준] 전통 의학을 집대성한 동의보감을 편찬하였다. 38회

꼬리에 꼬리를 무는 역사

광해군은 왜 대동법을 실시하였나요?

조선 시대에 공납은 가구를 기준으로 집집마다 부과되었고, 나라에서는 특산물의 종류와 양을 정해서 내도록 했어요.

그런데 당시의 부패한 관리들은 물건이 기준에 미치지 못한다거나, 마음에 들지 않는다는 등의 이유로 세금으로 받아주지 않았어요. 심지어 그 지역에서 나지 않는 물건을 억지로 내게 하는 경우도 있었어요. 이때 백성들은 상인에게 쌀이나 베를 내고 특산물을 대신 납부하였는데, 이를 공납을 막아 주었다는 의미로 '방납'이라고 해요. 그런데 방납을 하던 상인들이 관청과 짜고 백성에게 특산물을 비싸게 판 다음 관청과 그 이익을 나누는 폐단이 발생했던 거예요. 이로 인해 백성들은 많은 어려움을 겪었어요.

그러자 신하들 사이에서 공납을 특산물이 아닌 토지를 기준으로 쌀이나 베 등으로 걷자는 주장이 등장했어요. 그동안 이익을 얻었던 관리와 토지를 가진 양반들의 반대로 실시되지 못했던 대동법은 광해군 때 처음 실시되었고, 점차 확대되어 숙종 때 전국적으로 실시하게 되었지요.

대동법 시행 기념비

효종 때 김육의 노력으로 대동법이 확대 실시된 것을 기념하고, 그의 공덕을 기리기 위해 세운 비석입니다.

2 전란 이후 일본 및 청나라와의 관계

→ 한동안 중단하였다가 다시 시작함.

(1) 일본과의 외교 재개와 통신사 파견

① 일본과의 외교 재개
→ 에도 막부
- ㉠ 임진왜란 이후 일본에 새로 들어선 정권은 조선에 사과하며 조선과 다시 교류할 것을 요청하였습니다.
- ㉡ 조선은 임진왜란 때 일본에 끌려간 포로들을 되돌려 보낼 것을 요구하며 일본과의 외교를 재개하였습니다.

② 통신사 파견
- ㉠ 조선은 일본 정부의 요청으로 일본에 통신사라는 사절단을 파견하였습니다.
- ㉡ 통신사는 조선의 학문과 기술, 문화 등을 일본에 전파하며 일본 문화에 영향을 끼쳤습니다.

(2) 북학론과 북벌론

① 북학론

배경	병자호란 이후 청나라에 인질로 잡혀갔던 소현 세자와 사신으로 청나라를 방문하였던 사람들이 청나라와 서양의 우수한 문화를 접하였음.
내용	소현 세자 등은 청나라의 문화, 산업, 기술 등을 적극적으로 받아들이자고 주장하였음.
결과	조정에서 받아들여지지 않았음.

통신사

통신사는 조선이 일본에 보낸 외교 사절단으로, 한양에서 출발하여 동래(부산)를 거쳐 일본 에도(도쿄)까지 이동하였어요.

기출선지 돋보기

- **통신사**가 일본에 파견되었다. 40회
- [**통신사**] 시문, 서화 등을 통해 문화 교류를 하였다. 45회

15일

일

일

4. 조선 후기 **141**

팔도총도

16세기의 지도로, 현재 남아 있는 지도 중에서 우산도(독도)가 그려진 가장 오래된 것이에요.

동국지도

18세기의 지도로, 울릉도와 우산도(독도)가 그려져 있어요.

기출선지 돋보기

• [효종] 북벌을 추진했어. 49회
• [효종] 두 차례의 나선 정벌에 조총 부대가 파견되었다. 46·42회
• 이앙법(모내기법)이 전국적으로 확산되었다. 55·52·51·49·47~44·41회

② 북벌론(북벌 정책)

┌─ 무력으로 북쪽(청나라)을 치는 일

배경	병자호란 이후 **북벌**을 하여 청에 복수하자는 주장이 등장하였음.
내용	청나라에 끌려갔던 봉림 대군(효종)이 왕위에 오르면서 송시열 등과 함께 북벌을 추진하였음.
결과	청나라의 국력이 강해졌고, 조선의 재정이 어려웠으며, 효종이 갑작스럽게 죽으면서 북벌 정책은 실행되지 못하였음.

┌─ 러시아
③ 나선 정벌(효종): 북벌 정책으로 잘 훈련된 조총 부대는 청나라의 요청으로 러시아 세력을 격퇴하는 데 파병되었습니다.
└─ 군대를 파견함.

(3) 울릉도와 독도

① 당시 상황: 울릉도와 독도에 일본 어민들이 자주 침범하여 우리 어민들과 충돌이 벌어졌습니다.

② 안용복의 활약: 숙종 때 안용복은 울릉도와 독도 주변의 일본 어민들을 쫓아내고, 일본으로 건너가 울릉도와 독도가 조선의 땅임을 확인시켰습니다.

3 조선 후기의 경제·사회 변화

(1) 농촌 경제의 변화

① 모내기법(이앙법)의 전국적인 보급

보급	논에 직접 씨를 뿌렸던 이전과 달리 모판에서 벼의 싹을 틔워 키운 뒤, 논에 옮겨 심는 모내기법이 전국적으로 보급되었음.
장점	• 잘 자란 모를 골라내어 논에 옮겨 심었기 때문에 수확량이 늘어났고, 잡초를 뽑는 횟수가 줄어 노동력이 적게 들었음. • 이모작이 가능해졌음. ─ 한 해에 같은 땅에서 종류가 다른 농작물을 두 번 심어 거두어들이는 것
영향	한 사람이 넓은 토지를 경작할 수 있게 됨. └─ 광작

꼬리에 꼬리를 무는 역사

모내기법이 조선 후기에 전국적으로 보급된 배경은 무엇일까요?

벼농사에서 모내기법이 보급되기 전에는 농부들이 땅에 직접 씨를 뿌렸어요. 벼의 싹이 자라는 과정에서 잡초를 제거하는 데 많은 노동력이 필요했지요. 그래서 등장한 방법이 모내기법이에요. 모내기법은 모판에 볍씨를 뿌린 후 벼의 싹을 틔워 키운 뒤에, 물이 찬 논에 옮겨 심는 방법이에요. 잘 자란 것만 옮겨 심었기 때문에 수확량이 늘어났고, 잡초를 뽑는 횟수가 줄어 노동력을 줄일 수 있었죠.

모내기법은 조선 초기에 소개되었으나 모내기를 할 때 비가 오지 않으면 한 해 농사를 망칠 위험이 있었기 때문에 잘 활용되지 않았어요. 조선 후기에 저수지가 많이 만들어지자, 물을 충분히 구할 수 있게 되면서 널리 퍼지게 되었지요.

② **골뿌림법의 실시** ┌ 밭을 갈았을 때 볼록하게 올라간 부분을 이랑,
└ 오목하게 파인 부분을 고랑이라고 함.

ⓐ 골뿌림법(견종법): 밭농사를 지을 때 이랑과 고랑을 만든 뒤 고랑에다가 씨를 뿌리는 방법입니다.

ⓑ 장점: 바람을 막을 수 있었고, 가뭄을 견뎌 내기에 적합하였으며, 거름을 주는 효과가 컸습니다.

③ **새로운 작물과 상품 작물의 재배** ─ 시장에 내다 팔기 위한 목적으로 재배하는 농작물

ⓐ 새로운 작물의 재배: 다른 나라에서 **고구마, 감자, 고추**, 토마토 등 새로운 작물이 들어와 널리 재배되었습니다.

ⓑ 상품 작물의 재배: **담배, 인삼**, 약재, 목화, 삼, 모시 등을 재배하여 장에 내다 팔아 많은 이익을 얻기도 하였습니다.

④ **농촌의 변화 모습**

ⓐ 농업 기술의 발달과 상품 작물의 재배로 부유한 농민들이 등장하였습니다.

ⓑ 부유한 농민들이 넓은 땅을 경작하게 되면서 농사지을 땅을 얻지 못한 가난한 농민들도 생겨났습니다.

꼬리에 꼬리를 무는 역사

조선 후기에 농촌은 어떤 변화를 겪었나요?

모내기법의 실시로 쌀을 생산하는 데 필요한 노동력이 크게 줄어들었어요. 예를 들어 이전에는 네 명 또는 다섯 명이 함께 해야 할 일을 모내기법의 실시로 한 사람이 할 수 있게 된 거예요. 모내기로 노동력을 덜게 된 농민은 농사짓는 땅의 규모를 늘려갔어요. 일부 농민은 광작을 통해 부농층으로 성장하였지만, 대다수의 농민은 농사지을 땅을 얻지 못해 농촌을 떠나거나 품삯을 받고 일하는 임노동자가 되었어요.

더불어 이모작의 실시로 농민들은 가을부터 봄까지 보리를 생산하였는데, 보리는 나라에 내는 세금의 대상이 아니었기 때문에 일부 농민들이 재산을 더욱 불릴 수 있었어요. 한편 상품 작물의 재배로 큰 이익을 얻는 사람들도 생겨났지요.

조선 후기 농촌 사회의 변화는 신분제의 변화를 일으켰어요. 부유한 농민들은 양반이 되기 위해 족보를 사거나 위조하기도 하였고, 나라에 곡식을 내고 공명첩을 사거나 납속책을 통해 합법적으로 양반이 되었어요.

기출선지 돋보기

- 고구마, 감자가 널리 재배되었다. 55·52회
- 고추, 담배가 전래되었다. 43회
- 인삼, 담배 등이 **상품 작물**로 재배되었다. 49·47·42·41회

장시

장시는 조선 중기 이후 크게 발달하였는데, 대개 5일마다 열리는 정기 시장이었어요.

보부상

▲ 김홍도의 보부상

보부상은 물건을 보자기에 싸서 다니는 '보상'과 지게에 물건을 지고 다니는 '부상'을 합쳐 부르는 말이에요. 전국의 여러 장시를 돌아다니며 장사를 했어요.

기출선지 돋보기

- 정기 시장인 **장시**가 전국 각지에서 열렸다. 48·47·44회
- 관청에 물품을 조달하는 **공인**이 활동하였다. 48~46·43회
- **보부상**이 전국의 장시를 연결하였다. 49회
- [**만상**] **의주**에 근거지를 두고 **청**과 교역하였다. 46회
- [**송상**] 전국 각지에 **송방**이라는 지점을 설치했어요. 45·44회
- **경강상인**이 **한강**을 무대로 운송업에 종사했어. 48회
- **상평통보**가 전국적으로 유통되었다.
  47~45회

(2) 상업의 발달

① **장시의 발달**: 채소, 곡식, 여러 물건 등을 사고파는 사람이 늘어나면서 조선 중기 이후부터 곳곳에 장이 서기 시작하였습니다.

② 여러 상인의 등장

　㉠ **공인**: 대동법의 실시 이후 나라에 필요한 물품을 공급하는 공인이 등장하였습니다.

　㉡ **보부상**: 전국 곳곳의 장시와 장시를 연결하는 보부상이 등장하였습니다.

　㉢ **대상인**: 국내뿐만 아니라 외국과 장사를 하는 대상인이 등장하였습니다.

▲ 대상인의 주요 활동 지역

만상	• 의주의 대상인 • 청나라와의 무역을 통해 성장하였음.
송상	• 개성의 대상인 • 전국에 송방이라는 지점을 두었으며, 인삼 거래로 유명하였음.
내상	• 동래(부산)의 대상인 • 일본과의 무역으로 성장하였음.
경강상인	한강 유역을 중심으로 쌀을 운반하며 상업 활동을 하였음.

상평통보

조선 시대 전국 곳곳에 장시가 등장하고 상업이 크게 발전하면서 화폐가 유통되기 시작하였습니다. 조선 숙종 때 본격적으로 발행된 상평통보는 전국적으로 널리 이용되었습니다.

▲ 상평통보

(3) 변화하는 조선 후기의 신분 제도

① **신분 제도의 변화**: 신분의 구별이 엄격하였던 조선의 신분 제도가 조선 후기에 이르러 흔들리기 시작하였습니다.

② 신분별 변화 모습

양반	• 양반의 수가 크게 증가하였음. • 일반 백성과 다름없이 가난하게 사는 몰락한 양반들이 늘어났음.
상민	세금을 내야 할 상민의 수가 줄어들었음.
노비	• 노비의 수가 줄어들었음. • 나라에서는 재정을 늘리기 위해 관청에 소속된 노비(공노비)를 해방시켜 세금을 거두기도 하였음.

③ 조선 후기에 신분 제도가 흔들린 이유

  ㉠ 임진왜란 중 또는 전쟁 이후에 나라의 재정을 늘리기 위해서
    조정에서 **납속책**을 실시하고 **공명첩**을 만들어 백성들에게 팔
    았기 때문입니다.

  ㉡ 부유한 농민들이 족보를 사서 양반 행세를 했기 때문입니다.

  ㉢ 세금을 내야 하는 상민들이 줄어들자 나라에서 관청에 소속된
    노비(공노비)를 해방시켰기 때문입니다.

꼬리에 꼬리를 무는 역사

조선 후기에 신분 제도는 어떻게 달라졌나요?

　조선 초기에 견고했던 신분제는 조선 후기에 들어 변화하기 시작하였어
요. 대체로 상민의 수가 줄고, 양반의 수가 크게 늘어났지요. 세금을 내야
할 상민의 감소는 나라의 재정에 큰 부담을 주었고, 이 어려움을 해결하기
위해 나라에서는 관청에 소속된 노비를 해방시키기도 하였답니다.

♣ 납속책

임진왜란을 겪으면서 나라의 재정이 어려
워지자, 나라에서는 곡식을 받고 그 대가
로 명예직인 벼슬을 주거나 천민을 양인
으로 만들어 주었어요. 이를 납속책이라고
해요.

♣ 공명첩

→ 이름을 쓰는 공간

벼슬 받는 사람의 이름을 비워 둔 문서예
요. 나라에서는 곡식을 바치는 사람에게
공명첩을 주고 벼슬(명예직)을 내렸어요.

기출선지 돋보기

• [공노비 해방] 각 궁방과 중앙 관서의
  공노비 6만여 명을 해방시켜 양민으로
  삼고, 승정원은 그 노비안을 모아 돈화
  문 밖에서 불태우도록 하시오. 28회

조선, 왜란으로 입은 피해 극복에 최선을 다하다

피해 극복을 위한 광해군의 노력

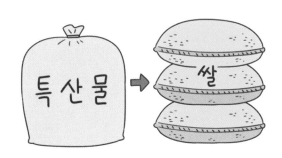

특산물 대신 토지 면적에 따라 쌀이나 돈 등으로 세금을 내는 대동법을 실시하여 세금 부담을 줄여 주었어요.

부상과 질병으로 고통 받는 백성들을 위해 허준이 완성한 『동의보감』을 널리 보급하였어요.

군사와 성을 정비하여 국방력을 강화하였어요.

세금을 제대로 걷기 위해 토지와 인구를 조사하고, 백성들의 생활을 안정시켰어요.

기출키워드로 정리하기 비주얼씽킹 내용을 참고하여 아래 기출선지를 완성해 보세요.

┌───┐
│   ㉠ 대동법   ㉡ 동의보감   │
└───┘

01 광해군은 백성들의 세금 부담을 덜어 주기 위하여 (   )을/를 실시하였습니다.

02 광해군은 전쟁 이후 부상과 질병으로 고통 받는 백성들을 위하여 (   )을/를 널리 보급하였습니다.

정답 01 ㉠ 02 ㉡

01

다음 퀴즈의 정답으로 옳은 것은? [2점]

① 과전법
② 균역법
③ 대동법
④ 영정법

📖 교과 연계 초등 사회 6-2 2.1 한반도의 미래와 통일

02

(가)에 해당하는 인물로 옳은 것은? [1점]

독도 인문학 교실

2020년 독도의 날을 맞이하여 우리 문화원에서는 독도 인문학 교실을 마련하였습니다. 많은 관심과 참여를 부탁드립니다.

▪ 일시: 2020년 10월 25일 13:00~16:00
▪ 장소: △△문화원 소강의실
▪ 강의 시간표

시간	주제	제목
13:00~14:00	자연	독도의 터줏대감 괭이갈매기
14:00~15:00	인물	일본에 건너가 독도를 지켜 낸 (가)
15:00~16:00	법령	대한 제국 칙령 제41호와 독도

△△문화원

① 안용복
② 이범윤
③ 정약전
④ 최무선

03

(가)에 들어갈 내용으로 옳지 <u>않은</u> 것은? [3점]

① 내상이 일본과의 무역을 주도했어.
② 벽란도에서 송과의 무역이 이루어졌어.
③ 관청에 물품을 조달하는 공인이 활동했어.
④ 정기 시장인 장시가 전국 각지에서 열렸어.

월

일

04

다음 퀴즈의 정답으로 옳은 것은? [2점]

①

납속책

②

사창제

③

영정법

④

호포제

16강 새로운 문물을 받아들인 조선

 개념강의

자료 콕콕 기출 노트

『경세유표』

정약용이 나라를 바로잡기 위한 개혁안을 쓴 책으로, 행정 및 토지와 세금 제도 등 모든 제도에 대한 개혁 원리가 담겨 있어요.

1 새로운 학문의 등장

(1) 실학의 등장

① 실학의 의미: 실생활에 필요한 것을 연구하는 학문을 의미합니다.

② 실학이 등장하게 된 배경

   ㉠ 임진왜란과 병자호란 이후 백성들의 생활이 많이 어려워졌습니다.

   ㉡ 기존의 학문인 성리학은 예법에 대한 논쟁만 되풀이할 뿐 백성들의 생활에 전혀 도움을 주지 못하였습니다.

③ 실학자들의 주장

   ㉠ 실학자들은 나라를 다스리는 데 구체적인 도움이 되는 지식과 백성이 잘살 수 있는 방법을 찾기 위한 실질적인 학문 연구를 주장하였습니다.

   ㉡ 토지 제도의 개혁, 과학적인 농사 기술의 보급, 상공업의 장려, 우리 것에 대한 연구, 선진 문물의 수용 등을 주장하였습니다.
   └ 서양의 발달된 문물을 받아들인 청나라를 본받고자 하였음.

④ 실학의 한계: 실학은 주로 몰락한 양반들이 연구하였기 때문에 정책에 적극 반영되지 못하였습니다.

(2) 농업 중심의 개혁론(중농학파)

① 주장: 농촌 문제에 관심을 가졌으며, 토지 제도의 개혁과 과학적인 농사 기술의 보급을 주장하였습니다.

② 주요 인물: 유형원, 이익, 정약용 등

기출선지 돋보기

• [유형원] 반계수록에서 균전론을 제시하였다. 51·40회

• [이익] 영업전 매매를 금지하는 한전론을 제시하였다. 45회

• [정약용] 목민심서에서 수령의 덕목을 제시하였다. 40회

• [정약용] 마을 단위의 토지 분배와 공동 경작을 제안하였다. 42회

실학자	저서	토지 제도 개혁에 관한 주장
유형원	『반계수록』	신분에 따라 구분하여 토지를 재분배할 것(균전론)을 주장하였음.
이익	『성호사설』	생활을 유지할 수 있는 최소한의 토지를 정해 사고파는 것을 금지할 것(한전론)을 주장하였음.
정약용	『경세유표』, 『목민심서』	공동 농장을 만들어 공동으로 경작한 후 노동량에 따라 분배할 것(여전론)을 주장하였음.

└ '목민'이란 백성을 직접 다스리는 지방의 관리인 '목민관'을 뜻함. 『목민심서』에는 지방관이 지켜야 할 내용이 담겨 있음.

꼬리에 꼬리를 무는 역사

조선 후기의 대표적인 실학자인 정약용에 대해 알아볼까요?

→ 하천에 작은 배를 한 줄로 여러 척 띄워 놓고 그 위에 널판을 깐 다리로, 정조가 한강을 건널 때 만들어졌다고 함.

정약용은 18세기인 정조 때 벼슬을 얻었고, 여러 관직을 거쳤어요. 당시 개혁 군주였던 정조가 정약용을 매우 아꼈다고 전해져요. 정조의 명으로 정약용은 수원 화성을 설계하였으며, **거중기**를 고안하여 화성을 건설하는 데 큰 도움을 주었어요. 또한 정조가 수원 화성으로 행차할 때 한강에 배다리를 만들기도 하였지요.

▲ 정약용

→ 조선 시대에 죄인을 먼 시골이나 섬으로 보내어 일정한 기간 동안 제한된 곳에서만 살게 하던 벌

정조가 죽은 후 정권을 잡은 세력은 천주교 신자라는 구실로 정약용을 중앙에서 쫓아내고 전남 강진으로 유배를 보냈어요. 정약용은 유배 생활 중에도 조선의 사회 현실을 살피고, 연구를 계속하여 많은 책을 남겼지요. 이때 만들어진 대표적인 책이 『경세유표』, 『목민심서』, 『흠흠신서』 등이에요.

당시 사회의 폐단을 비판하고 백성을 위한 정치를 펼치고자 하였던 정약용은 토지 제도의 변화를 통한 사회 개혁을 주장하였어요. 뿐만 아니라 역사와 지리, 과학 기술과 건축 등 다양한 분야의 책을 남겨 실학을 집대성한 학자로 평가받고 있어요.

(3) 상공업 중심의 개혁론(중상학파, 북학파)

① **주장**: 상공업의 발달, 화폐의 사용, 청나라의 선진 문물 수용 등을 주장하였습니다.

② **주요 인물**: 박지원, 박제가, 홍대용 등

실학자	저서	주요 주장과 활동
박지원	『열하일기』, 『양반전』	• 청나라에 파견된 사절단과 동행한 후 청나라에서 보고 들은 것을 기록한 책인 『열하일기』를 저술하였음. • 수레와 선박의 이용을 확대할 것을 주장함. • 청나라의 발달된 문물과 기술을 소개하고, 이를 적극적으로 받아들이자고 주장하였음. • 한문 소설인 『양반전』, 『허생전』 등을 저술하여 양반들을 비판하였음.
박제가	『북학의』	• 청나라에 다녀와서 보고 들은 것을 정리한 책인 『북학의』를 저술하였음. • 수레 · 벽돌 · 수차 등의 사용을 장려하고, 생산을 늘리기 위해 절약보다는 **소비**가 중요하다고 주장하였음. • 청나라와의 교류를 통해 선진 문물을 적극적으로 받아들이자고 주장하였음.
홍대용	『의산문답』	• 지구가 하루에 한 번씩 돈다는 **지전설**과 **무한우주론**을 주장하였음. • 혼천의를 만들었음. • 청나라에 가서 여러 가지 천문 관측 기구를 구경하고, 청나라의 학자들과 교류하였음.

거중기

거중기는 도르래의 원리를 이용하여 작은 힘으로 무거운 물건을 들어 올리는 장치로, 정약용이 고안하였어요. 화성 건설 때 사용되어 노동력을 절감할 수 있었고, 사고의 위험도 줄일 수 있었어요.

다산 초당

정약용은 전남 강진에서 18년간 유배 생활을 하며 많은 책을 남겼어요. '다산'은 정약용의 호입니다.

기출선지 돋보기

• [정약용] 거중기를 설계하였다.
  51 · 47 · 43회

• [박지원] 열하일기를 저술하였다. 50 · 40회

• [박지원] 양반전을 지어 양반의 허례와 무능을 비판하였다. 41 · 40회

• [박제가] 북학의를 저술하였다. 54 · 41회

• [박제가] 소비를 촉진하여 생산을 늘릴 것을 주장하였다. 40회

자료 콕콕 기출 노트

『발해고』

유득공은 『발해고』에서 남쪽에는 신라, 북쪽에는 발해가 있었던 시기를 '남북국' 시대라고 하였어요.

(4) 국학의 연구

① 국학 연구: 실학자들은 조선의 고유한 국어, 역사, 지리, 자연 등에 관심을 갖고 연구하였습니다.

② 대표적인 학자

국어	유희는 『언문지』를 통해 한글의 우수성을 강조하였음.
역사	• 유득공은 『발해고』를 써서 발해의 역사를 서술하였고, 고구려를 계승한 발해의 역사가 우리 역사임을 밝혔음. • 안정복은 『동사강목』을 써서 고조선부터 고려까지의 역사를 정리하였음.
지리	• 이중환은 인문 지리서인 『택리지』를 저술하였음. • 정상기는 동국지도를 만들어 최초로 축척의 개념을 사용하였음. ┈실제 거리를 지도에 나타내기 위해 일정한 비율로 줄인 것 • 김정호는 우리나라 전도인 대동여지도를 제작하였음.
자연	정약전은 흑산도 주변의 물고기를 조사하여 백과사전인 『자산어보』를 지었음. ┈정약용의 형으로, 천주교 신자라는 이유로 흑산도로 유배당하였음.

대동여지도에 대해 알아볼까요?

김정호가 제작한 대동여지도는 우리나라의 산과 강, 길 등이 자세하게 표시되어 있고 다양한 정보가 기호로 표현되어 있어요. 또한 축척을 사용하였고, 10리마다 점을 찍어 거리를 표시하였지요. 우리나라의 지도 제작 기술을 집대성한 것으로 평가받고 있으며, 오늘날의 지도와 비교해도 큰 차이가 없을 정도로 정확하답니다. 대동여지도는 목판으로 제작되어 대량으로 인쇄할 수 있다는 장점도 있었어요.

▲ 대동여지도

기출선지 돋보기

발해도 우리의 역사이지.

우리 국토는 아름답군.

신기한 물고기가 많군.

유득공

김정호

정약전

• [유득공] 신라와 발해를 **남북국**이라 칭하였다. 44·43·40회
• [안정복] **동사강목**을 저술하여 고조선부터 고려까지의 역사를 정리하였다. 38회
• [김정호] **대동여지도**를 제작하였다.
52·50·48~46·43·41·40회

2 영조와 정조의 개혁 정치
┈어느 편에도 치우치지 않음.
(1) 탕평책의 실시

① 배경: 신하들이 여러 무리로 나뉘어 자주 다투면서 정치가 혼란스러워졌고, 왕권이 약화되었습니다.

② 탕평책: 어느 한쪽 신하들의 편을 들지 않고 서로 다른 무리의 신하들이 골고루 벼슬을 할 수 있도록 한 정책입니다.

③ 영조와 정조의 탕평책 실시: 영조는 탕평책을 추진하면서 성균관 입구에 **탕평비**를 세웠고, 정조도 영조의 뒤를 이어 탕평책을 실시하였습니다.

꼬리에 꼬리를 무는 역사

영조가 탕평책을 실시하게 된 까닭은 무엇일까요?

> 현종 때 효종과 효종 비가 죽은 후 인조의 계비인 자의 대비가 상복 입는 기간을 둘러싸고 서인과 남인이 대립하였음(예송).

16세기에서 17세기 중엽까지 사림들의 상호 비판 위에 붕당 정치가 이루어졌고, 여러 당이 서로 견제하며 공존하였어요. 그러나 당파 간의 경쟁이 치열해지면서 공존의 원칙이 깨지고, 중앙 권력에서 서로의 존재를 밀어내 없애려고 하였지요.

> 정권을 잡은 붕당이 급격하게 바뀌었던 당시의 정치 모습을 '환국'이라고 함.

숙종은 왕권 강화를 위해 정권을 잡은 붕당을 여러 번 갈아치웠고, 당시의 붕당(서인과 남인)은 번갈아 권력을 누렸어요. 정권을 차지한 순간에는 다른 당을 철저하게 짓밟고 탄압하여 다시는 세력을 키우지 못하도록 하였지요.

이러한 상황에서 왕이 된 인물이 바로 영조예요. 영조는 숙종의 아들로, 어머니가 다른 형이었던 경종의 뒤를 이어 왕위에 올랐어요. 치열한 당파 싸움 속에서 힘들게 왕위에 올랐던 영조는 당파 간의 오랜 싸움을 뿌리 뽑아야 한다고 생각하였고, 탕평책을 실시하게 되지요.

▲ 영조

탕평비

비석에는 '남과 두루 친하되 편당을 가르지 않는 것이 군자의 마음이요, 편당만 짓고 남과 두루 친하지 못하는 것은 소인배의 사사로운 마음이다.'라는 내용이 적혀 있어요.

16일

월

일

(2) 영조의 개혁 정치

① 균역법의 실시

㉠ 배경: 당시의 백성들은 군대에 가는 대신 베(군포) 2필을 세금으로 내야 했는데, 이 세금은 백성들에게 부담이 되었습니다.

㉡ 목적: 백성들의 군포 부담을 덜어주고자 하였습니다.

㉢ 내용: 백성들이 1년에 내야 할 군포의 양을 2필에서 1필로 줄여 주는 균역법을 실시하였습니다.

㉣ 균역법의 시행으로 부족해진 재정분은 결작 등을 걷어 채웠습니다.

> 토지를 가진 사람(지주)에게 걷은 세금

② 편찬 사업: 『속대전』(법전), 『동국문헌비고』 등을 편찬하여 문물제도를 정비하였습니다.

> 조선의 제도와 여러 문물을 정리한 책

③ 백성을 위한 정책

㉠ 신문고 제도를 부활시켰습니다.

㉡ 잔인한 형벌을 금지하고, 사형수는 3번 재판하도록 하였습니다.

㉢ 홍수 피해를 방지하기 위해 청계천을 깊게 파내는 준설 사업을 실시하였습니다.

기출선지 돋보기

- [영조] 붕당 정치의 폐해를 경계하기 위해 **탕평비**를 건립하였다. 49·47·43회
- [영조] 백성의 군역 부담을 줄이기 위해 **균역법**을 시행하였다.
  52·48·46·44·42·40회
- [영조] **속대전**을 편찬하여 통치 체제를 정비하였다. 50·49·44·43회
- [영조] 자주 범람하던 **청계천을 정비**하여 백성들의 삶을 개선하고자 하였다. 35회

창덕궁 주합루(규장각)

정조는 창덕궁 후원에 규장각을 설치하고, 신하들과 함께 정책에 대한 의견을 나누었어요. 규장각은 정조 때 개혁의 중심 기구로 자리매김하였어요.

녹로

고정 도르래의 원리를 이용한 기구로, 높은 곳이나 먼 곳으로 무거운 물체를 옮길 수 있었어요. 거중기와 함께 화성을 건설하는 데 이용되었지요.

『화성성역의궤』

수원 화성 건설의 내역을 자세히 기록한 일종의 공사 보고서예요. 『화성성역의궤』를 참고하여 훼손된 수원 화성을 복원할 수 있었어요.

기출선지 돋보기

- [정조] 왕의 친위 부대인 **장용영**을 창설하였다. 51·49·47·44~42·40회
- [정조] **초계문신제**를 실시하여 문신들을 재교육하였다. 50·49·45~41회
- [정조] **수원 화성**을 축조하였다. 42·41회
- [정조] 대전통편이 편찬되었다. 49·43회

(3) 정조의 개혁 정치

① **규장각 설치**: 왕실 도서관인 규장각을 설치하여 학문 연구를 장려하였고, 백성들을 위한 정책을 연구하게 하였습니다.

② **장용영 설치**: 왕권의 강화를 위해 왕의 신변을 보호하기 위한 친위 부대인 장용영을 설치하였습니다.

③ **인재 양성**: 젊고 유능한 관리를 선발하여 규장각에서 재교육하였고(**초계문신제**), 서얼에 대한 차별을 줄이고자 하였으며, 능력에 따라 관리를 등용하였습니다.

④ **수원 화성 건설**: 수원에 화성을 건설하여 정치·경제의 중심지로 만들고자 하였습니다.

⑤ **편찬 사업**: 『**대전통편**』(법전), 『동문휘고』 등을 편찬하였습니다. → 조선의 외교 문서를 모아 편찬한 책

⑥ **금난전권 폐지**
    '난전'이라고 함. →
  ㉠ 배경: 정부로부터 허가받은 육의전 등의 시전 상인은 허가받지 않은 상인의 활동을 금지할 수 있는 권리(금난전권)를 가졌습니다.
  ㉡ 정조의 신해통공: 육의전 상인을 제외한 시전 상인들의 금난전권을 폐지하였습니다.

꼬리에 꼬리를 무는 **역사**

정조가 화성을 건설한 이유에 대해 알아볼까요?

정조는 할아버지인 영조의 뒤를 이어 왕이 되었어요. 손자인 정조가 왕위에 오른 이유는 영조의 아들이자 정조의 아버지인 사도 세자가 뒤주에 갇혀 죽임을 당하였기 때문이에요. 사도 세자가 비극적인 죽음을 맞이한 까닭에 대해서는 여러 가지 이야기가 있으나, 당시 당파 간의 치열한 싸움에 휘말려 죽음에 이르게 된 것은 분명해요.

정조는 왕위에 오르자마자 사도 세자의 아들임을 천명하고, 아버지의 묘를 수원(지금의 화성)으로 옮겨 재정비하였어요. 그리고 수원 팔달산 아래에 새로운 도시인 화성을 건설하였지요. 정조는 화성을 정치, 경제, 군사의 중심 도시로 키워 당시 신하들의 기반이었던 한양에 맞서고, 왕권을 강화하고자 하였어요.

수원 화성은 거중기 등을 이용하여 동서양의 기술을 활용해 과학적으로 건설하였고, 이전에는 흔치 않았던 다양한 방어용 시설을 만들었어요. 수원 화성은 그 우수성을 인정받아 유네스코 세계 유산으로 등재되었답니다.

▲ **수원 화성 서북공심돈**: 군사들이 적을 공격할 수 있게 만들어졌어요.

▲ **수원 화성 팔달문**: 수원 화성의 남쪽 문으로, 적들을 방어하기 위한 옹성을 쌓았어요.

3 서양 문물의 수용

(1) 17~18세기, 서양 문물이 조선에 전래된 과정

① 당시 중국에는 여러 명의 서양 선교사들이 들어와 활동 중이었고,
　　서양 문물이 들어와 있었습니다.
　　└→ 종교를 널리 퍼뜨려 알리는 사람
② 소현 세자, 중국에 다녀온 사신들(연행사 등), 조선에 표류한 서양
　　인(벨테브레이, 하멜) 등을 통해 서양의 문물이 소개되었습니다.
　　　　　　　　　　　　　└→ 청에 다녀온 사신

(2) 조선 후기에 들여온 서양 문물

곤여만국전도	• 중국에 머물던 서양인 선교사가 제작한 세계 지도 • 아시아와 유럽, 아프리카뿐만 아니라 아메리카 대륙도 자세히 그려져 있음. • 조선인의 세계관이 확대되는 데 영향을 끼쳤음.
천리경	명나라에 사신으로 방문하였던 정두원이 들여온 망원경
자명종	명나라에 사신으로 방문하였던 정두원이 들여온 알람 시계

▲ 곤여만국전도: 세계를 원으로 표현한 세계 지도예요. 서양 지리학을 처음으로 중국에 소개한 마테오 리치와 명나라의 학자 이지조가 함께 만들었어요.

▲ 천리경: 천체를 관찰하거나 지형을 살피는 데 사용하였어요.

▲ 자명종: 정해진 시각이 되면 소리가 나는 시계예요.

(3) 서양 문물의 전래가 조선에 미친 영향

① 중국이 세계의 중심이라고 생각하였던 조선 사람들은 중국보다
　　넓은 세계가 있다는 것을 깨달았습니다.
② 서양 문물을 받아들여야 한다고 주장하는 사람들이 등장하였습니다.

┃ 벨테브레이

네덜란드인으로 제주도에 표류하여 '박연'이라는 이름으로 조선에 귀화하였으며, 서양식 대포의 제조법과 조종법을 가르쳐 주었어요.

→ 1631년(인조)에 사신으로 명나라에 갔다가 서양인에게서 천리경과 자명종을 받아 조선에 들여왔음.

┃ 『하멜표류기』

▲ 제주도에 난파한 하멜 일행의 배를 표현한 『하멜표류기』 속 삽화

네덜란드 출신으로 제주도에 표류하여 조선에 오게 된 하멜은 14년 만에 조선에서 탈출하여 고국으로 돌아가 조선에서 겪은 일을 엮어 『하멜표류기』를 썼어요. 이 책에는 서양인이 본 조선의 모습이 담겨 있지요.

16일

월

일

기출선지 돋보기

• [청] 연행사를 정기적으로 파견하여 교류하였습니다. 38회

비주얼씽킹

영조와 정조, 탕평 정치를 펼치다

영조

신하들이 편을 나누어 대립하자 이를 해결하기 위해 신하들을 고루 등용하는 탕평책을 폈어요.

1년에 2필씩 내던 군포를 1필만 내게 하는 균역법을 실시하여 농민의 군포 부담을 줄여 주었어요.

정조

초계문신제를 실시하여 관리들 가운데 인재를 선발하여 규장각에서 다시 교육하였어요.

시전 상인의 금난전권을 폐지하여 일반 백성들도 자유롭게 장사를 할 수 있도록 하였어요.

수원 화성을 짓고, 국왕의 친위 부대인 장용영을 설치하였어요.

기출키워드로 정리하기 비주얼씽킹 내용을 참고하여 아래 기출선지를 완성해 보세요.

⊙ 균역법　　ⓒ 장용영　　ⓒ 초계문신제　　ⓔ 탕평책

01 붕당 간의 대립이 심해지자 영조는 각 붕당의 인물을 고루 등용하는 (　　　)을/를 폈습니다.

02 영조는 백성의 군포 부담을 덜어 주기 위해 (　　　)을/를 실시하였습니다.

03 정조는 젊은 신하들을 뽑아 가르치는 (　　　)을/를 실시하였습니다.

04 정조는 왕의 친위 부대인 (　　　)을/를 설치하여 왕권을 강화하였습니다.

정답 01 ⓔ 02 ⊙ 03 ⓒ 04 ⓒ

교과 연계 초등 사회 5-2 2.1 새로운 사회를 향한 움직임

01
54회 25번

(가) 인물에 대한 설명으로 옳은 것은? [2점]

> 이것은 화성성역의궤에 수록된 거중기 설계도입니다. (가) 이/가 기기도설을 참고하여 제작한 거중기는 수원 화성 축조에 이용되었습니다.

① 여전론을 주장하였다.
② 추사체를 창안하였다.
③ 북학의를 저술하였다.
④ 몽유도원도를 그렸다.

02
50회 25번

다음 인물에 대한 설명으로 옳은 것은? [2점]

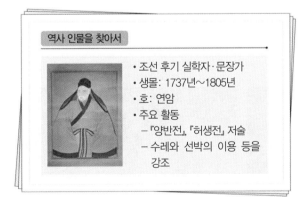

역사 인물을 찾아서

- 조선 후기 실학자·문장가
- 생몰: 1737년~1805년
- 호: 연암
- 주요 활동
  - 『양반전』, 『허생전』 저술
  - 수레와 선박의 이용 등을 강조

① 몽유도원도를 그렸다.
② 열하일기를 저술하였다.
③ 사상 의학을 정립하였다.
④ 대동여지도를 제작하였다.

03
51회 24번

(가)에 해당하는 제도로 옳은 것은? [1점]

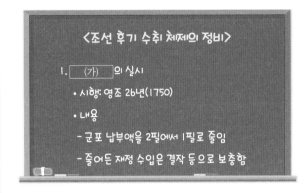

〈조선 후기 수취 체제의 정비〉

1. (가) 의 실시
   - 시행: 영조 26년(1750)
   - 내용
     - 군포 납부액을 2필에서 1필로 줄임
     - 줄어든 재정 수입은 결작 등으로 보충함

① 균역법 ② 대동법
③ 영정법 ④ 직전법

교과 연계 초등 사회 5-2 2.1 새로운 사회를 향한 움직임

04
52회 27번

(가) 왕의 업적으로 옳지 않은 것은? [2점]

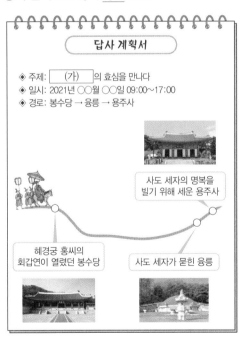

답사 계획서

◈ 주제: (가) 의 효심을 만나다
◈ 일시: 2021년 ○○월 ○○일 09:00~17:00
◈ 경로: 봉수당 → 융릉 → 용주사

사도 세자의 명복을 빌기 위해 세운 용주사

혜경궁 홍씨의 회갑연이 열렸던 봉수당

사도 세자가 묻힌 융릉

① 장용영을 설치하였다.
② 금난전권을 폐지하였다.
③ 농사직설을 편찬하였다.
④ 초계문신제를 실시하였다.

16일

월

일

17강 서민 문화의 발달과 조선 시대 여성의 삶

▶ 개념강의

자료 콕콕 기출 노트

🔖 백수백복도(민화)

목숨(壽)과 복(福)을 나타내는 글자를 반복하여 그린 그림이에요. 행복하게 오랫동안 살고 싶은 서민들의 바람을 담고 있어요.

1 조선 후기의 문화

(1) 서민 문화의 발달

① 서민 문화의 발달 배경
- ㉠ 조선 후기에 농업 생산량이 증가하고 상업이 발달하면서 여유가 생긴 서민들이 문화 활동에 관심을 갖게 되었습니다.
- ㉡ 경제적인 여유와 서당 교육의 확대로 서민들의 의식이 성장하였습니다.

② 조선 후기에 발달한 서민 문화

판소리	• 장단에 맞추어 긴 이야기를 노래와 말, 몸짓 등을 통해 표현하는 공연 • 관중들도 추임새를 통해 참여할 수 있어서 서민들에게 큰 호응을 얻었음. • 원래 열두 마당이 있었으나 오늘날에는 춘향가, 심청가, 흥부가, 수궁가, 적벽가의 다섯 마당만 전해짐.
탈놀이 (탈춤)	• 탈을 쓰고 하는 연극이나 춤 • 양반 혹은 승려들에 대한 풍자, 서민 생활의 실상과 어려움 등 백성의 생각이나 감정을 솔직하게 표현하였음. • 양주 별산대놀이, 봉산 탈춤, 하회 별신굿 탈놀이, 송파 산대놀이 등이 유명함.
민화	• 조선 후기 서민들 사이에 유행한 실용적인 그림 • 도화서의 화원들도 그렸으나 주로 그린 사람을 알 수 없는 경우가 많음. ┌ 일상생활에서 볼 수 있는 해, 나무, 동물 등을 소재로 하였음. • 다양한 것을 소재로 서민들의 정서와 소망을 그려 냈으며, 집 안을 장식하는 장식용으로 많이 그렸음. • 작호도, 문자도, 백수백복도 등이 있음.

└ 사람이 지켜야 할 도리와 관련된 문자(예 충성할 충 忠, 효도 효 孝)를 변형하여 그린 그림

▲ 판소리: 소리꾼은 고수가 치는 북장단에 맞추어 소리를 하였어요.

▲ 탈놀이: 여러 사람이 탈을 써서 얼굴을 가리고, 다른 인물이나 동물로 분장하여 하는 연극이에요.

▲ 작호도(까치와 호랑이): 그림 속 까치는 좋은 소식을 전해 주고, 호랑이는 잡귀를 막아 주는 동물로 여겨졌어요.

기출선지 돋보기

- 심청가, 춘향가 등의 **판소리**가 유행하였어요. 50·43·40회
- 양반 사회를 풍자한 **탈춤**이 성행하였습니다. 40회
- 서민의 정서와 해학이 담긴 **민화**가 그려졌다. 40회

③ 서민 문학의 발달

한글 소설	• 『홍길동전』, 『심청전』, 『춘향전』 등이 유명함. • 허균의 『홍길동전』을 제외하고, 대체로 지은 사람을 알 수 없음. • 한글을 익힌 사람들이 늘어나고, 돈을 받고 소설을 전문적으로 읽어 주는 **전기수**가 활동하면서 한글 소설이 널리 보급되었음. • 양반을 비판하거나, 서민들의 소망을 담았음.
사설시조	• 기존의 시조보다 형식이 자유로웠음. • 백성들이 자신의 감정을 솔직하게 드러내는 내용이 담겨 있었음.
시사 활동	중인층은 시를 짓는 모임인 시사(詩社)를 결성하고 활발하게 활동하였음.

(2) 그림과 서예의 발달

① **풍속화**: 서민들의 생활 모습을 실감 나게 표현한 그림으로, 김홍도, 신윤복, 김득신 등이 대표적인 화가입니다.

화가	특징
김홍도	서민들의 다양한 생활 모습을 풍속화로 표현하였음(예 씨름, 서당, 우물가, 빨래터, 벼 타작 등).
신윤복	양반에 대한 풍자나 여성들의 생활 모습을 그림으로 남겼음(예 미인도, 단오 풍정 등).
김득신	김홍도의 풍속화로부터 영향을 많이 받았음.

② **진경산수화**: 중국의 그림을 따라 그리던 이전의 방식에서 벗어나 우리의 자연을 사실적으로 표현한 그림으로 **정선**(예 인왕제색도, 금강전도), 김홍도(예 총석정도) 등이 대표적인 화가입니다.

③ **서예**: **김정희**가 독창적으로 개발한 **추사체**가 유명합니다.

김정희의 호인 '추사'를 따서 이름 붙여짐.

▲ 김홍도의 씨름

▲ 김홍도의 서당

▲ 신윤복의 미인도

▲ 정선의 인왕제색도

▲ 김홍도의 총석정도

17일

일

일

『홍길동전』

허균이 지은 한글 소설로, 당시 신분 제도를 비판하고 새로운 사회 건설에 대한 바람 등을 담았어요.

도화서

조선 시대에 그림 그리는 일을 담당하던 관청이에요. 김홍도와 신윤복, 김득신은 모두 도화서 소속의 화가였어요.

세한도

조선 후기의 학자 김정희가 그린 그림이에요. 김정희가 제주도에 유배 생활을 하고 있던 중 한 제자가 청나라에서 귀한 책들을 구해 준 답례로 그려 준 작품입니다.

기출선지 돋보기

• 홍길동전 등의 한글 소설이 널리 읽혔어요. 43·40회
• 기존의 시조 형식에서 벗어난 **사설시조**가 성행했어요. 50·46·43회
• [풍속화] 섬세하고 유연한 선이 돋보이는 **신윤복의 미인도** 39회
• [진경산수화] 인왕산의 진경을 묘사한 **정선의 인왕제색도** 39회
• [김정희] 추사체를 창안하였다. 54·41회

자료 콕콕 기출 노트

🧪 옹기

옹기는 안과 밖으로 공기가 잘 통해 옹기 안에 담긴 음식물을 오랫동안 보관할 수 있었기 때문에 서민들의 생활에서 널리 사용되었어요.

🧪 삼종지도

삼종지도란 어렸을 때에는 아버지를 따르고, 결혼해서는 남편을 따르며, 늙어서는 아들을 따라야 한다는 가르침이에요. 조선 후기 성리학의 영향으로 여성은 삼종지도를 지켜야 했고, 여성의 삶은 자유롭지 못하였어요.

기출선지 돋보기

• 흰 바탕에 푸른색으로 그림을 그린 **청화 백자**가 제작되었어요. 46회
• 남녀 순으로 족보에 기재하였다. 19회

(3) 공예 기술의 발달

① **자기**: 조선 후기에는 흰 바탕에 푸른 유약으로 그림을 그린 **청화 백자**가 유행하였습니다.
② **목공예품**: 의자, 장롱, 책상 등 생활 도구 및 문방 도구가 발전하였습니다.
③ **옹기**: 곡식이나 장류 등 음식을 저장하는 그릇으로, 주로 서민들이 사용하였습니다.
④ **나전 칠기**: 옻칠을 한 후 전복이나 소라, 조개 등의 껍데기로 외부를 장식하였습니다.
└ 그릇이나 나무에 윤기를 내기 위해 옻나무에서 나오는 진을 바르는 일

▲ 백자 청화 죽문 각병　　▲ 옹기　　▲ 나전 경함

2 조선 후기 여성의 삶

(1) 특징

① 조선 시대에는 유교의 영향으로 남녀가 다르다는 것을 강조하였습니다.
② 조선 중기 이후 성리학적 질서가 자리를 잡으면서 이전(고려~조선 전기)에 비해 여성들의 지위가 매우 낮아졌습니다.

꼬리에 꼬리를 무는 역사

조선 전기에 비해 조선 후기 여성의 삶은 어떻게 달라졌나요?

고려 시대부터 조선 전기의 여성들은 가정생활에서 크게 차별받지 않고 생활하였어요. 결혼을 하면 신랑과 함께 오랫동안 신부의 집에서 생활하였고, 재산을 상속하거나 족보에 이름을 올릴 때에도 아들과 딸을 구분하여 차별하지 않았어요. 제사는 모든 자식들이 돌아가면서 지내거나 사위가 지내는 경우도 있었지요. 또한 여성이 재혼을 해도 크게 차별받지 않았어요.

조선 중기 이후 성리학적 질서가 자리 잡으면서 조선 후기에는 가정생활의 풍습이 남성 중심으로 바뀌어 갔어요. 결혼을 하면 여성은 바로 신랑의 집으로 가야 했고, 재산 상속이나 족보, 제사 등에서는 큰아들을 중심으로 서열이 나누어져 여성들은 재산을 상속받지도 못했으며, 족보에 이름을 올리지도 못했답니다. 아들이 없는 양반들은 양자를 들여서라도 대를 이어 제사를 지내도록 했지요. 또한 조선 후기의 양반 여성들은 남편이 죽은 후에도 재혼하지 못하는 경우가 많았고, 만약 재혼을 하면 그 자식들이 차별받는 경우가 많았어요.

(2) 대표적인 여성

신사임당	• 율곡 이이의 어머니이며, 그림과 글에 재능이 있는 화가이자 문인이었음. • 풀과 곤충 등을 그린 초충도를 남겼음.
허난설헌	• 『홍길동전』을 지은 허균의 누나로, 글재주가 뛰어나 시를 매우 잘 써서 중국과 일본에서 높은 평가를 받았음. • 허난설헌이 죽은 후 허균이 누나의 시를 모아 만든 『난설헌집』이 중국에서 간행되었음.
김만덕	• 제주 출신으로, 상업 활동을 통해 많은 재산을 모았음. • 제주에 큰 흉년이 들어 많은 백성들이 굶게 되자, 자신의 재산으로 쌀을 사서 굶주린 제주 백성에게 나누어 주었음. • 정조는 김만덕의 행동을 칭찬하였고, 당시 채제공은 『만덕전』을 지어 이를 널리 알렸음. ┌정조는 김만덕에게 상을 내려 금강산 유람을 보내 주기도 하였음.

▲ 신사임당

▲ 허난설헌

▲ 김만덕

초충도

신사임당이 풀과 곤충, 채소, 꽃, 과일, 새 등을 그린 작품이에요. 총 8개의 작품으로 이루어져 있는 병풍 가운데 하나예요.

부유한 서민들, 문화 체험에 눈을 돌리다

조선 후기 서민 문화의 발달 배경

경제적인 여유가 생긴 서민들이 늘어나면서 문화에 관심을 가지기 시작하였어요.

서당 교육이 늘어나면서 서민들의 의식 수준이 높아졌어요.

풍속화

김홍도, 신윤복 등이 사람들의 생활 모습을 그린 풍속화가 유행하였어요.

한글 소설, 판소리, 탈놀이

다양한 한글 소설과 판소리, 양반을 비꼬는 탈놀이 등이 유행하였어요.

공예품

흰 바탕에 푸른색으로 그림을 그린 청화 백자와 함께 옹기, 나전 칠기 등의 공예품이 만들어졌어요.

기출키워드로 정리하기   비주얼씽킹 내용을 참고하여 아래 기출선지를 완성해 보세요.

| ㉠ 서민 문화 | ㉡ 청화 백자 | ㉢ 탈놀이 | ㉣ 풍속화 |

01 조선 후기 경제적으로 여유가 생긴 서민들이 늘어나면서 (　　　)이/가 발달하였습니다.

02 김홍도와 신윤복은 (　　　)의 대표적인 화가입니다.

03 조선 후기에 양반 사회를 풍자한 (　　　)이/가 유행하였습니다.

04 조선 후기에는 백자에 푸른색으로 그림을 그린 (　　　)이/가 많이 만들어졌습니다.

㉣ 70 ㉢ 80 ㉡ 20 ㉠ 10 **답정**

기출 술술 하루마무리

▪정답은 **33쪽**에서!

📖 교과 연계 초등 사회 5-2 2.1 새로운 사회를 향한 움직임

01

50회 26번

다음 대화가 이루어진 시기의 상황으로 옳지 <u>않은</u> 것은?

[2점]

① 중인층의 시사 활동이 활발하였다.
② 춘향가 등의 판소리가 성행하였다.
③ 기존 형식에서 벗어난 사설시조가 유행하였다.
④ 단군의 건국 이야기를 담은 제왕운기가 저술되었다.

📖 교과 연계 초등 사회 5-2 2.1 새로운 사회를 향한 움직임

02

54회 24번

밑줄 그은 '이 그림'이 그려진 시기에 볼 수 있는 모습으로 적절하지 <u>않은</u> 것은?

[2점]

이 그림은 서당의 모습을 그린 김홍도의 풍속화입니다. 훈장 앞에서 훌쩍이는 학생과 이를 바라보는 다른 학생들의 모습이 생생하게 표현되어 있습니다.

① 한글 소설을 읽는 여인
② 청화 백자를 만드는 도공
③ 판소리 공연을 하는 소리꾼
④ 초조대장경을 제작하는 장인

03

49회 25번

다음 특별전에서 볼 수 있는 작품으로 옳은 것은? [1점]

특별전

우리 산천을 담다
우리나라 산천을 소재로 한
조선 후기 진경산수화의 아름다움을
느껴 보세요.
2020. ○○. ○○.~○○. ○○.
△△박물관 특별 전시실

①
수렵도

②
인왕제색도

③
몽유도원도

④
고사관수도

17일

월

일

18강 조선을 뒤덮은 농민의 함성

▶ 개념강의

자료 콕콕 기출 노트

삼정의 문란

전정
- 아니, 제 땅은 얼마 안 되는데 세금이 왜 이렇게 많아요?
- 어허, 난 모르는 일이야.

군정
- 군포를 안 낸 사람이 있군!
- 아니, 갓난 아이에게 군포를 내라니요!

환곡
- 저는 환곡을 신청하지 않았어요!
- 이자 붙여서 갚도록!

기출선지 돋 보기

- 안동 김씨 등 소수의 가문이 권력을 독점하였어요. 36회
- 관직을 사고파는 일이 성행하였다. 36회
- 수령과 향리의 수탈로 **삼정이 문란**하였다. 51회

1 세도 정치의 등장과 조선 후기의 상황

(1) 세도 정치의 등장

① 세도 정치: 왕실의 외척을 비롯 — 어머니 쪽의 친척
한 몇몇 가문이 권력을 독차지하고 마음대로 정치를 하는 것을 말합니다.

② 세도 정치 시기: 순조, 헌종, 철종의 3대 60여 년간 지속되었습니다.

- 내가 바로 왕의 장인이지.
- 현령 자리가 탐나는데……
- 김조순 (안동 김씨)

③ 세도 정치 당시의 상황
- ㉠ 세도 가문(예 안동 김씨, 풍양 조씨)들은 왕실과의 혼인을 통해 높은 관직을 독점하였습니다. — 매관매직
- ㉡ 왕권이 약화되었고, 돈으로 관직을 사고파는 일이 공공연하게 일어나 세도 가문과 연결되지 않으면 관직에 오르기 어려웠습니다.

(2) 세도 정치 시기 농민의 생활

① 관리들의 부정부패
- ㉠ 세도 정치로 인해 관리들의 부정부패가 심해졌습니다.
- ㉡ 부패한 관리들이 세금을 거둘 때 부정을 저질렀기 때문에 백성들의 생활이 더욱 어려워졌습니다.

② 삼정의 문란

전정	• 의미: 토지에 대해 매기는 세금 • 문제점: 정해진 세금보다 더 많은 양을 거두어 갔음.
군정	• 의미: 16세 이상의 양인 남자가 군대에 가는 대신에 군포(베)를 세금으로 내는 것 • 문제점: 군적에 포함되지 않는 어린아이나 이미 죽은 사람에게도 세금을 매겼으며, 도망간 사람들의 몫을 이웃이나 친척에게 대신 부담하게 하였음.
환곡	• 의미: 곡식이 모자란 봄에 쌀을 빌려주었다가 가을에 갚도록 하였던 빈민 구휼 제도 • 문제점: 환곡이 필요 없는 사람에게도 강제로 곡식을 빌려주었으며, 높은 이자를 붙여서 갚도록 하였음.

전정, 군정, 환곡을 합쳐 삼정이라고 하였는데, 그중 환곡이 가장 큰 문제가 되었음.

| 환곡의 문제를 지적한 정약용의 시 |

> 빌려주고 빌리는 건 두 쪽이 다 맞아야지 ┐ 환곡이 필요 없는 사람에게도 강제로 빌려줌.
> 억지로 시행하면 불편한 것
> (중략)
> 봄철에 좀먹은 것 한 말 받고 가을에 온전한 쌀 두 말을 갚는데 더구나 좀먹은 쌀값 돈으로 내라니
>
> 온전한 쌀 팔아 돈으로 낼 수밖에 남는 이윤은 교활한 관리 살찌워
> (중략)
> 백성들 차지는 고생뿐이니 긁어 가고 벗겨 가고 걸핏하면 매질이라
>
> – 정약용의 「하일대주」 중 일부 –

전란 이후 나라의 재정이 어려워지자 환곡의 이자가 관청의 재정으로 사용되어 고리대처럼 운영되었고, 본래의 의미를 잃게 되었습니다.
┌ 부당하게 비싼 이자를 받는 것

| 홍경래의 난

2 조선 후기 농민들의 봉기

(1) 농민 봉기의 발생

① 농민들의 불만: 관리들의 부정부패와 무거운 세금, 홍수와 가뭄, 전염병 등으로 농민들의 생활이 어려워졌습니다.

② 농민 봉기로의 발전: 처음 농민들은 요구 사항을 벽에 붙이는 등 소극적으로 저항하였으나, 점차 폭력적인 항쟁을 전개하였습니다.

(2) 대표적인 농민 봉기

① 홍경래의 난(1811년) ┐ 외적의 침입이 잦고 성리학의 보급이 늦어 오래전부터 차별받았음.

원인	평안도 지역(서북 지방)에 대한 차별과 세도 정치로 인한 수탈
전개	몰락 양반 홍경래가 평안도에서 반란을 일으켰고, 홍경래의 반란군이 한때 청천강 이북 지역을 점령하였음.
결과	지도부의 분열과 정부군의 반격으로 정주성에서 진압되었음.
의의	이후 발생한 농민 봉기에 큰 영향을 끼쳤음.

② 임술 농민 봉기(진주 농민 봉기, 1862년)

원인	탐관오리 백낙신 등이 비리를 저지르고, 농민들로부터 지나치게 많은 세금을 거두었음.
과정	몰락 양반인 유계춘을 중심으로 진주에서 봉기하였음.
의의	진주 농민 봉기를 계기로 농민 봉기가 전국적인 규모로 확산(임술 농민 봉기)되었음. ┐ 지방에서 사건이 발생하였을 때 처리하기 위해 파견한 관직
조정의 대응	• 사건의 수습을 위해 **박규수**를 안핵사로 파견하였음. • 삼정의 문란을 해결하기 위해 **삼정이정청**을 설치하였지만 성과를 거두지 못하였음.

기출선지 돋보기

• 홍경래가 평안도에서 봉기하였다.
45·42회

• [홍경래의 난] 서북인에 대한 차별이 원인이 되어 일어났다. 52회

• **임술 농민 봉기**가 발생하였다. 46·44회

• [임술 농민 봉기] 사건의 수습을 위해 **박규수가 안핵사로 파견**되었다. 47·41회

• [임술 농민 봉기] 삼정의 문란을 해결하기 위해 **삼정이정청**이 설치되었다.
51·49·48·46·45·42~40회

『천주실의』

천주교 교리에 관한 책으로, 동양 사회에 천주교를 전파하고자 만들어진 것이에요. 유교적 교양을 바탕으로 천주교 교리를 이해할 수 있도록 풀이해 놓은 책이랍니다.

『용담유사』

최제우가 평민들도 읽을 수 있도록 동학의 교리를 담아 한글로 지은 포교 가사집이에요.

기출선지 돋보기

- [천주교] 중국에 다녀온 사신들에 의하여 서학으로 소개되었다. 50·45·40회
- 최제우가 동학을 창시하였다. 48·42회
- [동학] 인내천 사상을 중시하였다. 26회
- [동학] 동경대전을 기본 경전으로 삼았다. 50회

3 천주교와 동학

(1) 천주교의 전래

① 서학과 천주교

ㄱ 서학: 서양의 학문, 과학 기술, 종교 등에 대해 관심을 가지고 연구한 학문을 말합니다.

ㄴ 천주교의 전래: 천주교는 처음에 서학의 하나로 수용되어 학자들이 학문적으로 연구하였습니다.

② 천주교의 전파 과정

ㄱ 중국 베이징에는 서양의 천주교 선교사들이 활동하고 있었고, 중국을 방문하였던 사신들은 『천주실의』와 같은 책을 들여와 학문으로 연구하였습니다.

└ 천주교를 믿기 시작한 사람이 세례를 받는 것

ㄴ 이승훈이 조선인 최초로 천주교 영세를 받았습니다.

ㄷ 몰락한 양반, 중인, 상민, 부녀자들을 중심으로 천주교가 널리 퍼졌습니다.

③ 천주교의 가르침

ㄱ 모든 사람이 평등하며, 남녀의 차별이 없다고 가르쳤습니다.

ㄴ 조상에 대한 제사를 거부하였습니다.

④ 나라의 박해

ㄱ 이유: **평등사상**과 **제사 거부** 등 천주교가 유교 예법에 어긋나며, 우리 고유의 풍속을 해친다고 보았습니다.

ㄴ 박해: 나라에서는 천주교를 탄압하였고, 천주교도들을 처형하기도 하였습니다.

└ 순조 즉위 이후 본격적으로 천주교도들을 탄압하였고(신유박해), 이후에 흥선 대원군은 절두산에서 프랑스 선교사를 비롯한 천주교도들을 처형하였음(병인박해).

(2) 동학의 등장

① 창시: 몰락한 양반이었던 **최제우**가 서학에 맞서기 위해 전통적인 민간 신앙과 유교, 불교 및 서학의 장점을 모아 **동학**을 창시하였습니다(1860년).

▲ 최제우

② 주요 사상과 경전

주요 사상 마음속에 한울님을 모신다는 시천주 사상도 강조하였음.	• **인내천**: '사람이 곧 하늘이다.'라고 하며 인간 평등을 주장하였음. • **후천 개벽 사상**: 백성들이 원하는 새로운 세상이 열릴 것이라고 주장하였음.
경전	동학의 교리를 알리기 위해 한자로 『동경대전』을, 한글로 『용담유사』를 지었음.

③ **동학의 금지**: 나라에서는 **인간 평등**을 주장하는 동학이 세상을 어지럽히고 백성을 속인다는 이유로 탄압하였으며, 교주 최제우를 처형하였습니다.

④ **동학의 전파**: 2대 교주인 최시형의 노력으로 전라도와 충청도를 중심으로 동학이 퍼져 나갔습니다.

천주교와 동학에 대해 더 자세히 알아볼까요?

조선 후기에 세도 정치와 삼정의 문란으로 인하여 백성들의 생활이 어려웠어요. 곳곳에서 농민 봉기가 일어나는 등 나라 전체가 혼란스러웠지요. 이때 백성들의 마음에는 새로운 종교와 사상이 자리 잡기 시작했어요. 대표적인 것이 서양에서 전래된 천주교와, 조선 내부에서 창시된 동학이었어요.

천주교와 동학은 사람이 모두 평등하다는 평등사상을 가르친다는 점에서 비슷하였고, 조선 후기 백성들 사이에서 크게 유행하였지요. 조정에서는 천주교와 동학을 모두 탄압하였는데, 평등사상은 당시 양반 중심의 신분 사회였던 조선의 지배층들이 받아들이기 어려웠던 것으로 보여요. 게다가 천주교의 제사 거부는 유교 사회였던 조선의 기반을 흔드는 것으로 여겨졌어요.

한편 천주교에 대한 박해는 정치적으로도 이용되었는데, 천주교를 트집 삼아 상대 당파의 사람들을 몰아내는 것이었어요. 대표적으로 순조 때 일어난 신유박해에서 정약용과 정약전 등의 인물들이 처벌받았지요.

신유박해

1801년, 정조가 죽고 순조가 즉위한 이후 정조 때 정권을 잡았던 당파를 몰아내기 위해 천주교도들을 처벌하였던 사건이에요.

18일

월

일

비주얼씽킹

세도 정치로 사회가 혼란스러워지다

홍경래의 난

1811년 세도 정치와 지역 차별에 반대하며 홍경래가 평안도에서 반란을 일으켰어요.

임술 농민 봉기

1862년 진주에서 유계춘을 중심으로 봉기가 일어났고, 이후 전국적인 규모로 확산되었어요.

천주교

서학이라는 학문의 형태로 들어온 천주교는 점차 종교로 널리 퍼지게 되었어요.

동학

최제우는 유교, 불교 및 전통적인 민간 신앙을 모아 동학을 만들었어요.

기출키워드로 정리하기   비주얼씽킹 내용을 참고하여 아래 기출선지를 완성해 보세요.

| ㉠ 동학 | ㉡ 진주 | ㉢ 천주교 | ㉣ 홍경래 |

01 1811년 평안도에서 (   )의 난이 일어났습니다.

02 1862년에 (   )의 농민들은 관아로 몰려가 곡식을 빼돌린 탐관오리를 처벌하였습니다.

03 서양 문물과 함께 학문으로 들어온 (   )은/는 점차 종교로 널리 퍼지게 되었습니다.

04 최제우는 유교, 불교, 민간 신앙을 융합하여 (   )을/를 만들었습니다.

정답 01 ㉣ 02 ㉡ 03 ㉢ 04 ㉠

01

47회 25번

밑줄 그은 '거사'에 대한 설명으로 옳은 것은?　[1점]

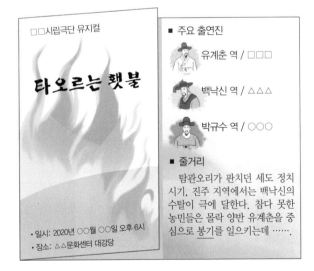

① 강화도 초지진에서 항전하였다.
② 서경 천도와 금국 정벌을 주장하였다.
③ 제물포 조약이 체결되는 결과를 가져왔다.
④ 서북 지역민에 대한 차별에 반발하여 일어났다.

02

49회 24번

밑줄 그은 '봉기' 이후 정부의 대책으로 옳은 것은?　[2점]

□□시립극단 뮤지컬

타오르는 횃불

■ 주요 출연진

유계춘 역 / □□□
백낙신 역 / △△△
박규수 역 / ○○○

■ 줄거리
탐관오리가 판치던 세도 정치 시기, 진주 지역에서는 백낙신의 수탈이 극에 달한다. 참다 못한 농민들은 몰락 양반 유계춘을 중심으로 봉기를 일으키는데 ……

• 일시: 2020년 ○○월 ○○일 오후 6시
• 장소: △△문화센터 대강당

① 흑창을 두었다.
② 신해통공을 실시하였다.
③ 삼정이정청을 설치하였다.
④ 전민변정도감을 운영하였다.

03

50회 27번

(가) 종교에 대한 설명으로 옳은 것은?　[2점]

□□신문

제△△호　　　2014년 ○○월 ○○일

교황, 서소문 성지 방문

프란치스코 교황은 지난 8월 16일 서울특별시의 서소문 순교 성지를 방문하였다. 이곳은 200여 년 전, 유교 윤리를 어겼다는 이유로 이승훈을 비롯한 　(가)　을/를 믿는 사람들을 처형한 곳이다. 교황은 순교자들을 애도하며 이곳에 세워진 현양탑에 헌화하였다.

① 중광단 결성을 주도하였다.
② 기관지로 만세보를 발간하였다.
③ 초기에는 서학으로 소개되었다.
④ 동경대전을 기본 경전으로 삼았다.

04

51회 23번

(가)에 들어갈 종교로 옳은 것은?　[1점]

① 동학
② 대종교
③ 원불교
④ 천주교

시험에 꼭! 나오는 서적 내가 누구게?

조선 전기

▲ 『삼봉집』
정도전의 시와 글을 모아 간행한 것으로, 조선의 통치 이념이 잘 담겨 있습니다. 책 이름은 정도전의 호인 '삼봉'을 따서 붙였습니다.

▲ 『훈민정음』 『해례본』
세종 때 창제된 훈민정음은 백성도 쉽게 글을 배우고 쓸 수 있도록 하였습니다. 유네스코 세계 기록 유산으로 등재되어 있습니다.

▲ 『삼강행실도』
세종 때 백성들에게 유교 윤리를 보급하기 위해 쓴 책으로, 충신·효자·열녀 이야기를 글과 그림으로 소개하였습니다.

조선 후기

▲ 『속대전』
영조 때 『경국대전』을 개정·보완하여 편찬된 법전입니다.

▲ 『동의보감』
허준이 선조의 명으로 편찬을 시작하여 광해군 때 완성한 의학 서적으로, 유네스코 세계 기록 유산으로 등재되어 있습니다.

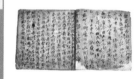

▲ 『징비록』
유성룡이 임진왜란 때의 상황을 기록한 것으로, 책 제목은 지난 잘못을 살펴 후환을 경계한다는 뜻입니다.

▲ 『반계수록』
유형원이 쓴 책으로, 토지 제도의 개혁 방안 등이 실려 있습니다.

▲ 『경세유표』
정약용이 쓴 책으로, 토지 제도의 개혁 방안으로 여전론을 주장하였습니다.

▲ 『목민심서』
정약용이 쓴 책으로, 지방관이 지켜야 할 도리를 밝힌 책입니다.

▲ 『농사직설』

세종 때 만든 농서로, 우리나라 자연과 실정에 맞는 농사법을 담아 편찬하였습니다.

▲ 『경국대전』

세조 때 편찬하기 시작하여 성종 때 완성한 조선 최고의 법전입니다.

▲ 『조선왕조실록』

태조부터 철종까지의 역사를 시간 순서대로 기록한 책으로, 유네스코 세계 기록 유산으로 등재되어 있습니다.

▲ 『동국통감』

성종 때 왕의 명령으로 서거정 등이 편찬한 역사책으로, 고조선부터 고려 말까지의 역사를 기록하였습니다.

▲ 『악학궤범』

성종 때 편찬된 것으로, 조선 시대의 음악을 정리한 책입니다.

▲ 『열하일기』

박지원이 청나라에서 보고 들은 것을 기록한 책으로, 수레와 선박의 이용, 청의 발달된 문물과 기술 수용 등을 주장하였습니다.

▲ 『북학의』

박제가가 청나라에서 보고 들은 것을 정리한 책으로, 수레·벽돌·수차 등의 사용과 생산을 늘리기 위한 소비의 중요성 등을 강조하였습니다.

▲ 『발해고』

유득공이 지은 책으로, 발해가 고구려를 계승하였음을 밝혔습니다. 이 책에서 '남북국'이라는 용어를 처음 사용하였습니다.

에듀윌이
너를
지지할게

ENERGY

도중에 포기하지 말라.

망설이지 말라.

최후의 성공을 거둘 때까지 밀고 나가자.

– 헨리 포드(Henry Ford)

근대 사회와 일제 강점기

1863년
흥선
대원군
집권

왕권 강화를 위해
서원을 정리하고 경복궁
을 중건할 것이다!

1876년
강화도
조약

조선의 항구를
열어라!

펑
쾅

펑

강화도에서
이야기합시다!

1897년
대한 제국
수립

개혁을 통해
교육과 산업을 키우고 강한
나라를 만들 것이다!

1910년
국권
피탈

국권 크 하하하

1919년
3 · 1
운동

대한 독립 만세!

서양과의 교류를 금지한다!

서양 문물을 받아들이자!

홍선 대원군

고종

명성 황후

19강 흥선 대원군의 정책과 조선의 개항

▶ 개념강의

자료 콕콕 기출 노트

개항

다른 나라와의 교류를 위해 외국의 배들이 출입할 수 있도록 항구를 개방하는 것을 의미해요.

흥선 대원군

흥선 대원군은 고종의 아버지로, 어린 나이로 왕위에 오른 고종을 대신해 약 10년 동안 나라를 다스렸어요.

사창제

곡물을 빌려주고 구휼 사업을 하는 창고를 마을 단위로 운영하고, 마을의 존경받는 어른이 관리하도록 하였던 제도예요.

기출선지 돋 보기

- 비변사를 혁파(폐지)하였다. 54·52·50·45회
- 대전회통을 편찬하였다. 54·48·42회
- 호포제를 실시하였다. 44·43회
- 환곡의 폐단을 없애기 위해 **사창제를** 시행했어요. 45회
- **경복궁을 중건**하여 왕실의 권위를 높이려고 하였다. 50~48·44·41회

1 흥선 대원군의 개혁과 통상 수교 거부 정책

(1) 19세기의 상황과 흥선 대원군의 개혁 정치

① 당시의 상황

국외	• 조선의 바다 곳곳에 이양선이 나타나는 등 서양의 여러 나라들이 조선에 접근하여 통상을 요구하였음. → 조선의 배와 달리 특이한 모양을 한 서양의 배 • 청나라와 일본이 서양 세력에 의해 강제로 개항하였음. → 나라와 나라 사이에 서로 물건을 사고파는 것
국내	• 세도 정치로 나라가 혼란하였고, 왕권이 약해졌음. • 백성들의 생활이 어려워져 농민 봉기가 일어났음. → 예 홍경래의 난, 임술 농민 봉기

② 흥선 대원군의 집권

㉠ 철종이 갑자기 죽고 고종이 어린 나이로 왕위에 오르자, 고종의 아버지인 흥선 대원군이 고종을 대신하여 나라를 다스렸습니다.

㉡ 흥선 대원군은 세도 정치로 인해 약화된 왕권을 강화하고, 백성들의 생활을 안정시키고자 개혁을 추진하였습니다.

③ 흥선 대원군의 개혁 내용

정치 개혁	• **비변사 축소·폐지**: 왕권을 제약하던 비변사의 기능을 약화시키고, 의정부의 기능을 부활시켰음. • **인재의 고른 등용**: 세도 가문을 내쫓고 당파에 관계없이 인재를 고루 등용하였음. • **법전 편찬**: 『대전회통』, 『육전조례』를 편찬하였음.
조세 개혁	• **호포제**: 양반에게도 군포를 거두어들이는 호포제를 실시하였음. → 군대에 가는 대신 1년에 1필씩 내던 세금으로, 원래 양반은 군포를 내지 않고 면제 받았음. • **사창제**: 백성을 괴롭히던 환곡 대신 사창제를 실시하였음.
서원 정리	• **서원의 폐단**: 조선 후기의 서원은 백성들을 괴롭히며 나라의 재정을 어렵게 하고, 신하들이 무리를 나누어 다투는 싸움의 근거지가 되었음. • **서원 철폐**: 흥선 대원군은 전국의 서원을 47개 소만 남기고 모두 없앴음. • **영향**: 백성들은 크게 환영하였으나, 양반들의 반대가 심하였음.

④ 흥선 대원군의 경복궁 중건

㉠ 목적: 임진왜란 때 불에 탄 경복궁을 다시 지어 왕실의 권위를 높이고자 하였습니다.

ⓒ 내용: 경복궁을 짓는 데 백성들을 동원하였으며, 필요한 비용을 마련하기 위하여 강제로 원납전을 거두고 **당백전**을 발행하였습니다.
　└ '스스로 원하여 납부하는 돈'이라는 뜻의 기부금이었으나, 실제로는 마을 단위로 할당되어 강제로 거두들였음.

ⓒ 영향: 무리한 공사의 추진에 백성들이 동원되어 원망이 컸으며, 당백전의 발행으로 물가가 크게 올라 나라의 경제가 매우 어려워졌습니다.

(2) 외세의 침입과 통상 수교 거부 정책

① 병인양요(1866년)

원인	• 흥선 대원군은 천주교에 대한 탄압을 강화하였고, 서양과의 통상을 거부하였음. • 흥선 대원군이 프랑스인 선교사들을 포함한 수천 명의 천주교도를 처형하였음(**병인박해**, 1866년). 　└ 병인박해 때 천주교도들을 처형한 장소를 절두산이라고 함.
과정	프랑스인 선교사의 처형을 구실로 프랑스 군대가 통상을 요구하며 강화도를 침입하였음. → 양헌수(정족산성), 한성근(문수산성) 등이 프랑스 군대를 막아 내었음.
결과	프랑스 군대가 물러나면서 왕실 도서관인 강화도 외규장각에 보관되어 있던 책(외규장각 의궤 등)들을 약탈해 갔음.

② 오페르트 도굴 사건(1868년): 흥선 대원군이 독일 상인인 오페르트의 통상 요구를 거부하자, 오페르트가 흥선 대원군의 아버지인 남연군의 묘를 도굴하려고 하였으나 실패했습니다.

③ 신미양요(1871년)

원인	미국의 상선 제너럴 셔먼호가 평양 근처에서 통상을 요구하며 약탈을 하자, 평양 사람들이 미국 상선을 공격하여 불태웠음(**제너럴 셔먼호 사건**, 1866년).
과정	제너럴 셔먼호 사건을 구실로 미국이 군함을 이끌고 강화도를 침략하였음. → 광성보에서 **어재연** 부대가 미국 군대에 맞서 싸우며 많은 피해를 입었으며, 미국 군대가 스스로 물러갔음.
결과	미국 군대가 철수하면서 어재연 부대의 '수' 자기를 가져갔음.

꼬리에 꼬리를 무는 역사 어재연 장군의 '수' 자기는 언제 미군에 약탈되었을까요?

오른쪽 깃발은 어재연 장군의 깃발로, '장수 수(帥)' 자가 쓰여 있어요. 1871년 신미양요 때 미국 군대에게 전리품으로 빼앗겨 미국 해군 사관 학교 박물관에 소장되어 있었으나, 2007년 장기 대여 형식으로 우리나라에 돌아왔어요.

▲ 어재연의 '수' 자기

당백전

흥선 대원군이 발행한 당백전은 조선 후기에 주로 유통되었던 상평통보보다 100배 높은 가치를 가진 화폐였지만, 실질 가치는 그보다 낮았어요. 당백전이 유통되면서 물가가 크게 올라 백성들의 생활이 어려워졌어요.

외규장각 의궤

병인양요 당시 프랑스군은 본국으로 돌아가면서 의궤를 비롯한 외규장각 도서를 약탈해 갔어요. 그중 의궤는 조선 왕실의 의례를 글과 그림으로 기록한 책으로, 프랑스 국립 도서관에 보관되어 있었어요. 그곳의 사서였던 박병선 박사의 노력으로 일부가 임대 형식으로 우리나라에 돌아왔어요.

19일

월

일

기출선지 돋보기

• [흥선 대원군] 당백전을 발행하였다.
　49·45·43·41회
• [병인양요] 프랑스군이 외규장각 도서를 약탈하였다. 51·48·47회
• 오페르트가 남연군 묘를 도굴하려 하였다. 49·41회
• [신미양요] 제너럴 셔먼호 사건이 빌미가 되었다. 50·41회
• [신미양요] 어재연이 광성보에서 미군에 맞서 싸웠다. 51·41회

운요호

1875년 일본 군대는 군함인 운요호를 보내 강화도 초지진 근처에서 의도적으로 조선 군대를 자극하였어요.

④ **척화비의 건립(1871년)**: 병인양요와 신미양요 이후 흥선 대원군은 전국에 척화비를 세워 서양과의 통상을 금지하였습니다.

꼬리에 꼬리를 무는 역사

흥선 대원군이 척화비를 세운 이유는 무엇인가요?

척화비에는 "서양 오랑캐가 침범하는데 싸우지 않으면 화친하는 것이고, 화친을 주장하는 것은 나라를 파는 것이다."라는 내용이 새겨져 있어요. 서양과 싸우지 않고 화해하자는 것은 곧 나라를 파는 행동이라는 의미로, 서양과의 통상 수교를 거부하는 흥선 대원군의 강한 의지가 담겨져 있지요. 흥선 대원군은 서울을 비롯한 전국 각지에 척화비를 세워 백성들에게 자신의 의지를 널리 알리고자 하였어요.

▲ 척화비

| 병인양요 | 신미양요 | 척화비 건립 |

2 강화도 조약과 조선의 개항

(1) 운요호 사건과 강화도 조약의 체결

① **당시의 상황**: 통상 수교 거부 정책을 추진하던 흥선 대원군이 물러나고 고종이 직접 정치를 시작하자, 서양 세력과 통상을 해야 한다고 주장을 하는 사람들이 등장하였습니다. └→박규수, 유홍기, 오경석 등

② **운요호 사건(1875년)**: 일본이 조선을 개항시킬 목적으로 군함 운요호를 강화도로 보냈습니다. → 조선 군대가 허락 없이 다가오는 운요호 주변에 경고의 의미로 대포를 쏘자, 일본 군대는 초지진을 공격하였습니다. → 일본이 운요호 사건을 구실로 조선에 개항을 요구하였습니다.

③ **강화도 조약의 체결(1876년)**: 조선은 일본의 압박으로 강화도에서 일본과 조약을 맺고 **개항**하였습니다.

(2) 강화도 조약의 성격과 내용

① 강화도 조약의 성격

　㉠ 조선이 외국과 맺은 최초의 근대적 조약이었습니다.

　㉡ 일본에 유리한 내용이 담겨 있었으며, 조선의 권리는 나타나 있지 않은 **불평등 조약**이었습니다.

기출선지 돋보기

조선의 항구를 개방해라!

강화도에서 이야기합시다!

• 전국 각지에 **척화비**가 건립되었다.
51·48·47·44·42~40회

• **운요호 사건**이 일어났다. 48·44·43회

• [운요호 사건] 일본군이 **초지진**을 공격하였다. 50·45회

• **강화도 조약**이 체결되었다. 48회

• [강화도 조약] **운요호 사건**을 계기로 체결되었다. 51회

② **강화도 조약의 내용**: 조선의 해안 측량권과 일본인의 치외 법권 인정은 강화도 조약이 불평등한 것임을 보여 주는 대표적인 조항입니다.

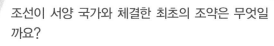
다른 나라에 머물고 있으면서도 그 나라 법의 적용을 받지 않는 권리

구분	조약 내용	내용에 담긴 의미
제1관	조선은 자주국이며 일본과 동등한 권리를 가진다.	일본이 조선을 침략할 때 청나라가 간섭하는 것을 막기 위함.
제4관	조선은 부산 이외에도 두 곳의 항구를 추가로 개항한다. └→ 원산, 인천	일본이 필요하다고 생각하는 항구(부산, 원산, 인천)를 강제로 개항하기 위함.
제7관	조선은 일본이 조선의 해안을 측량하도록 허가한다. └→ 해안 측량권	조선의 해안을 일본이 마음대로 측량하여 조선을 침략할 발판을 만들기 위한 것으로, 조선의 자주권을 침해함.
제10관	조선에서 죄를 지은 일본 사람은 일본의 관리가 심판한다. └→ 일본인의 치외 법권	일본인의 치외 법권이 인정되어 일본인이 조선에서 죄를 지어도 처벌할 수 없게 됨.

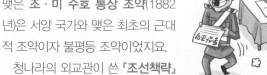
조선이 서양 국가와 체결한 최초의 조약은 무엇일까요?

조선은 강화도 조약 체결 이후 청나라, 미국 등 여러 국가와 불평등 조약을 체결하였어요. 그중 미국과 맺은 **조·미 수호 통상 조약**(1882년)은 서양 국가와 맺은 최초의 근대적 조약이자 불평등 조약이었지요.

청나라의 외교관이 쓴 『**조선책략**』이라는 책에는 조선이 러시아를 견제하기 위해 청·일본·미국과 힘을 합쳐야 한다는 내용이 담겨 있었어요. 이 책이 조선에 유포되어 조·미 수호 통상 조약이 체결되는 데 큰 영향을 끼쳤지요.

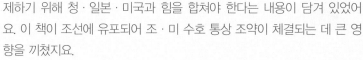

강화도 조약의 체결

강화도 연무당 옛터

1876년 강화도에 위치한 연무당에서 조선과 일본의 대표가 모여 강화도 조약을 체결하였어요.

기출선지 돋보기

- [강화도 조약] 외국과 맺은 최초의 근대적 조약이었다. 51회
- [강화도 조약] 부산, 원산, 인천이 개항되었다. 40회
- [강화도 조약] 일본인의 치외 법권을 인정하였다. 33회

일본, 조선의 굳게 닫힌 문을 열다

1. 운요호 사건

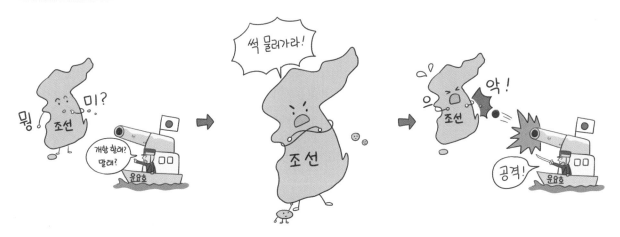

일본은 조선 바다의 깊이와 해안의 넓이를 잰다는 구실로 운요호를 강화도 앞바다에 보냈어요.

조선군은 일본군의 불법적인 행동에 대포를 쏘며 돌아가라고 경고하였어요.

그러자 일본 운요호는 조선군을 공격하여 큰 피해를 입히고 돌아갔어요.

2. 강화도 조약

일본이 운요호 사건을 구실로 조선에 개항을 요구하자, 조선은 일본과 강화도 조약을 맺었어요.
강화도 조약은 조선이 외국과 체결한 최초의 근대적 조약이자 해안 측량권, 영사 재판권(치외 법권) 등을 인정해 준 불평등 조약이었어요.

기출키워드로 정리하기   비주얼씽킹 내용을 참고하여 아래 기출선지를 완성해 보세요.

> ⊙ 강화도   ⓒ 불평등   ⓒ 운요호

01 (   ) 사건을 계기로 강화도 조약이 체결되었습니다.

02 (   ) 조약을 통해 일본인의 치외 법권을 인정하였습니다.

03 강화도 조약은 조선이 외국과 맺은 최초의 근대적 조약이자, (   ) 조약이었습니다.

정답   01 ⓒ   02 ⓒ   03 ⓒ

📖 교과 연계 초등 사회 5-2 2.1 새로운 사회를 향한 움직임

01
51회 28번

(가) 인물이 집권한 시기의 사실로 옳은 것은? [2점]

소식 들었는가? 이제 우리 양반에게도 군포를 걷겠다는군.

어쩌겠나. 조정이 왕의 아버지인 (가) 의 위세에 눌려 모든 일이 그의 뜻대로 되고 있으니 말일세.

① 장용영이 창설되었다.
② 척화비가 건립되었다.
③ 청해진이 설치되었다.
④ 칠정산이 편찬되었다.

📖 교과 연계 초등 사회 5-2 2.1 새로운 사회를 향한 움직임

02
54회 29번

밑줄 그은 '이 사건'에 대한 설명으로 옳은 것은? [2점]

화면의 사진은 문수산성입니다. 이 사건 당시 한성근 부대는 이곳에서 프랑스군에 맞서 싸웠고, 이어서 양헌수 부대는 정족산성에서 프랑스군을 물리쳤습니다.

① 흥선 대원군 집권기에 일어났다.
② 제너럴 셔먼호 사건의 배경이 되었다.
③ 삼정이정청이 설치되는 결과를 가져왔다.
④ 군함 운요호가 강화도에 접근하여 위협하였다.

📖 교과 연계 초등 사회 5-2 2.1 새로운 사회를 향한 움직임

03
50회 28번

밑줄 그은 '이 사건'에 대한 설명으로 옳은 것은? [2점]

이곳은 어재연 장군의 생가입니다. 미군이 통상을 강요하며 강화도를 침략한 이 사건 당시 그는 광성보에서 맞서 싸우다 전사하였습니다.

① 삼국 간섭이 일어나는 배경이 되었다.
② 제너럴 셔먼호 사건이 빌미가 되었다.
③ 운요호의 초지진 공격으로 시작되었다.
④ 제물포 조약이 체결되는 계기가 되었다.

04
49회 27번

(가) 조약 이후에 있었던 사실로 옳은 것은? [2점]

주제: (가) 의 체결

조선책략의 내용이 유포되고 청이 적극적으로 알선하여 조약이 체결되었습니다.

서양 국가와 맺은 최초의 근대적 조약이었습니다.

조선책략

조약 체결 장면

① 보빙사가 파견되었다.
② 별기군이 창설되었다.
③ 탕평비가 건립되었다.
④ 통리기무아문이 설치되었다.

엄오군란
동학 농민 운동
갑신정변

20강 개화 정책의 추진과 반발

▶ 개념강의

자료 콕콕 기출 노트

별기군

별기군은 신식 군대로, 일본인 교관에게 훈련을 받았어요.

최익현

최익현은 조선 후기에 성리학을 공부하였던 선비로, 강화도 조약 체결 당시 광화문에서 도끼를 놓고 개항에 반대하는 상소를 올렸어요. 이후 일제의 침략이 본격적으로 이루어지자 항일 의병장으로 활동하였고, 결국 체포되어 쓰시마섬으로 끌려가 순국하였어요.

기출선지 돋보기

- 개화 정책을 추진하기 위해 **통리기무아문**이 설치되었다. 49·48·45·43·41회
- 신식 군대인 **별기군**이 창설되었다. 51·49·47·43·41·40회
- [영선사] 기기국에서 **무기 제조 기술**을 습득하고 돌아왔다. 55·45회
- 미국에 보빙사가 파견되었다. 49·47·44회
- 이만손이 주도하여 **영남 만인소**를 올렸다. 51·45·44회

1 개항 이후의 개화 정책과 위정척사 운동

(1) 개항 이후 추진된 정부의 개화 정책

① **통리기무아문과 별기군의 설치**: 개화 정책을 추진하는 행정 기구인 통리기무아문(1880년)과 신식 군대인 별기군(1881년)을 설치하였습니다.

② **사절단의 파견**

  ㉠ 일본: **수신사**와 **조사 시찰단**을 파견하여 일본의 발전된 산업, 군사, 교육 등을 살펴보도록 하였습니다. └─『조선책략』을 국내에 소개하였음.

수신사	강화도 조약 체결 이후 김기수, 김홍집 등을 중심으로 여러 차례 일본에 파견되었음.
조사 시찰단	공식적으로 파견된 수신사와는 달리 비밀리에 파견되었음.

  ㉡ 청나라: **영선사**를 파견하여 근대식 무기 제조법과 군대 훈련법을 배워 오도록 하였습니다. └ 조·미 수호 통상 조약 체결

  ㉢ 미국: 국교를 맺은 이후 친선을 위해 **보빙사**를 파견하였습니다. 보빙사는 조선 최초로 서양에 파견된 사절단입니다.

③ **근대적 시설의 마련**: 근대식 화폐를 만들기 위한 전환국, 근대식 무기를 만들기 위한 기기창, 근대식 신문을 만들기 위한 **박문국**, 근대식 병원인 광혜원(제중원) 등 근대 시설이 설치되었습니다.

└ 바른 것(성리학)을 지키고 사악한 것(서양 문물을 비롯한 성리학 이외의 모든 것)을 배척한다는 의미

(2) 위정척사 운동

① **의미**: 양반 유생들을 중심으로 서양과 일본 세력을 오랑캐로 인식하고 이들을 물리쳐야 한다고 주장하였던 운동입니다.

② **시기별 전개 과정**

1860년대	이항로 등이 서양과의 통상을 반대하였음.
1870년대	**최익현**이 일본과 서양은 같다는 왜양일체론을 주장하며 개항(강화도 조약 체결)을 반대하였음.
1880년대	**이만손** 등 영남 지역의 유생들이 『조선책략』의 유포와 개화 정책의 추진에 반발하여 **만인소**를 올렸음.
1890년대	유인석 등이 일본의 침략에 맞서 의병 운동을 일으켰음.

└ 1만여 명의 유생들이 모여 나라의 정책에 반대하며 올리는 상소

꼬리에 꼬리를 무는 역사

조선의 개항과 개화에 대한 서로 다른 생각을 알아볼까요?

1876년, 강화도 조약의 체결이 이루어지며 조선은 결국 개항을 선택하였어요. 이후 조선의 지배층은 개화파와 위정척사파로 나뉘어 대립하였지요. 개화파는 외국 문물을 적극적으로 받아들여 나라를 발전시켜야 한다고 주장하였고, 위정척사파는 우리의 것을 지켜야 한다고 주장하였어요.

개화파는 청나라를 배우고자 하는 온건 개화파와 일본을 배우고자 하는 급진 개화파로 나뉘어졌어요. 위정척사파는 개화 정책의 추진을 반대하다가 받아들여지지 않자, 의병 항쟁을 이어 나갔어요.

2 임오군란과 갑신정변

(1) 당시의 상황

① 일본의 경제적 침탈
- ㉠ 개항 이후 일본으로의 쌀 수출이 늘면서 쌀값이 크게 올라 농민들의 생활이 어려워졌습니다.
- ㉡ 일본에 의해 서양 문물이 들어오면서 소규모로 이루어지던 조선의 수공업이 어려움을 겪었습니다.

② 정치적 대립: 통상 수교 거부 정책을 추진하였던 흥선 대원군과 개화 정책을 추진하였던 민씨 정권 세력의 대립이 이어졌습니다.

(2) 임오군란(1882년)

배경	구식 군인들은 신식 군대(별기군)에 비해 차별을 받았고, 일 년 넘게 월급을 받지 못하였음.
전개 과정	구식 군인들에게 밀린 월급을 나누어 주는 과정에서 모래가 섞인 쌀이 지급되었음. → 분노한 구식 군인들이 봉기를 일으켜 관청과 일본 공사관, 궁궐을 침입하였음. → 봉기를 피해 명성 황후가 피신하였고, 흥선 대원군이 다시 집권하였음. → 명성 황후의 요청으로 청나라 군대가 들어와 봉기를 진압하고 흥선 대원군을 청나라로 끌고 감.
결과	• 조선에 대한 청나라의 영향력이 커졌음. • **제물포 조약**을 체결하여 일본에 배상금을 지불하고, 일본 공사관의 일본 군대 주둔을 허용하였음.

다른 사람에게 끼친 손해와 피해에 대해 물어 주는 돈

군대가 맡은 일을 하기 위하여 일정한 곳에 얼마 동안 머무르는 일

방곡령

일본에 대한 쌀 수출을 금지한 명령을 말해요. 우리나라의 쌀이 일본에 싼값으로 팔려 나가는 것을 막기 위한 조치였지요. 1889년 황해도와 함경도에서 방곡령을 내렸으나 일본의 강력한 항의로 곧 해제되었어요.

20일

월

일

기출선지 돋보기

• **구식 군인들**이 **임오군란**을 일으켰다.
51·43회

• [임오군란] 구식 군인들이 일본 공사관을 습격하였다. 39회

• [임오군란] **제물포 조약**을 체결하는 결과를 가져왔다. 51·50·47·41회

■ 갑신정변의 주역들

왼쪽부터 박영효, 서광범, 서재필, 김옥균이에요. 갑신정변을 주도한 급진 개화파의 대표적인 인물들이지요. 갑신정변은 새로운 국가를 만들려는 개혁 시도였으나, 많은 사람의 지지를 얻지 못해 실패하였어요.

(3) 갑신정변(1884년)

① 배경

　㉠ 임오군란 이후 청나라의 간섭이 심해지자 개화 정책이 소극적으로 이루어졌습니다.

　㉡ **김옥균**, 박영효, 서광범, 서재필 등의 **급진 개화파**는 청나라의 간섭에 반발하였고, 일본의 도움을 받아 근대화를 이루고자 하였습니다.

개화당 정부를 수립하고, 근대 국가 건설을 위한 개혁을 단행하겠다!

우정총국

김옥균

② 전개 과정과 결과

전개 과정	급진 개화파가 **우정총국** 개국 축하연을 이용하여 정변을 일으켰음. → 정변으로 정권을 잡은 개화파가 개혁 정책을 발표하고 새 정부를 구성하였음. → 청나라 군대가 들어오면서 정변은 3일 만에 실패로 끝났음. ┌근대적 우편 제도 실시를 위해 설치된 기구
결과	• 청나라의 간섭이 더욱 심해졌음. • 일본과 한성 조약을 맺고 일본에 배상금을 지불하였음. • 청나라와 일본은 톈진 조약을 맺어 조선에 군대를 보낼 때 서로 통보하기로 하였음.

③ 급진 개화파가 추진한 개혁 정책: 청에 대한 사대 관계 폐지, 능력에 따른 인재 선발 등을 추진하였습니다.

┃ 갑신정변 때 발표된 개혁안(일부) ┃

1. 청에 잡혀간 대원군을 돌아오게 하며, 청에 대한 조공을 없앤다.
2. 문벌을 폐지하고, 능력에 따라 관리를 임명한다.
3. 토지와 관련된 조세 제도를 개혁하여 관리의 부정을 막고 국가 재정을 넉넉히 한다.
4. 탐관오리를 처벌한다.

❸ 동학 농민 운동(1894년)

(1) 당시의 상황

① 나라에서 동학을 탄압하고, 동학을 창시한 최제우를 처형하였습니다.
② 전라도 지방에서는 농민에 대한 수탈이 더욱 심하였는데, 특히 고부 군수 조병갑의 횡포로 백성들이 고통을 받았습니다.

(2) 전개 과정과 결과

고부 농민 봉기	고부 군수 조병갑의 횡포를 막기 위해 **전봉준**과 농민군이 봉기하여 고부 관아를 습격하였음.

↓

기출선지 돋보기

- [갑신정변] 김옥균, 박영효, 홍영식 등이 주도하였다. 38회
- [갑신정변] 우정총국 개국 축하연에서 정변이 일어났다. 55회
- [갑신정변] 청군의 개입으로 3일 만에 실패하였다. 41회
- [갑신정변] 청의 내정 간섭이 심화되었다. 48회
- [동학 농민 운동] 고부에서 봉기를 이끄는 전봉준 39회

나라를 돕고 백성을
편안하게 한다는 의미

1차 봉기	• 봉기를 수습하기 위해 정부에서 파견한 관리가 농민군을 탄압하자, 전봉준과 농민군이 보국안민 등을 외치며 봉기하였음(백산 집결). • 농민군이 **황토현 전투**, 황룡촌 전투에서 정부 군대에 승리하고 전주성을 점령하였음. • 농민군을 진압하는 데 어려움을 겪던 조선 정부는 청나라에 도움을 요청하였고, 청나라가 조선에 군대를 보내자 일본도 톈진 조약을 구실로 조선에 군대를 보냈음. • 청나라 군대와 일본 군대가 조선에 들어오자 동학 농민군은 외세의 개입을 막기 위해 조선 정부와 **전주 화약**을 맺고 해산하였음.

⬇

집강소 활동	농민군은 전라도 일대에 **집강소**를 설치하여 개혁을 위해 노력하였음.

1894년에 일어난 청나라와 일본 사이의 전쟁으로, 일본이 승리하였음. ⬇

2차 봉기	• 군대를 철수하지 않은 일본이 경복궁을 무력으로 점령한 뒤 청·일 전쟁을 일으키고 조선의 내정에 간섭하자 동학 농민군이 다시 봉기하였음. • 동학 농민군은 **공주 우금치 전투** 등에서 관군과 일본 군대에게 패하였으며, 전봉준이 체포되었음.

전봉준을 기리던 노래를 알아볼까요?

전봉준을 기리는 "새야 새야 파랑새야, 녹두밭에 앉지 마라. 녹두꽃이 떨어지면 청포 장수 울고 간다."라는 노래가 있어요. 이 노랫말의 의미에 대해 여러 가지 해석이 있어요. 그중 하나를 살펴보면 파랑새는 청나라 군대 또는 일본 군대, 녹두밭은 전봉준, 청포 장수는 백성을 의미한다고 해요. 전봉준은 어린 시절에 키가 작아 '녹두'라는 별명으로 불렸고, 이후에 전봉준을 가리켜 녹두 장군이라고 불렀지요.

▌집강소

정부군과 동학 농민군이 협상한 결과로 전라도 각 고을에 설치한 농민 자치 기구예요. 집강소는 탐관오리의 처벌과 조세 제도의 개혁을 위해 노력하였어요.

▌체포되는 전봉준

동학 농민군의 지도자였던 전봉준이 관군에 패한 뒤 잡혀가는 모습이에요.

20일

월

일

기출선지 돋보기

• **황토현 전투**에서 관군에게 크게 승리하였다. 34회
• 정부와 농민군 사이에 **전주 화약**이 이루어졌다. 39회
• **집강소**를 설치하여 폐정 개혁안을 추진하였다. 52회
• 일본군이 경복궁을 공격하고 임금을 위협하였기 때문이다. 33회
• 청·일 전쟁이 일어났어요. 46회
• 우금치에서 일본군과 전투를 벌였다.
55·44·43·41회

비주얼씽킹

조선, 개항기에 혼란을 맞이하다

임오군란

구식 군인들은 신식 군대인 별기군에 비해 대우가 나빴어요.

불만이 컸던 구식 군인들은 월급도 제대로 받지 못하자 봉기를 일으켰어요.

봉기는 청나라 군대에 의해 진압되었어요. 청나라는 흥선 대원군에게 책임을 묻고 청으로 압송해 갔어요.

갑신정변

박영효 김옥균 서재필 홍영식

김옥균을 비롯한 급진 개화파는 일본의 지원 약속을 받아 우정총국 개국 축하연에서 갑신정변을 일으켰어요.

그러나 정변은 청나라 군대에 진압되면서 3일 만에 끝났어요.

기출키워드로 정리하기 비주얼씽킹 내용을 참고하여 아래 기출선지를 완성해 보세요.

> ㉠ 갑신정변   ㉡ 임오군란   ㉢ 청

01 임오군란과 갑신정변은 모두 (   )의 군대에 의해 진압되었습니다.

02 신식 군인들과의 차별 등으로 분노한 구식 군인들이 (   )을/를 일으켰습니다.

03 김옥균 등 급진 개화파가 우정총국 개국 축하연장에서 (   )을/를 일으켰습니다.

정답 01 ㉢ 02 ㉡ 03 ㉠

01
49회 32번

(가)에 들어갈 인물로 옳은 것은?　　　　[2점]

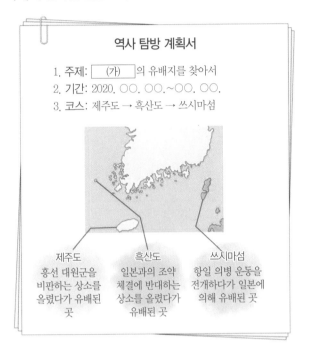

역사 탐방 계획서

1. 주제:　(가)　의 유배지를 찾아서
2. 기간: 2020. ○○. ○○.~○○. ○○.
3. 코스: 제주도 → 흑산도 → 쓰시마섬

제주도
흥선 대원군을 비판하는 상소를 올렸다가 유배된 곳

흑산도
일본과의 조약 체결에 반대하는 상소를 올렸다가 유배된 곳

쓰시마섬
항일 의병 운동을 전개하다가 일본에 의해 유배된 곳

① 허위　　② 신돌석　　③ 유인석　　④ 최익현

02
48회 35번

다음에서 설명하는 사건의 영향으로 옳은 것은?　　[2점]

특강 주제: 개화 정책을 둘러싼 갈등

신식 군대인 별기군에 비해 차별 대우를 받던 구식 군인들은 밀린 봉급을 겨우 모래가 섞인 쌀로 지급받게 되었습니다. 이들은 결국 분노하여 난을 일으켰고, 일부 백성들도 이에 합세하였습니다.

① 운요호 사건이 일어났다.
② 통리기무아문이 설치되었다.
③ 외규장각 도서가 약탈되었다.
④ 청의 내정 간섭이 심화하였다.

📖교과 연계 초등 사회 5-2 2.1 새로운 사회를 향한 움직임

03
52회 33번

밑줄 그은 '거사'로 옳은 것은?　　　　[1점]

나는 개화 정책을 강력하게 추진하기 위해 1884년 이곳 우정총국의 개국 축하연을 이용해서 거사를 감행하였습니다. 이후 새로운 정부를 구성하였으나 청군의 개입으로 3일 만에 실패로 끝이 났습니다.

증강 현실 역사 여행

① 갑신정변　　　　② 을미사변
③ 임오군란　　　　④ 아관 파천

📖교과 연계 초등 사회 5-2 2.1 새로운 사회를 향한 움직임

04
52회 34번

다음 사건에 대한 설명으로 옳은 것은?　　[2점]

백산 집결　　　　황룡촌 전투

전주성 점령　　　　우금치 전투

① 외규장각 도서가 약탈되었다.
② 집강소를 설치하여 폐정 개혁을 추진하였다.
③ 홍의 장군 곽재우가 의병장으로 활약하였다.
④ 서북인에 대한 차별이 원인이 되어 일어났다.

개혁을 통해 교육과 산업을 키우고 강한 나라를 만들 것이다!

21강 자주독립 국가의 선포

▶ 개념강의

자료 콕콕 기출 노트

🔖 군국기무처

군국기무처는 갑오개혁의 중심 역할을 한 기관이에요. 김홍집 내각은 군국기무처를 중심으로 근대 국가로 나아가기 위한 개혁을 추진하였어요.

기출선지 🔍 돋보기

- [갑오개혁] 김홍집 등이 중심이 되어 활동했어요. 50회
- [갑오개혁] 군국기무처가 설립되었다. 42회
- [갑오개혁] 과거제를 폐지하였다. 34회
- [갑오개혁] 교육입국 조서가 반포되었다. 51·46회
- [을미사변] 명성 황후가 피살되었다. 45회
- [을미개혁] 단발령을 시행하였다. 45·42회
- [을미개혁] 태양력 사용 49·40회
- [아관 파천] 고종이 일본의 감시를 피해 러시아 공사관으로 거처를 옮겼다.

42·40회

1 대한 제국 수립 이전의 상황

(1) 갑오개혁(1894~1895년)

① 목적: 조선의 낡은 제도를 고치고 근대 국가로 발돋움하고자 하였습니다. →일본의 간섭으로 추진되었음.

② 실시: 군국기무처를 설치하고 김홍집 등을 중심으로 정치, 경제, 사회 등 각 부문에 대한 개혁을 실시하였습니다.

③ 특징: 갑신정변의 개혁안과 동학 농민군의 요구가 일부 반영되었습니다.

④ 내용

정치	• 청에 의존하지 않고 자주독립의 기초를 세우고자 하였음. • 과거 제도를 폐지하였음.
경제	• 세금을 모두 법으로 정하고 그 이상 거두지 못하게 하였음. • 도량형(길이, 부피, 무게 등을 재는 단위)을 통일하였음.
사회	• 신분 제도를 폐지하였음. • 과부의 재가 허용: 남편을 잃고 홀로 사는 여자가 다른 남성과 결혼할 수 있게 하였음.
교육	교육입국 조서(제2차 갑오개혁)가 반포되어 근대식 학교(예) 한성 사범 학교)가 세워졌음.

(2) 을미사변과 을미개혁

① 당시의 상황: 청·일 전쟁에서 승리한 일본의 힘이 강해지자, 조선 정부는 러시아를 가까이하여 일본의 세력을 막고자 하였습니다.

② 을미사변(1895년): 일본은 조선에서 불리해진 위기 상황을 벗어나기 위해 경복궁에 침입하여 명성 황후를 시해하였습니다.

③ 을미개혁(1895년)

ㄱ 을미사변 이후 조선에 대한 영향력을 확대한 일본이 개혁을 강요하였습니다.

ㄴ 단발령 실시, 태양력 채택 등이 이루어졌습니다.

④ 아관 파천(1896년): 을미사변과 단발령으로 의병이 일어나 혼란스러워진 상황에서 위협을 느낀 고종은 러시아 공사관으로 거처를 옮겼습니다.

꼬리에 꼬리를 무는 역사

을미개혁 때 실시된 단발령에 대해 알아볼까요?

단발령은 상투를 자르고 짧은 머리를 하라는 명령이에요. 일본은 위생과 편리를 이유로 단발을 실시하도록 하였고, 단발령에 대한 반발을 줄이고자 고종에게 먼저 짧은 머리를 하도록 하였지요. 하지만 당시 조선의 백성과 유생들은 "내 목은 자를 수 있을지언정 내 머리카락은 자를 수 없다."라고 하며 강력하게 저항하였고, 이로 인해 의병이 일어나기도 하였어요.
└─ 을미의병(1895년)

상투를 자르고 짧은 머리를 하도록 하라.

삭둑 삭둑

내 목은 자를 수 있을지언정 내 머리카락은 자를 수 없다!
최익현

(3) 독립신문과 독립 협회

① **당시의 상황**: 고종이 러시아 공사관에 머무르는 동안 러시아, 미국, 영국 등의 서구 열강들이 조선의 이권을 침탈하였습니다.

② **독립신문의 창간**: 서재필 등이 나라의 지원을 받아 독립신문을 창간하였습니다.
└─ 이익을 얻을 수 있는 권리

③ **독립 협회의 설립과 활동**
　㉠ 독립 협회의 설립(1896년): 서재필 등은 국민의 애국심과 자주정신을 높이기 위해 독립 협회를 만들었습니다.
　㉡ 독립 협회의 활동

독립문의 건립	청나라 사신을 맞이하던 영은문 자리 부근에 백성들의 성금을 모아 자주독립을 상징하는 독립문을 세웠음.
만민 공동회 개최	• 누구나 참여할 수 있는 만민 공동회를 개최하였음. • 외세의 이권 침탈을 막고, 자주독립 의식을 확산시키고자 하였음. └─ 러시아의 절영도 조차 요구를 저지시켰음. • 정부 관리가 참여한 관민 공동회에서 헌의 6조를 정해 정부에 건의하였음. └─ 신하들이 정치에 대해 논의한 6가지 의견으로, 고종의 허가를 받았음.

▲ 독립신문: 민간에서 만들어진 최초의 한글 신문으로, 신문의 한 쪽은 영어로 인쇄하여 외국인들도 우리나라의 상황을 알 수 있도록 하였어요.

▲ 독립문: 독립 협회에서는 자주독립을 상징하는 독립문을 건립하였어요. 독립문은 프랑스 개선문의 영향을 받아 만들어졌답니다.

서재필

갑신정변 실패 후 미국으로 망명하였다가 조선에 돌아와 독립신문을 창간하고 독립 협회를 설립하였어요.

21일

월

일

기출선지 돋보기

• [서재필] 독립신문을 창간하였다. 50회
• [독립 협회] 대중 집회인 만민 공동회를 개최하였다. 48·45·40회
• [독립 협회] 러시아의 절영도 조차 요구를 저지하였다. 45·43·40회
• [독립 협회] 정부에 헌의 6조를 건의하였다. 50·47·45·43·40회

환구단과 황궁우

황궁우 · 환구단

환구단은 하늘에 제사를 지내던 곳이고, 황궁우는 위패를 모시던 곳이에요. 현재는 황궁우만 있고, 환구단은 그 터만 남아 있어요.

전차

1899년, 서울의 서대문과 청량리 구간에서 전차가 운행되기 시작하였어요.

기출선지 돋보기

• [광무개혁] **구본신참**을 표방하였다. 47회
• [광무개혁] 토지 소유자에게 **지계를 발급**하였다. 51·45~42·40회
• [전차] 서대문과 청량리 구간에서 운행이 시작되었다. 36회
• [우정총국] 근대적 우편 업무를 총괄하는 기구 39회

2 대한 제국의 수립과 광무개혁

(1) 대한 제국 수립(1897년)

① **고종의 환궁**: 고종은 아관 파천 이후 1년여 만에 경운궁(덕수궁)으로 돌아왔습니다.
② **대한 제국의 선포**: 고종은 환구단에서 하늘에 제사를 지낸 후 황제 즉위식을 거행하였으며 국호를 **대한 제국**, 연호를 **광무**로 정해 자주 독립 국가임을 대내외에 선포하였습니다.

▲ 고종 황제

(2) 광무개혁의 실시 ┌ '옛것을 바탕으로 새것을 참고한다.'라는 구본신참을 개혁 원칙으로 내세웠음.

① **목적**: 새로운 국가의 모습을 갖추기 위해 개혁을 실시하였습니다.
② **내용**
  ㉠ 상공업을 발전시키기 위해 전기 설비와 철도 부설에 나섰습니다.
  ㉡ 공장과 회사, 은행 등을 설립하였습니다.
  ㉢ 근대 학교를 세우고 외국에 유학생을 보내 인재를 양성하였고, 기술 교육을 강조하였습니다.
  ㉣ 전국의 토지를 조사하고 토지 소유 증명서인 **지계**를 발급하였습니다.

3 근대 문물의 수용

(1) 근대 문물의 수용과 사람들의 생활 모습

① 전기의 보급과 교통 · 통신 수단의 도입

전기	• 처음으로 경복궁에 전등이 설치되어 전깃불을 밝혔음. • 이후 전기의 보급으로 전등과 가로등이 설치되었음.
철도	• 경인선(서울~인천)의 개설 이후 경부선(서울~부산), 경의선(서울~신의주) 등이 차례로 개통되었음. • 이권 침탈과 무기 운반 등을 목적으로 주로 일본에 의해 부설되었음.
전차	• 서대문과 청량리를 연결하는 전차가 운행되었음. • 전차의 운행을 위해 반듯한 도로가 필요하였기 때문에 도로를 정비하고 전봇대를 세웠음.
통신	• 우정총국(우정국)이 설치되어 근대 우편 업무를 시작하였음. • 궁중에 처음으로 전화가 설치되었고, 전신이 설치되었음.

② 근대 시설의 마련: 전환국을 설치하여 화폐를, 기기창을 설치하여 무기를, **박문국**을 설치하여 신문을 만들었고, 근대식 병원인 **광혜원(제중원)**이 설치되었습니다.

③ 근대 신문의 발행

한성순보	• 우리나라 최초의 근대 신문으로 박문국에서 발행되었음. • 순한문으로 간행되었음.
독립신문	• 정부의 지원으로 서재필이 발행하였음. • 최초의 민간 신문으로 한글판과 영문판을 간행하였음.
제국신문	• 서민층과 부녀자가 주로 읽었음. • 순한글로 발행되었음.
황성신문	• 국한문 혼용으로 발행되었음. • '시일야방성대곡'이라는 논설을 게재하였음.
대한매일신보	• 양기탁과 영국인 베델이 운영하였음. • 국채 보상 운동을 적극적으로 지원하였음.

→ 한글과 한문을 섞어 쓰는 것

(2) 의식주 생활의 변화

옷	• 한복 대신 양복을 입고, 양말과 구두를 신는 사람이 나타났음. • 단발령으로 상투를 자르고, 서양식 머리 모양을 하는 사람이 늘어났음.
음식	• 궁중에서는 커피와 홍차 등을 마셨음. • 서양식 음식이 전래되었음.
건물	• 서양식 건축물과 일본식 주택이 세워지기 시작하였음. • 시멘트나 유리, 벽돌 등을 사용하여 지어진 건물이 등장하였음. • 대표적인 서양식 건축물: 명동 성당, 덕수궁 석조전, 덕수궁 중명전 등

▲ **명동 성당:** 우리나라 최대의 가톨릭교 대성당이에요. 서양식 건축 양식으로 만들어졌고, 1898년에 완공되었어요.

▲ **덕수궁 석조전:** 고종의 접견실 등으로 사용하기 위해 지어진 서양식 석조 건물이에요. 1900년에 건설을 시작하여 10년 만에 완공되었어요.

▲ **덕수궁 중명전:** 1901년에 지어진 황실 도서관이에요. 이후에 을사늑약이 체결된 장소이기도 해요.

근대 문물의 수용 과정

• 개항 이전: 서양 선교사나 중국에 다녀온 사신, 표류된 서양인 등을 통해 서양의 문물이 소개되었습니다(예) 천리경, 자명종).
• 개항 이후: 정부가 주도적으로 새로운 문물을 도입하였습니다.

광혜원(제중원)

1885년 미국인 알렌의 건의로 세워진 최초의 서양식 병원인 광혜원이에요. 이후에 제중원으로 이름이 바뀌었어요.

기출선지 **돋**보기

• **박문국**을 설치하여 **한성순보**를 발행하였다. 42회
• **제중원**에서 환자를 돌보는 의사 48회
• [독립신문] 우리나라 최초의 민간 신문 47·46회
• [대한매일신보] 국채 보상 운동을 지원하였다. 52회

📍 일본이 건설한 우리나라의 철도

최초의 철도인 경인선은 원래 미국이 건설하기 시작하였으나 일본이 이어받아 완공하였어요. 일본은 군사적 침략과 경제적 수탈을 원활하게 하기 위해 경부선과 경의선을 추가로 개통하였지요.

📍 배재 학당

서울시 중구에 있는 배재 학당 건물은 오늘날 박물관으로 사용되고 있어요.

 꼬리에 꼬리를 무는 역사

근대 문물이 들어온 당시의 상황을 살펴볼까요?

개항 이후 조선은 개화 정책을 추진하면서 다양한 근대 문물을 받아들였어요. 대표적인 것이 전화와 전차, 철도 등이지요. 당시에 근대 문물을 처음 접한 조선 사람들은 어떤 생각을 했을까요?

처음 전화가 들어왔을 때 사람들은 전화 소리에 놀라 피하는 등 매우 낯설어 했다고 해요. 높은 사람에게 전화가 오면 옷을 갖춰 입고 큰절을 한 다음에 전화를 받았다고도 해요.

▲ 전화 교환원

전차는 처음 놓았을 때 사람들에게 매우 인기가 많았는데, 개통된 지 얼마 되지 않아 어린아이가 전차에 치여 죽는 교통사고가 벌어지고 말았어요. 그때 분노한 사람들은 전차를 태워 버리기도 했답니다.

철도의 개통은 사람과 물자를 빠르게 이동시킬 수 있어 사람들의 생활을 크게 바꾸었어요. 당시 사람들은 기차를 '화륜거'라고 불렀지요. 기차는 출발과 도착 시간이 정해져 있어 사람들의 시간에 대한 개념이 달라지는 계기가 되기도 하였지요. 하지만 당시에 개통된 철도들은 대부분 일본의 침략 의도가 깔려 있었어요. 일본은 우리 민족을 동원하고 우리 땅을 마음대로 이용하기 위하여 한반도 침략을 위한 철도를 건설하였지요.

4 근대 학교의 설립

(1) 근대 학교의 설립 배경

① 나라에서는 근대적인 교육을 보급하기 위해 학교를 설립하였으며, 갑오개혁과 광무개혁 이후 많은 근대 학교가 세워졌습니다.
② 외국인 선교사와 애국 계몽 운동가들을 중심으로 학교가 설립되기도 하였습니다.

(2) 대표적인 근대 학교

원산 학사 (1883년)	• 덕원과 원산 지역의 주민이 지방 관리에게 요청하여 설립한 최초의 근대적 사립 학교 • 다양한 근대 학문과 무술을 교육하였음.
육영 공원 (1886년)	• 최초의 근대적 관립 학교 ┌ 예를 갖추어 부르고, 맞아들이는 것 • 헐버트 등 외국인 교사를 초빙하여 각종 서양 학문(영어, 수학, 과학, 지리)을 가르쳤음.
배재 학당 (1885년)	미국인 선교사인 아펜젤러가 설립한 근대식 중등 교육 기관
이화 학당 (1886년)	미국인 선교사인 스크랜튼이 설립한 우리나라 최초의 여성 교육 기관

기출선지 돋보기

• **원산 학사**: 덕원 지방의 관민이 세운 근대식 학교 40회
• 최초의 관립 근대식 학교인 **육영 공원**이 세워졌다. 35회
• [육영 공원] 헐버트 등 외국인이 교사로 초빙되었다. 38회
• 배재 학당에서 공부하는 학생 47회
• 여성 교육을 위해 이화 학당을 설립하였다. 49·46회

(3) 달라진 근대 학교의 모습

① 주로 유교 경전 등을 가르쳤던 전통 학교와 달리 외국어, 과학, 체조 등 실용적인 학문을 가르쳤습니다.

② 전통 학교에서는 주로 양반을 중심으로 교육이 이루어졌으나 근대 학교에서는 일반 백성과 여성에게도 교육의 기회를 제공하였습니다.

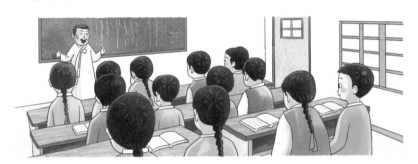

육영 공원의 수업 모습

비주얼씽킹

고종, 대한 제국 황제의 자리에 오르다

1. 을미사변

조선은 청·일 전쟁에서 승리한 일본의 간섭을 막으려고 러시아의 힘을 빌렸어요.

조선이 러시아의 힘을 빌리자 위기를 느낀 일본은 자신들을 견제하는 명성 황후를 시해하였어요.

2. 아관 파천

을미사변 이후 고종은 일본의 위협을 피해 러시아 공사관으로 피신하였어요.

3. 대한 제국 수립

1897년 고종은 환구단에서 황제 즉위식을 올리고 황제가 다스리는 나라, 즉 대한 제국이 되었음을 선포하였어요.

기출키워드로 정리하기 비주얼씽킹 내용을 참고하여 아래 기출선지를 완성해 보세요.

> ㉠ 대한 제국   ㉡ 러시아   ㉢ 을미사변

01 조선에서 러시아의 영향력이 커지자, 일본은 명성 황후를 시해한 (   )을/를 일으켰습니다.

02 을미사변 이후 고종은 (   ) 공사관으로 피신하였습니다.

03 1897년, 고종은 환구단에서 황제 즉위식을 올리고 (   ) 수립을 선포하였습니다.

정답 01 ㉢ 02 ㉡ 03 ㉠

01
49회 30번

(가) 시기에 있었던 사실로 옳은 것은? [2점]

> 과거제가 폐지되었다는 소식 들었나?
> 들었네. 며칠 전 군국 기무처에서 의결했다고 하더군.
> (가)
> 오늘 지계를 발급받았네.
> 잃어버리지 않게 잘 보관하게.

① 당백전이 발행되었다.
② 동시전이 설치되었다.
③ 속대전이 편찬되었다.
④ 태양력이 채택되었다.

📖 교과 연계 초등 사회 5-2 2.1 새로운 사회를 향한 움직임

02
52회 36번

(가)에 들어갈 단체의 활동으로 옳은 것은? [2점]

> 오늘 신문에 (가) 이/가 종로에서 만민 공동회를 열어 러시아 군사 교관 철수를 요구했다는 기사가 실렸네.
> 지난 기사에는 러시아의 절영도 조차 요구를 반대했다는 내용이 실렸었지요.

① 태극 서관을 운영하였다.
② 독립문 건립을 주도하였다.
③ 고종 강제 퇴위를 반대하였다.
④ 국채 보상 운동을 지원하였다.

03
49회 28번

(가)에 해당하는 신문으로 옳은 것은? [1점]

> 여러분은 어떤 신문을 주로 보시나요?
> 양기탁과 베델이 창간한 (가) 을/를 주로 봅니다.
> 저도 같은 신문을 읽습니다. 국채 보상 논설을 읽고 의연금을 내기도 했죠.

①  만세보
② 독립신문
③ 해조신문
④ 대한매일신보

21일
일
일

22강 나라를 지키기 위한 노력

▶ 개념강의

자료 콕콕 기출 노트

🔖 **통감부**

조선 총독부가 설치되기 전까지 대한 제국의 국정을 장악하였던 통치 기구로, 초대 통감은 이토 히로부미예요. 을사늑약의 체결 이후 대한 제국은 통감부의 지시를 따라야만 했어요.

1 을사늑약의 체결과 국권 침탈

(1) 러 · 일 전쟁(1904~1905년)

① 배경: 한반도와 만주에서 일본과 러시아의 세력 다툼이 거세졌습니다.

② 전개 과정

  ㉠ 대한 제국의 지배권을 두고 러시아와 일본이 전쟁을 일으켰습니다.

  ㉡ 일본은 전쟁 중에 우리 영토와 시설을 군사적으로 이용하였고, 물자를 운반하는 데 한국인을 동원하였습니다.

  ㉢ 일본은 러 · 일 전쟁 중에 **독도**가 주인 없는 섬이라고 우기면서 자기들의 영토인 시마네현에 불법으로 편입시켰습니다.

③ 결과: 일본이 승리하여 대한 제국에 대한 독점적 지배권을 확보하였습니다.

(2) 을사늑약의 체결(1905년)

① 체결 과정: 러 · 일 전쟁에서 승리한 일본은 고종 황제의 거부에도 불구하고 **을사늑약**을 강제로 체결하였습니다.
└→ 덕수궁 중명전에서 체결되었음.

② 을사늑약의 내용

  ㉠ 대한 제국의 **외교권을 박탈**하였습니다.

  ㉡ 한성(서울)에 **통감부**를 설치하여 대한 제국의 내정을 장악하였습니다.
└→ 다른 나라와 외교를 할 수 있는 권리

③ 을사늑약이 무효인 까닭: 을사늑약은 조약의 정식 명칭이 없었으며, 국제 조약의 정식 절차를 거치지 않았고, 고종 황제가 동의하지 않았습니다.

┃ 을사늑약(일부) ┃

1. 일본 정부는 한국의 외교에 관한 모든 일을 지휘 · 감독하고 일본의 외교 대표자 및 영사는 외국에 있는 한국인을 보호한다.

2. 한국 정부는 일본 정부를 통하지 않고는 외국과 조약을 맺지 못한다.

3. 일본 정부는 외교에 관한 일을 담당하는 1명의 통감을 한국 황제 밑에 두는데, 통감은 언제든지 황제를 만날 수 있다.

기출선지 🔍돋보기

• **을사늑약**이 체결되었어요. 48·46·40회

• [을사늑약] 외교권 박탈 47회

• [을사늑약] 통감부가 설치되었다.
　　　　　　　　　　　　 51·44·42회

(3) 을사늑약에 대한 우리 민족의 저항

① **순국 및 자결**: 민영환은 을사늑약의 부당함을 알리며 자결하였습니다.

② **언론 활동**: 사람들은 을사늑약의 무효와 부당함을 알리는 글을 신문에 실었으며, 장지연은 황성신문에 '시일야방성대곡'을 실었습니다.

▲ 민영환

| 시일야방성대곡 |

'이날을 목 놓아 통곡하리라.'라는 뜻의 시일야방성대곡은 당시 황성신문의 주필이었던 장지연에 의해 1905년 11월 20일에 발표되었습니다.
└─ 신문사에서 행정이나 편집을 책임지는 사람

> 오! 슬프도다. 개, 돼지만도 못한 우리 정부의 대신들이 혼자 잘 살고 부귀를 누리는 데 눈이 어두워 위협을 이기지 못하고 나라를 팔아먹은 도적이 되었다. 4천 년 강토와 5백 년의 사직을 다른 나라에 갖다 바치고, 2천 만 백성을 다른 나라의 노예로 만들었으니 …… 원통하고, 원통하다! 동포여! 동포여!

③ **헤이그 특사 파견(1907년)**

목적	고종은 네덜란드 헤이그에서 열리는 만국 평화 회의에 특사를 파견하여 국제 사회에 을사늑약의 부당함을 알리고자 하였음.
결과 및 영향	일본의 방해로 실패하였으며, 이를 구실로 일본이 **고종을 강제로 퇴위**시켰음.

④ **을사의병**: 을사늑약 체결에 반발하며 양반 및 평민 출신 의병장들이 전국에서 의병을 일으켰습니다.
└─ 예 신돌석

⑤ **의열 활동**

ㄱ 안중근은 을사늑약 체결에 앞장선 **이토 히로부미**를 중국 하얼빈에서 처단하였습니다(1909년).

ㄴ 나철, 오기호 등은 자신회를 결성하여 을사늑약 체결에 앞장선 **을사오적**을 습격하였습니다.
└─ 을사늑약 체결에 가담한 5명의 대신(이완용, 이근택, 박제순, 이지용, 권중현)

ㄷ 이재명은 이완용을 공격하여 부상을 입혔습니다.

ㄹ **장인환**과 **전명운**은 일본의 침략을 도운 친일 미국인 **스티븐스**를 미국에서 사살하였습니다.

■ 헤이그 특사

이준, 이상설, 이위종은 을사늑약의 부당함을 알리기 위해 네덜란드 헤이그에서 열린 만국 평화 회의에 특사로 파견되었어요.

■ 안중근

안중근은 국내에서 계몽 운동을 전개하다가 국외로 망명해 의병 활동을 하였어요. 그는 우리나라를 빼앗는 데 앞장선 이토 히로부미를 1909년 하얼빈에서 처단하였어요. 이후 옥중에서 일제의 한국 침략에 대한 비판과 동양 평화를 위해 한국·중국·일본의 연합을 강조한 『동양 평화론』을 저술하였지요.

22일
월
일

기출선지 돋보기

- 고종이 헤이그 만국 평화 회의에 특사를 파견하였다. 51~49·44회
- [헤이그 특사 파견 결과] 고종이 강제로 퇴위되었다. 47·45회
- 안중근이 하얼빈에서 **이토 히로부미**를 저격하였어요. 47·45·42·40회
- 나철 등이 5적 처단을 위해 자신회를 결성하였다. 49·44·42회
- [장인환·전명운] 친일 미국인 스티븐스를 사살하였다. 45·43회

신돌석

평민 출신 의병장으로, 을사늑약 체결 이후 의병을 일으켰어요. '태백산 호랑이'라고 불렸지요.

윤희순

대표적인 여성 의병으로, 의병가를 지어 의병들의 사기를 높이는 데 기여하였어요. 이후 중국으로 망명하여 항일 운동을 이어 갔어요.

기출선지 돋보기

• [을미의병] 을미사변과 단발령에 반발하여 일어난 의병 50·48·40회
• [정미의병] 13도 창의군을 결성하여 서울 진공 작전을 전개하였다.
52·50·45~43회
• [보안회] 일제의 황무지 개간권 요구를 철회시켰다. 51·50·48·44·42회

2 항일 의병 운동과 애국 계몽 운동

(1) 항일 의병 운동의 전개

① 1895년, 을미사변과 단발령 이후(을미의병): 양반 유생들을 중심으로 의병을 일으켰습니다.

② 1905년, 을사늑약 체결 이후(을사의병): 양반 의병장인 민종식과 최익현 이외에도 평민 의병장인 **신돌석** 등이 의병을 일으켰습니다.

③ 1907년, 고종 황제의 강제 퇴위와 군대 해산 이후(정미의병)

   ㉠ 고종이 강제 퇴위된 이후, 일본은 한·일 신협약으로 대한 제국의 군대를 강제로 해산시켰습니다.

   ㉡ 강제 해산된 군인들이 의병에 참여하면서 의병의 조직력과 전투력이 강화되었습니다.

   ㉢ 다양한 계층의 사람들이 의병에 참여하였고, 평민 출신 의병장이 많았습니다.

   ㉣ 이인영과 허위는 전국의 의병들을 모아 **13도 연합 의병 부대(13도 창의군)**를 결성(1907년)하였고, **서울 진공 작전(1908년)**을 전개하였으나 실패하였습니다.

▲ 정미의병 당시 항일 의병의 모습: 양반, 군인, 농민, 상인, 승려, 포수 등 다양한 계층의 사람들이 의병 전쟁에 참여했어요.

④ 일본의 남한 대토벌 작전(1909년) 이후: 일본의 대대적인 의병 토벌로 국내에서 의병 활동이 어려워졌고, 이후 만주나 연해주로 이주하여 의병 활동을 하였습니다.

  ┌ 무력으로 쳐서 없애는 것

  └ 러시아의 동남쪽 끝에 있는 지방으로, 두만강을 사이로 북한과 국경을 맞대고 있음.(대표적인 도시: 블라디보스토크)

(2) 애국 계몽 운동의 전개

① 애국 계몽 운동

   ㉠ 일본이 침략을 본격화하자, 국민의 실력을 키워 국력을 강화하고 국권을 회복해야 한다고 주장하는 사람들이 등장하였습니다.

   ㉡ 국민의 실력을 키우기 위해 문화와 교육 사업, 산업 진흥 등을 위해 노력하였습니다.

   ㉢ 대표적인 단체

보안회	1904년, 일본의 황무지 개간권 요구에 대항하여 집회를 벌였고, 결국 일본의 요구를 저지하였음.
헌정 연구회	입헌 군주정의 수립을 추진하였음.
대한 자강회	고종 황제 강제 퇴위 반대 운동을 전개하였음.

② 신민회

조직	안창호, 양기탁, 이회영 등이 1907년 서울에서 조직한 비밀 항일 단체
목적	• 국권을 회복하기 위해 학교를 설립하고 산업을 육성하는 등 실력을 키우려고 하였음. • 공화 정체의 근대 국가를 건설하려고 하였음.
대표적인 활동	• 교육 활동: 안창호가 평양에 **대성 학교**를, 이승훈이 정주에 오산 학교를 세웠음. • 산업 활동: **태극 서관**, 자기 회사 등을 운영하였음. • 독립군 기지 건설: 만주에 독립군 기지(삼원보)와 독립군 양성 학교(**신흥 강습소**)를 건설하였음. ─ 이후 신흥 무관 학교로 바뀌었음.
해산	일제가 조작한 105인 사건으로 해체되었음.

③ 국채 보상 운동(1907년)

ⓐ 배경: 대한 제국이 일본의 강요로 큰 빚을 지게 되자, 일본의 간섭을 받는 이유가 빚 때문이라고 판단한 사람들이 일본에 진 빚을 국민의 힘으로 갚자는 주장을 하였습니다.

ⓑ 전개 과정: 1907년 대구에서 김광제, 서상돈 등을 중심으로 국채 보상 운동이 시작되었고, **대한매일신보** 등의 도움으로 확산되었습니다.

ⓒ 내용: 남자들은 담배를 끊고, 여자들은 비녀와 반지를 팔아 운동에 참여하였습니다.

ⓓ 결과: 일본 통감부의 방해로 실패하였습니다.

꼬리에 꼬리를 무는 역사

대한 제국이 일본에 국권을 빼앗긴 과정을 살펴볼까요?

1905년, 을사늑약의 체결로 대한 제국의 외교권이 박탈된 이후 일본에 의한 통감 정치가 실시되었습니다. 이토 히로부미 등 일본인 통감은 대한 제국의 내정에 간섭하였고, 대한 제국을 식민지로 만드는 데 앞장섰어요.

1907년에 일본은 헤이그에 특사를 파견한 사건을 구실로 고종 황제를 강제로 퇴위시켰고, 나라의 재정이 어렵다는 이유로 대한 제국의 군대를 강제로 해산시켰지요. 이후 조선의 사법권과 경찰권도 차례로 빼앗아 가면서 대한 제국의 국정을 점점 장악해 갔어요.

결국 1910년 8월 29일, 일본은 한·일 병합 조약을 추진하여 대한 제국의 국권을 완전히 빼앗아 식민지로 만들었고, 조선 총독부를 설치하여 우리 민족을 강압적으로 통치하기 시작하였지요.

국채 보상 운동 기념비

국채 보상 운동이 시작된 대구에 세워진 기념비예요.

22일

월

일

기출선지 돋보기

• [신민회] 오산 학교와 대성 학교 설립
47·42회

• [신민회] 자기 회사, 태극 서관 등을 설립하였다. 50·44·43회

• [국채 보상 운동] 대구를 시작으로 전국적으로 확산되었다. 47·41회

• [국채 보상 운동] 김광제, 서상돈 등이 제창하였다. 40회

• [국채 보상 운동] 대한매일신보의 후원으로 확산되었다. 51·50·48·46·45·43·42회

일본, 역사에서 대한 제국을 지워 버리다

1. 을사늑약의 체결

러·일 전쟁에서 승리한 일본은 무력을 동원하여 강제로 을사늑약을 체결하여 대한 제국의 외교권을 박탈하였어요.

2. 헤이그 특사의 파견

고종은 을사늑약의 불법성을 알리기 위해 네덜란드 헤이그에서 열린 만국 평화 회의에 특사를 파견하였어요.

3. 고종의 강제 퇴위

일본은 헤이그 특사 파견을 구실로 고종을 강제로 물러나게 하고, 순종을 황제 자리에 올렸어요.

4. 국권 피탈

일본은 대한 제국의 군대를 강제로 해산시킨 후 1910년에 대한 제국의 국권을 강탈하고 조선 총독부를 설치하였어요.

기출키워드로 정리하기 비주얼씽킹 내용을 참고하여 아래 기출선지를 완성해 보세요.

ⓐ 고종 ⓑ 을사늑약 ⓒ 헤이그

01 1905년에 체결된 (   )(으)로 대한 제국의 외교권이 박탈당하였습니다.

02 고종은 을사늑약의 불법성을 알리기 위해 (   ) 특사를 파견하였습니다.

03 일본은 헤이그 특사 파견을 구실로 (   )을/를 강제로 퇴위시켰습니다.

정답 01 ⓑ 02 ⓒ 03 ⓐ

기출 술술 하루마무리

■정답은 42쪽에서!

교과 연계 초등 사회 5-2 2.2 일제의 침략과 광복을 위한 노력

01

51회 34번

밑줄 그은 '새 조약'에 대한 설명으로 옳은 것은? [2점]

> 나인영은 진술하기를 "광무 9년 11월에 우리 대한 제국의 외교권을 일본에 넘겨준 새 조약은 일본의 강제에 따른 것으로 황제 폐하가 윤허하지 않았고, 참정대신이 동의하지도 않았습니다. 슬프게도 5적 이지용, 이근택, 박제순 등이 제멋대로 가(可)하다고 쓰고 속여 2천만 민족을 노예로 내몰았습니다."라고 하였다.

① 운요호 사건을 계기로 체결되었다.
② 최혜국 대우를 처음으로 규정하였다.
③ 통감부가 설치되는 결과를 가져왔다.
④ 외국과 맺은 최초의 근대적 조약이었다.

교과 연계 초등 사회 5-2 2.2 일제의 침략과 광복을 위한 노력

02

49회 31번

(가)~(다)를 일어난 순서대로 옳게 나열한 것은? [3점]

(가) 역사신문 박승환 대대장, 군대 해산에 항의하며 순국하다
(나) 역사신문 헤이그 특사, 을사늑약의 부당성을 폭로하다
(다) 역사신문 고종, 일본에 의해 강제 퇴위되다

① (가) - (나) - (다) ② (가) - (다) - (나)
③ (나) - (다) - (가) ④ (다) - (가) - (나)

교과 연계 초등 사회 5-2 2.2 일제의 침략과 광복을 위한 노력

03

50회 30번

교사의 질문에 대한 학생의 답변으로 옳은 것은? [2점]

화면의 사진은 1907년 영국 기자 매켄지가 의병들을 취재하면서 찍은 것입니다. 당시 의병 활동에 대해 말해 볼까요?

① 13도 창의군을 결성하였어요.
② 정부에 헌의 6조를 건의하였어요.
③ 백산에 집결하여 4대 강령을 발표하였어요.
④ 곽재우, 고경명 등이 의병장으로 활약하였어요.

교과 연계 초등 사회 5-2 2.2 일제의 침략과 광복을 위한 노력

04

50회 31번

(가) 단체의 활동으로 옳은 것은? [2점]

(가) , 애국 계몽 운동을 펼치다

안창호

안창호, 양기탁 등이 중심이 되어 조직한 비밀 결사로, 국권 회복과 공화 정체의 근대 국가 건설을 목표로 하였다.
이를 위해 국내에서는 교육 진흥, 국민 계몽, 산업 진흥을 강조하였다. 국외에서는 독립운동 기지 건설을 통한 군사적 실력 양성을 꾀하였다.
일제가 날조한 105인 사건으로 국내 조직이 해산되었다.

① 독립신문을 창간하였다.
② 한성 사범 학교를 설립하였다.
③ 태극 서관, 자기 회사를 운영하였다.
④ 일본의 황무지 개간권 요구를 저지하였다.

대한 독립 만세!

23강 나라를 되찾기 위한 노력 (1)

▶ 개념강의

제복을 입고 칼을 찬 교직원과 학생

1910년대에 일제는 공포 분위기를 조성하기 위해 교직원에게 제복을 입고 칼을 차게 하였어요.

토지 조사 사업

토지 조사 사업은 신고 기간이 짧고 절차가 까다로웠으며, 농민들이 일제에 대한 반감이 컸기 때문에 대부분의 농민들은 토지를 신고하지 않았어요. 이로 인해 많은 농민들이 토지를 잃게 되었지요.

기출선지 돋 보기

한국인에게만 태형을 적용해 주지!

태형이 폐지된 지가 언젠데 ⋯⋯

• 헌병 경찰제가 시행되었다.
  55·49·48·44·41·40회
• 조선 태형령을 시행하였다. 49·43·40회
• 칼을 찬 채 수업을 진행하는 교사 51·41회
• 토지 조사령이 제정되었다. 49·46회

1 1910년대 일제의 무단 통치와 경제 수탈 정책

—→ 무력이나 억압을 써서 강제로 행하는 것
(1) 무단 통치

① 조선 총독부의 설치
  ㉠ 일제는 통감부를 계승한 조선 총독부를 식민 통치의 중심 기관으로 삼았습니다.
  ㉡ 조선 총독부는 입법, 사법, 행정 및 군대의 통수권을 장악하고 있는 식민 지배의 최고 기구였습니다.

② 헌병 경찰제 실시: 군대에서 경찰 역할을 하는 헌병이 경찰 업무는 물론 일반 행정 업무까지 담당하도록 하였습니다.

③ 조선 태형령 실시: 갑오개혁 때 폐지된 태형을 법제화하여 1912년 조선 태형령을 실시하고 한국인에게만 적용하도록 하였습니다.

④ 교사의 제복 및 칼 착용: 교실에서도 강압적인 분위기를 만들기 위해 교사들도 제복을 입고 칼을 차도록 하였습니다.

⑤ 정치 활동 금지: 우리 민족의 언론·출판·집회·결사의 자유를 박탈하였습니다.

▲ 조선 총독부: 일제는 조선의 정궁인 경복궁을 가로막고 조선 총독부 건물을 세웠어요. 1926년에 완공된 이 건물은 1995년에 철거되었어요.

┌→ 죄인을 태형 틀에 엎드리게 한 후 손과 발을 묶은 다음 몽둥이로 내려치는 형벌

(2) 경제 수탈 정책

—→ 강제로 빼앗는 행위
① 토지 조사 사업(1910~1918년)

목적	• 일제는 우리나라를 지배하기 위해 많은 돈이 필요하였음. • 토지의 주인을 조사하여 세금을 철저히 거두려고 하였음.
내용	• 1912년에 토지 조사령이 제정되었음. • 토지를 가진 사람은 주인으로 인정받기 위해 관청에 토지의 주인, 가격, 모양과 크기 등을 정해진 날까지 직접 신고해야 했음. • 일제는 신고하지 않은 토지나 주인이 불명확한 토지를 강제로 조선 총독부 소유의 국유지로 정하였고, 국유지가 된 토지는 **동양 척식 주식회사**를 통해 일본인에게 헐값으로 넘겼음.

┌→ 나라의 소유로 되어 있는 토지

	• 많은 농민들이 토지를 잃었고, 토지를 가진 일본인이 늘어났음.
결과 및 영향	• 다른 사람의 토지를 빌려 농사를 짓던 농민들은 이전보다 비싸진 토지 사용료를 내고 농사를 지어야 했음.
	• 생활이 어려워진 농민들은 만주, 연해주 등으로 이주하였음.

② 회사령의 실시(1910년)

㉠ 목적: 우리 민족 자본의 성장을 막기 위해 추진되었습니다.

㉡ 내용: 일제는 우리나라 사람들이 회사를 설립할 때 조선 총독부의 허가를 받도록 하였습니다.

꼬리에 꼬리를 무는 역사

1910년대, 일제에 대항하여 우리 민족이 한 일을 알아볼까요?

1910년대에는 일제의 무단 통치로 독립운동가들의 활동이 어려워졌기 때문에 국내에서 비밀 결사를 조직하거나 만주나 연해주 등 국외로 이동하여 독립운동 기지를 건설하였어요. 당시 국내에서 만들어진 조직으로는 고종의 밀명으로 국권 반환을 요구한 **독립 의군부**, 만주에 독립군 기지 건설과 무관 학교 설립을 추진한 **대한 광복회** 등이 대표적이었지요.

만주나 연해주로 이주한 민족 지도자들은 여러 곳에 정착하여 독립운동 기지를 건설하였어요. 삼원보에서는 신민회 회원이었던 이회영, 이동녕 등이 **신흥 강습소(신흥 무관 학교)**를 세웠고, 용정에서는 명동 학교, 연해주에서는 신한촌이 건설되었지요. 특히 이회영은 조선에서 손꼽히는 부자였으나, 일제에 국권을 빼앗기자 형제들과 함께 자신의 재산을 모두 털어 자금을 만든 다음 만주로 가서 독립운동 기지를 만들고 독립군을 길렀지요.

● 동양 척식 주식회사

1908년, 일본에 의해 세워진 회사예요. 토지 조사 사업으로 많은 땅이 동양 척식 주식회사 소유로 넘어갔어요. 이후 일본인에게 헐값으로 토지를 팔았고, 우리나라 농민들에게는 땅을 빌려주는 대가로 이전보다 많은 곡식을 거두어갔어요.

● 민족 자결주의

민족의 운명은 다른 민족의 간섭 없이 스스로 결정해야 한다는 주장이에요. 그러나 실제로는 제1차 세계 대전에서 패한 나라의 식민지를 대상으로 한 원칙이었어요. 승전국인 일본은 해당 사항이 없었기 때문에 우리나라에는 적용되지 않았지요.

23일

일

일

2 3·1 운동과 대한민국 임시 정부의 수립

(1) 3·1 운동(1919년)

① 당시의 상황 및 배경

| 국외 | • 미국의 윌슨 대통령이 민족 자결주의를 발표하였음.
 • 일본에서 공부하는 유학생들을 중심으로 일본 도쿄에서 **2·8 독립 선언**이 발표되었음. |
| 국내 | 일제의 가혹한 통치로 독립에 대한 열망이 더욱 높아졌고, 고종 황제가 갑작스럽게 세상을 떠나면서 독살되었다는 소문이 퍼졌음.
└ 고종의 인산일(장례일)을 계기로 만세 운동이 계획되었음. |

기출선지 돋보기

• [토지 조사 사업] 동양 척식 주식회사가 중심이 되어 실시하였다. 51회

• 회사 설립을 허가제로 하는 **회사령**이 제정되었다. 44·43회

• [3·1 운동 배경] 유학생들이 **2·8 독립 선언서**를 발표하였다. 46회

자료 콕콕 기출 노트

서대문 형무소

일제가 독립운동가들을 가두고 고문하였던 장소로. 서울 서대문구에 위치해 있어요. 많은 사람들이 이곳에서 숨을 거두었어요.

② 독립 선언서의 발표와 시위의 시작
  ㉠ 1919년 3월 1일, 한용운과 손병희 등 종교계 지도자들로 구성된 민족 대표 33인이 서울의 태화관에서 독립 선언서를 발표하였습니다.
  ㉡ 학생 대표가 탑골 공원에서 독립 선언서를 낭독한 뒤, 학생과 시민들을 중심으로 평화적인 만세 시위를 벌였습니다.

③ 시위의 확산과 성격의 변화
  ㉠ 시위가 전국으로 퍼져 나갔으며 만주, 연해주, 일본, 미국 등에서도 이어졌습니다.
  ㉡ 평화적이었던 시위는 일제의 탄압으로 점차 폭력적으로 변화하였습니다.

④ 일제의 탄압: 일제는 헌병과 군인을 동원하여 총이나 칼 등으로 만세 운동을 무자비하게 탄압하였습니다(예 제암리 학살 사건).

⑤ 영향
  ㉠ 일제의 통치 방법이 무단 통치에서 **문화 통치**로 바뀌었습니다.
  ㉡ 독립운동을 지휘하기 위한 **대한민국 임시 정부가 수립**되었습니다.

3·1 운동 당시 일제가 저지른 만행에 대해 알아볼까요?

3·1 운동이 전국적으로 확산되자 일제는 만세 시위를 잔인하게 진압하였어요. 일제는 만세 운동이 있었던 제암리(지금의 경기 화성)의 주민들을 교회에 모이게 하였어요. 그리고는 출입문과 창문을 모두 잠근 다음 총을

▲ 폐허가 된 제암리

쏘고 불을 질러 주민들을 모두 학살하였어요. 캐나다인 프랭크 스코필드는 이 잔혹한 사건의 진상을 해외에 알렸어요.

유관순은 이화 학당을 다니던 학생으로 3·1 운동에 참여하였어요. 일제의 휴교령으로 학교가 문을 닫게 되자, 고향인 천안으로 내려와 아우내 장터에서 만세 시위를 주도하였어요. 이후 일본 헌병에게 붙잡혀 서대문 형무소에서 순국하였어요.

▲ 유관순

(2) 대한민국 임시 정부의 수립과 활동

① 대한민국 임시 정부의 수립(1919년): 3·1 운동 이후 독립운동을 지휘할 정부의 필요성이 제기되었고, 보다 조직적인 독립운동을 위하여 중국 상하이에서 이승만을 대통령으로 하는 대한민국 임시 정부가 수립되었습니다.

기출선지 돋보기

• 고종의 인산일을 계기로 **3·1 운동**을 계획하였다. 44·41회
• [3·1 운동] 일제는 **제암리 학살** 등을 저지르며 가혹하게 탄압하였다. 47회
• [3·1 운동] 일제가 **이른바 문화 통치**를 실시하는 계기가 되었다. 46·45·42회
• [3·1 운동] **대한민국 임시 정부 수립**의 계기가 되었다. 55·50·43회

② 대한민국 임시 정부의 활동 ┌1896년 서재필에 의해 창간되었던┐ ┌구미 위원부(미국) 등을
　　　　　　　　　　　　　　　└독립신문과 다른 신문임.┘ └설치하였음.
　ㄱ 외교 활동을 통해 독립을 달성하려고 노력하였습니다.
　ㄴ 독립신문을 간행하여 독립운동에 관한 소식을 전파하였고,
　　『한·일 관계 사료집』을 편찬하였습니다.
　ㄷ 국내와 연락할 수 있는 비밀 연락망(**연통제, 교통국**)을 조직하
　　여 독립운동을 지휘하고, **독립 공채**를 발행하여 독립운동을 위
　　한 자금을 모았습니다.
③ 대한민국 임시 정부의 이동: 1930년대에 이르러 일제의 중국 침
　략이 본격화되자 중국 내륙 지역으로 이동하였고, 1940년 충칭에
　정착하였습니다.
④ 한국광복군의 창설: 대한민국 임시 정부는 1940년 충칭에서 정규
　군대로 한국광복군을 창설하여 일본에 선전 포고를 하였습니다.

김구

대한민국 임시 정부에 참여하여 경무국장
과 주석 등을 맡았고, 한인 애국단을 결성
하였어요.

3 1920년대 일제의 민족 분열 정책과 경제 수탈 정책

(1) 민족 분열 정책(문화 통치)

① 민족 분열 정책의 내용과 실상

배경과 목적	3·1 운동 이후 일제는 무단 통치가 무리라고 판단하였고, 이른 바 '문화 통치'를 실시하여 우리 민족을 분열시키려고 하였음.
내용과 실상	• 헌병 경찰제를 폐지하고 **보통 경찰제**를 실시하였으나 실제 로는 경찰서와 경찰의 수가 크게 늘어났음. • 한국인들의 언론 활동을 허용하여 동아일보와 조선일보 등 민족 신문을 발행하도록 하였으나, 신문 기사를 미리 검사하 여 일본에 불리한 기사는 삭제하도록 하였음.

② 치안 유지법의 제정(1925년): 사회주의자를 탄압하기 위한 치안 유
지법이 만들어져 독립운동을 탄압하는 수단으로 사용되었습니다.

(2) 경제 수탈 정책

① 산미 증식 계획(1920~1934년)

배경	일본이 산업화되면서 농촌 인구가 줄어들어 쌀이 부족해졌음.
목적	일제는 쌀 부족 문제를 해결하기 위해 우리나라에서 쌀의 생 산량을 늘려 일본으로 가져가려고 하였음.
내용	• 농민들은 저수지와 물길을 만들고, 새로운 품종의 벼를 심 었으며, 많은 비료를 사용해야 했음. • 일제는 쌀 중심의 작물을 재배하도록 하였고, 산미 증식 계 획의 추진에 필요한 비용을 농민들이 부담하도록 하였음.
결과	늘어난 생산량보다 더 많은 양의 쌀을 일본으로 가져가 우리 나라 사람들의 생활은 더욱 어려워졌음.

② 회사령의 변화(허가제 → 신고제): 기존의 회사령(회사 설립 허가
제)을 폐지하고 신고제로 바꾸었지만, 실제로는 일본 기업이 우리
나라로 진출하도록 돕기 위한 정책이었습니다.

산미 증식 계획

열심히 일을 해서 쌀을 더
많이 생산해라!

열심히 일해도
더 이상은 한계라고요.

23일

일

일

기출선지 돋 보기

• [대한민국 임시 정부] 비밀 행정 조직으
로 **연통제**를 두었다. 50·49·44회
• [대한민국 임시 정부] **독립 공채**를 발행
하였다. 50·49·47·45·44·40회
• [대한민국 임시 정부] **한국광복군**이 창
설되었다. 51·48·41회
• 치안 유지법 위반으로 구속된 독립운동가
51·48·43·40회
• [산미 증식 계획] 증산량보다 많은 쌀이
일본으로 반출되었다. 44회

이해 쏙쏙 한국사 비주얼씽킹

조선, 고통뿐인 식민지의 터널로 들어서다

무단 통치

조선 땅은 전부 일본 거!

1910년대에 일제는 헌병 경찰제, 토지 조사 사업 등 무력으로 우리 민족을 억압하는 무단 통치를 실시하였어요.

3·1 운동

만세! 만세!

1919년, 고종의 인산일을 계기로 3·1 운동이 일어났고, 전국은 물론, 해외에서도 만세 시위가 일어났어요.

문화 통치

한글로 된 신문 OK

우리 욕만 써 봐, 다 찢어 버리겠어!

3·1 운동 이후 일제는 이른바 문화 통치를 통해 분노한 우리 민족을 진정시키고 잘해 주는 것처럼 눈속임을 하려고 하였어요.

대한민국 임시 정부 수립

김구 이승만 프랑스 상하이 러시아 독일

3·1 운동 이후 독립운동을 효율적으로 수행하기 위해 중국 상하이에 대한민국 임시 정부가 수립되었어요.

기출키워드로 정리하기

비주얼씽킹 내용을 참고하여 아래 기출선지를 완성해 보세요.

㉠ 3·1   ㉡ 무단   ㉢ 문화   ㉣ 토지 조사

01 1910년대 일제는 조선 총독부를 설치하고 (   ) 통치를 실시하였습니다.

02 1910년대 일제의 (   ) 사업으로 많은 우리 농민이 토지를 잃었습니다.

03 고종의 인산일을 계기로 (   ) 운동이 전국적으로 일어났습니다.

04 3·1 운동은 일제가 이른바 (   ) 통치를 실시하는 계기가 되었습니다.

정답 01 ㉡ 02 ㉣ 03 ㉠ 04 ㉢

📖교과 연계 초등 사회 5-2 2.2 일제의 침략과 광복을 위한 노력

01
51회 37번

밑줄 그은 '시기'에 볼 수 있는 모습으로 가장 적절한 것은? [2점]

□□신문

제△△호 2020년 ○○월 ○○일

헌병, 군사 경찰로 명칭 변경

군대 내 경찰 직무를 수행해 오던 헌병이 군사 경찰이라는 새 이름을 달았다. 헌병은 일본식 표현으로, 국권 피탈 이후에는 일제가 헌병 경찰 제도를 실시하던 시기가 있었다. 따라서 이번 명칭 변경은 우리 사회에 남아 있던 일제의 잔재를 청산한다는 측면에서 중요한 역사적 의미가 있다.

---

① 제복을 입고 칼을 찬 교사
② 브나로드 운동에 참여하는 학생
③ 조선책략 유포에 반발하는 유생
④ 치안 유지법 위반으로 구속된 독립운동가

📖교과 연계 초등 사회 5-2 2.2 일제의 침략과 광복을 위한 노력

02
52회 38번

다음 상황이 일어난 시기를 연표에서 옳게 고른 것은? [2점]

나는 충격적인 사건이 발생한 제암리에 와 있다. 이곳에서 일본군은 교회에 마을 사람들을 모이게 하고 사격을 가한 후 불을 질렀다고 한다.

스코필드

1875	1897	1910	1932	1945
(가)	(나)	(다)	(라)	
운요호 사건	대한 제국 수립	국권 피탈	윤봉길 의거	8·15 광복

① (가)　② (나)　③ (다)　④ (라)

📖교과 연계 초등 사회 5-2 2.2 일제의 침략과 광복을 위한 노력

03
49회 35번

(가)의 활동으로 옳지 않은 것은? [2점]

이것은 1919년 (가) 직원들이 청사 앞에서 찍은 사진입니다. (가) 은/는 3·1 운동을 계기로 상하이에서 수립되어 독립을 위한 다양한 활동을 전개하였습니다.

① 연통제를 실시하였다.
② 독립 공채를 발행하였다.
③ 신흥 강습소를 설립하였다.
④ 한일 관계 사료집을 발간하였다.

04
48회 42번

밑줄 그은 '이 시기'에 볼 수 있는 모습으로 적절한 것은? [2점]

이 저수지는 일제가 산미 증식 계획을 시행하던 시기에 만들어졌습니다. 이 시기 일제는 수리 시설을 확충하면서 조선 농민들에게 과중한 부담을 안겨 주었습니다.

대아 저수지(전북 완주)

① 제중원에서 환자를 돌보는 의사
② 광주 학생 항일 운동을 취재하는 기자
③ 교조 신원 운동에 참여하는 동학교도
④ 국채 보상 기성회에 성금을 내는 여성

23일
월
일

24강 나라를 되찾기 위한 노력(2)

▶ 개념강의

자료 콕콕 기출 노트

◉ 브나로드 운동

▲ 브나르도 운동 포스터

1930년대 초 동아일보를 중심으로 전개된 계몽 운동으로, 학생들을 중심으로 한글 보급과 농촌 계몽 운동 등이 이루어졌어요.

◉ 형평 운동

형평 운동이란 일제 강점기에 백정들이 백정에 대한 사회적 차별을 없애기 위해 전개한 운동이에요.

기출선지 돋보기

- [물산 장려 운동] 조선 사람 조선 것이라는 구호를 내세웠다. 43회
- [민립 대학 설립 운동] 민립 대학 설립을 목표로 하였다. 43·41회
- [브나로드 운동] 동아일보의 적극적인 지원을 받아 진행되었다. 50회
- [6·10 만세 운동] 순종의 장례일을 기회로 삼아 일어났다. 51·49·48·45·43회

1 1920년대 독립을 위한 노력

(1) 실력 양성 운동

① 의미: 민족의 실력을 키워 독립을 이루려고 했던 운동을 말합니다.

② 내용

물산 장려 운동	• 국산품(토산품)의 애용을 통해 민족의 산업을 발전시키려고 하였음. • 1920년대 전반, 평양에서 조만식의 주도로 시작되었음. • 구호: '조선 사람 조선 것', '내 살림 내 것으로'
민립 대학 설립 운동	• 민족 지도자들이 대학 설립을 통해 민족의 인재를 키우기 위한 모금 운동을 시작하였음. • 일제의 방해로 실패하였으며, 일제는 친일파와 일본인들을 위해 경성 제국 대학을 설립하였음. • 구호: '한 민족 1천만이 한 사람이 1원씩'
문맹 퇴치 운동	• 문맹을 퇴치하기 위해 문자(한글)를 보급하려는 운동이 언론사와 학생을 중심으로 전개되었음. • 1930년대 초, 브나로드 운동이 전개되었음.

└ 배우지 못하여 글을 읽거나 쓸 줄 모르는 사람   └ '민중 속으로'라는 뜻의 러시아 말

(2) 학생 항일 운동

① 6·10 만세 운동(1926년)

㉠ 준비: 민족 지도자들이 순종의 장례식에 맞춰 만세 운동을 계획하였으나, 일제에 발각되어 검거되었습니다.

㉡ 전개: 순종의 장례식 날(6월 10일), 학생들을 중심으로 만세 시위를 전개하였고 이에 시민들이 참여하였습니다.

㉢ 의의: 우리 민족의 독립 의지를 보여 주었으며, 서로 다른 사상을 가진 독립운동 지도자들이 모이는 계기가 되었습니다.

② 광주 학생 항일 운동(1929년)

발단	광주의 통학 열차 안에서 일본인 남학생이 한국인 여학생을 괴롭히자, 한·일 학생 사이에 충돌이 발생하였음.
전개 과정	경찰과 언론이 일본 학생들의 편만 들자, 한국 학생들의 반일 감정이 폭발하였음. → 학생들은 식민지 교육 철폐를 외치며 항일 운동을 전개하였음. → 광주에서 일어난 학생 운동이 전국적으로 확산되었음.
의의	3·1 운동 이후 최대 규모의 항일 민족 운동이었음.

(3) 신간회의 조직과 활동

① **조직(1927년)**: 서로 다른 사상을 가진 사람들이 모여 일제 강점기
→ 사회주의자와 비타협적 민족주의자
최대 규모의 항일 운동 단체인 **신간회**를 결성하였습니다.

② **강령**: 정치적 · 경제적 각성을 촉진할 것, 단결을 공고히 할 것,
기회주의를 일체 부인할 것

③ **활동**

ㄱ 전국 각지에서 민족 의식과 항일 의식을 높이기 위한 강연회를
열었습니다.

ㄴ 광주 학생 항일 운동이 발생하자 **진상 조사단을 파견**하여 광주
학생 항일 운동을 전국적으로 확산시키려고 하였습니다.

(4) 무장 독립 전쟁

① **배경**: 1910년대에 만주와 연해주에 독립운동 기지가 건설되었고,
3·1 운동을 전후하여 많은 독립군 부대가 조직되어 활동하였습니다.

② **봉오동 전투(1920년)**: **홍범도**가 이끄는 대한 독립군을 중심으로
여러 독립군 부대가 연합하여 봉오동에서 일본군을 물리쳤습니다.

③ **청산리 전투(1920년)**

ㄱ **배경**: 봉오동 전투에서 패배한 일본군이 복수를 위해 만주에
대규모 군대를 파견하여 토벌 작전을 벌였습니다.

ㄴ **전개**: 일본군이 청산리 지역
으로 들어오자, **김좌진**이 이
끄는 북로 군정서와 홍범도
의 대한 독립군을 중심으로
한 연합 부대가 일본군을 크
게 무찔렀습니다.

▲ 봉오동 전투와 청산리 전투

원산 총파업

원산 인근에 위치한 문평 라이징 선 석유 회사의 일본인 감독이 한국인 노동자를 구타한 사건을 계기로 1929년에 원산 지역의 노동자들이 대대적인 파업을 전개했어요.

홍범도

홍범도는 봉오동 전투와 청산리 전투를 승리로 이끌었어요. 이후 연해주로 움직였고, 카자흐스탄까지 이동하여 그곳에 묻혔다가 최근에 고국으로 유해가 돌아왔어요.

24일

월

일

기출선지 돋보기

• **원산 총파업**이 전개되었다.

48·44·43·41·40회

• [광주 학생 항일 운동] **신간회**에서 진상 조사단을 파견하여 지원하였다.

49~47·45~43회

• [봉오동 전투] **대한 독립군** 등이 봉오동에서 적군을 격퇴하였다.

47·44·43·41·40회

• **북로 군정서**를 중심으로 **청산리 전투**에서 승리하였습니다. 47·44회

📍 **신사 참배**

신사는 일본의 왕실이나 왕실의 조상, 국가에 공을 세운 사람들을 신으로 모신 사당이에요. 일본은 우리나라 곳곳에 신사를 세우고, 신사 참배를 강요하였어요.

(5) 의열단 ┌─ 신채호가 쓴 '조선 혁명 선언'을 활동 지침으로 삼았음.

폭탄을 받아라!

① 조직(1919년): **김원봉**을 중심으로 만주에서 조직되었습니다.

② 목적: 일본의 고위 관료, 친일 세력 등을 살해하거나 관공서 등에 폭탄을 던져 일본에 타격을 주고자 하였습니다.

③ 대표적인 활동

김익상	조선 총독부에 폭탄을 던졌음(1921년).
김상옥	종로 경찰서에 폭탄을 던졌음(1923년).
나석주	동양 척식 주식회사와 조선 식산 은행에 폭탄을 던졌음(1926년).

2 1930년대 이후 일제의 민족 말살 통치와 경제 수탈 정책

(1) 민족 말살 통치

① 배경

  ⊙ 1930년대 이후 일제는 본격적으로 대륙 침략을 위한 전쟁을 벌였습니다(예 만주 사변, 중·일 전쟁, 태평양 전쟁). ┌─ 제2차 세계 대전 때 일본과 연합국(미국, 영국 등) 사이에 벌어진 전쟁

  ⓛ 중·일 전쟁 이후 일제는 우리 민족을 전쟁에 동원하고자 한국인을 철저하게 일본인으로 만들기 위한 정책을 추진하였습니다.

② 황국 신민화 정책 ┌─ 일왕이 다스리는 나라의 신하된 백성이라는 의미

  ⊙ **신사 참배**를 강요하였습니다.

  ⓛ 일왕에게 충성을 다짐하는 **황국 신민 서사**를 외우도록 하였습니다.

▲ 강제로 신사에 참배하는 학생들

▲ 황국 신민 서사를 암송하는 아이들

③ 민족 말살 정책

  ⊙ 우리 이름을 일본식으로 고치도록 강요하였습니다.

  ⓛ 한국어의 사용과 우리 민족의 역사 교육을 금지하였습니다.

  ┌─ 군사 작전에 필요한 물자와 인력을 관리·보급하는 일

(2) 병참 기지화 정책과 국가 총동원법

① 병참 기지화 정책

  ⊙ 우리나라를 침략 전쟁에 필요한 인력과 물자를 동원하는 기지로 삼고자 하였습니다.

  ⓛ 지하자원을 빼앗아 갔고, 무기 등을 만들기 위한 군수 공장을 만들었습니다.

📍 **일본식 성명 강요(창씨 개명)**

일제는 일본식 성과 이름으로 바꾸지 않는 한국인들에게 여러 가지 불이익을 주었어요(예 자녀의 학교 입학 금지). 우리 민족은 자신의 이름을 일부러 우습게 지어 저항하거나 이름을 바꾸지 않는 사람들도 있었어요.

기출선지 돋보기

- 김원봉이 의열단을 조직하였다. 50회
- [의열단] 조선 혁명 선언을 활동 지침으로 삼았다. 49·44·43회
- [김익상] 조선 총독부에 폭탄을 투척하였다. 41·40회
- 황국 신민 서사 암송이 강요되었다.
         55·48·46·44회

② 국가 총동원법 제정(1938년)

인력 수탈	• 많은 한국인들이 강제로 전쟁에 동원(**징병**)되었음. • 젊은 여성들이 끌려가 **일본군 '위안부'**로 모진 고통을 당했음. • 많은 한국인들을 광산이나 공장으로 보내 혹독하게 일을 시켰음(**징용**).
물자 수탈	• 전쟁에 필요한 무기를 만들기 위해 지하자원뿐만 아니라 금속 제품을 강제로 거두어 갔음(**공출**). • 군인들의 식량이 될 만한 쌀이나 가축 등을 강제로 빼앗아 갔음.

꼬리에 꼬리를 무는 역사

1930년대, 우리 민족의 삶은 어떠하였을까요?

중·일 전쟁 이후 일제의 민족 말살 정책으로 우리 민족은 이름을 일본식으로 바꾸어야 했고, 우리말과 우리글을 사용하지 못하였어요. 한국인으로서의 정체성을 모두 없애고 일본의 신민으로 살아야 했지요. 또한 일제가 전쟁에 필요한 것을 닥치는 대로 거두어 갔기 때문에 집 안에 있는 금속 그릇은 물론 숟가락과 젓가락까지 모두 빼앗겼고, 쌀도 배급을 받아서 먹어야 했지요.

┌─ **학생 신분의 군인**

남자들은 전쟁에 끌려갔는데, 전쟁 막바지에는 어린아이들도 학도병이라는 이름으로 군대에 끌려가서 일제를 위한 총알받이가 되어야 했어요. 여성들은 일본군 '위안부'라는 이름으로 전쟁터에 끌려가 혹독한 고통을 당해야 했답니다.

일제는 일본과 중국뿐만 아니라 태평양 곳곳에 전쟁 기지를 건설하고, 필요한 물자 등을 조달하기 위한 공사를 벌였는데, 우리 민족은 이곳에 끌려가 임금은커녕 제대로 먹지도 자지도 못한 채 가혹한 노동에 시달려야 했어요. 대표적인 곳이 대대적인 탄광 사업을 벌였던 일본의 하시마섬이에요. 우리 민족은 이곳에 끌려가 석탄을 캐는 데 동원되었는데, 환경이 매우 열악하고 음식이나 물을 거의 주지 않는 등 기본적인 권리도 보장해 주지 않아 많은 사람들이 죽거나 다쳤다고 해요. 이와 같은 강제 징병 및 징용 문제는 오늘날까지 해결되지 않고 있어 우리나라와 일본 사이에 외교 문제가 되기도 한답니다.

전쟁에 끌려간 학생들

일제가 거두어 간 금속 제품

일제는 학교의 철문, 교회의 종, 가마솥, 놋그릇, 숟가락 등 금속으로 된 생활 도구까지 모두 거두어 갔어요.

기출선지 돋보기

• 국가 총동원법이 제정되었다. 46회
• 일제가 **징병령**을 내려 조선인을 전쟁에 동원하였다. 49·41회
• 일본군 '위안부'와 전쟁 범죄 문제 42회
• 미곡 공출제가 추진되었다. 44·43회

▋한인 애국단의 활동

▲ 이봉창 ▲ 윤봉길

- **이봉창**: 1932년 도쿄에서 일본 왕을 향해 수류탄을 던졌어요.
- **윤봉길**: 상하이 훙커우 공원 의거를 통해 중국인이 항일 독립운동을 지원하고 협조하는 계기를 마련하였어요.

▋한국광복군

기출선지 돋보기

- [한국 독립군] 쌍성보에서 한·중 연합 작전을 전개하였다. 48·43회
- [김구] 한인 애국단을 조직하였다. 36회
- [이봉창] 일왕을 향해 폭탄을 던졌다. 38회
- [윤봉길] 상하이 훙커우 공원에서 폭탄을 투척하였다. 47·45·44회
- [한국광복군] 국내 진공 작전을 준비하였다. 47회

3 1930년대 이후 독립을 위한 노력

(1) 한·중 연합 작전

① 배경: 일제가 군대를 보내 만주를 점령(만주 사변)하자, 중국 내에서 반일 감정이 높아졌습니다. 이를 배경으로 만주의 독립군 부대는 중국군과 연합하여 일본군과 전투를 벌였습니다.

② 대표적인 부대

한국 독립군	• **지청천**이 이끌었음. • 북만주에서 중국 호로군과 연합하여 쌍성보, 대전자령 등지에서 일본군에 승리를 거두었음.
조선 혁명군	• **양세봉**이 이끌었음. • 남만주에서 중국 의용군과 연합하여 영릉가, 흥경성 등지에서 일본군에 승리를 거두었음.

(2) 한인 애국단

① 조직(1931년): 침체된 독립운동에 활기를 불어넣기 위해 **김구**가 상하이에서 **한인 애국단**을 조직하였습니다.

② 대표적인 활동

이봉창	일본 도쿄에서 일본 왕을 향해 폭탄을 던졌으나, 일본 왕을 죽이지 못하고 체포되었음.
윤봉길	• 일제가 중국 상하이를 침략하고 승리한 것을 기념하며 **상하이 훙커우 공원**에서 기념식을 열었는데, 그곳에서 윤봉길이 폭탄을 던져 일본의 주요 인사들을 처단하였음. • 중국인이 대한민국 임시 정부의 항일 독립운동을 지원하는 계기가 되었음.

(3) 한국광복군

신흥 무관 학교에서 독립군을 양성하였고, 서로 군정서를 이끌었으며, 1930년대 중국군과 함께 일본군과 전투를 벌이기도 하였음.

① 창설: 대한민국 임시 정부의 산하 부대로, 지청천을 총사령관으로 하여 1940년 중국 충칭에서 창설되었습니다.

② 활동

㉠ 태평양 전쟁이 발발하자, 일본에 선전 포고를 하고 연합군과 함께 일본군에 맞서 싸웠습니다.

㉡ 미국과 함께 **국내 진공 작전**을 계획하였으나, 일본이 갑자기 연합국에 항복하면서 실행에 옮기지 못하였습니다.

(4) 민족 문화를 지키기 위한 노력

① 배경: 일제는 일본어 사용을 강요하고, 우리말과 글을 사용하지 못하게 하였으며, 우리의 역사를 왜곡하여 우리 민족이 열등하다는 것을 강조하였습니다. ┌ 조선어 연구회를 계승하였음.

② 한글 연구를 위한 조선어 학회

   ㉠ 조직(1931년): 민족의 정체성을 지키기 위해 한글의 연구와 보급이 중요하다고 판단한 이윤재, 최현배 등이 **조선어 학회**를 조직하였습니다.

▲ 조선어 학회 회원들 ┐ 한글 맞춤법 통일안을 만들었음.

   ㉡ 활동: 표준어와 맞춤법을 연구하고 『우리말 큰사전』을 편찬하기 위해 노력하였습니다.

   ㉢ 해체(1942년): 일제는 조선어 학회를 독립운동 단체로 몰아 탄압한 뒤, 결국 해산시켰습니다.

③ 역사 연구

목적	역사 연구를 통해 민족의 정신을 강조하였고, 독립운동에 힘을 불어넣고자 하였음.
대표적인 인물	• **박은식**: 우리 역사를 연구하여 1910년대에 『한국통사』를, 1920년대에 『한국독립운동지혈사』를 썼음. • **신채호**: 대한 제국 시기에는 『이순신전』·『을지문덕전』과 같은 국난을 극복한 민족 영웅들의 전기를 많이 편찬하였으며, 일제 강점기에는 일본의 역사 왜곡에 맞서 『조선사연구초』·『조선상고사』 등을 저술하였음.

④ 문학과 예술, 체육 활동

   ㉠ 문학: 한용운('님의 침묵'), 심훈('상록수', '그날이 오면'), 윤동주('서시', '별 헤는 밤'), 이육사('청포도', '광야') 등은 나라를 잃은 민족의 아픔을 문학 작품으로 표현하였습니다.

   ㉡ 영화: **나운규**는 민족의 아픔을 담은 영화 '**아리랑**'을 만들었습니다.

   ㉢ 체육: **손기정** 선수는 1936년 베를린 올림픽 대회 마라톤 경기에서 우승을 하고도 굳은 표정으로 자신의 가슴에 있는 일장기를 감추었습니다.

▲ 영화 '아리랑' 속 나운규

▲ 일장기를 가린 손기정

♦ 신채호

독립운동가이자 역사 연구가로, 다양한 역사책과 위인전을 써서 우리 민족의 애국심과 자긍심을 높이려고 노력하였어요.

♦ 방정환

방정환은 천도교 소년회, 색동회 등을 조직하여 소년 운동을 주도한 인물이에요. 아이들을 어른과 같은 한 사람으로 대우하라는 의미에서 '어린이'라는 말을 처음 사용하였어요. 5월 1일을 어린이날로 정하였고 『어린이』라는 잡지를 간행하였지요.

24일

월

일

기출선지 돋보기

- [조선어 학회] 한글 맞춤법 통일안을 발표하였다. 48·47·44·41·40회
- [조선어 학회] 우리말(조선말) 큰사전 편찬을 주도하였다. 51·46·42·41회
- [박은식] 국혼을 강조한 역사서인 **한국통사** 저술 50·47·46회
- [박은식] 한국독립운동지혈사를 저술하였다. 45·43회

일본, 한국인의 정신까지 지워 버리려고 하다

1920년대 무장 독립 전쟁

1920년대에 일본군이 봉오동, 청산리를 침략하자 홍범도, 김좌진 등이 이끈 독립군 부대가 맞서 싸워 크게 승리하였어요.

민립 대학 설립 운동

우리 민족의 힘으로 대학을 세우려는 민립 대학 설립 운동이 추진되었지만, 일제의 방해와 탄압으로 실패하였어요.

민족 말살 통치

일제는 전국 곳곳에 신사를 세우고 한국인에게 강제로 참배하게 하였으며, 성과 이름을 일본식으로 고치도록 강요하였어요.

기출키워드로 정리하기 비주얼씽킹 내용을 참고하여 아래 기출선지를 완성해 보세요.

⊙ 민립 대학   ⓒ 신사 참배   ⓒ 홍범도

01 1920년대 (   )이/가 이끈 대한 독립군 등이 봉오동에서 일본군을 크게 무찔렀습니다.

02 1920년대 일제는 경성 제국 대학을 설립하여 우리 민족의 (   ) 설립 운동을 탄압하였습니다.

03 1930년대 이후 일제는 한국인에게 (   )을/를 강요하였습니다.

기출 술술 하루마무리

■정답은 46쪽에서!

01
54회 34번

(가)~(다)를 일어난 순서대로 옳게 나열한 것은? [3점]

일제 강점기 시행 법령

(가) 조선 태형령 실시 / (나) 치안 유지법 제정 / (다) 국가 총동원법 공포

① (가) – (나) – (다) ② (가) – (다) – (나)
③ (나) – (가) – (다) ④ (다) – (나) – (가)

📖교과 연계 초등 사회 5-2 2.2 일제의 침략과 광복을 위한 노력

02
49회 34번

(가)에 들어갈 군사 조직으로 옳은 것은? [2점]

주제: 1920년대 만주 지역 독립군의 활동

※ 모둠 학습 방법
1. 육각형 자석판에 주제와 연관된 단어 적기
2. 화이트보드에 관련 있는 단어를 이어 붙이기

홍범도 / 대한 독립군 / 대한 국민회 / 봉오동 전투 / 김좌진 / (가) / 중광단 / 청산리 전투

① 북로 군정서 ② 조선 의용대
③ 조선 혁명군 ④ 한국광복군

📖교과 연계 초등 사회 5-2 2.2 일제의 침략과 광복을 위한 노력

03
54회 41번

(가)에 들어갈 인물로 옳은 것은? [1점]

독립운동가 정보 검색 / 인물 (가) 검색

검색결과 주요 활동

1932년 상하이 훙커우 공원에서 열린 일왕 생일 및 상하이 사변 승전 축하 기념식 단상에 폭탄을 투척하여 일본군 장성과 고위 관리를 처단함.

관련 사진: 의거 현장 / 현장에서 발견된 도시락 폭탄

① 안창호 ② 이육사 ③ 한용운 ④ 윤봉길

📖교과 연계 초등 사회 5-2 2.2 일제의 침략과 광복을 위한 노력

04
49회 37번

다음 퀴즈의 정답으로 옳은 것은? [1점]

이것은 한글 맞춤법 통일안과 외래어 표기법 통일안을 마련한 단체에서 사전을 편찬하기 위해 만든 원고입니다. 이 단체의 이름은 무엇일까요?

①  보안회 ② 독립 협회
③ 대한 광복회 ④  조선어 학회

시험에 꼭! 나오는 독립운동가 내가 누구게?

▲ 이상설
이준, 이위종과 함께 헤이그의 만국 평화 회의에 특사로 파견되어 을사늑약의 부당함을 알리려고 하였습니다.

▲ 안창호
이승훈 등과 함께 신민회를 결성하고, 평양에 대성 학교를 세웠으며, 미국에서 흥사단 설립을 주도하였습니다.

▲ 이승훈
안창호와 함께 신민회를 결성하고, 정주에 오산 학교를 세웠습니다.

▲ 김구
대한민국 임시 정부에 참여하여 경무국장과 주석 등을 맡았고, 한인 애국단을 결성하였습니다.

▲ 나석주
의열단의 단원으로, 동양 척식 주식회사와 조선 식산 은행에 폭탄을 던졌습니다.

▲ 김원봉
의열단을 조직하여 일제에 타격을 주었고, 조선 의용대를 조직하는 등 독립군을 이끌었습니다.

▲ 이봉창
한인 애국단의 단원으로, 일본 도쿄에서 일본 왕을 향해 폭탄을 던졌습니다.

▲ 윤봉길
한인 애국단의 단원으로, 중국 상하이 훙커우 공원에서 벌어진 승전 기념식에서 폭탄을 던져 일본의 주요 인사들을 처단하였습니다.

▲ 지청천
신흥 무관 학교에서 독립군을 양성하였고, 1930년대 중국군과 함께 일본군과 전투를 벌이기도 하였으며, 이후 한국 광복군을 이끌었습니다.

▲ 안중근
1909년 만주 하얼빈에서 우리나라를 빼앗는 데 앞장섰던 이토 히로부미를 사살하였습니다.

▲ 이회영
형제들과 함께 만주로 가서 독립운동 기지를 만들고 독립군을 길렀습니다.

▲ 유관순
3·1 운동에 참여하였고, 고향인 천안으로 내려가 아우내 장터에서 만세 시위를 주도하였습니다.

▲ 김좌진
1920년, 청산리 전투에서 일본군을 크게 무찔렀습니다.

▲ 홍범도
1920년, 봉오동 전투와 청산리 전투에서 일본군을 크게 무찔렀습니다.

▲ 신채호
『을지문덕전』·『이순신전』 등 나라를 구한 인물들의 위인전과 『조선상고사』 등의 역사책을 썼습니다.

▲ 박은식
우리나라 역사를 연구하여 『한국통사』와 『한국독립운동지혈사』를 썼습니다.

▲ 이윤재
최현배 등과 함께 조선어 학회를 조직하여 한글의 연구와 보급에 힘썼습니다.

6

현대 사회

1945년
광복

와 아 와

1948년
대한민국
정부 수립

이승만

1950년
6·25
전쟁

1987년
6월 민주
항쟁

와 아

호헌 철폐

2000년
제1차
남북 정상
회담

김대중

김정일

25강 광복과 대한민국 정부 수립 및 6·25 전쟁

▶ 개념강의

자료 콕콕 기출 노트

여운형

독립운동가인 여운형은 대한민국 임시 정부 수립에 참여하였고, 광복 직전 조선 건국 동맹을 조직하기도 하였어요. 광복 이후에는 새로운 나라를 세우기 위해 조선 건국 준비 위원회를 조직하였지요.

북위 38도선

광복 이후 북위 38도선을 기준으로 미군과 소련군이 주둔하였는데, 이는 우리나라가 분단되는 계기가 되었어요.

기출선지 [돋]보기

• 조선 건국 준비 위원회가 조직되었다.

52·51·47~45회

1 8·15 광복과 정부 수립을 위한 노력

(1) 8·15 광복과 광복 직후의 상황

① 8·15 광복
  ㉠ 나라를 되찾기 위한 우리 민족의 끊임없는 노력과 독립운동의 결과로 광복을 맞이하게 되었습니다.
  ㉡ 제2차 세계 대전에서 연합국이 승리하면서 일본이 무조건 항복을 하자 1945년 8월 15일, 우리나라가 광복을 맞이하였습니다.

② 조선 건국 준비 위원회의 결성
  ㉠ 광복 직후 여운형 등을 중심으로 결성하였습니다.
  ㉡ 나라의 질서를 바로잡고, 새로운 나라의 건설을 논의하였습니다.

③ 미군과 소련군의 한반도 주둔

배경	일본군의 무장 해제를 구실로 미군과 소련군이 한반도에 주둔하였음. └─ 싸움을 하지 못하도록 군사 시설이나 무기 등을 없애는 것
분단의 시작	• 북위 38도선을 기준으로 북쪽에는 소련군이, 남쪽에는 미군이 주둔하였음. • 북위 38도선은 처음에는 미군과 소련군의 군사 분계선이었으나, 점차 국경선처럼 굳어져 갔음.

꼬리에 꼬리를 무는 역사

광복 직전 국내외의 상황은 어떠하였나요?

광복 직전 대한민국 임시 정부는 대한민국 건국 강령을 발표하였고, 한국광복군을 훈련시켜 국내로 진입하려는 계획을 진행하고 있었어요. 아쉽게도 작전이 수행되기 이전에 일본이 연합국에 무조건 항복하여 실제로 이루어지지 않았지만 말이에요. 또한 국내에서는 여운형 등의 일부 민족 지도자들이 비밀리에 조선 건국 동맹을 조직하여 건국을 준비하였지요.

한편 일본과 독일 등에 맞서 미국과 영국 등을 중심으로 한 연합국이 벌인 제2차 세계 대전이 끝날 무렵, 미국과 영국, 중국의 대표자들은 **카이로 회담**에서 한국의 독립을 약속하였답니다.
└─ 제2차 세계 대전의 연합국이 모여 전쟁 이후의 처리를 합의한 회의

▲ 중국, 미국, 영국의 대표

218 비주얼씽킹 초등 한국사능력검정시험

(2) 모스크바 3국 외상 회의

① **의미**: 1945년 12월 미국, 영국, 소련의 외무 장관(외상)이 소련의 → 한 나라의 외교 관련 일을 맡은 기관의 장
모스크바에 모여 한반도 문제를 포함한 제2차 세계 대전 이후의
처리 문제를 논의한 회의입니다.

② **한반도와 관련된 결정**

㉠ 한반도에 민주적인 임시 정부를 수립할 것

㉡ 한반도의 임시 정부 수립을 위해 미·소 공동 위원회를 설치할 것

㉢ 임시 정부 수립 이후 미국·영국·중국·소련, 4개국이 최고 5년
간 신탁 통치를 할 것 ┐ → 국제 연합의 감독하에 특정 국가 새로 정부를
꾸린 나라를 일정 기간 동안 통치하는 제도

③ **영향**: 신탁 통치에 대한 내용이 부각되어 국내로 전달되면서, 신
탁 통치에 반대하는 사람들(우익)과 모스크바 3국 외상 회의의 결
정을 지지하는 사람들(좌익)로 나뉘어 갈등을 겪게 되었습니다.

(3) 정부 수립을 위한 노력

미·소 공동 위원회의 개최와 결렬	• 모스크바 3국 외상 회의에 따라 두 차례에 걸쳐 미·소 공동 위원회가 개최되었음. • 임시 정부 수립에 참여하는 세력의 범위에 대한 미국과 소련의 의견 차이로 결렬되었음.

→ 1946년 이승만은 정읍 발언을 통해 남한만의 단독 정부 수립을 주장하였음.
1946년부터 1947년까지 중도 세력이 좌우 합작 운동을 추진하였음.

한반도 문제의 국제 연합(UN) 상정	미·소 공동 위원회가 별다른 성과 없이 끝나 자, 미국은 한반도 문제를 국제 연합에 넘겼음.

→ 제2차 세계 대전 이후 국제 평화를
위해 설립된 국제기구

국제 연합의 결정	국제 연합에서는 국제 연합의 감시하에 남북한 총선거를 실시하기로 결정하고 위원단을 파견 하였음.

소련과 북한의 거부	소련은 국제 연합의 결정을 거부하고 북한은 위원단의 입국을 막았음.

남한만의 단독 총선거 결정	소련과 북한이 국제 연합의 결정을 거부하자, 국제 연합은 선거가 가능한 남한만이라도 총선 거를 실시하기로 결정하였음.

신탁 통치 반대 운동

당시 사람들은 신탁 통치를 새로운 식민
지 지배로 받아들여 반대하였어요.

미·소 공동 위원회

미·소 공동 위원회는 덕수궁 석조전에서
1946년과 1947년 두 차례에 걸쳐 개최되
었으나 양쪽의 입장 차이가 커서 실패로
끝나고 말았어요.

25일

월

일

기출선지 돋보기

• 모스크바 3국 외상 회의가 개최되었다.
51·49·42·41회

• 신탁 통치 반대 운동이 확산되었다.
49·43·40회

• 미·소 공동 위원회를 개최하였다. 50회

• 미국이 한반도 문제를 유엔으로 이관하
였습니다. 41회

• 남한만의 단독 선거가 결정되었다. 42회

자료 콕콕 기출 노트

남북 협상을 위해 38도선을 넘는 김구 일행

1948년 4월, 김구는 김규식 등과 함께 남북 협상을 위해 평양을 방문하였고, 통일 정부 수립을 위해 노력하였으나 실패하였어요.

제주 4·3 사건

1948년 제주에서는 남한만의 단독 선거 결정에 반발한 무장대와 토벌대 간에 무력 충돌이 일어났어요. 이 과정에서 많은 제주 주민이 희생되었지요.

5·10 총선거

1948년 5월 10일, 남한만의 총선거가 실시되었어요.

기출선지 돋 보기

· 김구와 김규식이 남북 협상을 추진하였다. 51·47회
· 5·10 총선거가 실시되었다. 38회
· [5·10 총선거] 우리나라 최초의 보통 선거였다. 46회
· 대한민국 정부가 수립되었다. 38회

 꼬리에 꼬리를 무는 역사

남한 단독 정부 수립에 대한 서로 다른 주장을 살펴볼까요?

1946년, 이승만은 통일 정부를 수립하기 어렵다면 남한만이라도 정부를 수립해야 한다고 주장하였어요(**정읍 발언**). 한편 김구는 한반도의 분단을 걱정하여 남한만의 단독 정부 수립에 반대하고 통일 정부 수립을 주장하였지요. 그리고 북한에서 열린 남북 연석 회의에 참석하는 등 **남북 협상**을 추진하였으나 실패하였어요.

└· 1948년 북한의 평양에서 열린 남한과 북한의 대표자 회의

선거가 가능한 남한만이라도 총선거를 실시하여 정부를 수립해야 합니다.

이승만

나는 통일된 조국을 건설하려다가 38도선을 베고 쓰러질지언정 단독 정부를 세우는 데 협력하지 않겠습니다.

김구

2 대한민국 정부 수립

(1) 대한민국 정부의 수립

① 대한민국 정부 수립 과정(1948년)

5·10 총선거 실시	· 국제 연합의 결정에 따라 남한에서 총선거가 실시되었음. · 우리나라 역사상 최초의 민주적인 선거로, 제헌 국회 의원을 선출하였음. ┐ 헌법을 만든 국회
↓	모든 법의 원칙이 되는 법으로, 국가의 운영과 국민의 기본적인 권리와 의무 등이 담겨 있음.
제헌 헌법 공포	· 7월 17일, 제헌 국회에 의해 헌법이 공포되었음. → 제헌 헌법은 3·1 운동과 대한민국 임시 정부의 독립 정신을 계승하였음. ┐ 우리나라의 근본을 규정한 최초의 헌법 · 나라 이름을 대한민국으로 정하였음.
↓	
이승만 대통령 선출	헌법에 따라 국회에서 간접 선거로 이승만이 대한민국의 초대 대통령으로, 이시영이 부통령으로 선출되었음. ┐ 국민의 대표자인 국회 의원들이 투표로 선출하는 선거 방식
↓	
대한민국 정부 수립 선포	이승만 대통령은 1948년 8월 15일 대한민국 정부 수립을 국내외에 선포하였음.

② **국제 연합의 승인**: 국제 연합은 1948년 12월에 대한민국 정부를 한반도의 유일한 합법 정부로 승인하였습니다.

▌ 제헌 헌법 ▐

유구한 역사와 전통에 빛나는 우리들 대한 국민은 기미 삼일 운동으로 ←1919년 3·1 운동
대한민국을 건립하여 세계에 선포한 위대한 독립 정신을 계승하여, 이제
민주 독립 국가를 재건함에 있어서 ……
　　　　　　　　　　　　　　(중략)

안으로는 국민 생활의 균등한 향상을 기하고 밖으로는 항구적인 국제
평화의 유지에 노력하며 우리들과 우리들의 자손의 안전과 자유와 행복
을 영원히 확보할 것을 결의하고, 우리들의 정당 또한 자유로이 선출된
대표로써 구성된 국회에서 단기 4281년 7월 12일 이 헌법을 제정한다.

제1조　대한민국은 민주 공화국이다.
제2조　대한민국의 주권은 국민에게 있고 모든 권력은 국민으로부터
　　　　나온다.

(2) 북한의 정부 수립

① 1948년 9월 9일에 조선 민주주의 인민 공화국이 수립되었습니다.
② 김일성을 수상으로 한 공산주의 정권이 수립되었습니다.

3 6·25 전쟁

(1) 6·25 전쟁 이전의 상황

① 남한과 북한에 각기 다른 정부와 정권이 들어섰습니다.
② 한반도에서 소련군과 미군이 철수하였으며, 미국 국무 장관 애치
　슨이 한반도를 미국의 방위 범위에서 제외한다는 선언(**애치슨 선
　언**)을 발표하였습니다.
③ 북한은 남한을 무력으로 통일하고자 소련 및 중국과 군사 협정을
　맺고 군사력을 키우며 전쟁을 준비하고 있었습니다.

(2) 6·25 전쟁의 전개 과정

① 북한군의 남침과 낙동강 방어선의 구축

북한의 남침	1950년 6월 25일, 북한은 38도선을 넘어 기습적으로 공격을 시작하였음.
서울 함락	국군은 북한군의 공격에 맞서 싸웠지만, 1950년 6월 28일 전쟁이 일어난 지 3일 만에 북한군에게 서울을 빼앗겼음.
국제 연합군의 파병	전쟁이 일어나자 국제 연합은 남한에 국제 연합군(유엔군)을 보내고, 물자를 지원할 것을 결정하였음.
낙동강 방어선의 구축	• 이승만 정부는 **부산**에 임시 수도를 마련하였음. • 국군과 국제 연합군은 낙동강 일대에 최후 방어선을 구축하고 북한군의 남하를 저지하였음.

▌6·25 전쟁의 전개 과정

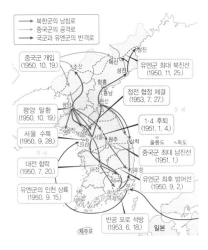

6·25 전쟁은 한반도 전체를 오가며 매우 치열하게 전개되었어요.

▌6·25 전쟁 중 천막 교실

6·25 전쟁이 일어나자 사람들은 전쟁을 피해 살던 곳을 떠나 피란지(낙동강 이남 지역)로 모여들었어요. 피란지에서도 학생들은 천막을 치고 교실을 만들어 수업을 들었지요.

25일

월

일

기출선지 돋보기

• 미국이 애치슨 선언을 발표하였다.
　　　　　　　　　　　　　55·52·49회

인천 상륙 작전

6·25 전쟁 당시 낙동강 부근까지 밀렸던 남한은 맥아더 장군이 이끄는 국제 연합군과 국군의 인천 상륙 작전으로 서울을 되찾을 수 있었어요.

1·4 후퇴

6·25 전쟁 당시 중국군의 개입으로 밀리기 시작한 국군과 국제 연합군은 전면 후퇴를 결정하고, 북한군과 중국군에게 서울을 다시 빼앗겼어요.

정전 협정 체결

1953년, 대한민국 정부의 반대에도 불구하고 정전 협정이 체결되었어요.

기출선지 돋보기

- 인천 상륙 작전이 전개되었다.

  51~49·47·40회

- 압록강을 건너 참전하는 중국군 40회
- [1·4 후퇴] 중국군의 개입으로 서울을 다시 빼앗기게 되었다. 45회
- 판문점에서 휴전(정전) 회담이 진행되었다. 45회

② 국군과 국제 연합군의 반격

　㉠ 국군과 국제 연합군은 1950년 9월 15일 **인천 상륙 작전**으로 전세를 뒤집고, 9월 28일 서울을 되찾았습니다.

　㉡ 서울을 되찾은 후 국군과 국제 연합군은 38도선을 넘어 북쪽으로 향하였고, 압록강까지 진격하였습니다.

③ 중국군의 참전과 1·4 후퇴

중국군의 참전	북한이 압록강까지 밀리자, 위협을 느낀 중국이 직접 전쟁에 개입하였음(1950년 10월 19일).
1·4 후퇴	중국군의 참전으로 전세가 밀린 국군과 국제 연합군이 서울에서 후퇴하였음(1951년 1월 4일).
38도선 부근에서 공방전 전개	• 국군과 국제 연합군은 북한군에게 서울을 다시 되찾았음. • 국군과 국제 연합군, 북한군과 중국군은 38도선 부근에서 치열한 전투를 벌였음.

④ 정전 협정의 체결

　㉠ 1951년부터 전쟁을 끝내기 위한 정전 회담이 이루어졌고, 1953년 7월 27일, 판문점에서 정전 협정을 맺었습니다.

　㉡ 정전 협정을 맺던 당시의 전선이 **휴전선**이 되었으며, 오늘날까지 휴전 상태가 이어지고 있습니다.

지도로 보는 6·25 전쟁

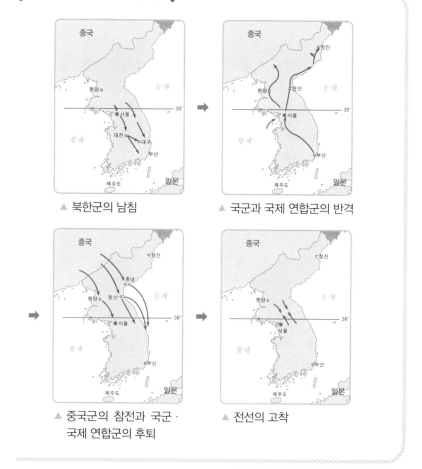

▲ 북한군의 남침　　▲ 국군과 국제 연합군의 반격

▲ 중국군의 참전과 국군·국제 연합군의 후퇴　　▲ 전선의 고착

6·25 전쟁으로 우리 민족은 어떤 피해를 입었나요?

6·25 전쟁은 남한과 북한뿐만 아니라 국제 연합의 여러 나라와 중국이 참전하였던 전쟁으로, 많은 군인과 민간인의 목숨을 앗아갔어요. 사람들은 전쟁 중에 가족과 헤어져 **이산가족**이 되었고, 부모를 잃은 전쟁고아들도 많이 생겨났어요.

남한과 북한 모두 발전소, 공장, 다리, 도로, 가옥뿐만 아니라 크고 작은 문화유산들이 파괴되었고, 우리 국토는 아무 것도 구할 수 없을 정도로 황폐화되었어요. 발전소가 없어 전기가 부족해졌고, 공장이 파괴되어 생활에 필요한 물건을 구하기 어렵게 되었지요.

한편 전쟁으로 남한과 북한은 서로에 대한 적대감이 더욱 높아졌고, 분단이 고착화되었어요.

이산가족

전쟁으로 헤어져 찾지 못하는 가족들을 말해요. 6·25 전쟁으로 인해 지금까지도 많은 사람들이 가족과 헤어진 채 살아가고 있어요. 1983년에 우리나라의 KBS 방송국에서는 '이산가족 찾기' 방송을 통해 가족들을 찾아 주었고, 1985년에는 남한과 북한의 이산가족들이 서로 고향을 방문하여 상봉 행사를 갖기도 하였어요.

→ 방송 관련 기록물은 유네스코 세계 기록 유산으로 지정되었음.

25일

월

일

같은 민족끼리 피를 보는 비극이 일어나다

1. 북한군의 남침

1950년 6월 25일, 북한군의 갑작스러운 남침으로 6 · 25 전쟁이 시작되었어요.

2. 국군과 국제 연합군(유엔군)의 반격

국군은 북한군에 밀려 낙동강까지 후퇴하였어요. 이후 국군과 국제 연합군(유엔군)이 인천 상륙 작전을 성공시키면서 서울을 되찾았어요.

3. 중국군의 개입

위협을 느낀 중국이 전쟁에 끼어들면서 국군과 국제 연합군은 후퇴하였어요.

4. 전선 고착, 정전

1953년 7월에 정전 협정을 맺었고, 당시의 전선이 휴전선이 되어 남북은 둘로 나누어졌어요.

기출키워드로 정리하기 비주얼씽킹 내용을 참고하여 아래 기출선지를 완성해 보세요.

ⓐ 북한   ⓑ 인천   ⓒ 중국

01 6 · 25 전쟁은 (   )군의 갑작스러운 남침으로 시작되었습니다.

02 국군과 유엔군은 (   ) 상륙 작전을 계기로 서울을 되찾았습니다.

03 압록강 유역까지 진출하였던 국군과 유엔군은 (   )군의 개입으로 후퇴하였습니다.

정답 01 ⓐ 02 ⓑ 03 ⓒ

01

51회 46번

다음 발언 이후에 전개된 사실로 옳은 것은? [3점]

미·소 공동 위원회가 결렬된 이후 다시 열릴 기미가 보이지 않습니다. 통일 정부가 수립되길 원했으나 뜻대로 되지 않으니, 남방만이라도 임시 정부 혹은 위원회를 조직하고, 38도선 이북에서 소련이 물러가도록 세계에 호소해야 합니다.

이승만

① 한국광복군이 창설되었다.
② 김구가 남북 협상을 추진하였다.
③ 모스크바 삼국 외상 회의가 개최되었다.
④ 여운형이 조선 건국 준비 위원회를 결성하였다.

02

50회 46번

(가)에 들어갈 내용으로 가장 적절한 것은? [2점]

모둠별 탐구 활동
주제: (가)

1모둠 모스크바 3국 외상 회의 결과를 찾아본다.
2모둠 좌우 합작 운동의 의미를 파악한다.
3모둠 5·10 총선거 과정을 알아본다.

① 헤이그 특사 파견 배경
② 대한민국 정부 수립 과정
③ 국민대표 회의 개최 원인
④ 한·일 기본 조약 체결 결과

03

54회 42번

밑줄 그은 '사건'으로 옳은 것은? [2점]

문학으로 만나는 한국사

아, 떼죽음 당한 마을이 어디 우리 마을 뿐이던가. 이 섬 출신이거든 아무라도 붙잡고 물어보라. 필시 그의 가족 중에 누구 한 사람이, 아니면 적어도 사촌까지 중에 누구 한 사람이 그 북새통에 죽었다고 말하리라. —『순이 삼촌』—

위 소설의 배경이 된 사건은 미군정기에 시작되어 이승만 정부 수립 이후까지 지속되었습니다. 당시에 남한만의 단독 정부 수립에 반대하는 무장대와 토벌대 간의 무력 충돌과 토벌대의 진압 과정에서 많은 주민이 희생되었습니다.

① 간도 참변 ② 6·3 시위
③ 제주 4·3 사건 ④ 제암리 학살 사건

04

50회 48번

밑줄 그은 '전쟁'에 대한 설명으로 옳은 것은? [1점]

1950년에 일어난 전쟁 때 폭탄을 맞아 생겨난 흔적이란다. 이 전쟁으로 많은 이산가족이 아픔을 겪고 있지.

경의선 장단역 증기 기관차

이 기관차에는 왜 구멍이 많은 거예요?

① 인천 상륙 작전을 전개하였다.
② 김원봉이 의열단을 조직하였다.
③ 미·소 공동 위원회를 개최하였다.
④ 쌍성보에서 한·중 연합 작전을 펼쳤다.

25일
월
일

26강 자유 민주주의의 시련과 발전

▶ 개념강의

자료 콕콕 기출 노트

📌 3·15 부정 선거

미리 투표하거나 투표함을 바꿔치기 하기도 하였고, 여러 명이 짝을 지어 공개로 투표를 진행하는 등 선거에 대대적인 부정이 자행되었어요.

📌 4·19 혁명

4·19 혁명은 민주적인 절차나 과정을 무시한 정권을 국민이 나서서 바로잡은 사건이에요.

기출선지 돋보기

학생의 피에 보답하라!

- [4·19 혁명] 3·15 부정 선거에 저항하였다. 55회
- [4·19 혁명 구호] 3·15 부정 선거 무효! 학생들의 피에 보답하라! 42회
- [4·19 혁명] 이승만 대통령이 하야하는 결과를 가져왔다. 52·47·45~42회
- [4·19 혁명 결과] 국회를 양원제로 운영하도록 하였다. 38회

1 4·19 혁명

(1) 4·19 혁명 이전의 상황

└→책이나 글 등에서 필요하거나 중요한 부분을 가려서 뽑아내는 것

① 발췌 개헌(1952년): 국회에서 이승만을 지지하는 세력이 줄어들자, 임시 수도인 부산에서 대통령 직선제 등의 개헌을 추진하였고, 그 결과 이승만이 제2대 대통령으로 선출될 수 있었습니다.
└→대통령을 국민의 직접 선거를 통해 선출하는 것   └→국가의 최고 법인 헌법을 고치는 것

② 사사오입 개헌(1954년)

목적	이승만 대통령 장기 집권을 하고자 하였음.
내용	초대 대통령(이승만)에 한해 중임 제한을 철폐하는 내용이 담겨 있었음. └→같은 지위나 직무에 한 번 더 임명되는 것
과정	국회에서 개헌안에 대한 찬성표가 1표 부족하여 통과하지 못하였다가, 사사오입의 논리를 내세워 개헌안을 통과시켰음.
결과	1956년, 이승만이 제3대 대통령에 당선되었음.

└→나눗셈의 답을 구할 때 4 이하의 수는 버리고 5 이상의 수는 그 윗자리에 올려 1을 더하여 주는 방법

(2) 4·19 혁명의 전개 과정

① 배경: 이승만 정권이 장기 집권을 위해 개헌을 하는 등 독재 정치를 하였습니다.

② 원인: 이승만 정부가 1960년 정·부통령 선거에서 이기기 위해 3·15 부정 선거를 저질렀습니다.

③ 전개 과정(1960년)
- ㉠ 3·15 부정 선거에 대한 항의 시위가 마산에서 발생하였으나, 경찰이 무력으로 진압하였습니다.
- ㉡ 마산 시위 때 실종되었던 김주열 학생의 시신이 마산 앞바다에서 발견되자, 경찰들에 의해 죽었다는 사실이 알려졌습니다.
- ㉢ 분노한 학생들과 시민들이 벌인 시위가 전국적으로 확산되었고, 대학교수들까지 시위에 동참하였습니다.

④ 결과: 이승만 대통령이 하야하였습니다.
└→정치에서 물러나는 것

▲ 3·15 마산 의거

▲ 4·18 고려대 학생 시위

▲ 4·25 교수단 시위

2 5·16 군사 정변과 박정희 정부

(1) 5·16 군사 정변

① 4·19 혁명 이후의 상황: 장면을 국무총리로 하는 내각 정권이 들어섰으나, 장면 내각은 국민들의 개혁 요구를 수용하지 못하여 비판을 받았습니다. └ 국무총리에는 장면, 대통령에는 윤보선이 선출되었음.

② 5·16 군사 정변(1961년): 박정희를 중심으로 한 일부 군인들은 사회 혼란을 구실로 경제 발전 등을 주장하며 군대를 동원하여 정권을 차지하였습니다.

(2) 박정희 정부의 정책

① 경제 성장을 위한 노력

ㄱ 경제 개발 5개년 계획을 추진하여 경제를 크게 성장시켰습니다.

ㄴ 경제 개발에 필요한 돈을 마련하기 위해 일본과 **한·일 협정**을 체결하고, **베트남 전쟁에 국군을 파병**하였습니다. └ 박정희 정부는 미국의 지원을 약속받고 베트남(월남) 전쟁에 참여하였음.

② 민주주의의 탄압

3선 개헌 (1969년)	박정희는 장기 집권을 하기 위해 대통령을 연속해서 세 번까지 할 수 있도록 개헌하였음.
유신 체제의 성립 (1972년)	• 유신 체제의 시작: 사회 혼란을 막아야 한다는 구실로 유신 헌법을 선포하고 독재 정치를 강화하였음. • 유신 헌법의 내용 – 대통령을 국민들이 선거로 뽑지 않고 **통일 주체 국민 회의**에서 간접 선거로 선출하였음. – 대통령이 될 수 있는 횟수를 제한하지 않았고, 대통령에게 많은 권한이 집중되는 내용을 포함하였음.

└ 긴급 조치권 등

(3) 유신 반대 시위와 유신 체제의 종결

① 유신 반대 시위

ㄱ 유신 체제의 철폐를 요구하며 유신 반대 시위가 벌어지자 박정희 정부는 이를 탄압하였습니다. └ 정권을 잡고 있는 정당을 여당, 정권을 잡고 있지 않은 정당을 야당이라고 함.

ㄴ 1979년에는 야당 총재인 김영삼을 국회 의원직에서 제명한 것이 계기가 되어 부산과 마산에서 학생과 시민들이 대규모 유신 반대 시위를 일으켰습니다(부·마 민주 항쟁).

▲ 부·마 민주 항쟁 기념탑

② 유신 체제의 종결: 유신 반대 시위를 진압하던 중 권력 내부에서 갈등이 생겼으며, 1979년 10월 26일 박정희 대통령이 피살(10·26 사태)되면서 유신 체제가 붕괴되었습니다.

내각 정권

국회에서 선출된 국무총리가 나라의 일을 담당하는 제도예요. 내각 정권에서 권력은 국무총리에게 있으며 대통령은 상징적인 존재랍니다.

한·일 협정(한·일 기본 조약)

박정희 정부는 일본과의 국교 정상화를 추진하였어요. 당시 학생과 시민들은 일본으로부터 식민지 통치에 대한 제대로 된 사과와 보상을 받지 못하였다면서 전국에서 반대 시위를 벌였어요(6·3 시위). 그러나 정부는 회담을 강행하여 1965년에 협정을 체결하였고, 일본으로부터 경제 지원을 받았어요.

유신 헌법의 선포

박정희 정부는 장기 집권을 위해 국민들의 민주화 요구를 탄압하였고, 국민의 자유를 억압하는 등 민주주의를 크게 후퇴시켰어요.

26일

월

일

기출선지 돋보기

• [6·3 시위] 굴욕적인 한일 국교 정상화에 반대하였다. 52·44회

• 베트남 전쟁에 국군이 파병되었다. 55·54·51·49·48·45회

• 3선 개헌안이 통과되었다. 51회

• [유신 체제] 통일 주체 국민 회의에서 대통령을 선출하였다. 46회

• 부·마 민주 항쟁이 일어났다. 43~41회

● 5·18 민주화 운동 기록물

5·18 민주화 운동 관련 문서, 사진, 영상 등의 자료로 이루어져 있어요. 운동 과정을 생생하게 담고 있고, 다른 나라의 민주화 운동에 영향을 준 점 등을 인정받아 유네스코 세계 기록 유산으로 등재되었어요.

3 5·18 민주화 운동

(1) 신군부의 등장과 12·12 사태

① 배경: 1979년 10월, 유신 체제가 붕괴되자 오랫동안 군사 독재 정권을 경험한 국민들은 민주화가 이루어지기 바랐습니다.

② 12·12 사태(1979년): **전두환**을 중심으로 한 일부 군인들이 정변을 일으켜 군사권을 장악하였습니다. └─신군부

(2) 5·18 민주화 운동의 전개 과정

① 12·12 사태 이후의 상황: 1980년 초부터 대학생과 시민들의 시위가 전국적으로 일어나자 전두환은 비상계엄을 확대하고, 정치인들의 정치 활동을 금지시켰으며, 휴교령을 내렸습니다.
  └─국가의 비상사태에 대통령이 선포하는 것으로, 국민의 기본권이 제한됨.

② 5·18 민주화 운동(1980년)

  ㉠ **광주**에서는 학생들을 중심으로 비상계엄의 확대에 저항하는 시위를 벌였는데, 계엄군이 이를 폭력적으로 진압하자 분노한 시민들이 참여하면서 시위가 확산되었습니다.

  ㉡ 당시 전두환 등 신군부 세력은 계엄군을 투입하여 시민들을 무자비하게 탄압하였고, 광주 시민들은 **시민군**을 조직하여 저항하였으나 계엄군의 무력 진압에 많은 시민들이 희생되었습니다.

  ㉢ 당시 상황이 담겨 있는 '5·18 민주화 운동 기록물'은 유네스코 세계 기록 유산으로 등재되었습니다.

▲ 5·18 민주화 운동 당시 전남대 시위: 5·18 민주화 운동의 첫 시위인 전남대 정문 앞 시위 모습이에요.

▲ 5·18 민주화 운동 당시 전남 도청 앞 시위: 전남 도청 앞 광장에서는 분수대를 중심으로 시민과 학생들이 횃불 행진을 벌였어요.

4 6월 민주 항쟁

(1) 당시의 상황

① 전두환 정부의 민주화 운동 탄압: 군사 정변으로 정권을 잡은 전두환 대통령은 언론을 장악하고 민주화 운동을 탄압하였습니다.

② 시민들의 민주화 요구: **대통령 직선제 개헌**과 민주화를 요구하며 시위를 하던 대학생 **박종철**이 고문으로 사망하는 사건이 일어났습니다(박종철 고문치사 사건).

기출선지 돋보기

• [5·18 민주화 운동] 신군부가 계엄령을 전국으로 확대한 것에 반대하였다.
  47·44·41회

• [6월 민주 항쟁] 박종철 고문치사 사건을 계기로 일어났다. 45·41회

(2) 6월 민주 항쟁의 전개와 결과

① 전개 과정(1987년)

　㉠ 시민들은 박종철 고문치사 사건을 축소시키려는 정부를 비판하고, 헌법 개정을 요구하며 시위를 벌였습니다.

　㉡ 전두환 정부가 직선제 개헌을 거부(4·13 호헌 조치)하자 학생과 시민들은 '호헌 철폐'와 '독재 타도' 등을 외치며 시위를 이어나갔습니다.

　㉢ 시위 도중 대학생 **이한열**이 의식 불명에 빠지는 사건이 발생하여 시위가 더욱 거세졌습니다.

② **결과**: 여당의 대표인 노태우 대통령 후보가 **6·29 민주화 선언**(1987년)을 발표하여 대통령 직선제 개헌을 약속하였습니다.

③ **이후의 상황**: 직선제 개헌에 따라 국민들이 직접 대통령을 뽑는 선거가 이루어졌고, 노태우 후보가 대통령에 당선되었습니다.

▌6월 민주 항쟁

6월 민주 항쟁의 결과 지금과 같은 대통령 직선제가 실시되어 국민이 직접 대통령을 선출할 수 있게 되었어요.

꼬리에 꼬리를 무는 역사

우리나라 역대 대통령들은 어떤 방법으로 선출되었나요?

　우리나라의 초대 대통령은 간접 선거에 의해 국회에서 이승만이 선출되었어요. 이승만은 6·25 전쟁 중 발췌 개헌(1차 개헌)을 통해 대통령 선거를 직선제로 바꾸었고, 2대부터 3대까지 국민들의 직접 선거에 의해 이승만이 대통령으로 선출되었어요. 4·19 혁명으로 이승만이 물러나고 장면 내각이 수립되면서 다시 국회에서 간접 선거가 이루어졌고, 4대 대통령으로 윤보선이 선출되었지요.

　그러나 박정희가 군사 정변을 일으켰고, 당시 직접 선거를 통해 박정희는 5대 대통령으로 선출되었어요. 이후 유신 헌법의 공포로 8대 대통령부터 12대 대통령(전두환)까지는 간접 선거를 통해 대통령이 선출되었지요. 1987년 6월 민주 항쟁 이후로 직선제 개헌이 이루어지면서 지금까지 국민의 손으로 직접 대통령을 뽑고 있답니다.

1948			1960	1963				1979	1980
1대 이승만	2대 이승만	3대 이승만	4대 윤보선	5대 박정희	6대 박정희	7대 박정희	8대 박정희	9대 박정희	10대 최규하

3번 연임 · 5번 연임

1980		1988	1993	1998	2003	2008	2013	2017
11대 전두환	12대 전두환	13대 노태우	14대 김영삼	15대 김대중	16대 노무현	17대 이명박	18대 박근혜	19대 문재인

2번 연임

□ 직선제 선출
□ 간선제 선출

기출선지 돋보기

• 4·13 호헌 조치가 발표되었다. 45·40회
• 호헌 철폐와 독재 타도 등의 구호를 내세웠다. 45·43회
• 6·29 민주화 선언이 발표되었다. 46·43·42회
• 대통령 직선제 개헌이 이루어지는 계기가 되었다. 47·44회

비주얼씽킹

국민들의 피, 땀, 눈물로 민주화를 이루다

1. 4 · 19 혁명

시민들은 3 · 15 부정 선거에 반대하는 시위를 벌였고, 그 결과 이승만은 대통령 자리에서 물러났어요.

2. 유신 독재

5 · 16 군사 정변으로 권력을 잡은 박정희는 유신 헌법을 선포하고, 독재 정치를 이어 나갔어요.

3. 5 · 18 민주화 운동

전두환 등 신군부가 일으킨 정변에 반발하며 광주에서 시민들이 시위를 벌였으나 군인들이 폭력적으로 진압하였어요.

4. 6월 민주 항쟁

6월 민주 항쟁으로 6 · 29 민주화 선언이 발표되면서 대통령을 국민들의 손으로 뽑을 수 있게 되었어요.

기출키워드로 정리하기 비주얼씽킹 내용을 참고하여 아래 기출선지를 완성해 보세요.

> ㉠ 박정희   ㉡ 이승만   ㉢ 전두환

01 4 · 19 혁명으로 (   )이/가 대통령 자리에서 물러났습니다.

02 5 · 16 군사 정변으로 권력을 잡은 (   )은/는 독재 정치를 이어 나갔습니다.

03 (   ) 등 신군부는 광주에서 일어난 5 · 18 민주화 운동을 강제로 진압하였습니다.

정답 01 ㉡ 02 ㉠ 03 ㉢

📖교과 연계 초등 사회 6-1 1.1 민주주의의 발전과 시민 참여

01
51회 49번

다음 일기를 통해 알 수 있는 민주화 운동으로 옳은 것은?
[1점]

> 1960년 ○○월 ○○일
>
> 나는 망설임 없이 옆에 있는 어느 여자 대학생에게 그동안 외쳤던 구호들을 적어 달라고 했다. 그는 쾌히 몇 개의 구호를 적어 주었다.
>
> 학원 자유 보장하여 구국 애족 선봉 되자!
> 3·15 부정 선거 다시 해라!
> 발포 경찰을 처단하라!
> 학생들에게 총을 쏘지 마라!

① 4·19 혁명
② 6월 민주 항쟁
③ 부·마 민주 항쟁
④ 5·18 민주화 운동

02
50회 49번

다음 대화에 나타난 민주화 운동으로 옳은 것은?
[3점]

이것은 1979년 야당 총재의 국회 의원직 제명으로 촉발되어 유신 독재에 저항한 민주화 운동을 기념한 조형물입니다.

2019년 정부는 이 운동이 민주화에 기여한 점을 인정하여 시위가 시작된 날을 국가 기념일로 지정하였습니다.

① 4·19 혁명
② 6월 민주 항쟁
③ 부·마 민주 항쟁
④ 5·18 민주화 운동

📖교과 연계 초등 사회 6-1 1.1 민주주의의 발전과 시민 참여

03
54회 48번

(가)에 들어갈 민주화 운동으로 옳은 것은?
[1점]

다른 나라의 민주화 운동에서도 불리는 이 노래에 대해 설명해 주시겠습니까?

이 노래는 들불야학 설립자 박기순과 (가) 당시 전남 도청에서 계엄군에 의해 희생된 시민군 대변인 윤상원의 영혼 결혼식에 헌정되었던 곡입니다. 노래에 담긴 민주주의에 대한 열망이 다른 나라 사람들에게도 공감을 얻고 있는 것으로 보입니다.

임을 위한 행진곡

① 4·19 혁명
② 6월 민주 항쟁
③ 5·18 민주화 운동
④ 3선 개헌 반대 운동

📖교과 연계 초등 사회 6-1 1.1 민주주의의 발전과 시민 참여

04
47회 48번

(가) 민주화 운동에 대한 설명으로 옳은 것은?
[2점]

답사 계획서

△학년 △반 이름 :△△△

• 주제: (가)
• 날짜: 2020년 ○○월 ○○일
• 답사 장소

장소	사진	설명
구 남영동 치안본부 대공분실		박종철 학생이 물고문을 당한 끝에 사망한 장소
이한열 기념관		경찰이 쏜 최루탄에 맞아 사망한 이한열 학생의 민주 항쟁을 기념하기 위한 장소
대한성공회 서울주교좌 성당		'박종철 군 고문살인 은폐·조작 규탄 및 민주 헌법 쟁취 범국민 대회'가 개최된 장소

① 대통령이 하야하는 결과를 가져왔다.
② 유신 체제가 붕괴되는 계기가 되었다.
③ 5년 단임의 대통령 직선제 개헌을 이끌어 냈다.
④ 신군부의 비상계엄 확대에 반대하여 일어났다.

27강 경제 발전과 평화 통일을 위한 노력

▶ 개념강의

자료 콕콕 기출 노트

경부 고속 국도 개통

1970년 서울과 부산을 연결하는 경부 고속 국도의 개통으로 전국의 일일생활권이 가능해졌어요.

수출 100억 달러 달성 기념 조형물

박정희 정부 시기인 1977년에 우리나라는 수출액 100억 달러를 달성하였어요.

기출선지 돋보기

- [1960년대] 제1차 경제 개발 5개년 계획이 추진되었다. 54·52·51·43회
- [1970년] 경부 고속 국도(도로)가 개통되었다. 43·41회
- [1970년대] 중화학 공업의 육성과 석유 파동 48회
- [1970년대] 수출 100억 달러를 달성하였다. 49회
- [1970년] 새마을 운동을 시작하였어. 31회

1 우리나라의 경제 발전

(1) 6·25 전쟁 이후 이승만 정부의 노력

① 6·25 전쟁 이후의 상황: 생산을 위한 공장과 시설이 파괴되었고, 국토가 황폐해졌으며, 전기도 부족했습니다.

② 어려움을 해결하기 위한 노력: 이승만 정부는 파괴된 시설을 복구하는 데 집중하였고, 미국으로부터 시설 복구에 필요한 식량과 물자를 지원받았습니다.

(2) 박정희 정부의 경제 개발 5개년 계획과 새마을 운동

① 경제 개발 5개년 계획

실시	• 이전의 정부에서 계획되었으나 실시되지 못하였고(장면 내각 시기), 박정희 정부 때 정부 주도로 실시되었음. • 1962년부터 5년 단위로 실시되었음.
목적	공업을 키워 수출을 늘리고 경제를 일으키고자 하였음.
내용	• 도로, 항만, 발전소 등을 건설하였음(예 1970년 **경부 고속 국도 개통**). • 초기인 1960년대에는 노동력이 많이 필요한 신발, 가발, 섬유 등의 경공업을 육성하였음. • 1970년대 이후에는 철강, 석유 산업 등 중화학 공업을 육성하였음.
결과	• 경제가 연평균 10%씩 성장하였고, 지속적인 경제 성장으로 '한강의 기적'이라는 말을 듣게 되었음. • 수출이 늘어나고, 국민 소득이 늘어났음.

└ 제2차 세계 대전 이후 독일의 경제 발전을 '라인강의 기적'이라고 부르는 것을 본떠서 우리나라의 경제 발전 모습을 이르는 말

② 새마을 운동

㉠ 배경: 공업 중심으로 경제 개발이 이루어지면서 도시와 농촌 간의 소득 격차가 커지자, 1970년 정부 주도로 농촌을 개발하기 위해 추진하였습니다.

㉡ 농촌의 생활 환경을 개선하고, 농촌의 소득을 높이기 위한 노력이 이루어졌습니다.

▲ 새마을 운동: 정부가 주도하여 농촌의 환경을 편리하게 가꾸기 위해 마을 길을 넓히고 지붕을 고쳤어요.

(3) 1980년대의 경제 성장(전두환·노태우 정부)

┌ 1973년과 1978년 두 차례에 걸쳐 원유 생산국들의 사정에 의해 석유 공급이 부족해지고, 석유 가격이 크게 올라 세계 경제가 큰 어려움을 겪은 일

① 경제의 비약적인 성장: 석유 파동으로 어려움을 겪기도 하였으나, 1980년대 중반 이후 수출하기 좋은 조건들이 이루어지면서 안정적으로 경제 성장을 이룩할 수 있었습니다.

② 서울 올림픽 대회 개최: 전두환 정부 때 유치한 서울 올림픽 대회를 1988년 노태우 정부 때 성공적으로 개최하였습니다.

▲ 88 서울 올림픽 대회 개최: 1988년에 서울에서 올림픽 대회가 개최되었어요. 우리나라는 종합 4위의 우수한 성적을 거두었답니다.

(4) 1990년대·2000년대 우리나라의 발전(김영삼·김대중·노무현 정부)

① 김영삼 정부

정치와 경제	• 지방 자치제를 전면적으로 실시하였음. • 금융 실명제를 실시하였고, 경제 협력 개발 기구(OECD)에 가입하였음. ┌ 은행 등 금융 기관과 거래를 할 때 본인의 이름으로만 거래할 수 있도록 한 제도
외환 위기의 발생	• 1997년 외환의 부족으로 외환 위기가 발생하였음. • 국제 통화 기금(IMF)에서 외환을 빌렸음.

② 김대중 정부

㉠ 최초로 선거에 의한 평화적인 정권 교체가 이루어졌습니다.

㉡ 외환 위기 극복을 위해 기업들은 구조 조정을 하였으며, 국민들은 금 모으기 운동을 벌여 위기를 극복하였습니다.

㉢ 외환 위기로 실업자가 늘어나고 빈부 격차가 커졌습니다.

㉣ 2002년에 한·일 월드컵 축구 대회가 개최되었습니다.

③ 노무현 정부

㉠ 경부 고속 철도(KTX)가 개통되었고, 2005년에는 호주제가 철폐되었습니다.

㉡ 행정 수도의 이전을 추진하였고, 과거사 정리를 위해 노력하였습니다.

㉢ 미국과 자유 무역 협정(FTA)을 체결하였습니다.

㉣ 아시아·태평양 경제 협력체(APEC) 정상 회의를 개최하였습니다.

▲ 금 모으기 운동(김대중 정부): 외환 위기가 발생하자 국민들은 나라의 빚을 갚기 위하여 자발적으로 금 모으기 운동에 참여하였어요.

▲ 2002 한·일 월드컵 축구 대회(김대중 정부): 우리나라는 일본과 함께 월드컵 축구 대회를 공동으로 개최하였어요.

▲ 경부 고속 철도 개통(노무현 정부): 고속 철도(KTX)의 개통으로 전국 어디든 반나절 만에 다녀올 수 있게 되었어요.

📍 지방 자치제

지역의 주민과 그들이 선출한 대표가 지역의 살림살이를 자율적으로 처리하는 것을 말하며, 1990년대에 본격적으로 실시되었어요.

📍 경제 협력 개발 기구(OECD)

경제 성장, 개발 도상국 원조, 무역 확대의 세 가지를 주요 목적으로 하여 창설된 국제 경제 협력 기구로, 주로 선진국들이 모였어요.

📍 호주제와 가족 관계 등록부

호주제는 자녀의 성과 본을 아버지의 것만 따라야 했던 제도예요. 아버지를 중심으로 가족 단위를 묶어 개인의 인적 사항을 모두 기록하였어요. 오늘날에는 호주제 대신 가족 관계 등록부가 만들어져 개인별 생년월일과 가족 관계만 기록하고 자녀의 성과 본을 어머니의 것으로 사용할 수도 있게 되었어요.

27일

일

일

기출선지 돋보기

• [노태우 정부] 서울 올림픽 대회가 개최되었다. 55·48·47·44·43·41회

• [김영삼 정부] 금융 실명제를 전면 실시하였다. 50·49·47·45·42·41회

• [김영삼 정부] 경제 협력 개발 기구(OECD)에 가입하였다.
55·54·52·49~47·42회

• [김영삼 정부] 국제 통화 기금(IMF)에 긴급 구제 금융을 요청하였다. 46회

• [김영삼, 김대중 정부] 외환 위기 발생과 금 모으기 운동 48회

• [노무현 정부] 한·미 자유 무역 협정(FTA)이 체결되었다. 55·49·46회

최초의 이산가족 고향 방문

1985년에 남북한 이산가족 행사가 열려 최초로 서울과 평양에서 동시에 이산가족 상봉이 이루어졌습니다.

기출선지 돋보기

- [박정희 정부] 7·4 남북 공동 성명을 발표하였다. 54·44·43·41회
- [전두환 정부] 이산가족 고향 방문을 최초로 성사시켰다. 47·44회
- [노태우 정부] 남북한이 유엔에 동시 가입하였다. 54·47·42·41회
- [노태우 정부] 남북 기본 합의서를 채택하였다. 54·49·48·44·42·41회
- [김대중 정부] 남북 정상 회담을 최초로 개최하였다. 44·41·40회
- [김대중 정부] 6·15 남북 공동 선언이 발표되었다. 49~46회
- [김대중 정부] 남북한이 개성 공단 조성에 합의하였다. 50·49·43·42회

2 북한의 모습과 통일을 위한 노력

(1) 북한의 모습

정치	• 김일성을 중심으로 사회주의 정부가 들어섰음. • 김일성, 김정일, 김정은으로 3대째 권력을 세습하고 있음.
경제	• 사유 재산을 인정하지 않으며, 기본적으로 국가가 모든 경제 계획을 수립하는 사회주의 경제 체제를 유지하고 있음. • 계속되는 경제 상황의 악화와 사회주의권의 붕괴로 주민들의 생활이 어려워졌음.

(2) 통일을 위한 각 정부의 노력

① 이승만 정부: 6·25 전쟁으로 통일에 대한 논의가 어려웠고, 북진 통일과 반공 정책을 기본으로 정하였습니다.
└ 북한의 공산주의를 반대하는 것

② 박정희 정부

ㄱ 1971년 남북 적십자 회담이 열려 이산가족 찾기를 논의하였습니다.

ㄴ 1972년 **7·4 남북 공동 성명**을 발표하여 3대 통일 원칙(자주, 평화, 민족 대단결)에 합의하였고, 이를 추진하기 위해 남북 조절 위원회를 구성하였습니다.

③ 전두환 정부: 1985년에 이산가족 고향 방문단이 교환되어 **최초로 이산가족 상봉**이 이루어졌습니다.

④ 노태우 정부

ㄱ 소련, 중국 등 공산 국가와 수교하였습니다(북방 외교).

ㄴ 1991년 **남북한이 동시에 국제 연합(UN)에 가입**하였습니다.

ㄷ 1991년 **남북 기본 합의서**가 채택되어 남북한의 상호 체제를 인정하고, 상호 불가침 및 교류와 협력에 관해 합의하였습니다.

ㄹ 1991년 한반도 비핵화 공동 선언을 채택하여 핵무기를 만들지 않기로 선언하였습니다.
└ 침범하여서는 안 된다는 의미

⑤ 김영삼 정부: 남북 정상 회담을 추진하였으나, 회담을 앞두고 김일성이 갑자기 사망하여 실패하였습니다.

⑥ 김대중 정부

▲ 제1차 남북 정상 회담 (2000년): 김대중 대통령은 평양에서 북한의 김정일 국방 위원장을 만나 통일 문제에 대해 논의하였어요. 이는 남한과 북한의 정상이 처음으로 만난 일이었어요.

ㄱ 제1차 남북 정상 회담 개최(2000년): 평양에서 최초로 남북 정상 회담이 개최되었으며, 6·15 남북 공동 선언이 채택되었습니다.

ㄴ 2000년 시드니 올림픽 대회 개회식에 남북이 공동 입장하였습니다.

ㄷ 경의선 복구 사업이 추진되었고, **개성 공단** 건설을 추진하였으며, 금강산 관광이 시작되었습니다.
└ 남한의 서울에서부터 북한의 신의주까지 연결된 철도, 국토가 분단되어 있어 현재는 파주 도라산까지 운행되고 있음.
└ 1998년부터는 해로, 노무현 정부 시기인 2003년부터는 육로를 통한 관광이 시작되었음. 현재는 중단된 상태임.

⑦ 노무현 정부
 ㉠ 제2차 남북 정상 회담 개최(2007년): 제2차 남북 정상 회담이 개최되어 10·4 남북 공동 선언이 발표되었습니다.
 ㉡ 개성 공단에 입주가 시작되어 개성 공단을 통해 남북 협력 사업이 진행되었고, 금강산 육로 관광 및 개성 관광 사업이 시작되었습니다.

꼬리에 꼬리를 무는 역사

오늘날의 남북 관계는 어떠한가요?

현재 남북한은 전쟁을 끝내고 평화를 약속한 것이 아니라 1953년 6·25 전쟁의 정전 협정 체결 이후 지금까지 전쟁을 쉬고 있는 휴전 상태예요. 지금도 휴전선을 중심으로 남과 북이 분단되어 서로를 향해 경계를 세우고 있지요. 그렇기 때문에 남한과 북한 모두 군사비에 많은 돈을 지출하고 있으며, 국민들은 국방의 의무를 지고 군대에 가야 해요. 때때로 남북한 사이에 갈등이 있을 때면 북한의 군사 도발이나 핵 개발 실험 등으로 인해 한반도에 긴장감이 높아지기도 한답니다. 물론 남과 북 사이에는 화해와 평화를 위한 교류도 이루어지고 있어요. 이산가족 상봉 행사, 예술단 교환과 공연 행사, 올림픽 등의 국제 행사에 선수단 동시 입장 등 여러 평화적인 교류가 이루어지고 있답니다.

27일

월

일

기출선지 돋보기

• [노무현 정부] 제2차 남북 정상 회담을 개최하였다. 36회

남북, 평화 통일을 향해 나아가다

박정희 정부

1970년대 박정희 정부 시기에 자주·평화·민족 대단결의 3원칙에 합의한 7·4 남북 공동 성명이 발표되었어요.

전두환 정부

1980년대 전두환 정부 시기에 최초의 이산가족 상봉과 예술 공연단 교환이 이루어졌어요.

김대중 정부·노무현 정부

김대중 대통령과 노무현 대통령은 남북 정상 회담을 열었어요. 이 시기에 금강산 관광 산업, 개성 공단 사업 등의 경제적 교류가 이루어졌어요.

기출키워드로 정리하기 비주얼씽킹 내용을 참고하여 아래 기출선지를 완성해 보세요.

| ㉠ 김대중 | ㉡ 박정희 | ㉢ 전두환 |

01 1970년대 (   ) 정부 시기에 7·4 남북 공동 성명이 발표되었습니다.

02 1980년대 (   ) 정부 시기에 최초로 이산가족 상봉이 이루어졌습니다.

03 2000년 (   ) 대통령은 평양에서 김정일과 최초의 남북 정상 회담을 열었습니다.

정답 01 ㉡ 02 ㉢ 03 ㉠

01

(가)에 들어갈 사진으로 옳은 것은? [2점]

1970년대 대한민국 사진전
- 경제 분야 -

경부 고속 도로 개통 | 포항 종합 제철 공장 준공 | (가)

① 수출 100억 달러 달성

② 서울 올림픽 대회 개최

③ 경제 협력 개발 기구 (OECD) 가입

④ 아시아·태평양 경제 협력체 (APEC) 정상 회의 개최

📖 교과 연계 초등 사회 6-2 2.1 한반도의 미래와 통일

02

(가) 시기에 있었던 사실로 옳은 것은? [3점]

1985   1998

(가)

남북 이산가족 최초 상봉

정주영의 소 떼 방북

① 개성 공단 조성에 합의하였다.

② 남북 기본 합의서가 채택되었다.

③ 남북 조절 위원회가 설치되었다.

④ 6·15 남북 공동 선언이 발표되었다.

03

(가)에 들어갈 사진으로 적절한 것은? [3점]

사진으로 보는 노무현 정부

10·4 남북 공동 선언 | (가) | 행정 중심 복합 도시 건설 시작

① 경부 고속 도로 준공

② 평창 동계 올림픽 개최

③ 경제 협력 개발 기구 (OECD) 가입

④ 아시아·태평양 경제 협력체 (APEC) 정상 회의 개최

27일

월

일

▲ 운현궁
흥선 대원군의 집으로, 고종이 태어나고 어린 시절을 보냈으며, 고종이 왕위에 즉위하면서 운현궁으로 불렸습니다.

▲ 정족산성
병인양요 때 양헌수 등이 이끄는 조선의 군대가 정족산성에서 프랑스군을 물리쳤습니다.

▲ 외규장각
왕실 물품이나 책 등을 보관하기 위하여 강화도에 설치한 규장각입니다. 병인양요 때 프랑스군이 외규장각을 약탈하였습니다.

▲ 배재 학당
1885년, 미국인 선교사 아펜젤러가 세운 중등학교입니다.

환구단
▲ 환구단
고종 황제가 하늘에 제사를 지내고, 황제 즉위식을 거행한 곳입니다.

▲ 독립문
독립 협회에서는 백성들의 성금을 모아 자주독립을 상징하는 독립문을 세웠습니다.

▲ 덕수궁 중명전
일제에 의해 강제로 을사늑약이 체결된 장소입니다.

▲ 서대문 형무소
일제 강점기 때 일제가 독립운동가들을 가두고 고문하였던 장소입니다.

▲ 덕수궁 석조전
덕수궁에 지어진 서양식 건물입니다. 광복 이후 미·소 공동 위원회가 개최되었던 곳입니다.

▲ 광성보

신미양요 때 어재연 등이 이끄는 조선군이 광성보에서 미군에 맞서 끝까지 싸웠습니다.

▲ 강화도 연무당 터

연무당은 1876년, 조선과 일본의 대표가 모여 강화도 조약을 체결한 곳입니다.

▲ 광혜원

우리나라 최초의 서양식 병원으로, 이후 제중원으로 이름이 바뀌었습니다.

▲ 구 러시아 공사관

을미사변 이후 고종이 임시로 거처를 옮긴 곳입니다. 6·25 전쟁으로 불타 지금은 탑 부분만 남아 있습니다.

▲ 경복궁 건청궁

일본인에 의해 명성 황후가 시해된 사건(을미사변)이 일어난 곳입니다.

▲ 우정총국

근대적 우편 제도를 실시하기 위해 만든 기구로, 개국 축하연 자리에서 갑신정변이 일어나 폐쇄되었다가 이후 다시 설치되었습니다.

▲ 경교장

광복 이후 김구의 집무실로 사용되었던 곳으로, 이곳에서 김구가 암살되었습니다.

▲ 판문점

비무장 지대의 군사 분계선에 있는 구역으로, 6·25 전쟁의 정전 협정이 체결된 곳입니다.

▲ 명동 성당

서울에 있는 성당으로, 6월 민주 항쟁 때 시위가 벌어졌던 곳입니다.

에듀윌이
너를
지지할게
ENERGY

끝을 맺기를 처음과 같이하면 실패가 없다.
마지막에 이르기까지
처음과 마찬가지로 주의를 기울이면
어떤 일도 해낼 수 있을 것이다.

– 노자

1문제 더 맞히기!

테마 한국사

28강 지역사, 세시 풍속과 민속놀이, 유네스코 등재 유산, 조선의 궁궐

▶ 개념강의

1 지역사

(1) 독도와 간도

① 독도의 역사

울릉도와 독도를 포함한 주변 섬에 있던 나라

삼국 시대	6세기 신라 지증왕 때 이사부가 우산국을 정복한 이래 우리나라의 고유 영토였음.
조선 시대	• 『세종실록지리지』에는 독도에 대한 자세한 기록이 있음. • 주민의 안전을 위해 섬을 비우는 정책을 추진하기도 하였음. • 숙종 때 일본 어민들이 울릉도와 독도 주변을 자주 침범하자, **안용복**은 일본으로 건너가 일본 정부에게 울릉도와 독도가 조선의 영토임을 확인시켰음.
대한 제국	• 1900년 **대한 제국 칙령 제41호**를 반포하여 독도가 우리 영토임을 분명히 하였음. • 러 · 일 전쟁 때 일본이 불법적으로 독도를 자기들의 영토에 편입시켰음. • 대한 제국 정부는 일본의 불법적인 독도 점령에 대해 공식적으로 항의하였음.

"우산(독도), 무릉(울릉도) 두 섬은 거리가 멀지 않아 날씨가 맑으면 서로 볼 수 있었다."라고 기록되어 있음.

② 간도 문제

조선 시대	**백두산정계비** 건립(1712년): 숙종 때 조선과 청나라 사이에 국경 문제가 발생하자, 백두산정계비를 세워 양국의 경계를 정하였음.
대한 제국	• 백두산정계비에 등장하는 토문강에 대해 조선은 쑹화강의 지류인 토문강으로, 청나라는 두만강으로 주장하였음. • 대한 제국 정부는 **이범윤**을 간도 관리사로 임명하여 간도를 함경도에 편입시키고, 영향력을 행사하였음 (1903년). • 간도 협약 체결(1909년): 을사늑약 이후 외교권을 상실한 상태에서 일본은 청나라와 간도 협약을 체결하여 간도를 청나라의 영토로 인정해 주는 대신 만주 지역의 여러 권한을 챙겼음.

┃ 백두산정계비 ┃

▲ 백두산정계비: 청나라와 조선의 국경을 정해 세운 비석이에요.

청나라의 오라총관 목극등 등과 조선의 관원들이 백두산 일대를 현지 답사한 후에 비석을 세웠다.

"청나라 오라총관 목극등이 청나라 황제의 명을 받아 국경 근처를 답사하여 살펴보니 국경이 서쪽은 압록강이 되고, 동쪽은 토문강이 되므로 이를 돌에 새겨 기록한다."

(2) 북부 지방과 경기 · 강원도

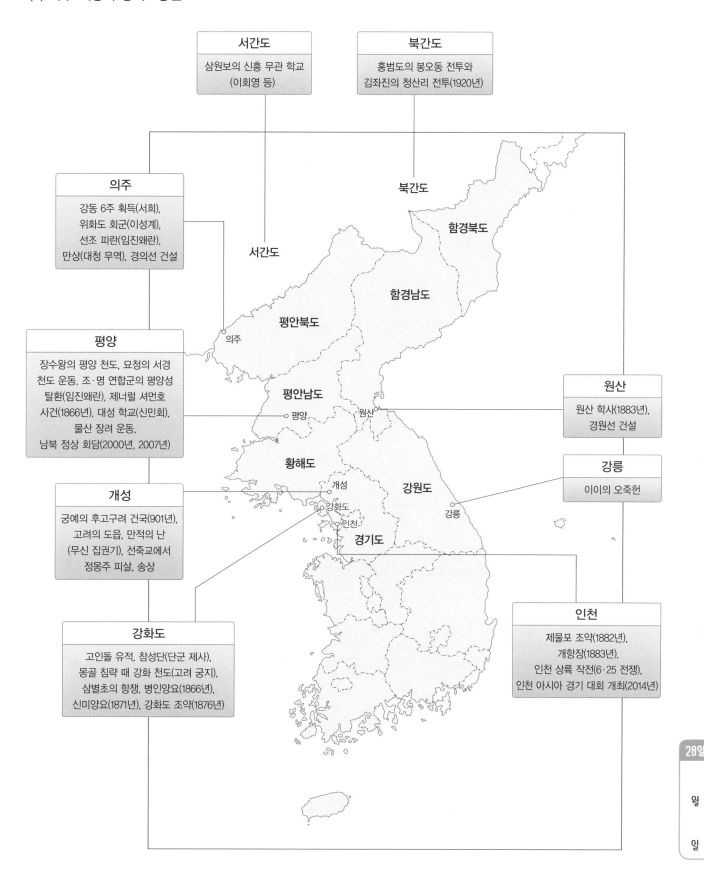

서간도
삼원보의 신흥 무관 학교
(이회영 등)

북간도
홍범도의 봉오동 전투와
김좌진의 청산리 전투(1920년)

의주
강동 6주 획득(서희),
위화도 회군(이성계),
선조 피란(임진왜란),
만상(대청 무역), 경의선 건설

평양
장수왕의 평양 천도, 묘청의 서경
천도 운동, 조·명 연합군의 평양성
탈환(임진왜란), 제너럴 셔먼호
사건(1866년), 대성 학교(신민회),
물산 장려 운동,
남북 정상 회담(2000, 2007년)

개성
궁예의 후고구려 건국(901년),
고려의 도읍, 만적의 난
(무신 집권기), 선죽교에서
정몽주 피살, 송상

강화도
고인돌 유적, 참성단(단군 제사),
몽골 침략 때 강화 천도(고려 궁지),
삼별초의 항쟁, 병인양요(1866년),
신미양요(1871년), 강화도 조약(1876년)

원산
원산 학사(1883년),
경원선 건설

강릉
이이의 오죽헌

인천
제물포 조약(1882년),
개항장(1883년),
인천 상륙 작전(6·25 전쟁),
인천 아시아 경기 대회 개최(2014년)

함경북도
함경남도
평안북도
평안남도
황해도
강원도
경기도

의주
평양
원산
개성
강화도
인천
강릉

28일

월

일

(3) 충청 · 전라 · 경상 · 제주도

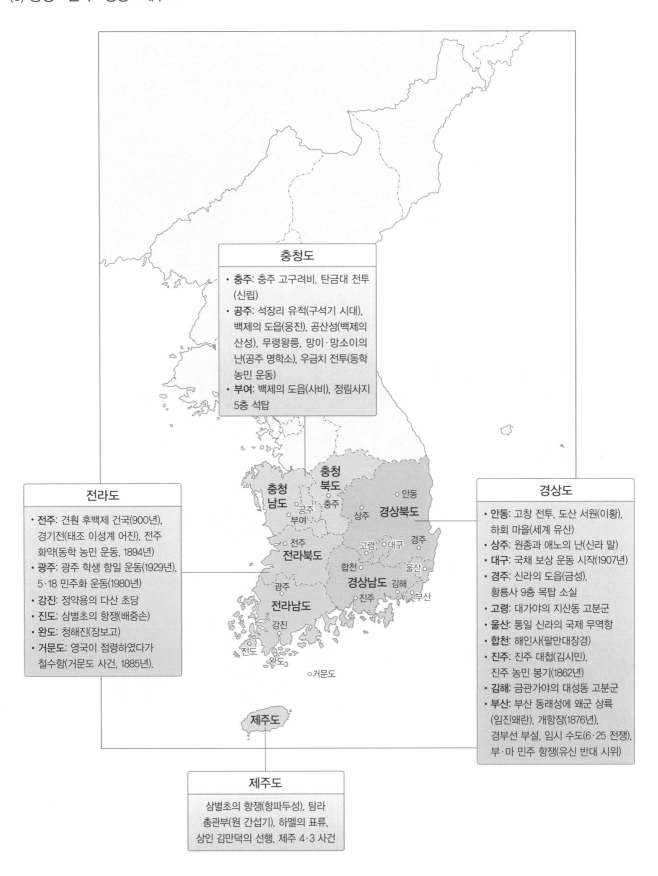

충청도

- **충주**: 충주 고구려비, 탄금대 전투 (신립)
- **공주**: 석장리 유적(구석기 시대), 백제의 도읍(웅진), 공산성(백제의 산성), 무령왕릉, 망이·망소이의 난(공주 명학소), 우금치 전투(동학 농민 운동)
- **부여**: 백제의 도읍(사비), 정림사지 5층 석탑

전라도

- **전주**: 견훤 후백제 건국(900년), 경기전(태조 이성계 어진), 전주 화약(동학 농민 운동, 1894년)
- **광주**: 광주 학생 항일 운동(1929년), 5·18 민주화 운동(1980년)
- **강진**: 정약용의 다산 초당
- **진도**: 삼별초의 항쟁(배중손)
- **완도**: 청해진(장보고)
- **거문도**: 영국이 점령하였다가 철수함(거문도 사건, 1885년).

경상도

- **안동**: 고창 전투, 도산 서원(이황), 하회 마을(세계 유산)
- **상주**: 원종과 애노의 난(신라 말)
- **대구**: 국채 보상 운동 시작(1907년)
- **경주**: 신라의 도읍(금성), 황룡사 9층 목탑 소실
- **고령**: 대가야의 지산동 고분군
- **울산**: 통일 신라의 국제 무역항
- **합천**: 해인사(팔만대장경)
- **진주**: 진주 대첩(김시민), 진주 농민 봉기(1862년)
- **김해**: 금관가야의 대성동 고분군
- **부산**: 부산 동래성에 왜군 상륙 (임진왜란), 개항장(1876년), 경부선 부설, 임시 수도(6·25 전쟁), 부·마 민주 항쟁(유신 반대 시위)

제주도

삼별초의 항쟁(항파두성), 탐라 총관부(원 간섭기), 하멜의 표류, 상인 김만덕의 선행, 제주 4·3 사건

2 세시 풍속과 민속놀이

(1) 세시 음식과 세시 풍속

① 세시 음식: 명절이나 절기마다 먹었던 음식을 말합니다.

  ㉠ 봄에는 봄나물이나 진달래꽃전, 여름에는 삼계탕, 가을에는 국화전이나 송편, 겨울에는 팥죽을 먹었습니다.

  ㉡ 설날에는 떡국, 정월 대보름에는 오곡밥, 한식과 단오에는 쑥떡, 추석에는 송편을 만들어 먹었습니다.

동지에 즐겨 먹음.

▲ 진달래꽃전

▲ 삼계탕

▲ 송편

▲ 팥죽

▲ 떡국

▲ 오곡밥

② 세시 풍속: 절기나 계절마다 이루어지던 의식이나 행사를 말합니다.

세시	날짜	세시 풍속
설날	음력 1월 1일	성묘, 차례, 세배, 윷놀이, 야광귀 쫓기, 복조리 걸기 등을 하였음.
정월 대보름	음력 1월 15일	오곡밥 먹기, 부럼 깨기, 쥐불놀이, 달집태우기 등을 하였음.
한식	양력 4월 5일경	불을 사용하지 않은 찬 음식을 먹었으며, 성묘 · 잡초 제거 등을 하였음.
단오	음력 5월 5일	창포물에 머리 감기, 씨름, 그네뛰기 등을 하였음.
칠석	음력 7월 7일	견우, 직녀가 만나는 날이라고 전해짐. 여자들은 바느질 솜씨가 좋아지게 해달라고 빎.
추석	음력 8월 15일	한가위라고도 불렸음. 차례, 성묘, 송편 빚기, 강강술래 등을 하였음.
동지	양력 12월 22일경	1년 중 밤이 가장 긴 날로, 붉은 팥죽을 쑤어 대문에 뿌렸음.

(2) 마을 제사와 복을 비는 풍속

① 마을 제사: 마을신에게 마을의 편안함과 개인의 행복을 기원하였습니다.

② 마을 사람들이 복을 빌던 물건이나 자연물: 솟대, 장승, 서낭당, 당산나무 등을 세워 자연재해나 질병 등의 재앙이 발생하지 않도록 빌었습니다.

(3) 민속놀이

① 조선 시대의 민속놀이: 마을 사람들이 함께 모여 풍년을 기원하며 민속놀이를 즐겼습니다.

② 민속놀이 모습

▲ 씨름
예로부터 내려오는 우리나라의 놀이로, 특히 단오에 즐겼어요. 두 사람이 샅바나 바지의 허리춤을 잡고 힘과 기술을 겨루어 상대를 먼저 땅에 넘어뜨린 사람이 승자가 되는 놀이예요.

▲ 차전놀이
동부와 서부로 편을 갈라 겨루는 놀이예요. 동채 위에 대장이 올라 탄 후 동채를 밀고 들어가 상대 동채를 땅에 닿도록 하면 승리하지요. 고려와 후백제의 고창 전투에서 유래하였어요.

▲ 줄다리기
마을의 단합과 풍년을 기원하며 주로 정월 대보름에 즐기던 놀이예요. 사람들이 두 편으로 나뉘어 볏짚으로 만든 줄을 마주 잡고 당겨 승부를 겨루었어요.

▲ 고싸움놀이
풍요를 기원하고 마을 사람들의 협동심과 단결력을 다지기 위한 민속놀이로, 서로 맞부딪치며 싸워 상대편 앞부분 둥근 모양의 고를 땅에 먼저 닿게 하여 승부를 겨루었어요.

③ 유네스코 등재 유산

(1) 유네스코 세계 유산 → 2021년에 '한국의 갯벌(충남 서천, 전북 고창, 전남 신안, 전남 보성·순천의 갯벌)'이 세계 자연 유산으로 등재되었음.

▲ 석굴암과 불국사(1995년)

통일 신라 경덕왕 때 김대성에 의해 창건되어 혜공왕 때 완성하였습니다. 석굴암은 당대의 기술이 접목된 고도의 건축 기술과 뛰어난 조형 감각을 보여 주는 불교 예술입니다. 불국사는 불교적 이상 세계를 표현한 건축물로 청운교와 백운교, 3층 석탑(석가탑)과 다보탑이 유명합니다.

▲ 해인사 장경판전(1995년)

15세기(조선 초) 합천 해인사에 건립한 건물입니다. 고려 시대에 제작된 팔만대장경을 보존하기 위한 건물로 환기, 온도, 습도 등 대장경을 보존하는 데 적합하도록 설계한 과학적인 건축물입니다.

▲ 종묘(1995년)

조선 왕조의 역대 국왕과 왕비의 신주를 모신 사당입니다. 태조가 한양으로 천도한 이후 곧바로 세웠으며, 임진왜란 때 불탔으나 광해군 때 중건되어 같은 형태로 500년 이상 보존되어 오고 있습니다.

▲ 창덕궁(1997년)

조선 태종 때 세워졌으며, 임진왜란 이후 흥선 대원군에 의해 경복궁이 복원되기 전까지 정치의 중심지 역할을 했습니다. 창덕궁은 창경궁과 더불어 동쪽에 위치하여 '동궐'이라고 불렸는데, 대칭적인 경복궁과 달리 주변의 산세를 이용한 자연스러운 모습이 돋보입니다.

▲ 수원 화성(1997년)

조선 정조 때 세워졌으며, 정약용이 제작한 거중기를 사용하여 만들어졌습니다. 6·25 전쟁 당시 성의 일부가 파손되었으나 화성의 건축 과정을 기록한 『화성성역의궤』가 남아 있어 원형 그대로 복원할 수 있었습니다.

▲ 경주 역사 유적 지구(2000년)

경주는 신라의 천 년 도읍으로, 신라의 역사를 살펴볼 수 있는 문화유산들이 다양하게 분포하고 있습니다. 크게 남산 지구, 월성 지구, 대릉원 지구, 황룡사 지구, 산성 지구 등의 5개 지구로 구분됩니다.

▲ 고창, 화순, 강화의 고인돌 유적(2000년)

청동기 시대에 만들어진 고인돌은 세계 곳곳에서 발견됩니다. 특히 우리나라는 고인돌이 전 세계에서 가장 밀집되어 있는 지역으로 약 30,000여 기가 분포하고 있습니다.

▲ 제주 화산섬과 용암 동굴(2007년)

제주도는 지구의 화산 생성 과정 연구에 학술적 가치를 지니고 있고, 다양한 희귀 생물이나 멸종 위기종의 서식지가 분포하고 있어 생태계 연구에 중요한 가치가 있습니다.

▲ 조선 왕릉(2009년)

조선 시대의 능(왕과 왕비의 묘)은 유교의 양식에 따라 공간 및 구조물을 배치하였습니다. 북한 지역에 2기가 남아 있으며, 남한에 42기가 분포하는데 남한의 왕릉 중에서 연산군과 광해군의 묘 2개를 제외하고 40기가 등재되었습니다.

▲ 한국의 역사 마을: 하회와 양동(2010년)

안동 하회 마을은 풍산 류씨가 모여 사는 마을이며, 경주 양동 마을은 경주 손씨, 여강 이씨가 모여 사는 마을입니다. 두 마을은 양반 주거 문화의 모습을 그대로 보존하고 있으며, 풍수지리에 따라 만들어졌습니다. 하회 별신굿 탈놀이가 유명합니다.

▲ 남한산성(2014년)

경기도 광주시, 성남시, 하남시에 걸쳐 있는 산성입니다. 삼국 시대부터 백제와 신라의 군사적 요충지였으며, 조선 시대의 행궁과 사찰 등 산성 마을의 형태가 남아 있습니다. 특히 병자호란 때 인조가 청나라에 저항한 곳으로 잘 알려져 있습니다.

▲ 백제 역사 유적 지구(2015년)

공주시, 부여군, 익산시 3개 지역에 분포된 고고학 유적지로 이루어져 있습니다. 공주 공산성(웅진 시대 백제의 도성), 무령왕릉을 포함한 공주 송산리 고분군, 부여 관북리 유적, 부여 부소산성(사비 시대 수도의 방어성), 부여 왕릉원(능산리 고분군), 부여 정림사지, 부여 나성, 익산 왕궁리 유적, 익산 미륵사지 등이며 475~660년 사이 백제의 역사를 보여 주고 있습니다.

▲ 산사, 한국의 산지 승원(2018년)

양산 통도사, 영주 부석사, 안동 봉정사, 보은 법주사, 공주 마곡사, 순천 선암사, 해남 대흥사까지 총 7곳의 산사로 구성되어 있습니다. 이 절들은 한국 불교의 역사성을 간직하였다는 점과 각각 7~9세기에 걸쳐 창건되어 신앙, 수도, 생활의 기능을 모두 지속적으로 유지한 종합 승원이라는 점을 인정받았습니다.

▲ 한국의 서원(2019년)

조선 시대의 핵심 이념인 성리학을 보급하고 교육한 서원 9곳을 말합니다. 영주 소수 서원, 함양 남계 서원, 경주 옥산 서원, 안동 도산 서원, 장성 필암 서원, 달성 도동 서원, 안동 병산 서원, 정읍 무성 서원, 논산 돈암 서원으로 구성되어 있습니다.

(2) 유네스코 세계 기록 유산

▲ 『훈민정음』 해례본(1997년)
세종 대왕에 의해 지어진 훈민정음의 창제 목적 및 그 운용 방법에 대해 밝히고 있습니다.

▲ 『조선왕조실록』(1997년)
조선 시대에 왕이 죽은 후 편년체 방식으로 편찬하였습니다. 사관이 아니라면 국왕이라도 볼 수 없도록 하였습니다.

▲ 『승정원일기』(2001년)
국왕의 비서 기관인 승정원의 기록으로, 세계 최대의 기록물입니다.

▲ 『직지심체요절』(2001년)
현존하는 가장 오래된 금속 활자본으로, 서양의 금속 활자보다 70여 년 앞서 청주 흥덕사에서 제작되었습니다.

▲ 조선 왕조 『의궤』(2007년)
왕실의 주요 행사를 시각적으로 체계화하여 기록하였습니다.

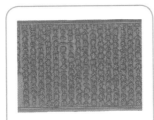

▲ 팔만대장경판(2007년)
몽골의 침입을 부처의 힘으로 이겨 내기 위해 만들어졌으며, 현재 해인사 장경판전에 보관되어 있습니다.

▲ 『동의보감』(2009년)
허준에 의해 저술됐으며, 동아시아 의학을 종합하여 간행한 책입니다.

▲ 『일성록』(2011년)
정조가 세손 시절부터 일상생활과 학업 성과를 일기 형식으로 기록한 것에서 유래하였으며, 즉위 후 규장각에서 집필되었습니다.

▲ 5 · 18 민주화 운동 기록물
(2011년)

5 · 18 민주화 운동과 관련된 문서 및 사진, 영상 자료들입니다.

▲ 『난중일기』(2013년)

이순신이 임진왜란 기간 중 군중에서 직접 쓴 일기입니다.

▲ 새마을 운동 기록물
(2013년)

1970년부터 1979년까지 추진한 새마을 운동 과정에서 생산된 여러 자료를 말합니다.

▲ 한국의 유교 책판(2015년)

조선 시대에 718종의 서책을 간행하기 위해 판각한 책판입니다.

▲ KBS 특별 생방송 '이산가족을 찾습니다' 기록물
(2015년)

KBS가 1983년에 방송한 '이산가족을 찾습니다' 관련 기록물입니다.

▲ 조선 왕실 어보와 어책
(2017년)

어보는 조선 왕실의 의례용 도장이며, 어책은 세자와 세자빈의 책봉, 비와 빈의 직위 하사 때 내린 교서입니다.

▲ 조선 통신사에 관한 기록
(2017년)

1607년부터 1811년까지 조선에서 일본으로 파견되었던 외교 사절단인 통신사에 대한 기록입니다.

▲ 국채 보상 운동 기록물
(2017년)

1907년부터 1910년까지 일어난 국채 보상 운동의 모든 과정을 보여 주는 기록물입니다.

(3) 유네스코 무형 문화유산

▲ 종묘 제례 및 종묘 제례악
(2001년)

종묘 제례는 종묘에서 이루어지는 제향 의식, 종묘 제례악은 종묘의 본전과 영녕전 제향 때 연주되는 음악을 말합니다.

▲ 판소리(2003년)

북치는 고수의 장단에 맞추어 소리꾼이 소리, 아니리, 너름새 등을 섞어 이야기를 풀어 나가는 종합 예술입니다.

▲ 강릉 단오제(2005년)

단오제는 풍년을 기원하는 축제로, 풍농과 풍어를 기원하는 제사를 올리며 관노 가면극, 그네, 씨름 등의 민속놀이가 펼쳐집니다.

▲ 강강술래(2009년)

임진왜란 당시 이순신의 전술에서 유래되었다는 이야기가 있습니다. 주로 한가윗날 밤에 여성들에 의해 이루어졌던 집단 놀이입니다.

▲ 남사당놀이(2009년)

남사당패는 서민들로 이루어진 유랑 예능 집단입니다. 이들은 양반 및 사회에 대한 비판을 예술을 통해 담아냈습니다.

▲ 영산재(2009년)

불교에서 행해지는 의식으로, 죽은 사람의 영혼이 극락왕생하기를 기원하는 의식입니다.

▲ 제주 칠머리당 영등굿
(2009년)

제주도에서 행해져 오는 특유의 굿으로, 영등신(영등 할맘)을 맞이하여 해녀와 어부의 안전, 마을의 평안, 풍어 등을 기원하였습니다.

▲ 처용무(2009년)

통일 신라 때부터 내려오는 처용 설화를 바탕으로 한 춤입니다. 처용이라는 가면을 쓰고 추는 춤으로, 악귀를 쫓는다는 의미입니다.

▲ 가곡(2010년)

관현악 반주에 맞춰 시조를 부르는 음악으로, 판소리와는 구별되는 상류 사회의 문화입니다.

▲ 대목장(2010년)

문짝이나 난간 등의 사소한 목공을 맡는 소목장과는 달리 궁궐이나 사찰 등의 목조 건축일을 하는 장인을 말합니다.

▲ 매사냥(2010년)

매를 이용한 사냥 방식입니다. 11개국이 함께 참여하여 유네스코 무형 유산으로 등재되었습니다.

▲ 택견(2011년)

전통 무예의 하나로, 수박희라고도 불렸습니다. 고구려 고분 벽화 등에 그 모습이 표현되어 있기도 합니다.

▲ 줄타기(2011년)

줄 위의 공중에서 재주와 함께 이야기, 발림을 섞어 가며 부리는 놀이입니다.

▲ 한산 모시짜기(2011년)

모시풀의 껍질을 벗긴 것을 재료로 모시를 만드는 것입니다. 충남 한산 지역은 다른 지역에 비해 모시풀의 품질이 우수합니다.

▲ 아리랑(2012년)

'아리랑' 또는 '아라리' 등 이와 유사한 구절이 후렴에 들어 있는 민요의 총칭입니다. 지역에 따라 다르게 전승되고 있습니다.

▲ 김장 문화(2013년)

김치는 양념과 젓갈로 버무린 한국식 저장 채소로, 한국인들의 식사에 빠질 수 없는 것입니다.

▲ 농악(2014년)

마을의 화합과 마을 주민의 안녕을 기원하기 위한 것으로, 타악기를 합주하면서 행진하거나 춤을 추며 연극을 펼치기도 합니다.

▲ 줄다리기(2015년)

한 해의 풍년과 마을의 단합을 위해 벼농사 문화권에서 널리 행하는 놀이입니다. 주로 정월 대보름날에 이루어졌습니다.

▲ 제주 해녀 문화(2016년)

해녀의 물질 기술을 비롯한 제주 해녀 문화는 해녀의 발상지로 여겨지는 제주도의 해녀 공동체 안에서 전승되고 있습니다.

▲ 씨름(2018년)

전통 명절마다 열리는 씨름 대회는 한국 문화의 정체성을 상징합니다. 남북이 공동으로 등재하였습니다.

▲ 연등회(2020년)

부처의 탄신을 기념하는 종교 의식에서 비롯된 행사로 자신과 가족, 이웃, 나아가 나라의 복을 비는 마음이 담긴 행사입니다.

4 조선의 궁궐

▲ 경복궁

경복궁은 조선의 정궁으로, 조선 태조 때 정도전이 한양을 설계하면서 처음 지어진 궁궐입니다. 정문인 광화문, 공식 행사를 진행한 근정전, 왕의 집무실인 사정전, 외국 사신을 영접하고 연회를 열던 경회루, 휴식처로 사용된 누각인 향원정 등 수많은 건물로 구성되어 있습니다. 임진왜란 당시 불에 타 정궁의 역할을 하지 못하다가 고종 때 흥선 대원군이 다시 세웠습니다. 일제 강점기에는 일제가 우리 민족의 정신을 훼손하기 위해 궁궐 안에 조선 총독부 건물을 세웠습니다.

▲ 창덕궁

창덕궁은 조선 태종 때 경복궁의 동쪽에 지어진 이궐입니다. 불탄 경복궁을 대신하여 가장 오랜 기간 동안 조선 왕조의 정궁 역할을 담당하였습니다. 정문인 돈화문을 들어가면 정전인 인정전이 있고, 연못인 부용지 근처에는 정조가 만든 규장각(주합루)이 있습니다. 창덕궁은 일직선으로 배치된 것이 아니라 자연과의 조화를 고려한 건축물로 유명합니다.

▲ 창경궁

창경궁은 조선 성종 때 창덕궁을 확장하여 지은 이궐입니다. 일제에 의해 동물원과 식물원이 설치되고, 창경원으로 격하되는 수모를 겪었습니다.

▲ 덕수궁

덕수궁은 임진왜란 이후 선조의 임시 거처로 사용되다가 경운궁으로 이름이 바뀌었습니다. 고종은 거처를 러시아 공사관으로 옮겼다가 경운궁으로 환궁하였고, 강제 퇴위된 이후에도 머물면서 덕수궁이라 이름 지었습니다. 덕수궁에는 석조전, 중명전, 정관헌 등 다양한 서양식 건물이 남아 있는데, 그중 중명전은 을사늑약이 체결된 장소이고, 석조전은 미 · 소 공동 위원회가 열렸던 장소입니다. 이렇듯 우리 근 · 현대의 아픈 역사를 담고 있는 궁궐이라고 할 수 있습니다.

▲ 경희궁

경희궁은 광해군 때 지어진 궁궐로, 경복궁의 서쪽에 위치하여 서궐이라고도 불렸습니다.

기출 술술 하루마무리

■정답은 53쪽에서!

01
52회 19번

학생들이 공통으로 이야기하고 있는 지역을 지도에서 옳게 찾은 것은? [2점]

온조의 형 비류가 미추홀이라 불린 이 지역에 터를 잡았다고 해.

2014년 제17회 아시아 경기 대회가 개최되었어.

강화도 조약으로 부산, 원산에 이어 개항되었어.

① (가) ② (나) ③ (다) ④ (라)

02
54회 44번

다음 퀴즈의 정답으로 옳은 것은? [1점]

1단계	장수왕이 새로운 도읍으로 삼은 곳
2단계	물산 장려 운동이 시작된 곳
3단계	남북 정상 회담이 최초로 개최된 곳

제시된 단계별 힌트를 종합하여 알 수 있는 지역은 어디일까요?

① 원산 ② 서울 ③ 파주 ④ 평양

📖교과 연계 초등 사회 3-2 2.2 옛날과 오늘날의 세시 풍속

03
51회 36번

(가)에 들어갈 그림으로 적절하지 않은 것은? [1점]

정월 대보름 맞이 세시 풍속 이모티콘 출시

'정월'은 한 해를 처음 시작하는 달, '대보름'은 가장 큰 보름이라는 뜻으로 정월 대보름은 음력 1월 15일을 말합니다. 다양한 의식을 행하고 놀이를 즐기는 정월 대보름의 풍경을 담은 이모티콘을 지금 만나 보세요.

달집태우기

(가)

자세히 보러 가기 》

①  부럼 깨기

② 창포물에 머리 감기

③  쥐불놀이

④ 오곡밥 먹기

04
47회 20번

(가)에 들어갈 문화유산으로 옳은 것은? [2점]

2020 달빛 야행

태종 때 이궁으로 세워진 [(가)]으로 초대합니다. 조선의 정원 조경이 잘 보존된 후원까지 관람할 수 있는 이번 행사에 많은 참여 바랍니다.

◆ 달빛 따라 걷는 길
돈화문 ▶ 인정전 ▶ 낙선재
연경당 ▶ 후원 숲길 ▶ 돈화문
◆ 일시: ○○월 ○○일~○○월 ○○일 매주 목요일 20시~22시
◆ 주관: △△ 문화재단

28일
월
일

① 경복궁 ② 경희궁 ③ 덕수궁 ④ 창덕궁

테마 한국사 **253**

모바일 OMR
채점&성적 분석

QR 코드를 활용하여, 쉽고 빠른
응시 – 채점 – 성적 분석을 해 보세요!

1단계 QR 코드 스캔

2단계 로그인 & 회원가입

3단계 응시 & 채점 & 분석

해당 서비스는 2022년 10월 27일까지 이용하실 수 있습니다.

▶ **QR 코드는 어떻게 스캔하나요?**

① 네이버앱 ⇨ 그린닷 ⇨ 렌즈

② 카카오톡 ⇨ 더보기 ⇨ 코드 스캔(우측 상단 ⋮⋮ 모양)

③ 스마트폰 내장 카메라 사용(촬영 버튼을 누르지 않고 카메
   라 화면에 QR 코드를 비추면 URL이 자동으로 뜬답니다.)

기출문제로 실력 점검하기!

최종 기출 모의고사

01
50회 1번

(가) 시대에 처음 제작된 유물로 옳은 것은?　[1점]

선사 문화 축제
농경과 정착 생활이 시작된　(가)　시대로 떠나요!

· 일시: 2020년 ○○월 ○○일~○○일
· 주최: △△ 문화 재단

움집 생활
체험하기

갈돌과 갈판으로
곡식 갈기

가락바퀴로
실 뽑기

①

②

③

④

02
48회 3번

다음 자료에 해당하는 나라를 지도에서 옳게 고른 것은?　[3점]

이 나라에는 여자가 열 살이 되기 전에 혼인을 약속하고, 신랑 집에서는 여자를 데려와 기른 후 성인이 되면 신부 집에 대가를 주고 며느리로 삼는 풍속이 있었다. 또한 가족이 죽으면 뼈만 추려 보관하는 장례 풍습이 있었다.

① (가)　　② (나)　　③ (다)　　④ (라)

03
51회 2번

교사의 질문에 대한 학생의 답변으로 옳은 것은?　[2점]

이것은 무용총에 그려진 수렵도입니다. 이 문화유산을 남긴 국가에 대해 말해 볼까요?

① 22담로에 왕족을 파견했어요.

② 한의 침략을 받아 멸망했어요.

③ 신지, 읍차 등의 지배자가 있었어요.

④ 빈민 구제를 위해 진대법을 실시했어요.

04

다음 가상 인터뷰에 등장하는 왕의 재위 기간에 있었던 사실로 옳은 것은? [3점]

> 즉위한 이후에 어떤 일을 하셨나요?

> 국호를 신라로 확정하고 임금의 칭호를 마립간에서 왕으로 고쳤습니다.

① 불교가 공인되었다.

② 노비안검법이 시행되었다.

③ 이사부가 우산국을 정벌하였다.

④ 황룡사 구층 목탑이 건립되었다.

05

(가) 나라의 문화유산으로 옳지 <u>않은</u> 것은? [2점]

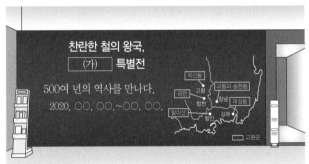

> 찬란한 철의 왕국,
> (가) 특별전
> 500여 년의 역사를 만나다.
> 2020. ○○. ○○.~○○. ○○.

① 금관

② 금동 대향로

③ 말머리 가리개

④ 기마인물형 뿔잔

06

다음에서 보도하고 있는 사건이 일어난 시기를 연표에서 옳게 고른 것은? [3점]

> 우리 고구려군이 당군에 맞서 치열하게 싸우고 있습니다. 당군이 성벽보다 높은 흙산을 쌓아 공략을 시도하고 있는데요, 성 안에서도 방어 태세를 갖추고 있는 것으로 보입니다. 지금까지 안시성 전투 현장에서 전해드렸습니다.

391	427	554	612	668
	(가)	(나)	(다)	(라)
광개토 대왕 즉위	고구려 평양 천도	관산성 전투	살수 대첩	고구려 멸망

① (가)   ② (나)   ③ (다)   ④ (라)

07

교사의 질문에 대한 학생의 대답으로 옳은 것은? [2점]

> 통일 신라의 대외 교역에 대해 말해 볼까요?

> ① 장보고가 청해진을 설치하여 해상 무역을 주도했어요.

> ② 무역소를 설치하여 여진과 교역했어요.

> ③ 개시와 후시를 통한 국경 무역이 활발했어요.

> ④ 낙랑과 왜에 철을 수출했어요.

29일

일

일

밑줄 그은 '이 국가'에 대한 설명으로 옳은 것은? [2점]

이것은 고구려 문화의 영향을 받은 이 국가의 문화유산입니다. 고구려의 옛 영토를 대부분 회복한 이 국가는 전성기에 해동성국이라 불렸습니다.

온돌 시설
(러시아 콕샤로프카)

치미
(중국 헤이룽장성)

① 상수리 제도를 실시하였다.

② 전국에 9주 5소경을 두었다.

③ 제가 회의에서 중요한 일을 결정하였다.

④ 인안, 대흥 등의 독자적 연호를 사용하였다.

밑줄 그은 '나'에 해당하는 인물로 옳은 것은? [1점]

오래전 신라는 당과 함께 백제를 멸망시켰다. 나는 이제 이곳 완산주에 도읍하여 의자왕의 억울함을 풀겠다.

① 견훤   ② 궁예   ③ 만적   ④ 양길

다음을 통해 알 수 있는 지역을 지도에서 옳게 고른 것은? [2점]

우리 고장의 문화유산

송산리 고분군에 가면 백제의 문화를 만날 수 있어요.

석장리 유적에 가면 구석기 사람들의 생활을 체험할 수 있어요.

우금치에 가면 동학 농민군의 아픔을 느낄 수 있어요.

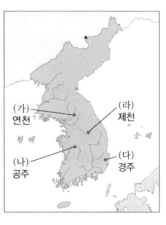

(가) 연천

(라) 제천

황해

동해

(나) 공주

(다) 경주

① (가)   ② (나)   ③ (다)   ④ (라)

11

다음 역사 다큐멘터리의 제목으로 가장 적절한 것은? [2점]

① 광종, 왕권 강화를 도모하다.
② 인종, 서경 천도를 계획하다.
③ 태조, 북진 정책을 추진하다.
④ 현종, 지방 제도를 정비하다.

12

다음 퀴즈의 정답으로 옳은 것은? [1점]

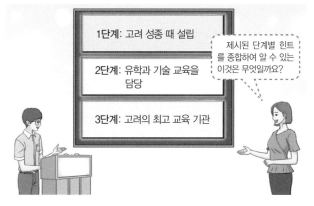

① 경당　　② 향교　　③ 국자감　　④ 주자감

13

(가) 인물에 대한 설명으로 옳은 것은? [2점]

① 삼국사기를 편찬하였다.
② 금국 정벌을 주장하였다.
③ 화약 무기를 개발하였다.
④ 고려에 성리학을 소개하였다.

14

밑줄 그은 '왕'의 업적으로 옳은 것은? [2점]

① 교정도감을 설치하였다.
② 천리장성을 축조하였다.
③ 쓰시마섬을 정벌하였다.
④ 쌍성총관부를 공격하였다.

15

52회 14번

(가) 국가의 경제 상황으로 옳은 것은? [2점]

화면 속의 청동 거울은 [(가)] 시대에 제작된 것으로, 여기에 새겨진 배를 통해 당시 국제 무역이 활발하게 이루어졌음을 짐작할 수 있습니다. 송을 비롯한 여러 나라 상인들은 예성강 하구의 벽란도를 드나들면서 무역을 하였습니다.

① 고구마, 감자 등이 재배되었다.

② 모내기법이 전국적으로 확산되었다.

③ 만상, 내상 등이 활발하게 활동하였다.

④ 활구라고 불린 은병이 화폐로 사용되었다.

16

48회 25번

(가)~(다) 불상을 만들어진 순서대로 옳게 나열한 것은? [3점]

한국의 석조 불상

(가) 서산 용현리 마애여래 삼존상

(나) 경주 석굴암 본존불상

(다) 파주 용미리 마애이불 입상

① (가) - (나) - (다)   ② (가) - (다) - (나)

③ (다) - (가) - (나)   ④ (다) - (나) - (가)

17

47회 19번

(가)에 해당하는 인물로 옳은 것은? [2점]

오늘 [(가)] 이 조선경국전을 지어 바쳤으니 말과 비단, 백은을 상으로 내려 주도록 하라.

태조

분부대로 거행 하겠습니다.

① 송시열   ② 정도전   ③ 정약용   ④ 홍대용

18

54회 19번

(가) 왕의 업적으로 옳은 것은? [2점]

한글을 빛낸 인물들

■ 전시 안내

〈1실〉 훈민정음을 창제한 [(가)]

〈2실〉 우리말 문법을 연구한 주시경

〈3실〉 한글 점자를 창안한 박두성

■ 기간: 2021년 ○○월 ○○일~○○일

■ 장소: □□박물관 특별 전시관

① 만권당을 세웠다.

② 농사직설을 간행하였다.

③ 대전회통을 편찬하였다.

④ 초계문신제를 시행하였다.

19

밑줄 그은 '이것'으로 옳은 것은? [1점]

조선 시대로
떠나는 시간 여행

조선 시대 16세 이상의 남자들이
신분을 증명하기 위해 몸에 차고
다녔던 이것을 관람하고, 직접 만들어
보는 체험 활동이 이루어집니다.

• 일시: 2020년 ○○월 ○○일~○○일
• 장소: ◇◇ 민속촌 전시실 및 체험실

① 교지   ② 족보   ③ 호패   ④ 공명첩

20

다음 학생이 생각하고 있는 기구로 옳은 것은? [2점]

조선의 중앙 정치 기구 중 하나였어.

왕명의 출납을 담당하였어.

6명의 승지가 있었어.

① 사간원   ② 사헌부   ③ 승정원   ④ 홍문관

21

(가)에 들어갈 내용으로 옳은 것은? [1점]

○○년 신입생 모집

조선 최고 교육 기관

(가)

1. 선발 인원: 200명
2. 지원 자격: 소과에 합격한 생원, 진사 등
3. 특전: 원점* 300점인 자에게 관시(館試) 응시 자격 부여

*원점(圓點): 아침, 저녁 식당에 들어갈 때 찍는 점

① 향교   ② 성균관
③ 육영 공원   ④ 4부 학당

22

(가) 왕의 정책으로 옳은 것은? [2점]

이곳은 명과 후금 사이에서 중립 외교를 펼쳤던 (가) 와/과 왕비의 묘야.

왕이 묻힌 곳인데 왜 능이 아닌 묘라고 부르는 걸까?

(가) 은/는 인조반정으로 왕의 자리에서 쫓겨났기 때문이야.

① 대전회통을 편찬하였다.
② 삼정이정청을 설치하였다.
③ 초계문신제를 실시하였다.
④ 대동법을 처음 시행하였다.

23

다음에서 설명하는 명절로 옳은 것은? [1점]

음력 8월 15일에는 햇곡식과 햇과일로 차례를 지내고 성묘를 하는 풍습이 있습니다.

이날에는 함께 모여 송편을 빚어 먹고, 강강술래를 하며 풍년을 기원하기도 합니다.

① 단오 ② 설날 ③ 추석 ④ 한식

24

다음 비석을 세운 왕의 업적으로 옳은 것은? [3점]

이 건물 안에 있는 비석은 탕평비입니다. '두루 원만하고 치우치지 않음이 군자의 공정한 마음이요, 치우치고 두루 원만하지 못함이 소인의 사사로운 마음이다.'라는 글이 새겨져 있습니다.

① 비변사를 혁파하였다.
② 속대전을 편찬하였다.
③ 나선 정벌을 단행하였다.
④ 백두산정계비를 건립하였다.

25

다음 가상 인터뷰의 주인공에 대한 설명으로 옳은 것은? [2점]

선생님께서 주장하신 토지 개혁론은 무엇인가요?

나는 마을 단위로 농민이 함께 경작하고 세금을 제외한 나머지 생산물을 일한 양에 따라 분배하자는 여전론을 주장하였습니다.

① 동학을 창시하였다.
② 추사체를 창안하였다.
③ 목민심서를 저술하였다.
④ 사상 의학을 확립하였다.

26

밑줄 그은 '이 섬'으로 옳은 것은? [1점]

우리나라의 가장 동쪽에 위치한 이 섬의 모형이야. 이곳에 대해 알고 있니?

물론이지. 숙종 때 안용복이 일본에 가서 울릉도와 이 섬이 우리 영토임을 확실하게 밝혔지.

① 독도 ② 진도 ③ 거문도 ④ 제주도

27

(가)에 들어갈 화폐로 옳은 것은? [2점]

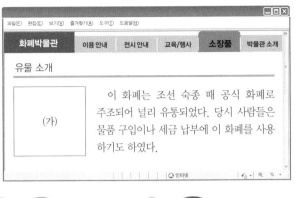

이 화폐는 조선 숙종 때 공식 화폐로 주조되어 널리 유통되었다. 당시 사람들은 물품 구입이나 세금 납부에 이 화폐를 사용하기도 하였다.

① 건원중보
② 해동통보
③ 상평통보
④ 백동화

28

다음 사건에 대한 정부의 대책으로 옳은 것은? [2점]

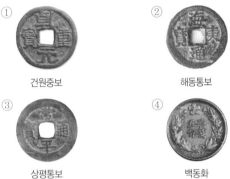

환곡의 폐단을 시정하라!

경상 우병사 백낙신의 탐욕과 수탈을 더 이상은 참을 수 없소!

유계춘

① 소격서를 폐지하였다.
② 직전법을 실시하였다.
③ 척화비를 건립하였다.
④ 삼정이정청을 설치하였다.

29

(가)에 들어갈 문화유산으로 옳은 것은? [1점]

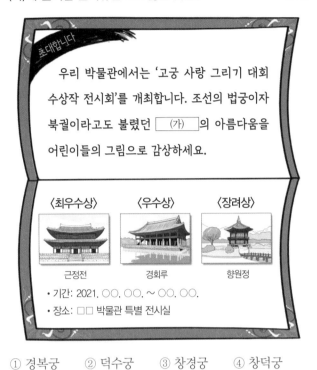

초대합니다

우리 박물관에서는 '고궁 사랑 그리기 대회 수상작 전시회'를 개최합니다. 조선의 법궁이자 북궐이라고도 불렸던 (가) 의 아름다움을 어린이들의 그림으로 감상하세요.

〈최우수상〉 근정전
〈우수상〉 경회루
〈장려상〉 향원정

• 기간: 2021. ○○. ○○. ~ ○○. ○○.
• 장소: □□ 박물관 특별 전시실

① 경복궁   ② 덕수궁   ③ 창경궁   ④ 창덕궁

30

(가)에 들어갈 사절단으로 옳은 것은? [2점]

이것은 (가) 의 대표 민영익이 미국 대통령에게 전한 국서의 한글 번역문입니다. 이 문서에는 두 나라가 조약을 맺어 우호 관계가 돈독해졌으므로 사절단을 보낸다는 내용 등이 담겨 있습니다.

① 수신사
② 보빙사
③ 영선사
④ 조사 시찰단

31

47회 31번

(가)에 대한 설명으로 옳은 것은? [2점]

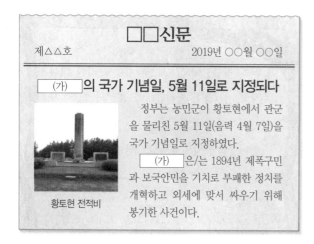

□□신문

제△△호　　　　　　　　2019년 ○○월 ○○일

(가)의 국가 기념일, 5월 11일로 지정되다

정부는 농민군이 황토현에서 관군을 물리친 5월 11일(음력 4월 7일)을 국가 기념일로 지정하였다. (가)은/는 1894년 제폭구민과 보국안민을 기치로 부패한 정치를 개혁하고 외세에 맞서 싸우기 위해 봉기한 사건이다.

황토현 전적비

① 별기군을 창설하는 계기가 되었다.

② 대구에서 시작하여 전국으로 확산되었다.

③ 조선 총독부의 탄압과 방해로 실패하였다.

④ 집강소를 중심으로 폐정 개혁안을 실천하였다.

32

55회 31번

밑줄 그은 '개혁'의 내용으로 옳지 <u>않은</u> 것은? [3점]

역사 용어 카드

군국기무처

1894년 6월 의정부 산하에 설치되어 개혁을 추진하였던 정책 의결 기구이다. 총재는 영의정 김홍집이 겸임하였다. 약 3개월 동안 신분제 폐지, 조혼 금지 등 약 210건의 안건을 심의하고 통과시켰다.

① 지계를 발급하였다.

② 과거제를 폐지하였다.

③ 도량형을 통일하였다.

④ 연좌제를 금지하였다.

33

49회 29번

다음 사건이 일어난 시기를 연표에서 옳게 고른 것은? [3점]

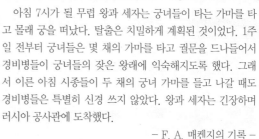

아침 7시가 될 무렵 왕과 세자는 궁녀들이 타는 가마를 타고 몰래 궁을 떠났다. 탈출은 치밀하게 계획된 것이었다. 1주일 전부터 궁녀들은 몇 채의 가마를 타고 궐문을 드나들어서 경비병들이 궁녀들의 잦은 왕래에 익숙해지도록 했다. 그래서 이른 아침 시종들이 두 채의 궁녀 가마를 들고 나갈 때도 경비병들은 특별히 신경 쓰지 않았다. 왕과 세자는 긴장하며 러시아 공사관에 도착했다.

– F. A. 매켄지의 기록 –

1863	1871	1884	1895	1904
(가)	(나)	(다)	(라)	
고종 즉위	신미 양요	갑신 정변	을미 사변	러일 전쟁

① (가)　　② (나)　　③ (다)　　④ (라)

34

50회 32번

(가)에 들어갈 내용으로 옳은 것은? [2점]

이것은 대구에 세워진 국채 보상 운동 기념비입니다. 이 민족 운동에 관한 내용을 대화창에 올려 주세요.

❚❚ ▶❙ ▶ 과거로 떠나는 역사 여행

ON 대화창

국채 보상 기성회가 주도했어요.

당시 여성들은 비녀와 가락지를 모아 성금으로 내기도 했어요.

(가)

① 근우회의 후원으로 확산되었어요.

② 조선 총독부의 방해로 실패했어요.

③ 김홍집 등이 중심이 되어 활동했어요.

④ 대한매일신보 등 언론의 지원을 받았어요.

35

(가)에 들어갈 문화유산으로 옳은 것은? [2점]

답사 계획서

• 주제: 근대 역사의 현장을 찾아서
• 날짜: 2021년 ○○월 ○○일
• 답사 장소

사진	설명
 우정총국	근대 우편 제도를 시행하기 위해 세워진 것으로, 개국 축하연 때 갑신정변이 발생하였다.
 구 러시아 공사관	을미사변 이후 고종이 피신한 곳으로 약 1년 동안 머물렀다. 지금은 건물의 일부만 남아 있다.
(가)	고종의 접견실 등으로 사용하기 위해 지어진 것으로, 당시 건축된 서양식 건물 중 규모가 가장 크다.

①
황궁우

②
명동 성당

③
운현궁 양관

④
덕수궁 석조전

36

(가)에 들어갈 사진으로 옳은 것은? [2점]

사진으로 보는 일제 강점기
- 1910년대 -

헌병 경찰　칼을 휴대한 교사　(가)

①
별기군

②
토지 조사 사업

③
산미 증식 계획

④
강제 공출

29일

월

일

37

(가)에 들어갈 인물로 옳은 것은? [3점]

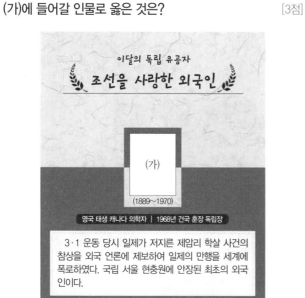

이달의 독립 유공자
조선을 사랑한 외국인

(가)

(1889~1970)

영국 태생 캐나다 의학자 | 1968년 건국 훈장 독립장

3·1 운동 당시 일제가 저지른 제암리 학살 사건의 참상을 외국 언론에 제보하여 일제의 만행을 세계에 폭로하였다. 국립 서울 현충원에 안장된 최초의 외국인이다.

①
호머 헐버트

②
메리 스크랜튼

③
어니스트 베델

④
프랭크 스코필드

38

교사의 질문에 대한 학생의 답변으로 옳지 <u>않은</u> 것은? [2점]

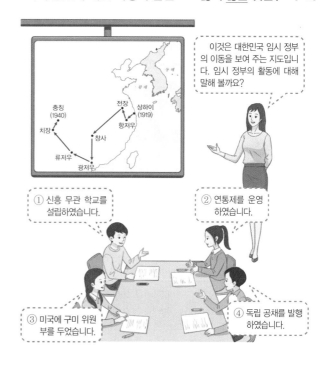

이것은 대한민국 임시 정부의 이동을 보여 주는 지도입니다. 임시 정부의 활동에 대해 말해 볼까요?

① 신흥 무관 학교를 설립하였습니다.

② 연통제를 운영하였습니다.

③ 미국에 구미 위원부를 두었습니다.

④ 독립 공채를 발행하였습니다.

39

밑줄 그은 '이 정책'으로 옳은 것은? [2점]

이 사진은 일제 강점기 일본으로 반출하기 위해 쌀을 쌓아 놓은 군산항의 모습입니다. 일제는 자국의 식량 문제를 해결하기 위하여 1920년부터 조선에 <u>이 정책</u>을 실시하여 수많은 양의 쌀을 수탈해 갔습니다.

① 회사령

② 농지 개혁법

③ 산미 증식 계획

④ 토지 조사 사업

40

51회 40번

다음 자료의 민족 운동에 대한 설명으로 옳은 것은? [3점]

> 물산 장려에 대한 운동의 새로운 풍조가 시작된 이래로 …… 반드시 토산으로 원료를 삼아 학생모, 중절모 등을 제조하는 것이 좋겠다. …… 현재 인도에서는 간디캡이 크게 유행하는데 간디 씨가 발명, 제조한 순 인도산의 재료로 순 인도인이 만든 모자라고 한다.

① 대한매일신보의 후원을 받았다.

② 평양에서 시작하여 전국으로 확산하였다.

③ 황국 중앙 총상회를 중심으로 전개되었다.

④ 독립문 건립을 위한 모금 활동이 추진되었다.

41

52회 43번

(가)에 들어갈 내용으로 옳은 것은? [2점]

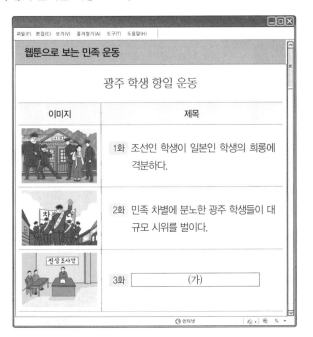

① 통감부가 설치되다.

② 2·8 독립 선언서를 작성하다.

③ 일제가 치안 유지법을 공포하다.

④ 신간회 등이 지원하여 전국으로 확산되다.

42

52회 42번

밑줄 그은 '이 단체'로 옳은 것은? [1점]

① 근우회   ② 보안회   ③ 의열단   ④ 중광단

43

52회 45번

다음 상황이 나타난 시기에 볼 수 있는 모습으로 옳은 것은? [2점]

① 대동법 시행에 반대하는 지주

② 신사 참배를 강요당하는 청년

③ 암태도 소작 쟁의에 참여하는 농민

④ 박문국에서 한성순보를 발간하는 관리

44

(가)~(다)를 일어난 순서대로 옳게 나열한 것은? [3점]

(가)	(나)	(다)

안중근, 이토 히로부미 저격	홍범도, 봉오동 전투 승리	윤봉길, 훙커우 공원 의거

① (가) - (나) - (다) ② (가) - (다) - (나)

③ (나) - (가) - (다) ④ (다) - (나) - (가)

45

(가)에 들어갈 인물로 옳은 것은? [1점]

Today History
오늘의 역사
30분 전

#인물 #8월_9일
#1936년_베를린_올림픽 #마라톤_금메달리스트

👍 좋아요 48   💬 댓글 2   ↪ 공유하기

□□
무슨 사진이야?

△△
(가) 선수가 결승선을
통과하는 모습이야.

① 나운규 ② 남승룡 ③ 손기정 ④ 안창남

46

(가)에 들어갈 내용으로 옳은 것은? [2점]

호
우사

생몰
1881년
~1950년

직업
정치인, 학자,
독립운동가

김규식

활동
- 신한 청년단 대표로 파리
강화 회의 파견
- (가)

① 남북 협상 참석

② 단독 정부 수립 주장

③ 조선 혁명 선언 작성

④ 종로 경찰서 폭탄 투척

47

밑줄 그은 '이 전쟁' 중에 있었던 사실로 옳은 것은? [2점]

이것은 이우근의 편지를 새긴 조형물입니다. 그는 이 전쟁
당시 학도 의용군으로 포항여중 전투에서 북한군과 싸우다 전
사하였습니다. 그가 쓴 편지에는 동족상잔의 비극, 어머니에
대한 그리움이 담겨져 있습니다.

① 미국이 애치슨 선언을 발표하였다.

② 조선 건국 준비 위원회가 결성되었다.

③ 16개국으로 구성된 유엔군이 참전하였다.

④ 13도 창의군이 서울 진공 작전을 전개하였다.

48

밑줄 그은 '정부' 시기의 사실로 옳지 않은 것은? [2점]

① 3선 개헌안이 통과되었다.

② 베트남에 국군이 파병되었다.

③ 경제 개발 5개년 계획이 추진되었다.

④ 한 · 일 월드컵 축구 대회가 개최되었다.

49

밑줄 그은 '이 사건'으로 옳은 것은? [2점]

① 4 · 19 혁명

② 6월 민주 항쟁

③ 부 · 마 민주 항쟁

④ 5 · 18 민주화 운동

50

(가)에 들어갈 내용으로 옳은 것은? [2점]

① 남북 기본 합의서

② 7 · 4 남북 공동 성명

③ 6 · 15 남북 공동 선언

④ 한반도 비핵화 공동 선언

정답은 67쪽에서!

01
55회 1번

(가) 시대의 생활 모습으로 옳은 것은?　[1점]

여러분은 [(가)] 시대의 벼농사를 체험하고 있습니다. 이 시대에는 처음으로 금속 도구를 만들었으나, 농기구는 여러분이 손에 들고 있는 반달 돌칼과 같이 돌로 만들었습니다.

① 우경이 널리 보급되었다.
② 철제 무기를 사용하였다.
③ 주로 동굴이나 막집에 살았다.
④ 지배자의 무덤으로 고인돌을 만들었다.

02
54회 2번

학생들이 공통으로 이야기하고 있는 나라에 대한 설명으로 옳은 것은?　[2점]

한반도 남부에서 철기 문화를 바탕으로 발전하였어.

신지나 읍차 등의 지배자가 있었어.

씨뿌리기를 끝낸 5월과 추수를 마친 10월에 계절제를 지냈어.

① 서옥제라는 혼인 풍습이 있었다.
② 소도라고 불리는 신성 구역이 있었다.
③ 범금 8조를 만들어 사회 질서를 유지하였다.
④ 단궁, 과하마, 반어피 등의 특산물이 있었다.

03
49회 4번

(가) 왕에 대한 설명으로 옳은 것은?　[2점]

저희 모둠은 남진 정책을 추진한 [(가)]의 한강 유역 진출 과정을 개로왕과 도림 스님의 이야기로 그려 보았습니다.

역사의 한 장면 그리기

개로왕
도림

① 태학을 설립하였다.
② 우산국을 정벌하였다.
③ 왜에 칠지도를 보냈다.
④ 광개토 대왕릉비를 건립하였다.

04
52회 5번

밑줄 그은 '이 왕'으로 옳은 것은?　[1점]

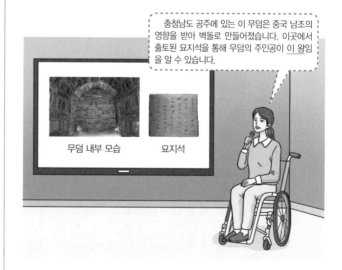

충청남도 공주에 있는 이 무덤은 중국 남조의 영향을 받아 벽돌로 만들어졌습니다. 이곳에서 출토된 묘지석을 통해 무덤의 주인공이 이 왕임을 알 수 있습니다.

무덤 내부 모습　묘지석

① 성왕　　　　② 고이왕
③ 무령왕　　　④ 근초고왕

05

다음 가상 인터뷰에 등장하는 왕으로 옳은 것은? [1점]

> 이차돈의 순교를 계기로 불교를 공인하셨습니다. 이후 어떠한 일들을 하셨나요?

> 금관가야를 병합하여 영토를 넓혔습니다.

① 성왕

② 법흥왕

③ 지증왕

④ 근초고왕

06

다음 전시회에서 볼 수 있는 문화유산으로 옳은 것은? [2점]

특별 기획전

백제인의
숨결을 느끼다

초대의 글
우리 박물관에서는 신선 사상이 반영된 백제 문화유산을 관람할 수 있는 기회를 마련하였습니다. 당시 사람들이 표현한 도교적 이상 세계를 만나 보는 시간이 되기를 바랍니다.
• 기간: 2021년 ○○월 ○○일~○○일
• 장소: □□박물관 기획 전시관

①
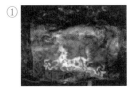
천마도

②

청자 상감 운학문 매병

③
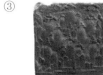
산수무늬 벽돌

④
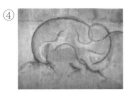
강서대묘 현무도

07

(가) 시기에 있었던 사실로 옳은 것은? [3점]

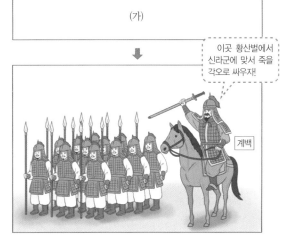

> 백제가 우리 신라의 여러 성을 빼앗았습니다. 군대를 파견하여 도와주십시오. (김춘추)

> 죽령 서북 땅은 본래 우리 것이니, 그곳을 돌려준다면 군사를 보내 줄 것이오. (보장왕)

(연개소문)

(가)

> 이곳 황산벌에서 신라군에 맞서 죽을 각오로 싸우자! (계백)

① 신라와 당이 동맹을 맺었다.

② 백제가 수도를 사비로 옮겼다.

③ 대가야가 가야 연맹을 주도하였다.

④ 고구려가 살수에서 수의 대군을 격파하였다.

30일

일

일

08

(가) 국가에 대한 설명으로 옳은 것은? [2점]

① 글과 활쏘기를 가르치는 경당을 두었다.

② 정사암에서 국가의 중대사를 결정하였다.

③ 청해진을 중심으로 해상 무역을 전개하였다.

④ 5경 15부 62주로 지방 행정 제도를 정비하였다.

09

다음 가상 뉴스에서 보도하고 있는 사건이 일어난 시기를 연표에서 옳게 고른 것은? [3점]

① (가)　　② (나)　　③ (다)　　④ (라)

10

(가), (나)에 들어갈 내용을 옳게 연결한 것은? [3점]

　　(가)　　　　(나)

① 녹읍　　　　과거제

② 정방　　　　전시과

③ 소격서　　　직전법

④ 금난전권　　호포제

11

(가)~(다)의 사건을 일어난 순서대로 옳게 나열한 것은? [3점]

① (가) - (나) - (다)　　② (나) - (다) - (가)

③ (다) - (가) - (나)　　④ (다) - (나) - (가)

12

밑줄 그은 '이 시기'에 있었던 사실로 옳지 <u>않은</u> 것은? [2점]

원의 공주를 왕비로 맞아들이던 이 시기에는 몽골식 변발과 발립이 유행하였습니다. 또한 소주를 제조하는 방법도 전해졌습니다.

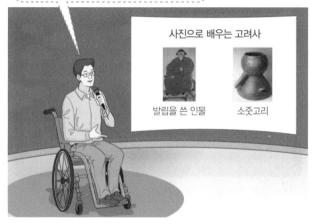

사진으로 배우는 고려사

발립을 쓴 인물   소줏고리

① 정동행성이 설치되었다.
② 권문세족이 높은 관직을 독점하였다.
③ 여진 정벌을 위해 별무반이 편성되었다.
④ 결혼도감을 통해 여성들이 공녀로 보내졌다.

13

밑줄 그은 '이 국가'의 경제 상황으로 옳은 것은? [2점]

이것은 전라남도 나주 등지에서 거둔 세곡 등을 싣고 이 국가의 수도인 개경으로 향하다 태안 앞바다에서 침몰한 배를 복원한 것입니다. 발굴 당시 수많은 청자와 함께 화물의 종류, 받는 사람 등이 기록된 목간이 다수 발견되었습니다.

① 전시과 제도가 실시되었다.
② 고구마, 감자가 널리 재배되었다.
③ 모내기법이 전국적으로 확산되었다.
④ 시장을 감독하기 위한 동시전이 설치되었다.

14

(가)에 해당하는 문화유산으로 옳은 것은? [1점]

이달의 뮤지컬

등불처럼 불꽃처럼

청주 흥덕사에서 간행된 금속 활자본인 (가) 을 프랑스 국립 도서관에서 발견하여 알린 그녀!
조선 왕실의 행사를 기록한 외규장각 의궤의 국내 반환을 위해 애쓴 그녀!
박병선 박사의 꿈과 열정이 춤과 노래로 펼쳐집니다.

• 일시: 2020년 ○○월 ○○일 오후 7시
• 장소: ◇◇ 문화 센터 대강당

①
신증동국여지승람

②
직지심체요절

③
왕오천축국전

④
무구정광대다라니경

30일
월
일

15

다음 퀴즈의 정답으로 옳은 것은? [2점]

①  개성

②  공주

③  전주

④  철원

16

(가)에 들어갈 내용으로 옳은 것은? [2점]

① 비변사 혁파
② 위화도 회군
③ 대전회통 편찬
④ 훈민정음 창제

17

(가) 왕의 정책으로 옳은 것은? [2점]

> 조선 제7대 국왕 (가) 의 모습을 담은 밑그림이 공개되었습니다. 이것은 일제 강점기에 어진 모사본을 옮겨 그리는 과정에서 제작되었습니다. (가) 은/는 6조 직계제를 다시 시행하는 등 왕권 강화를 위해 노력하였습니다.

○○ 박물관 (가) 의 어진 밑그림 첫 공개

① 경복궁을 중건하였다.
② 직전법을 실시하였다.
③ 초계문신제를 시행하였다.
④ 5군영 체제를 완성하였다.

18

(가)에 들어갈 책으로 옳은 것은? [1점]

> 책이 완성되어 여섯 권으로 만들어 바치니, (가) 이라는 이름을 내리셨다. 형전과 호전은 이미 반포되어 시행하고 있으나 나머지 네 법전은 미처 교정을 마치지 못하였는데, 세조께서 갑자기 승하하시니 지금 임금[성종]께서 선대의 뜻을 받들어 마침내 하던 일을 끝마치고 나라 안에 반포하셨다.

① 경국대전
② 동국통감
③ 동의보감
④ 반계수록

19

(가)에 들어갈 내용으로 옳은 것은?   [2점]

만화로 보는 조선 시대 주요 사건

- 학습 목표: [(가)]을/를 한 장면의 만화로 표현할 수 있다.
- 활동 내용

〈1모둠〉   〈2모둠〉   〈3모둠〉

훈구   사림   조의제문을 사초   김종직이 증조
                에 넣었다니!   할아버지 세조를
                이극돈   능멸하다니!
                                연산군

① 경신환국   ② 무오사화
③ 인조반정   ④ 임오군란

20

(가)에 해당하는 인물로 옳은 것은?   [2점]

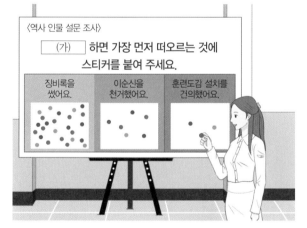

〈역사 인물 설문 조사〉

[(가)] 하면 가장 먼저 떠오르는 것에
스티커를 붙여 주세요.

징비록을   이순신을   훈련도감 설치를
썼어요.   천거했어요.   건의했어요.

①   ②

박지원   유성룡

③   ④

임경업   정약용

21

(가) 시기에 있었던 사실로 옳은 것은?   [3점]

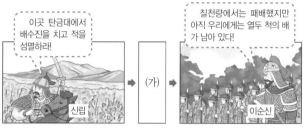

이곳 탄금대에서   칠천량에서는 패배했지만
배수진을 치고 적을   아직 우리에게는 열두 척의 배
섬멸하라!   가 남아 있다!

신립   (가)   이순신

① 최영이 홍산에서 왜구를 물리쳤다.
② 강감찬이 귀주에서 거란을 격퇴하였다.
③ 권율이 행주산성에서 대승을 거두었다.
④ 김윤후가 처인성에서 적을 막아 내었다.

22

(가)에 들어갈 문화유산으로 옳은 것은?   [1점]

□□신문

제△△호   2021년 ○○월 ○○일

151년 만에 옮겨지는 조선 왕조의 신주

[(가)]에 모셔진 조선 역대 왕과
왕비의 신주를 창덕궁 옛 선원전으로
옮기는 행사가 지난 6월 5일 열렸다.
이 행사는 정전(正殿)의 내부 수리로
인해 1870년(고종 7년) 이후 151년 만
에 거행된 것이다.

신주를 옮기는 모습

① 종묘   ② 사직단
③ 성균관   ④ 도산 서원

23

52회 21번

(가)에 들어갈 세시 풍속으로 옳은 것은? [1점]

● 이달의 세시 풍속, (가) ●

〈소개〉

동지 후 105일째 되는 이날은 찬 음식을 먹는다고 해서 그 이름이 유래되었습니다.
농사가 시작되는 시기이므로 풍년을 기원하며 성묘를 하였습니다.

① 설날
② 한식
③ 중양절
④ 정월 대보름

24

50회 22번

교사의 질문에 대한 학생의 답변으로 옳지 <u>않은</u> 것은? [3점]

현종 때 있었던 두 차례의 예송에 대해 발표해 볼까요?

① 서인과 남인이 예법을 둘러싸고 대립한 것이에요.
② 조광조 일파가 축출되는 결과를 가져왔어요.
③ 자의 대비가 상복을 입는 기간이 문제가 되었어요.
④ 효종과 효종비가 죽은 뒤 각각 일어났어요.

25

47회 24번

밑줄 그은 '왕'의 정책으로 옳은 것은? [2점]

조선 제22대 왕이 아버지 사도 세자의 묘를 참배하러 가기 위해 만든 만안교입니다. 그 옆에는 다리를 조성한 과정이 기록된 비석이 있습니다.

① 장용영을 창설하였다.
② 집현전을 설치하였다.
③ 척화비를 건립하였다.
④ 경국대전을 반포하였다.

26

51회 27번

다음 격문이 작성된 시기의 상황으로 옳은 것은? [2점]

평서대원수는 급히 격문을 띄우노니 관서 지역의 모든 사람들은 들으라. …… 조정에서는 관서 지역을 썩은 흙과 같이 버렸다. 심지어 권세가의 노비들도 관서 사람을 보면 반드시 '평안도 놈'이라고 한다. 어찌 억울하고 원통하지 않겠는가.

① 무신들이 정권을 장악하였다.
② 신식 군대인 별기군이 창설되었다.
③ 최치원이 시무 10여 조를 건의하였다.
④ 수령과 향리의 수탈로 삼정이 문란하였다.

27

(가) 인물에 대한 설명으로 옳은 것은? [2점]

이것은 화성성역의궤에 수록된 거중기 설계도입니다. (가) 이/가 기기도설을 참고하여 제작한 거중기는 수원 화성 축조에 이용되었습니다.

① 여전론을 주장하였다.
② 추사체를 창안하였다.
③ 북학의를 저술하였다.
④ 몽유도원도를 그렸다.

28

다음 직업이 등장한 시기의 사회 모습으로 옳은 것은? [2점]

우리 역사 속
직업의 세계

나의 직업은
무엇일까요?

(앞면)

■ 직업 소개
주로 심청전, 춘향전 등의 한글 소설을 전문적으로 읽어 주고 상평통보 등을 받았음

■ 요구 능력
인물과 장면, 분위기에 어울리는 목소리로 실감 나게 이야기하는 솜씨가 요구됨

정답 전기수

(뒷면)

① 변발과 호복이 유행하였다.
② 판소리와 탈춤이 성행하였다.
③ 골품에 따라 일상생활을 규제하였다.
④ 특수 행정 구역인 향과 부곡이 있었다.

29

밑줄 그은 '이 사건'의 배경으로 옳은 것은? [2점]

지금 보고 있는 것은 양헌수 장군이 이 사건 당시 정족산성에서 프랑스군과 벌인 전투를 기록한 문헌입니다.

정족산성 접전 사실

① 병인박해가 일어났다.
② 영국이 거문도를 점령하였다.
③ 오페르트가 남연군 묘를 도굴하려 하였다.
④ 서인 정권이 친명배금 정책을 추진하였다.

30

(가)에 들어갈 사건으로 옳은 것은? [1점]

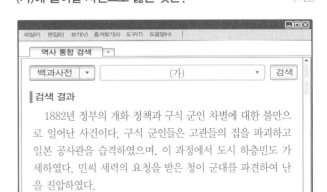

파일(F) 편집(E) 보기(V) 즐겨찾기(A) 도구(T) 도움말(H)

역사 통합 검색

백과사전 (가) 검색

검색 결과

1882년 정부의 개화 정책과 구식 군인 차별에 대한 불만으로 일어난 사건이다. 구식 군인들은 고관들의 집을 파괴하고 일본 공사관을 습격하였으며, 이 과정에서 도시 하층민도 가세하였다. 민씨 세력의 요청을 받은 청이 군대를 파견하여 난을 진압하였다.

① 임오군란
② 삼국 간섭
③ 거문도 사건
④ 임술 농민 봉기

31

다음 가상 편지의 (가)에 들어갈 기구로 옳은 것은? [2점]

> 사랑하는 딸에게
> 아빠는 농민군의 일원으로 나라와 백성을 구하기 위해 싸우고 있단다. 전주에서 정부와 화해하고 우리가 (가) 을/를 설치하여 탐관오리를 처벌하는 등의 활동을 할 때에는 새로운 세상이 머지않아 보였어. 그런데 일본이 군대를 동원하여 궁궐을 점령하고 조정을 압박하니 농민군이 다시 나서게 되었지. 우리의 무기는 비록 변변치 못하지만 전봉준 장군을 중심으로 단결하여 기세는 하늘을 찌르고 있단다.
> 네 모습이 무척 그립구나. 아빠가 곧 집으로 돌아갈 터이니 엄마 말씀 잘 듣고 건강히 지내렴.
>
> 아빠가

① 기기창   ② 집강소
③ 도평의사사   ④ 통리기무아문

32

(가) 단체의 활동으로 옳은 것은? [2점]

> 우리 대조선국이 독립국이 되어 세계 여러 나라와 어깨를 나란히 하니, 우리 동포 이천만이 오늘날 맞이한 행복이다. 여러 사람의 의견으로 (가) 을/를 조직하여 옛 영은문 자리에 독립문을 새로 세우고, 옛 모화관을 고쳐 독립관이라 하고자 한다. 이는 지난날의 치욕을 씻고 후손들에게 본보기를 보여 주고자 함이다.

① 형평 운동을 전개하였다.
② 만민 공동회를 개최하였다.
③ 한국광복군을 창설하였다.
④ 한글 맞춤법 통일안을 제정하였다.

33

밑줄 그은 '신문'으로 옳은 것은? [2점]

① 만세보   ② 한성순보
③ 황성신문   ④ 대한매일신보

34

(가) 조약의 내용으로 옳은 것은? [2점]

> **우리와 함께 일제에 맞선 외국인**
>
>
>
> 호머 헐버트는 육영 공원의 교사로 초빙되어 우리나라와 처음 인연을 맺었다. 그는 1905년 일제에 의해 (가) 이/가 강제로 체결되자, 그 부당성을 알리기 위해 파견된 헤이그 특사의 활동을 지원하였다.
>
> 호머 헐버트

① 외교권 박탈
② 천주교 포교 허용
③ 화폐 정리 사업 실시
④ 대한 제국 군대 해산

35

48회 38번

(가) 인물에 대한 설명으로 옳은 것은? [3점]

□□신문

제△△호　　　　　　　○○○○년 ○○월 ○○일

(가) 의 넋을 기리는 일본인들

일본 미야기현 다이린사에는 이토 히로부미를 처단한 후 뤼순 감옥에서 순국한 (가) 을/를 기리는 비석이 세워져 있다. 이 절에서 매년 열리는 추모 법회에는 한국인들뿐만 아니라 그의 사상에 감명 받은 일본인들도 참여하고 있다.

① 대종교를 창시하였다.
② 동양 평화론을 집필하였다.
③ 조선 혁명 선언을 작성하였다.
④ 파리 강화 회의에 파견되었다.

36

55회 33번

밑줄 그은 '이 단체'로 옳은 것은? [1점]

이 사진에 대해 설명해 주세요.

일제가 조작한 105인 사건으로 끌려가는 애국지사들을 찍은 사진입니다. 이 사건을 계기로 안창호, 양기탁 등이 비밀리에 결성한 이 단체가 와해되었습니다.

① 보안회　　　　　② 신민회
③ 대한 자강회　　　④ 헌정 연구회

37

50회 33번

(가)~(다)를 일어난 순서대로 옳게 나열한 것은? [3점]

일제 강점기 경제 수탈

(가)　　　　　　(나)　　　　　　(다)

토지 조사령 공포　　　공출제 실시　　　산미 증식 계획 처음 시행

① (가) - (나) - (다)　　② (가) - (다) - (나)
③ (나) - (가) - (다)　　④ (다) - (나) - (가)

38

52회 40번

(가)에 들어갈 내용으로 옳은 것은? [2점]

이곳 임청각은 대한민국 임시 정부 초대 국무령을 지낸 석주 이상룡의 생가입니다. 그는 이회영 등과 함께 만주 삼원보에 경학사와 (가) 을/를 세워 무장 독립 투쟁의 토대를 마련하였습니다. 일제는 이곳이 독립운동가를 다수 배출한 집이라 하여 철길을 내어 훼손하였다고 합니다.

임청각(2025년까지 복원 예정)

① 동문학　　　　　② 배재 학당
③ 신흥 강습소　　　④ 한성 사범 학교

39

밑줄 그은 '만세 시위'에 대한 설명으로 옳은 것은? [2점]

이것은 친일파 이완용의 경고문입니다. 탑골 공원 등에서 독립 선언서를 낭독하는 것으로 시작된 학생과 시민들의 만세 시위가 전국으로 확산하자, 그 열기를 꺾을 목적으로 작성되었습니다.

조선 독립을 외치는 것이 허언, 망동이라고 유 지인사들이 계속 말해도 깨닫지를 못하니 …… 망동을 따라 하면 죽거나 다치게 될 것이니 이것 이 바로 삶 중에서 죽음을 구함이 아닌가.

① 순종의 인산일에 전개되었다.
② 만주, 연해주, 미주 등지로 확산하였다.
③ 일제의 황무지 개간권 요구를 철회시켰다.
④ 러시아의 내정 간섭과 이권 침탈을 규탄하였다.

40

(가)에 들어갈 인물로 옳은 것은? [1점]

호외요! 호외! 의열단원 (가) 이/가 조선 식산 은행과 동양 척식 주식회사에 폭탄 을 던졌대!

①
김규식

②
나석주

③
안창호

④
이육사

41

다음 가상 뉴스의 (가)에 들어갈 단체로 옳은 것은? [2점]

이상재 선생의 장례가 사회장으로 거행되었습니다. 선생은 '일체 의 기회주의를 부인함' 등을 강령으로 내세운 (가) 의 초대 회장으로 민족 유일당 운동에 앞장섰습니다. 마지막까지 민족 운동 에 헌신하였던 선생의 죽음을 많은 사람이 애도하였습니다.

이상재 선생 사회장 거행

① 보안회
② 신간회
③ 진단 학회
④ 조선 형평사

42

다음 자료에 나타난 사건으로 옳은 것은? [2점]

라이징 선 석유 회사는 조선인을 구타한 일본인 감독을 파면하라!

영상으로 만나는 1920년대

8시간 노동제를 실시하라!

최저 임금제를 확립하라!

① 6 · 3 시위
② 새마을 운동
③ 원산 총파업
④ 제주 4 · 3 사건

43

교사의 질문에 대한 학생의 답변으로 옳은 것은? [2점]

이것은 중일 전쟁 발발 이후 일제가 본격적인 전시 체제 구축을 위해 제정한 법령입니다. 이 법령이 시행된 시기에 있었던 사실에 대해 말해 볼까요?

제1조 본 법에서 국가 총동원이란 전시에 국방 목적 달성을 위해 국가의 전력을 가장 유효하게 발휘하도록 인적, 물적 자원을 통제 운용하는 것을 가리킨다.
⋮
제8조 정부는 전시에 국가 총동원상 필요한 경우에는 칙령이 정하는 바에 따라 물자의 생산, 수리, 배급, 양도 기타 처분, 사용, 소비, 소지 및 이동에 관하여 필요한 명령을 할 수 있다.

① 헌병 경찰제가 실시되었어요.
② 경성 제국 대학이 설립되었어요.
③ 국채 보상 운동이 전개되었어요.
④ 황국 신민 서사의 암송이 강요되었어요.

44

(가) 인물의 활동으로 옳은 것은? [2점]

〈프로젝트 학습 – 독립운동가 심층 탐구〉
1차시: 모둠별 탐구 주제 선정하기

우리 모둠은 [(가)]의 사상 변화와 독립운동을 탐구해 보는 게 어떨까?

찬성이야. 그는 독사신론, 조선상고사 등을 저술한 대표적인 민족주의 사학자였어.

무정부주의의 영향을 받아 동방 무정부주의자 연맹에서 활동하기도 하였지.

① 조선 혁명 선언을 집필하였다.
② 파리 강화 회의에 파견되었다.
③ 대조선 국민 군단을 창설하였다.
④ 조선말 큰사전 편찬을 주도하였다.

45

(가)에 들어갈 사진으로 옳은 것은? [3점]

대한민국 정부 수립 과정

신탁 통치 반대 집회 ➡ (가) ➡ 대한민국 정부 수립

① 경부 고속 도로 개통

② 4·19 혁명

③ 유신 헌법 공포

④ 5·10 총선거

46

밑줄 그은 '전쟁'에 대한 탐구 활동으로 가장 적절한 것은? [2점]

이것은 전쟁 중이던 1951년에 발행된 중학교 입학시험 문제집입니다. 동족상잔의 비극이 벌어지는 와중에도 수험서가 출판될 정도로 교육열이 높았음을 알 수 있습니다.

① 제물포 조약의 내용을 살펴본다.
② 인천 상륙 작전의 과정을 조사한다.
③ 경의선 철도의 부설 배경을 파악한다.
④ 신흥 무관 학교의 설립 목적을 알아본다.

30일
월
일

47

49회 46번

(가) 정부 시기에 있었던 사실로 옳은 것은? [3점]

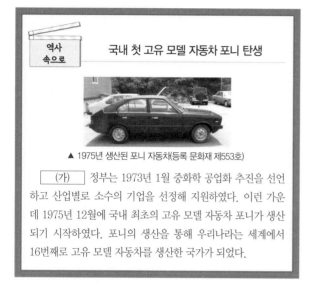

역사
속으로

국내 첫 고유 모델 자동차 포니 탄생

▲ 1975년 생산된 포니 자동차(등록 문화재 제553호)

　(가)　 정부는 1973년 1월 중화학 공업화 추진을 선언하고 산업별로 소수의 기업을 선정해 지원하였다. 이런 가운데 1975년 12월에 국내 최초의 고유 모델 자동차 포니가 생산되기 시작하였다. 포니의 생산을 통해 우리나라는 세계에서 16번째로 고유 모델 자동차를 생산한 국가가 되었다.

① 금융 실명제를 실시하였다.
② 농지 개혁법을 제정하였다.
③ 수출 100억 달러를 달성하였다.
④ 한 · 미 자유 무역 협정(FTA)을 체결하였다.

48

52회 48번

다음 자료로 알 수 있는 민주화 운동에 대한 설명으로 옳은 것은? [2점]

고문 살인 은폐 규탄 및 호헌 철폐 국민 대회

■ 일시: 1987년 6월 10일 오후 6시
■ 장소: 성공회 대성당
■ 주최: 박종철 고문 살인 은폐 조작 규탄 범국민 대회 준비 위원회
■ 주관: 민주 헌법 쟁취 국민 운동 본부

① 대통령이 하야하는 결과를 가져왔다.
② 굴욕적인 한 · 일 국교 정상화에 반대하였다.
③ 5년 단임의 대통령 직선제 개헌을 이끌어 냈다.
④ 전개 과정에서 시민군이 자발적으로 조직되었다.

49 　　　　　　　　　　　　　　　　　　48회 49번

(가) 정부 시기에 있었던 사실로 옳은 것은? 　　[2점]

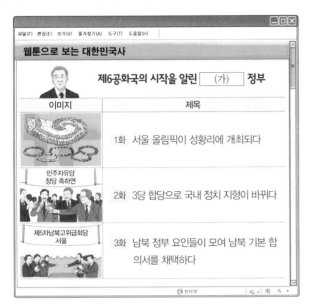

① 농지 개혁법이 제정되었다.

② 베트남에 국군이 파병되었다.

③ 소련 및 중국과 국교가 수립되었다.

④ 6 · 15 남북 공동 선언이 발표되었다.

50 　　　　　　　　　　　　　　　　　　54회 50번

다음 내용을 발표한 정부의 통일 노력으로 옳은 것은? 　[2점]

① 개성 공단 조성에 합의하였다.

② 남북 기본 합의서를 채택하였다.

③ 남북한이 유엔에 동시 가입하였다.

④ 7 · 4 남북 공동 성명을 발표하였다.

에듀윌이
너를
지지할게
ENERGY

끝이 좋아야 시작이 빛난다.

– 마리아노 리베라(Mariano Rivera)

비주얼씽킹 초등 한국사능력검정시험

발 행 일	2021년 10월 28일 초판 ｜ 2024년 1월 29일 4쇄
편 저 자	김한나
펴 낸 이	양형남
개 발	정상욱, 김은진
펴 낸 곳	(주)에듀윌
등록번호	제25100-2002-000052호
주 소	08378 서울특별시 구로구 디지털로34길 55
	코오롱싸이언스밸리 2차 3층

* 이 책의 무단 인용 · 전재 · 복제를 금합니다.

www.eduwill.net

대표전화 1600-6700

여러분의 작은 소리
에듀윌은 크게 듣겠습니다.

본 교재에 대한 여러분의 목소리를 들려주세요.
공부하시면서 어려웠던 점, 궁금한 점,
칭찬하고 싶은 점, 개선할 점, 어떤 것이라도 좋습니다.

에듀윌은 여러분께서 나누어 주신 의견을
통해 끊임없이 발전하고 있습니다.

에듀윌 도서몰 book.eduwill.net
• 부가학습자료 및 정오표: 에듀윌 도서몰 → 도서자료실
• 교재 문의: 에듀윌 도서몰 → 문의하기 → 교재(내용,출간) / 주문 및 배송

한국사능력검정시험 답안지

기본

답란

	1	2	3	4			11	12	13	14	15
1	①	②	③	④			①	②	③	④	
2	①	②	③	④			①	②	③	④	
3	①	②	③	④			①	②	③	④	
4	①	②	③	④			①	②	③	④	
5	①	②	③	④			①	②	③	④	
6	①	②	③	④			①	②	③	④	
7	①	②	③	④			①	②	③	④	
8	①	②	③	④			①	②	③	④	
9	①	②	③	④			①	②	③	④	
10	①	②	③	④			①	②	③	④	

(답란 문항 11~20, 21~30, 31~40, 41~50 각각 ① ② ③ ④)

란

(21~30, 31~40, 41~50)

결시자 확인(응시자는 표기하지 말 것)

컴퓨터용 사인펜을 사용하여 열란과 성명, 수험번호란을 표기

〇

〈답안지 작성 시 유의 사항〉

1. 수험번호란에는 아라비아숫자로 기재하고 해당란에 "●"와 같이 완전하게 표기하여야 합니다.
2. 답란에는 반드시 컴퓨터용 사인펜으로 표기하여야 합니다.
3. 답란에는 "●"와 같이 완전하게 표기하여야 하며, 바르지 못한 표기를 하였을 경우에는 불이익을 받을 수 있습니다.
   (잘못된 표기 예시) ⊙ ① ⊗ ●)
4. 답안지에 낙서를 하거나 불필요한 표기를 하였을 경우 불이익을 받을 수 있습니다.

성 명

수 험 번 호

⓪	①	②	③	④	⑤	⑥	⑦	⑧	⑨

감독관 확인(응시자는 표기하지 말 것)

응시자의 본인 여부와 수험번호 표기가
정확한지 확인한 후 열란에 서명 또는 날인

기본 한국사능력검정시험 답안지

결시자 확인(응시자는 표기하지 말 것)
컴퓨터용 사인펜을 사용하여 열란과 성명,
수험번호를 표기

○

〈답안지 작성 시 유의 사항〉

1. 수험번호란에는 아라비아숫자로 기재하고 해당란에 "●"와
   같이 완전하게 표기하여야 합니다.
2. 답란에는 반드시 컴퓨터용 사인펜으로 표기하여야 합니다.
3. 답란에는 "●"와 같이 완전하게 표기하여야 하며, 바르지
   못한 표기를 하였을 경우에는 불이익을 받을 수 있습니다.
   (잘못된 표기 예시 ⊘ ⊙ ⊗ ● ◑ ◍)
4. 답안지에 낙서를 하거나 불필요한 표기를 하였을 경우 불
   이익을 받을 수 있습니다.

성명

수험번호

	답 란				답 란				답 란				답 란				답 란		
1	① ② ③ ④			11	① ② ③ ④			21	① ② ③ ④			31	① ② ③ ④			41	① ② ③ ④		
2	① ② ③ ④			12	① ② ③ ④			22	① ② ③ ④			32	① ② ③ ④			42	① ② ③ ④		
3	① ② ③ ④			13	① ② ③ ④			23	① ② ③ ④			33	① ② ③ ④			43	① ② ③ ④		
4	① ② ③ ④			14	① ② ③ ④			24	① ② ③ ④			34	① ② ③ ④			44	① ② ③ ④		
5	① ② ③ ④			15	① ② ③ ④			25	① ② ③ ④			35	① ② ③ ④			45	① ② ③ ④		
6	① ② ③ ④			16	① ② ③ ④			26	① ② ③ ④			36	① ② ③ ④			46	① ② ③ ④		
7	① ② ③ ④			17	① ② ③ ④			27	① ② ③ ④			37	① ② ③ ④			47	① ② ③ ④		
8	① ② ③ ④			18	① ② ③ ④			28	① ② ③ ④			38	① ② ③ ④			48	① ② ③ ④		
9	① ② ③ ④			19	① ② ③ ④			29	① ② ③ ④			39	① ② ③ ④			49	① ② ③ ④		
10	① ② ③ ④			20	① ② ③ ④			30	① ② ③ ④			40	① ② ③ ④			50	① ② ③ ④		

감독관 확인(응시자는 표기하지 말 것)
응시자의 본인 여부와 수험번호 표기가
정확한지 확인 후 옆란에 서명 또는 날인

서명 또는 날인

빠른 정답 확인 Check up!

① 우리 역사의 시작과 발전

1강 　　　　　　　본책 31쪽
01 ③　　02 ①　　03 ②　　04 ②

2강 　　　　　　　본책 37쪽
01 ①　　02 ④　　03 ①　　04 ④

3강 　　　　　　　본책 45쪽
01 ③　　02 ①　　03 ②　　04 ①

4강 　　　　　　　본책 53쪽
01 ②　　02 ③　　03 ③　　04 ④

5강 　　　　　　　본책 61쪽
01 ②　　02 ②　　03 ②　　04 ③

6강 　　　　　　　본책 67쪽
01 ③　　02 ②　　03 ④　　04 ④

② 고려 시대

7강 　　　　　　　본책 79쪽
01 ②　　02 ④　　03 ③　　04 ①

8강 　　　　　　　본책 85쪽
01 ①　　02 ①　　03 ②

9강 　　　　　　　본책 91쪽
01 ③　　02 ④　　03 ③　　04 ④

10강 　　　　　　　본책 99쪽
01 ①　　02 ④　　03 ④　　04 ④

③ 조선 전기

11강 　　　　　　　본책 113쪽
01 ④　　02 ④　　03 ①　　04 ④

12강 　　　　　　　본책 121쪽
01 ②　　02 ③　　03 ①　　04 ④

13강 　　　　　　　본책 127쪽
01 ①　　02 ③　　03 ②　　04 ①

14강 　　　　　　　본책 135쪽
01 ②　　02 ③　　03 ③

④ 조선 후기

15강 　　　　　　　본책 147쪽
01 ③　　02 ①　　03 ②　　04 ①

16강 　　　　　　　본책 155쪽
01 ①　　02 ②　　03 ①　　04 ④

17강 　　　　　　　본책 161쪽
01 ④　　02 ④　　03 ②

18강 　　　　　　　본책 167쪽
01 ④　　02 ③　　03 ③　　04 ①

⑤ 근대 사회와 일제 강점기

19강   본책 179쪽
01 ②   02 ①   03 ②   04 ①

22강   본책 199쪽
01 ③   02 ③   03 ①   04 ③

20강   본책 185쪽
01 ④   02 ④   03 ①   04 ②

23강   본책 205쪽
01 ①   02 ③   03 ③   04 ②

21강   본책 193쪽
01 ④   02 ②   03 ④

24강   본책 213쪽
01 ①   02 ①   03 ④   04 ④

⑥ 현대 사회

25강   본책 225쪽
01 ②   02 ②   03 ③   04 ①

27강   본책 237쪽
01 ①   02 ②   03 ④

26강   본책 231쪽
01 ①   02 ③   03 ③   04 ③

테마 한국사

28강   본책 253쪽
01 ①   02 ④   03 ②   04 ④

최종 기출 모의고사

29강 | 제1회 최종 기출 모의고사   본책 256쪽

01 ②	02 ③	03 ④	04 ③	05 ②	06 ④	07 ①	08 ④	09 ①	10 ②
11 ①	12 ③	13 ①	14 ④	15 ④	16 ①	17 ②	18 ②	19 ③	20 ③
21 ②	22 ④	23 ③	24 ②	25 ③	26 ①	27 ③	28 ④	29 ①	30 ②
31 ④	32 ①	33 ④	34 ④	35 ④	36 ②	37 ④	38 ①	39 ③	40 ②
41 ④	42 ③	43 ②	44 ①	45 ③	46 ①	47 ③	48 ④	49 ④	50 ③

30강 | 제2회 최종 기출 모의고사   본책 270쪽

01 ④	02 ②	03 ④	04 ③	05 ②	06 ③	07 ①	08 ④	09 ④	10 ①
11 ②	12 ③	13 ①	14 ②	15 ①	16 ②	17 ②	18 ①	19 ②	20 ②
21 ③	22 ①	23 ②	24 ②	25 ①	26 ④	27 ①	28 ②	29 ①	30 ①
31 ④	32 ②	33 ④	34 ①	35 ②	36 ②	37 ②	38 ③	39 ②	40 ②
41 ②	42 ③	43 ④	44 ①	45 ④	46 ②	47 ③	48 ③	49 ③	50 ①

120만 권 판매 돌파!
36개월 베스트셀러 1위 교재

최신 기출 경향을 완벽 분석한 교재로 가장 빠른 합격!
합격의 차이를 직접 경험해 보세요

2주끝장

판서와 싱크 100% 강의로
2주만에 합격

기본서

첫 한능검 응시생을 위한
확실한 개념완성

10+4회분 기출700제

합격 필수 분량
기출 14회분, 700제 수록

1주끝장

최빈출 50개 주제로
1주만에 초단기 합격 완성

초등 한국사

비주얼씽킹을 통해
쉽고 재미있게 배우는 한국사

* 에듀윌 한국사능력검정시험 시리즈 출고 기준 (2012년 5월~2023년 10월)
* 2주끝장(심화): YES24 수험서 자격증 법/인문/사회 베스트셀러 1위 (2016년 8월~2017년 4월, 6월~11월, 2018년 2월~4월, 6월, 8월~11월, 2019년 2월 월별 베스트)
YES24 수험서 자격증 한국사능력검정시험 3급/4급(중급) 베스트셀러 1위 (2020년 7월~12월, 2021년 1월~2월 월별 베스트) 인터파크 도서 자격서/수험서 베스트셀러 1위
(2020년 6월~8월 월간 베스트) 기본서(기본): YES24 수험서 자격증 한국사능력검정시험 3급/4급(중급) 베스트셀러 1위 (2020년 4월 월별 베스트)

한능검 원패스 단기합격은
에듀윌 한국사 유튜브와 함께

한능검 물불가리기
"이제, 다음 시험 준비해야지?"

지피지기면 백전백승! 난이도를 예측해 줄게요.

한능검 오예! 모음집
"한능검 공부 시작해 보자"

5분 동안 최빈출만 짧고 굵게 예언해 줄게요.

전범위 싹! 훑기
"늦지 않았어, 한번에 정리하자!"

한 달 동안 공부할 분량을 한방에 정리해 드려요.

D-2 마무리 적중예언
"우리만 믿어~ 다 찍어 줄게!"

시험에 반드시 나오는 것만 쏙쏙 골라 드려요.

에듀윌
한국사
유튜브

에듀윌 한국사능력검정시험

비주얼씽킹 초등 한국사

문제해결의 길잡이
정답과 해설

상세한 첨삭 해설로
쉬워지는 문제 풀이!

eduwill

정답과 해설

상세한 첨삭 해설로
쉬워지는 문제 풀이!

에듀윌 한국사능력검정시험

비주얼씽킹 초등 한국사

문제해결의 길잡이

정답과 해설

1 우리 역사의 **시작**과 **발전**

1강 선사 시대와 청동기 시대

31쪽

01	③	02	①	03	②	04	②

01 구석기 시대의 생활 모습
답 ③

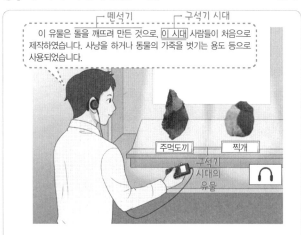

┌ 뗀석기   ┌ 구석기 시대

이 유물은 돌을 깨뜨려 만든 것으로, 이 시대 사람들이 처음으로 제작하였습니다. 사냥을 하거나 동물의 가죽을 벗기는 용도 등으로 사용되었습니다.

주먹도끼 | 찍개

구석기 시대의 유물

① 철제 농기구로 농사를 지었다.
　　철기 시대
② 토기를 만들어 식량을 저장하였다.
　　　신석기 시대 이후
✓ 주로 동굴이나 막집에서 거주하였다.
　　　구석기 시대
④ 거푸집을 사용하여 청동기를 제작하였다.
　　청동기 시대 이후

 주먹도끼 + 동굴이나 막집 = 구석기 시대

📖 자료 읽기
구석기 시대에는 돌을 깨뜨려 만든 **뗀석기**를 사용하였어요. 자료에 제시된 **주먹도끼**와 찍개는 구석기 시대의 대표적인 뗀석기예요.

📖 정답 찾기
③ 구석기 시대 사람들은 주로 **동굴**이나 **바위 그늘**에 살았으며, **막집**을 짓고 살기도 하였어요.

📖 오답 피하기
① 철기 시대에는 **철제 농기구**로 농사를 짓기 시작하였어요.
② 신석기 시대에는 토기를 만들어 사용하기 시작하였어요. **빗살무늬 토기**가 신석기 시대에 만들어진 대표적인 토기예요.
④ 청동기 시대부터 **거푸집**을 사용하여 청동기를 제작하기 시작하였어요.

02 신석기 시대의 생활 모습
답 ①

┌ 신석기

우리가 만들고 있는 것은 (가) 시대 사람들이 처음으로 사용했던 빗살무늬 토기예요. 이 토기로 당시 사람들은 식량을 저장하거나 조리하였지요.

신석기 시대의 유물

암사동 유적 전시관

신석기 시대의 유적지

✓ 가락바퀴를 이용하여 실을 뽑았다.
　　신석기 시대
② 지배층의 무덤으로 고인돌을 만들었다.
　　　　　청동기 시대
③ 거푸집으로 비파형 동검을 제작하였다.
　　　　청동기 시대 이후
④ 철제 농기구를 사용하여 농사를 지었다.
　　철기 시대

 빗살무늬 토기 + 가락바퀴 = 신석기 시대

📖 자료 읽기
신석기 시대 사람들은 토기를 만들어 식량을 저장하거나 조리하는 데 사용하기 시작하였어요. 대표적인 토기가 **빗살무늬 토기**예요. 그림의 벽면에 서울 **암사동**이라는 신석기 시대 대표 유적지의 명칭이 쓰여 있는 것을 통해서도 (가) 시대가 신석기 시대임을 알 수 있어요.

📖 정답 찾기
① 신석기 시대부터 **가락바퀴**로 실을 뽑고 **뼈바늘**로 섬유를 엮어 옷이나 그물을 만들기 시작하였어요.

📖 오답 피하기
② 청동기 시대에는 지배 계급이 죽으면 무덤으로 **고인돌**을 만들었어요.
③ 청동기 시대에는 거푸집을 사용하여 청동 검인 **비파형 동검**을 제작하였어요.
④ 철기 시대에는 **철제 농기구**를 이용하여 농사를 짓기 시작하였어요.

03 신석기 시대의 유물　　답 ②

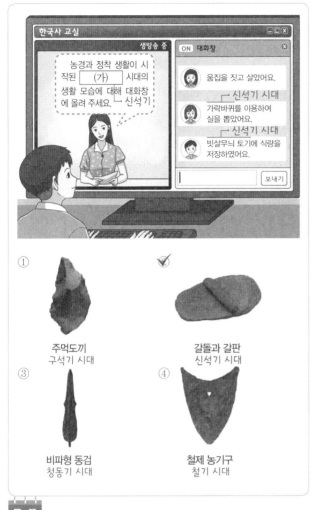

문제
해결의
KEY 농경과 정착 생활 시작 + 빗살무늬 토기 = 신석기 시대

┃자료 읽기

신석기 시대 사람들은 농사를 짓기 시작하면서 한곳에 **정착**하여 움집을 짓고 살았어요. 또한 식량을 **빗살무늬 토기**에 저장하였고, **가락바퀴**로 실을 뽑아 옷을 지어 입기 시작하였어요.

┃정답 찾기

② 신석기 시대에는 **갈돌과 갈판** 등의 간석기를 제작하여 사용하였어요.

┃오답 피하기

① 구석기 시대에는 **주먹도끼** 등 **뗀석기**를 사용하였어요.
③ **비파형 동검**은 청동기 시대에 만들어진 청동 검이에요.
④ **철제 농기구**는 철기 시대부터 사용되었어요.

04 청동기 시대의 생활 모습　　답 ②

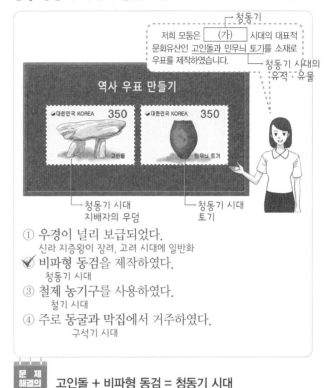

문제
해결의
KEY 고인돌 + 비파형 동검 = 청동기 시대

┃자료 읽기

고인돌은 청동기 시대의 대표적인 무덤이에요. 고인돌을 만드는 과정에서 많은 노동력이 동원되었을 것으로 보여 지배자의 무덤으로 여겨져요. **민무늬 토기**는 청동기 시대에 주로 사용된 토기예요.

┃정답 찾기

② 청동기 시대에 만주와 한반도 지역에서는 칼날 모양이 비파라는 중국의 악기를 닮은 **비파형 동검**이 제작되었어요.

┃오답 피하기

① 우리 역사서에 소를 이용하여 농사(**우경**)를 지었다는 기록은 신라 지증왕 때 처음 등장해요. 우경이 널리 보급되기 시작한 시기는 고려 시대예요.
③ 철제 쇠스랑, 쇠도끼 등의 **철제 농기구**가 사용되기 시작한 시기는 철기 시대예요.
④ 구석기 시대 사람들은 주로 **동굴**이나 **바위 그늘**, **막집**에서 살았어요.

2강 고조선과 여러 나라의 성장

01	①	02	④	03	①	04	④

01 고조선

답 ①

> ┌─ 고조선
> 환웅과 웅녀 사이에서 태어난 단군왕검이 아사달에 도읍을 정하고 이 나라를 세웠다고 전해져요.

✔① 8조법으로 백성을 다스렸다.
　　고조선
② 영고라는 제천 행사를 열었다.
　　부여
③ 지배자로 신지, 읍차 등이 있었다.
　　　　삼한
④ 읍락 간의 경계를 중시하는 책화가 있었다.
　　　　　　　　　　　　동예

문제 해결의 KEY 단군왕검 + 8조법 = 고조선

📖 자료 읽기
고조선은 **단군왕검**이 아사달을 도읍으로 하여 세웠다고 전해지는 우리 역사상 최초의 국가예요.

📝 정답 찾기
① 고조선에는 사회 질서를 유지하기 위한 **8조법(범금 8조)**이 있었는데, 지금은 3개의 조항만 전해지고 있어요.

❌ 오답 피하기
② 부여에서는 매년 12월에 **영고**라는 행사를 열어 하늘에 제사를 지냈어요.
③ 삼한에는 정치를 다스리는 **신지, 읍차**라는 지배자가 있었어요. 정치 지배자와는 별도로 제사장인 **천군**이 종교와 제사를 담당하였어요.
④ 동예에는 읍락 간의 경계를 중시하여 다른 읍락의 영역을 침범하면 노비나 소, 말 등으로 갚게 하는 **책화**라는 풍습이 있었어요.

02 고조선

답 ④

> 1단계 청동기 문화를 바탕으로 성립하였다. ┌─ 고조선
> 2단계 평양성을 도읍으로 삼았다.
> 3단계 범금 8조가 있었다. ┌─ 고조선의 법
> 4단계 한 무제의 공격으로 멸망하였다. └─ 고조선의 멸망

> ┌─ 고조선
> 제시된 단계별 힌트를 종합하여 알 수 있는 국가는 어디일까요?

310　　300
한국사　　퀴즈왕

① 동예　　② 부여　　③ 고구려　　✔④ 고조선
　책화,　　사출도,　　서옥제,　　범금 8조 등
　족외혼 등　영고 등　동맹 등

문제 해결의 KEY 청동기 문화 바탕 + 범금 8조 = 고조선

📖 자료 읽기
단군왕검이 홍익인간의 건국 이념을 바탕으로 우리 역사상 최초의 국가인 고조선을 세웠어요. 이후 고조선은 수도를 평양으로 옮겼고, 사회 질서를 유지하기 위해 엄격한 법인 **범금 8조(8조법)**를 만들었어요.

📝 정답 찾기
④ 고조선은 중국 한나라와 한반도 남쪽의 진나라 사이에서 중계 무역을 하며 이익을 독점하였어요. 이에 한 무제가 고조선을 침략하여 멸망시켰어요.

❌ 오답 피하기
① 동예에는 **책화**와 **족외혼** 등의 풍습이 있었어요.
② 부여에서는 마가, 우가, 저가, 구가 등의 여러 가들이 **사출도**를 다스렸고, **영고**라는 제천 행사가 열렸어요. 부여는 고구려에게 흡수되었어요.
③ 고구려에는 **서옥제**라는 혼인 풍습이 있었고, **동맹**이라는 제천 행사가 열렸어요. 고구려는 나·당 연합군의 공격으로 멸망하였어요.

03 부여

답 ①

✔ (가) ② (나) ③ (다) ④ (라)
부여   고구려   옥저   동예

문제 해결의 KEY   사출도 + 영고 = 부여

04 삼한

답 ④

① 범금 8조로 백성을 다스렸다.
    고조선
② 영고라는 제천 행사를 열었다.
    부여
③ 서옥제라는 혼인 풍습이 있었다.
    고구려
✔ 신지, 읍차 등의 지배자가 있었다.
    삼한

문제 해결의 KEY   소도 + 천군 = 삼한

▌자료 읽기

부여에는 왕 아래에 마가, 우가, 저가, 구가 등 여러 가들이 존재하였어요. 이들은 왕이 다스리는 구역을 제외한 **사출도**를 다스렸어요. 부여에서는 12월에 **영고**라는 행사를 열어 하늘에 제사를 지냈어요.

▌정답 찾기

① (가) 부여는 중국 쑹화강 지역에서 성장하였던 국가예요.

▌오답 피하기

② (나) 고구려는 **주몽**이 만주 졸본 지역에 세운 국가예요. 고구려에는 **서옥제** 등의 풍습이 있었어요.

③ (다) 옥저는 한반도 북부의 동해안 지방에 위치하였던 나라예요. 옥저에는 **민며느리제, 가족 공동 무덤**의 풍습이 있었어요.

④ (라) 동예는 강원도 북부 동해안 지방에 위치하였던 나라예요. 동예에는 **책화와 족외혼**의 풍습이 있었고, **단궁·과하마·반어피**가 특산물로 생산되었어요.

▌자료 읽기

삼한에는 제사장인 **천군**이 다스리는 신성 지역인 **소도**가 있었어요. 솟대는 소도를 표시하는 상징물에서 유래되었다고 전해져요.

▌정답 찾기

④ 마한, 진한, 변한의 삼한에서는 제사와 정치가 분리되어 있었어요. 제사를 담당하였던 **천군**은 신성 지역인 **소도**를 다스리며 종교 의식을 주관하였고, 정치 지배자조차 소도를 함부로 드나들지 못하였어요. 정치는 **신지, 읍차** 등의 부족장이 담당하였어요.

▌오답 피하기

① 고조선에는 사회 질서를 유지하기 위한 엄격한 법인 **범금 8조(8조법)**가 있었어요.

② 부여에서는 매년 12월에 **영고**라는 제천 행사를 열었어요.

③ 고구려에는 **서옥제**라는 혼인 풍습이 있었어요.

3강 삼국의 건국과 발전

01 고구려의 발전
답 ③

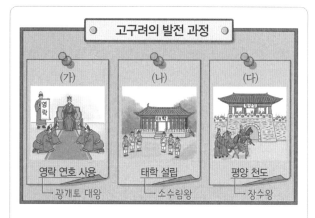

① (가) – (나) – (다)   ② (가) – (다) – (나)

✔ (나) – (가) – (다)   ④ (다) – (나) – (가)

 태학(소수림왕) → 영락 연호(광개토 대왕) → 평양 천도(장수왕)

■자료 읽기

(가) 고구려 **광개토 대왕** 때 '**영락**'이라는 독자적인 연호를 사용하였어요.

(나) 고구려 **소수림왕** 때 유학을 교육하기 위해 **태학**을 설립하였어요.

(다) 고구려 **장수왕** 때 수도를 **평양**으로 옮기고 남진 정책을 추진하였어요.

■정답 찾기

③ 고구려는 소수림왕 때 국가의 기틀을 정비한 후 광개토 대왕과 광개토 대왕의 아들인 장수왕 때 본격적인 영토 확장에 나섰어요. 따라서 자료를 일어난 순서대로 나열하면 (나) – (가) – (다)예요.

02 백제 성왕의 업적
답 ①

✔ 성왕
사비 천도, 국호 변경
③ 근초고왕
백제의 전성기를 이끎.

② 무열왕
신라 최초의 진골 출신 왕
④ 소수림왕
고구려의 불교 수용, 율령 반포

 사비 + 남부여 = 백제 성왕

■자료 읽기

백제 **성왕** 때 **사비**(부여)로 도읍을 옮기고 국호를 일시적으로 '**남부여**'로 바꾸었어요. 또한 성왕 때 신라 진흥왕과 연합하여 한강 하류 지역을 일시적으로 되찾았으나 진흥왕의 배신으로 다시 빼앗겼어요. 성왕은 신라에 빼앗긴 땅을 되찾기 위해 관산성에서 신라와 전투를 벌였으나 전사하였어요.

■정답 찾기

① 백제 성왕은 사비로 수도를 옮기는 등 여러 노력을 통해 백제의 중흥을 꾀하였어요.

■오답 피하기

② 신라 **무열왕**은 최초의 진골 출신 왕이에요. 무열왕 때 신라와 당나라 연합군이 백제를 공격하여 멸망시켰어요.

③ 백제 **근초고왕**은 백제의 전성기를 이끈 왕이에요. 고구려를 공격하였고 남해안까지 영토를 넓혔어요. 또한 중국과 일본 등 주변 나라들과 교류하였어요.

④ 고구려 **소수림왕**은 중국에서 온 승려로부터 **불교**를 수용하였어요. 또한 율령을 반포하고 **태학**을 설립하였어요.

03 신라 법흥왕의 업적　　　　　　답 ②

① 녹읍을 폐지하였다.
　신라 신문왕
✓ 불교를 공인하였다.
　고구려 소수림왕, 백제 침류왕, 신라 법흥왕
③ 독서삼품과를 시행하였다.
　신라 원성왕
④ 북한산에 순수비를 세웠다.
　신라 진흥왕

 신라 + 율령 반포 = 신라 법흥왕

04 금관가야　　　　　　답 ①

✓ 낙랑과 왜에 철을 수출하였다.
　변한, 금관가야
② 모내기법이 전국으로 확산하였다.
　조선 후기
③ 물가 조절을 위해 상평창을 두었다.
　고려, 조선
④ 활구라고도 불린 은병을 제작하였다.
　고려

 김수로왕 + 김해 대성동 고분군 = 금관가야

📖 자료 읽기

신라 법흥왕은 병부를 설치하여 왕권을 강화하고, 율령을 반포하여 국가의 통치 체제를 정비하였어요.

📖 정답 찾기

② 신라 법흥왕 때 이차돈의 순교를 계기로 불교를 공인하였어요.

📖 오답 피하기

① 신라 신문왕 때 진골 귀족들의 경제적 기반을 약화시키기 위해 관료전을 지급하고 녹읍을 폐지하였어요.
③ 신라 원성왕 때 유교 경전의 이해 정도에 따라 관리로 등용하는 독서삼품과를 실시하였어요.
④ 신라 진흥왕은 한강 유역을 장악한 이후 북한산에 순수비를 세웠어요.

📖 자료 읽기

금관가야는 알에서 태어난 김수로왕이 건국하였다는 설화가 전해지는 나라예요. 금관가야는 김해 지역을 중심으로 성장하여 전기 가야 연맹을 이끌었어요.

📖 정답 찾기

① 금관가야 지역에서는 질 좋은 철이 많이 생산되어 낙랑과 왜에 철을 수출하였어요.

📖 오답 피하기

② 조선 후기에는 모내기법이 전국으로 확산되어 농업 생산력이 늘어났어요.
③ 고려 시대와 조선 시대에 물가를 조절하여 경제를 안정시키기 위해 상평창을 두었어요.
④ 고려 시대에는 은으로 만든 고액 화폐인 은병을 제작하였어요. 은병은 활구라고도 불렸어요.

4강 삼국의 사회 · 문화 · 대외 교류

01	②	02	③	03	③	04	④

01 신라의 신분 제도   답 ②

골품 제도

우리 신라에서는 (가) 때문에 큰 재주와 공이 있어도 진골이 아니면 승진에 제한이 있지 않은가?

그러게 말일세. 심지어 집의 크기도 제한하고 있지.

골품 제도의 특징

① 화랑도
신라의 전통적 청소년 조직

✔ ② 골품 제도
신라의 신분 제도

③ 화백 회의
신라의 귀족 대표 회의

④ 상수리 제도
신라의 지방 세력 통제 제도

문제 해결의 KEY 신라 + 승진과 일상생활에 제한 = 골품제

02 고구려의 문화유산   답 ③

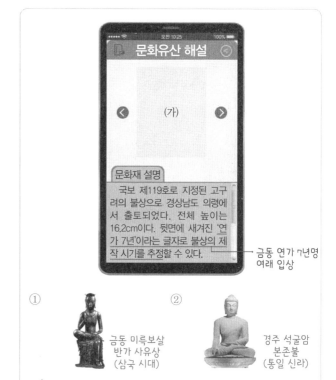

문화유산 해설

(가)

문화재 설명

국보 제119호로 지정된 고구려의 불상으로 경상남도 의령에서 출토되었다. 전체 높이는 16.2cm이다. 뒷면에 새겨진 '연가 7년'이라는 글자로 불상의 제작 시기를 추정할 수 있다.

금동 연가 7년명 여래 입상

① 금동 미륵보살 반가 사유상 (삼국 시대)

② 경주 석굴암 본존불 (통일 신라)

✔ 금동 연가 7년명 여래 입상 (고구려)

④ 이불 병좌상 (발해)

문제 해결의 KEY 고구려 + 연가 7년 = 금동 연가 7년명 여래 입상

┃자료 읽기

신라에서는 **골품제** 때문에 큰 재주와 공이 있더라도 진골 귀족이 아니면 승진에 제한을 받았어요.

┃정답 찾기

② **골품제**는 집과 수레의 크기 등 일상생활 전반까지 제한하는 폐쇄적인 신분 제도였어요.

┃오답 피하기

① **화랑도**는 신라의 전통적인 청소년 조직이에요. 진흥왕 때 국가 조직으로 정비되어 삼국 통일에 큰 기여를 하였어요.

③ **화백 회의**는 신라의 귀족 대표들이 모여 국가의 중요한 일을 결정한 회의예요.

④ **상수리 제도**는 신라가 지방 세력을 통제하기 위해 지방의 촌주 1명씩을 수도의 관청으로 보내 일정 기간 근무하게 한 제도예요.

┃자료 읽기

금동 연가 7년명 여래 입상은 옛 신라나 가야의 영토로 추정되는 경남 의령에서 발견된 **고구려**의 불상이에요. 불상 뒷면에 새겨진 글귀를 통해 고구려의 불상이라는 것과 제작 시기를 추정할 수 있어요.

┃정답 찾기

③ 고구려의 대표적인 불상인 **금동 연가 7년명 여래 입상**이에요.

┃오답 피하기

① **삼국 시대**에 만들어진 **금동 미륵보살 반가 사유상**이에요.

② **통일 신라** 시기에 만들어진 **경주 석굴암 본존불**이에요.

④ **발해**의 불상인 **이불 병좌상**이에요. 두 부처가 나란히 앉아 있는 형태를 하고 있어요.

03 백제의 문화유산　답 ③

① 진대법을 시행하였다.
　고구려
② 상수리 제도를 두었다.
　　　　　신라
✓ 지방에 22담로를 설치하였다.
　　　　백제
④ 골품제라는 신분 제도가 있었다.
　　신라

문제
해결의
KEY 부여 정림사지 5층 석탑 + 금동 대향로 = 백제

04 백제와 일본의 교류　답 ④

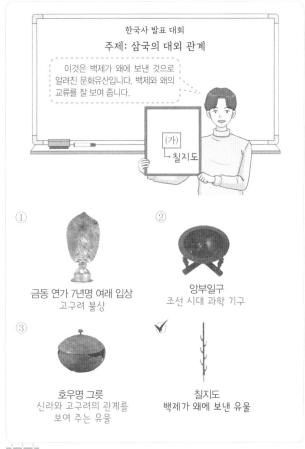

한국사 발표 대회
주제: 삼국의 대외 관계

이것은 백제가 왜에 보낸 것으로 알려진 문화유산입니다. 백제와 왜의 교류를 잘 보여 줍니다.

(가) 칠지도

① 금동 연가 7년명 여래 입상
　고구려 불상

② 앙부일구
　조선 시대 과학 기구

③ 호우명 그릇
　신라와 고구려의 관계를
　보여 주는 유물

✓ 칠지도
　백제가 왜에 보낸 유물

문제
해결의
KEY 백제가 왜(일본)에 보낸 문화유산 = 칠지도

자료 읽기

부여 **정림사지 5층 석탑**, **백제 금동 대향로**, **산수무늬 벽돌**은 백제의 대표적인 문화유산이에요.

정답 찾기

③ 백제는 지방의 중요한 지역에 **22담로**를 설치하고 왕족을 파견하여 지방을 통제하였어요.

오답 피하기

① **고구려 고국천왕** 때 가난한 백성을 구제하기 위해 **진대법**을 시행하였어요.
② 신라는 지방 세력을 견제하기 위해 **상수리 제도**를 실시하였어요.
④ 신라에는 **골품제**라는 폐쇄적인 신분 제도가 있었어요.

자료 읽기

백제와 왜(일본)의 교류를 잘 보여 주는 대표적인 유물로는 **칠지도**가 있어요.

정답 찾기

④ **칠지도**는 백제 왕이 왜(일본)에게 하사하였다고 전해지는 칼이에요.

오답 피하기

① **금동 연가 7년명 여래 입상**은 고구려의 불상이에요.
② **앙부일구**는 조선 세종 때 만들어진 해시계예요.
③ **호우명 그릇**은 옛 신라 지역에서 발견된 유물이에요. 그릇 바닥에 고구려 광개토 대왕의 왕호가 새겨져 있어 당시 신라와 고구려의 관계를 알 수 있어요.

5강 신라의 삼국 통일

01	②	02	②	03	②	04	③

01 살수 대첩　　　　　　　　　　　　　답 ②

① 귀주 대첩
　고려의 강감찬이 거란을 물리침.

✓ 살수 대첩
　고구려가 수의 대군을 물리침.

③ 안시성 전투
　고구려가 당의 대군을 물리침.

④ 처인성 전투
　고려의 김윤후가 몽골 장수
　살리타를 사살함.

　을지문덕 + 수의 대군 격퇴 = 살수 대첩

02 고구려 부흥 운동　　　　　　　　　답 ②

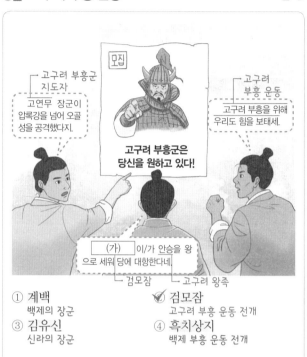

① 계백
　백제의 장군

✓ 검모잠
　고구려 부흥 운동 전개

③ 김유신
　신라의 장군

④ 흑치상지
　백제 부흥 운동 전개

고연무 + 안승 + 검모잠 = 고구려 부흥 운동

📖 자료 읽기

우문술, 우중문이 이끄는 수의 30만 대군을 격퇴하였다고 한 점을 통해 밑줄 그은 '이 전투'가 고구려 장군 **을지문덕**이 활약한 **살수 대첩**임을 알 수 있어요.

📖 정답 찾기

② 고구려 **을지문덕**은 수나라의 침입을 살수에서 크게 물리쳤어요.

📖 오답 피하기

① 거란이 고려를 세 번째 침입하였을 때 **강감찬**이 귀주에서 거란군을 크게 물리쳤어요(**귀주 대첩**).

③ 당나라의 대군이 고구려를 침입하자 안시성의 성주와 백성들이 힘을 합쳐 물리쳤어요(**안시성 전투**).

④ 고려 시대에 몽골군이 침입해 오자 **김윤후**가 처인성에서 몽골 장수 살리타를 사살하는 등 큰 공을 세웠어요.

📖 자료 읽기

나 · 당 연합군의 공격으로 고구려가 멸망하자 **고연무**, **검모잠**, **안승** 등이 고구려 부흥 운동을 전개하였어요.

📖 정답 찾기

② **검모잠**은 **안승**을 왕으로 세워 당나라에 대항하며 고구려 부흥을 위해 노력하였어요.

📖 오답 피하기

① 백제의 장군 **계백**은 **황산벌 전투**에서 신라군에 맞섰으나 패배하였어요.

③ 신라의 장군 **김유신**은 황산벌 전투에서 백제군에 승리하여 신라의 삼국 통일에 크게 공헌하였어요.

④ **흑치상지**는 백제가 멸망하자 임존성에서 백제 부흥 운동을 전개하였어요.

03 신라의 삼국 통일　　　답 ②

신라군이 당의 군대에 승리함.
→ 기벌포 전투
676년 ○○월 ○○일
매소성 전투에서 승리한 우리 신라군이 설인 귀가 이끄는 당군을 이 전투 에서 또다시 격파하였다는 소식을 들었다. 수많은 사람의 희생 끝에 삼국 통일이 눈앞에 다가왔으니, 이제 백성들이 좀 더 편안하게 살 수 있는 세상이 되었으면 좋겠다.

① 살수 대첩
　고구려가 수의 대군을 물리침.
✔ 기벌포 전투
　신라가 당의 군대를 물리침.
③ 안시성 전투
　고구려가 당의 대군을 물리침.
④ 황산벌 전투
　신라군이 백제군에 승리함.

 매소성 + 기벌포 = 나·당 전쟁

04 장보고의 활동　　　답 ③

→ 장보고가 설치하였던 해상 무역 기지
저는 지금 완도 청해진 유적 상공에 있습니다. (가) 은/는 이곳을 거점으로 삼아 해적을 소탕하고 당, 일본과의 해상 무역을 주도하였습니다. → 장보고

① 원효
　신라의 승려
② 설총
　신라의 학자
✔ 장보고
　청해진 설치
④ 최치원
　신라의 유학자

 완도 + 청해진 = 장보고

자료 읽기

신라는 당나라와 연합군을 결성하여 백제와 고구려를 멸망시켰어요. 이후 당나라가 한반도 전체를 차지하려고 하자, 신라는 당나라와 전쟁을 벌였지요(나·당 전쟁).

정답 찾기

② 신라는 당나라의 군대를 **매소성 전투**와 **기벌포 전투**에서 물리치고 삼국 통일을 완성하였어요.

오답 피하기

① **살수 대첩**은 고구려 을지문덕이 살수에서 수나라의 대군을 물리친 전투예요.
③ **안시성 전투**는 고구려를 침공해 온 당나라의 대군을 안시성의 성주와 백성들이 물리친 전투예요.
④ **황산벌 전투**는 계백이 이끈 백제군과 김유신이 이끈 신라군이 맞서 싸운 전투예요. 이 전투에서 백제군이 패배하면서 결국 백제가 멸망하였어요.

자료 읽기

신라 말, **장보고**는 완도에 **청해진**을 설치하여 주변 해적을 소탕하고 해상 무역을 전개하였어요.

정답 찾기

③ **장보고**는 당에서 군인으로 활약하다가 귀국한 후 완도에 **청해진**을 설치하고, 청해진을 중심으로 해상 무역권을 장악하였어요.

오답 피하기

① **원효**는 불교의 대중화에 기여한 신라의 승려예요.
② **설총**은 원효의 아들로, 신라의 대표적인 유학자예요. 설총은 **이두**를 정리하고, 『**화왕계**』를 지어 왕에게 바쳤어요.
④ **최치원**은 당의 빈공과에 합격하고 신라로 돌아와 신라 사회의 개혁을 위해 힘쓴 6두품 출신 유학자예요.

6강 발해의 건국과 남북국의 문화

67쪽

01	③	02	②	03	④	04	④

01 발해의 발전

답 ③

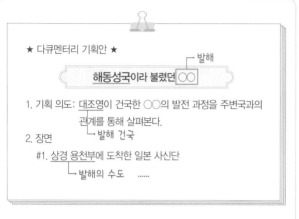

① 6진을 개척하는 김종서
  조선 전기 문신
② 처인성에서 싸우는 김윤후
  고려 시대 승려
✔ 당의 등주를 공격하는 장문휴
  발해 장군
④ 정족산성에서 교전하는 양헌수
  조선 후기 무신

문제 해결의 KEY 해동성국 + 대조영 = 발해

02 원효의 활동

답 ②

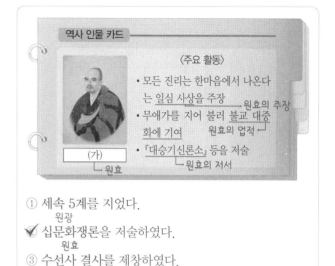

① 세속 5계를 지었다.
  원광
✔ 십문화쟁론을 저술하였다.
  원효
③ 수선사 결사를 제창하였다.
  지눌
④ 영주 부석사를 건립하였다.
  의상

문제 해결의 KEY 일심 사상 + 무애가 = 원효

┃자료 읽기

발해는 고구려 장군 출신인 **대조영**이 고구려 유민과 말갈인을 이끌고 동모산 주변에서 세운 국가예요. 발해는 선왕 시기에 전성기를 맞이하여 중국으로부터 '바다 동쪽의 융성한 나라'라는 뜻의 **해동성국**으로 불렸어요.

┃정답 찾기

③ 발해 무왕은 **장문휴**를 보내 당의 등주를 공격하였어요.

┃오답 피하기

① 조선 세종은 **김종서**를 보내 여진족을 몰아내고 **6진**을 개척하였어요.
② 고려 시대에 몽골군이 쳐들어오자, **김윤후**가 처인성에서 몽골 장수 살리타를 사살하였어요.
④ 조선 고종 때 **병인양요**가 일어나자, **양헌수** 부대가 정족산성에서 프랑스군과 교전하였어요.

┃자료 읽기

신라의 승려 **원효**는 모든 진리는 한마음에서 나온다는 **일심 사상**을 주장하였어요. 또한 '**나무아미타불**'만 외우면 극락정토에 갈 수 있다고 하였으며, 무애가를 지어 불러 **불교의 대중화**에 기여하였어요.

┃정답 찾기

② **원효**는 『대승기신론소』, 『십문화쟁론』 등을 지었어요.

┃오답 피하기

① 신라의 승려 **원광**은 화랑도의 규범이 되는 **세속 5계**를 지었어요.
③ 고려의 승려 **지눌**은 불교계의 개혁을 위해 **수선사 결사**를 제창하였어요.
④ 신라의 승려 **의상**은 **화엄 사상**을 정리하고, 영주 부석사 등 전국 여러 곳에 절을 세웠어요.

03 통일 신라의 문화유산

답 ④

문화유산 카드

(가)
경주 불국사
3층 석탑

● 종목: 국보 제21호
● 소재지: 경상북도 경주시
● 소개: 2층 기단 위에 3층의 탑신을 세우고, 그 위에 상륜부를 조성한 통일 신라의 전형적인 석탑 양식을 보여 줌. 도굴로 손상된 탑을 보수하던 중 내부에서 무구정광대다라니경이 발견됨.
현재 남아 있는 것 중 세계에서 가장 오래된 목판 인쇄물

① 화엄사 사사자 삼층 석탑
통일 신라(구례)

② 정림사지 오층 석탑
백제(부여)

③ 감은사지 삼층 석탑
통일 신라(경주)

④ 불국사 삼층 석탑
통일 신라(경주)

 경주 + 3층 + 『무구정광대다라니경』 = 경주 불국사 3층 석탑

04 발해의 발전과 문화

답 ④

이 치미와 용머리상을 남긴 국가에 대해 알려줘. └ 발해

발해 건국
대조영이 세운 국가로 고구려 계승을 표방하였어. └ 발해의 특징

① 수의 침략을 물리쳤다.
고구려
② 기인 제도를 실시하였다.
고려
③ 독서삼품과를 시행하였다.
통일 신라
✓ 해동성국이라고도 불렸다.
발해

 대조영 + 고구려 계승 + 해동성국 = 발해

자료 읽기

경주 불국사에는 석가탑으로 불리는 3층 석탑과 다보탑이 있어요. 그중 **경주 불국사 3층 석탑(석가탑)**에서 현재 전해지는 것 중 세계에서 가장 오래된 목판 인쇄물인 **『무구정광대다라니경』**이 발견되었어요.

정답 찾기

④ 통일 신라의 문화유산인 **경주 불국사 3층 석탑**이에요.

오답 피하기

① 통일 신라의 문화유산인 **구례 화엄사 4사자 3층 석탑**이에요.
② 백제의 문화유산인 **부여 정림사지 5층 석탑**이에요.
③ 통일 신라의 문화유산인 **경주 감은사지 3층 석탑**이에요.

자료 읽기

발해는 고구려 장군 출신인 **대조영**이 세운 국가예요. 발해는 일본에 보낸 국서에서 '고려 국왕(고구려 왕)'이라는 표현을 사용하며 **고구려를 계승**한 국가임을 나타냈어요. 치미 등 발해의 문화유산에서도 고구려와의 연관성을 찾을 수 있어요.

정답 찾기

④ 발해는 선왕 때 전성기를 이루어 당으로부터 **해동성국**으로 불렸어요.

오답 피하기

① 고구려의 **을지문덕**은 수의 대군이 침입해 오자, 살수에서 이를 물리쳤어요(**살수 대첩**).
② **고려 태조(왕건)**는 호족 세력을 견제하기 위해 **기인 제도**를 실시하였어요.
③ 신라 **원성왕**은 유학 소양이 뛰어난 인재를 등용하기 위해 **독서삼품과**를 시행하였어요.

② 고려 시대

7강 고려의 건국과 발전

01 견훤의 활동   답 ②

(앞면)

- 상주 가은현에서 태어남
- (가)
- 공산 전투에서 고려에 승리함 ┐ 견훤
- 아들 신검에 의해 금산사에 유폐됨
- 고려에 투항함

(뒷면)

① 철원으로 천도함
   궁예
☑ 후백제를 건국함
   견훤
③ 훈요 10조를 남김
   고려 태조(왕건)
④ 경주의 사심관으로 임명됨
   김부(신라 경순왕)

문제해결의 KEY 공산 전투 승리 + 후백제 = 견훤

자료 읽기

후백제를 세운 **견훤**은 왕건이 이끄는 고려군과 **공산 전투, 고창 전투**를 치르며 후삼국의 주도권을 놓고 다투었어요. 이후 견훤은 큰아들 신검에 의해 금산사에 유폐되었다가 탈출하여 고려에 투항하였어요.

정답 찾기

② 견훤은 신라 말의 혼란을 틈타 후백제를 건국하였어요.

오답 피하기

① 궁예는 송악(개성)에서 **후고구려**를 세우고 이후 **철원**으로 수도를 옮겼어요.

③ **고려 태조(왕건)**는 후대 왕들이 지켜야 할 내용을 담은 **훈요 10조**를 남겼어요.

④ 신라의 마지막 왕인 **경순왕(김부)**은 고려에 투항한 이후 경주의 **사심관**으로 임명되었어요.

02 고려 태조의 업적   답 ④

┌ 고려 태조(왕건)
나는 왕으로 즉위해 나라 이름을 고려라 정하였습니다. 이후 신라의 항복을 받고 후백제를 격파하여 후삼국을 통일하였습니다.
└ 고려 태조의 업적

① 전국을 8도로 나누었다.
   조선 태종
② 천리장성을 축조하였다.
   고구려 말기, 고려 전기
③ 화통도감을 설치하였다.
   고려 우왕(최무선이 건의)
☑ 사심관 제도를 시행하였다.
   고려 태조(왕건)

문제해결의 KEY 후삼국 통일 = 고려 태조(왕건)

자료 읽기

고려의 **태조 왕건**은 신라의 항복을 받고 신검의 후백제 군대를 격파하여 후삼국을 통일하였어요.

정답 찾기

④ 고려 태조는 고위 관리에게 출신 지역을 관리하게 한 **사심관 제도**를 시행하였어요. 고려에 스스로 항복해 온 신라 경순왕(김부)을 경주의 사심관으로 임명한 것이 그 시작이었어요.

오답 피하기

① **조선 태종**은 전국을 **8도**로 나누어 정비하였어요.

② 고구려 말, 당의 침입을 막기 위해 **천리장성**을 축조하였어요. 고려 전기에도 북방 민족의 침입을 막기 위해 천리장성을 세웠어요. 고구려와 고려의 천리장성은 그 위치가 다르답니다.

③ 고려 말 우왕 때 **최무선**의 건의로 **화통도감**이 설치되었어요. 화통도감에서 만들어진 화약과 화포는 왜구를 물리치는 데 활용되었어요.

03 고려 광종의 업적
답 ③

① 훈요 10조를 남겼어.
고려 태조(왕건)
② 교정도감을 설치하였어.
고려 무신 집권기 최충헌
✔ 노비안검법을 실시하였어.
고려 광종
④ 12목에 지방관을 파견하였어.
고려 성종

문제해결의 KEY 과거제 + 노비안검법 = 고려 광종

04 고려 성종의 업적
답 ①

✔ 12목 설치
고려 성종
② 집현전 개편
조선 성종
③ 경국대전 편찬
조선 세조~성종
④ 독서삼품과 실시
신라 원성왕

문제해결의 KEY 시무 28조 + 국자감 = 고려 성종

▮자료 읽기
고려 **광종**은 중국에서 건너 온 쌍기의 건의를 받아들여 **과거 제도**를 시행하였어요. 과거 제도는 호족 세력을 견제하고 신진 관료를 등용하기 위해 실시되었어요.

▮정답 찾기
③ 고려 광종은 양인이었다가 불법적으로 노비가 된 사람들을 본래의 신분으로 회복시켜 주는 **노비안검법**을 실시하였어요. 이를 통해 호족의 경제적·군사적 기반을 약화시키고 왕권을 강화하였지요.

▮오답 피하기
① 고려 **태조**는 후대 왕들이 지켜야 할 규범을 **훈요 10조**로 남겼어요.
② 고려 시대 무신 집권자 **최충헌**은 교정도감을 설치하였어요. 이후 교정도감은 무신 정권의 최고 권력 기구로 기능하였어요.
④ 고려 **성종**은 지방의 중요한 지역에 **12목**을 설치하고 **지방관**을 파견하였어요.

▮자료 읽기
고려 **성종**은 최승로의 **시무 28조**를 받아들여 유교 정치 이념을 토대로 국가를 정비하였어요. 중앙 정치 조직으로 2성 6부제를 마련하고, 최고 교육 기관인 **국자감**을 정비하였지요. 또한 물가를 조절하여 백성들의 생활을 안정시키고자 **상평창**을 설치하였어요.

▮정답 찾기
① 고려 성종은 지방 통제력을 강화하기 위해 지방에 **12목**을 설치하고 관리를 파견하여 다스리도록 하였어요.

▮오답 피하기
② 조선 **성종**은 집현전을 개편한 **홍문관**을 설치하였어요.
③ 조선 **세조** 때 조선의 기본 법전인 『**경국대전**』을 편찬하기 시작하여 **성종** 때 완성하고 반포하였어요.
④ 신라 **원성왕**은 유교 경전의 이해 수준에 따라 관리를 등용하는 **독서삼품과**를 실시하였어요.

8강 고려의 대외 관계와 무신 정권

85쪽

01	①	02	①	03	②		

01 고려의 경제

답 ①

✔ 건원중보를 발행하였다.
　　고려 성종
② 신해통공을 단행하였다.
　　조선 정조
③ 연분 9등법을 시행하였다.
　　조선 세종
④ 관수 관급제를 실시하였다.
　　조선 성종

벽란도 + 송나라 = 고려

02 묘청의 서경 천도 운동

답 ①

> 서경에서 거사한 이유가 무엇인가요?

> 저는 서경으로 수도를 옮기면 천하를 다스릴 수 있고, 금이 스스로 항복할 것이라고 주장해 왔습니다. 그런데 조정에 반대하는 무리가 있어 뜻을 이룰 수 없었기 때문에 거사한 것입니다.

– 묘청 등 서경 세력의 주장

✔ ① 묘청의 난
　　 서경 천도 실패에 반발

② 김흠돌의 난
　 반란을 계획하였으나
　 신문왕이 진압

③ 홍경래의 난
　 조선 후기 서북 지역
　 차별에 반발

④ 원종과 애노의 난
　 신라 말 세금을 과도하게 거두려
　 하자 일어난 농민 반란

문제해결의 KEY
서경 천도 주장 + 서경에서 반란 = 묘청의 난

✎ 자료 읽기
고려 시대에는 예성강 하구의 **벽란도**가 국제 무역항으로 번성하였어요. 송나라와 아라비아의 상인들은 벽란도에 드나들며 고려 상인과 교역하였어요.

✎ 정답 찾기
① 고려 **성종** 때 **건원중보**라는 화폐를 발행하였어요.

✎ 오답 피하기
② 조선 **정조** 때 **신해통공**을 단행하여 시전 상인의 특권이었던 금난전권을 철폐하였어요.
③ 조선 **세종** 때 풍년과 흉년을 고려해 토지의 등급을 9등급으로 구분하여 조세를 부과하는 **연분 9등법**이 시행되었어요.
④ 조선 **성종** 때 조세를 관청에서 거두어 관리에게 주는 **관수 관급제**가 시행되었어요.

✎ 자료 읽기
고려 시대에 **묘청**을 비롯한 서경 세력은 서경(평양)으로 수도를 옮길 것과 금나라를 정벌할 것 등을 주장하였어요. 개경 세력의 반대에 부딪혀 서경으로의 천도가 좌절되자, 묘청을 중심으로 서경에서 반란을 일으켰어요.

✎ 정답 찾기
① 묘청 등 서경 세력이 일으킨 반란은 약 1년 만에 개경 세력인 **김부식**이 이끄는 관군에 진압되었어요.

✎ 오답 피하기
② 신라 **신문왕** 때 왕의 장인인 김흠돌이 반란을 도모하였어요. 신문왕은 **김흠돌의 난**을 진압하면서 진골 귀족 세력을 숙청하고 왕권을 강화하였어요.
③ 조선 후기 세도 정치기에 서북 지방(평안도)에 대한 차별과 삼정의 문란 등에 반발하여 **홍경래**가 반란을 일으켰어요.
④ 신라 말 진성 여왕 때 신라 정부가 농민들에게 조세를 독촉하자 **원종과 애노**가 사벌주(상주)에서 봉기하였어요.

03 무신 정권

답 ②

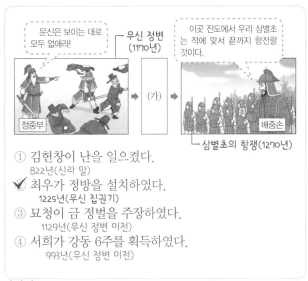

① 김헌창이 난을 일으켰다.
   822년(신라 말)
✓ 최우가 정방을 설치하였다.
   1225년(무신 집권기)
③ 묘청이 금 정벌을 주장하였다.
   1129년(무신 정변 이전)
④ 서희가 강동 6주를 획득하였다.
   993년(무신 정변 이전)

 무신 정변 → 최씨 무신 정권 → 삼별초의 항전

▌자료 읽기

고려 시대에 무신들은 문신들에 비해 대우를 받지 못하였어요. 무신들의 불만은 날이 갈수록 쌓여갔고, 1170년에 무신들이 정변을 일으켜 권력을 장악하였어요(**무신 정변**). 무신 집권자가 연이어 교체되다가 **최충헌**이 권력을 잡으면서 **최씨 무신 정권**이 성립되었어요. 최충헌의 아들인 **최우**가 집권하던 시기에 몽골이 고려를 침공하였고, 고려 조정은 이에 저항하다가 결국 몽골과 강화를 맺었어요. 당시 최씨 무신 집권자의 사병 부대였던 **삼별초**는 몽골과의 강화에 반발하여 진도, 제주도로 근거지를 옮겨 가며 항전하였지요.

▌정답 찾기

② 무신 집권자였던 **최우**는 자기 집에 인사 기구인 **정방**을 설치하여 관리의 인사권을 장악하였어요.

▌오답 피하기

① 신라 말에 웅천주 도독 **김헌창**이 자신의 아버지가 왕위에 오르지 못한 것에 불만을 품고 반란을 일으켰어요.
③ 고려 시대에 **묘청** 등 서경 세력이 서경(평양) 천도, 금나라 정벌 등을 주장하였어요. 이들은 자신들의 주장이 받아들여지지 않자, 서경에서 반란을 일으켰어요(**묘청의 서경 천도 운동**).
④ 고려 시대에 거란이 침입해 오자, **서희**가 적장과 외교 담판을 벌여 **강동 6주**를 획득하였어요.

9강 북방 민족의 침입과 고려의 극복

91쪽

01	③	02	④	03	③	04	④

01 거란의 침입과 격퇴

답 ③

① 서희   ② 윤관   ✓ 강감찬   ④ 최무선
강동 6주 획득 동북 9성 축조 귀주 대첩   화통도감
                                          설치 건의

 귀주 대첩 = 강감찬

▌자료 읽기

거란의 3차 침입 당시 **강감찬**이 이끄는 고려군이 귀주에서 거란군을 크게 물리쳤어요(**귀주 대첩**).

▌정답 찾기

③ 강감찬은 귀주 대첩으로 고려를 침입한 거란군을 물리쳤어요.

▌오답 피하기

① 거란의 1차 침입 당시 **서희**가 거란 장수와의 외교 담판을 통해 **강동 6주**를 획득하였어요.
② 고려 시대에 윤관이 **별무반**을 이끌고 여진족의 근거지를 정벌한 후 **동북 9성**을 쌓았어요.
④ 고려 말 **최무선**은 **화통도감**의 설치를 건의하고, 화통도감에서 만든 화약과 화포를 이용하여 진포에서 왜구를 크게 물리쳤어요(**진포 대첩**).

02 여진의 성장과 고려의 대응   답 ④

① 우산국을 정복하였다.
    이사부
② 4군 6진을 설치하였다.
    최윤덕, 김종서
③ 강동 6주를 확보하였다.
    서희
☑ 동북 9성을 축조하였다.
    윤관

 별무반 + 여진 정벌 + 동북 9성 = 윤관

03 몽골의 침입과 고려의 항쟁   답 ③

> 칸께서 살리타 등이 이끄는 군대를 너희에게 보내 항복할지 아니면 죽임을 당할지 묻고자 하신다. 이전에 칸께서 보낸 사신 저고여가 사라져서 다른 사신이 찾으러 갔으나, 너희들은 활을 쏘아 그를 쫓아냈다. 너희가 저 <u>고려를 살해한 것이 확실하니, 이제 그 책임을 묻고 있는 것이다.</u> ┐ 몽골이 고려를 침입한 구실

① 이자겸이 사대 요구를 수용하였다.
    금나라(여진)의 요구 수용
② 서희가 소손녕과 외교 담판을 벌였다.
    거란의 1차 침입
☑ 김윤후 부대가 처인성에서 적장을 사살하였다.
    몽골의 침입
④ 강감찬이 군사를 이끌고 귀주에서 크게 승리하였다.
    거란의 3차 침입

 저고여 살해 구실 = 몽골의 고려 침입

📖 자료 읽기

고려 전기에 여진이 세력을 키워 고려의 국경을 자주 침범하였어요. 이에 **윤관**의 건의로 기병 부대를 보강한 **별무반**이 설치되었어요.

📖 정답 찾기

④ 고려 시대에 윤관은 별무반을 이끌고 여진을 정벌한 뒤 동북 지역에 9성을 쌓았어요.

📖 오답 피하기

① 신라 지증왕 때 **이사부**가 **우산국(울릉도)** 일대를 정복하였어요.
② 조선 세종 때 **최윤덕**과 김종서가 여진족을 몰아내고, 여진족의 근거지에 **4군**과 **6진**을 개척하였어요.
③ 고려 성종 때 거란이 침입해 오자, **서희**가 거란 장수와 외교 담판을 벌여 **강동 6주**를 획득하였어요.

📖 자료 읽기

몽골의 사신으로 고려에 왔던 저고여가 귀국길에 살해당하자, 이를 구실로 몽골이 군대를 보내 고려를 공격하였어요. 고려는 수도를 강화로 옮겨 몽골에 항전하였지요. 수십 년에 걸친 항전 끝에 고려 정부는 몽골과 강화를 맺고 개경으로 돌아왔어요.

📖 정답 찾기

③ 몽골의 2차 침입 때 **김윤후**와 백성들이 처인성에서 몽골군을 물리쳤어요(**처인성 전투**). 김윤후는 이 전투에서 적장 살리타를 사살하는 등 큰 전공을 세웠어요.

📖 오답 피하기

① 고려 전기에 **이자겸**이 여진족이 세운 금나라의 사대 요구를 수용하였어요.
② 거란의 1차 침입 때 **서희**가 적장 소손녕과 외교 담판을 벌여 **강동 6주**를 획득하였어요.
④ 거란의 3차 침입 때 **강감찬**이 이끈 고려군이 귀주에서 거란군을 크게 물리쳤어요(**귀주 대첩**).

04 고려 공민왕의 업적   답 ④

① 균역법을 시행하였다.
　조선 영조
② 독서삼품과를 실시하였다.
　신라 원성왕
③ 삼강행실도를 편찬하였다.
　조선 세종
✔ 철령 이북의 땅을 되찾았다.
　고려 공민왕

 전민변정도감 + 친원 세력 제거 = 고려 공민왕

📖 자료 읽기

고려 **공민왕**은 원나라가 쇠퇴하는 상황을 이용하여 반원 자주 정책을 추진하였어요. 공민왕은 기철로 대표되는 **친원 세력을 제거**하고 몽골식 풍습을 금지하는 등 고려의 자주성을 되찾기 위해 노력하였지요. 또한 **신돈**을 등용하여 **전민변정도감**을 운영하며 백성들이 억울하게 빼앗긴 땅과 신분을 되찾아 주었어요.

📖 정답 찾기

④ 고려 공민왕은 **쌍성총관부를 공격**하여 원나라로부터 철령 이북의 영토를 되찾았어요.

📖 오답 피하기

① 조선 **영조**는 백성의 군역 부담을 줄여주기 위해 **균역법**을 실시하였어요.
② 신라 **원성왕**은 유학 소양을 갖춘 인재를 등용하기 위해 **독서삼품과**를 실시하였어요.
③ 조선 **세종** 때 백성들에게 유교 윤리를 보급하기 위해 『**삼강행실도**』를 편찬하였어요.

10강 고려 문화의 발전

01	①	02	④	03	④	04	④

01 지눌의 활동   답 ①

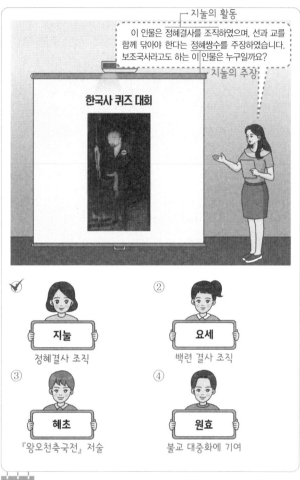

 정혜결사(수선사 결사) 조직 = 지눌

📖 자료 읽기

고려 무신 집권기에 활동한 승려 **지눌**은 불교계의 개혁을 외치며 **정혜결사(수선사 결사)**를 제창하였어요. 그는 참선과 경전을 함께 강조하는 정혜쌍수, 돈오점수를 주장하였어요.

📖 정답 찾기

① 고려의 승려 지눌은 보조국사라고도 불렸어요.

📖 오답 피하기

② 고려의 승려 **요세**는 법화 신앙을 강조하고 백련 결사를 제창하였어요.
③ 신라의 승려 **혜초**는 인도와 중앙아시아를 여행하며 보고 들은 것을 『**왕오천축국전**』으로 남겼어요.
④ 신라의 승려 **원효**는 **일심 사상**을 주장하였고, 불교의 대중화에 힘썼어요.

02 팔만대장경(팔만대장경판)　　　답 ④

이곳 합천 해인사 장경판전에는 고려 시대에 제작된 　(가)　 이/가 현재까지 잘 보존되어 있습니다. 그 이유는 건물의 통풍이 잘 되도록 위아래 창의 크기를 서로 다르게 하였고 안쪽 흙바닥 속에 숯과 횟가루를 넣어 습도를 조절하였기 때문입니다.

① 승정원에서 편찬하였다.
　『승정원일기』
② 시정기와 사초를 바탕으로 제작하였다.
　『조선왕조실록』
③ 현존하는 가장 오래된 금속 활자본이다.
　『직지심체요절』
✓ 부처의 힘으로 몽골의 침입을 물리치고자 만들었다.
　팔만대장경

 부처의 힘으로 몽골의 침입 격퇴 = 팔만대장경

03 상감 청자　　　답 ④

도자기 표면에 무늬 새기기 → 무늬에 다른 색의 흙 메우기 → 다른 색 흙을 긁어내어 무늬 나타내기
└ 상감 기법

① 기마 인물형 토기
　신라 때 만들어진 토우
② 백자 철화 끈무늬 병
　조선 시대 백자
③ 청자 참외 모양 병
　고려 시대 순청자
✓ 청자 상감 모란문 표주박 모양 주전자
　고려 시대 상감 청자

상감 기법 = 고려 상감 청자

📖 **자료 읽기**

합천 **해인사 장경판전**에 보관되어 있다는 점, 고려 시대에 제작되었다는 점을 통해 (가)에 들어갈 문화유산이 **팔만대장경판**임을 알 수 있어요.

📖 **정답 찾기**

④ 팔만대장경판은 고려 시대에 부처의 힘으로 몽골의 침입을 격퇴하고자 하는 염원을 담아 제작되었어요.

📖 **오답 피하기**

① 승정원에서 편찬한 기록물은 **『승정원일기』**예요. 매일매일의 나랏일을 기록하였어요.

② 시정기와 사초를 바탕으로 제작한 기록물은 **『조선왕조실록』**이에요.

③ 오늘날 전해지는 것 중 가장 오래된 금속 활자본은 **『직지심체요절』**이에요.

📖 **자료 읽기**

도자기 표면에 무늬를 새긴 후 다른 색의 흙을 메우고, 다른 색 흙을 긁어내어 무늬를 나타나게 하는 기법은 **상감 기법**이에요. 상감 기법은 고려 시대에 청자를 만드는 데 주로 활용되었어요 (상감 청자).

📖 **정답 찾기**

④ 상감 기법을 활용하여 표면에 무늬를 만들고, 유약을 발라 구워 만든 상감 청자예요.

📖 **오답 피하기**

① 신라의 기마 인물형 토기로, 흙으로 만든 그릇이에요.

② 조선 시대에 유행한 백자예요.

③ 고려청자 중 상감 기법이 사용되지 않은 순청자예요.

04 삼국유사
답 ④

① 발해고
조선 후기 유득공이 저술

② 동국통감
조선 전기에 편찬

③ 동사강목
조선 후기 안정복이 저술

✔ 삼국유사
고려 후기 일연이 저술

 일연 + 단군왕검의 고조선 건국 이야기 = 『삼국유사』

▮자료 읽기
고려 후기에 **일연**은 우리 민족의 자긍심을 고취시키기 위해 단군왕검의 고조선 건국 이야기, 민간 설화, 삼국의 건국 설화 등을 모아 『**삼국유사**』를 지었어요.

▮정답 찾기
④ 일연이 저술한 역사서는 『삼국유사』예요.

▮오답 피하기
① 조선 후기에 유득공이 『**발해고**』를 저술하였어요. 『발해고』는 발해를 우리 역사로 보고, 발해와 신라를 함께 부르는 말로 '**남북국**'이라는 용어를 처음으로 사용한 책이에요.
②『**동국통감**』은 조선 전기인 성종 때 편찬된 역사서예요. 신화와 전설을 배제하고 고조선부터 고려 시대까지의 역사를 기록하였어요.
③『**동사강목**』은 조선 후기에 안정복이 저술한 역사서예요. 고조선부터 고려 시대의 역사를 담았어요.

---

3 조선 전기

11강 조선의 건국과 국가 기틀의 마련

113쪽

01	④	02	④	03	①	04	④

01 과전법
답 ④

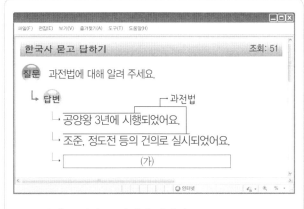

① 공인이 등장하는 배경이 되었어요.
대동법의 시행
② 토지 소유자에게 지계를 발급하였어요.
광무개혁
③ 전지와 시지를 품계에 따라 나누어 주었어요.
전시과
✔ 전·현직 관리에게 토지의 수조권을 지급하였어요.
과전법

 전·현직 관리에게 수조권 지급 = 과전법

▮자료 읽기
고려 말, 신진 사대부의 경제 기반을 마련하기 위해 조준, 정도전 등의 건의로 **과전법**이 실시되었어요.

▮정답 찾기
④ 과전법으로 경기 지역의 토지에 한정해서 전·현직 관리에게 토지의 **수조권**(세금을 거둘 수 있는 권리)이 지급되었어요.

▮오답 피하기
① 조선 후기 **대동법**의 시행으로 국가에 물품을 납부하는 상인인 **공인**이 등장하였어요.
② 대한 제국 시기 **광무개혁**으로 근대적 토지 소유 증명서인 **지계**가 발급되었어요.
③ 고려 시대에는 관리에게 전지와 시지의 수조권을 나누어 주는 **전시과**가 실시되었어요.

02 조선 태종의 업적

답 ④

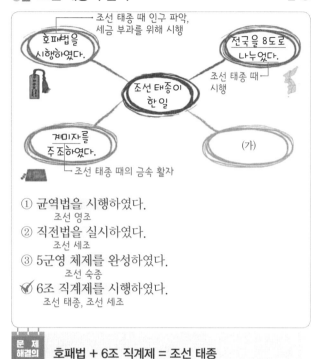

① 균역법을 시행하였다.
ㄴ 조선 영조
② 직전법을 실시하였다.
ㄴ 조선 세조
③ 5군영 체제를 완성하였다.
ㄴ 조선 숙종
✔ 6조 직계제를 시행하였다.
ㄴ 조선 태종, 조선 세조

문제 해결의 KEY 호패법 + 6조 직계제 = 조선 태종

03 조선 세종의 업적

답 ①

✔ 4군 6진을 개척하였다.
ㄴ 조선 세종
② 경국대전을 완성하였다.
ㄴ 조선 성종
③ 대동여지도를 제작하였다.
ㄴ 조선 후기 김정호
④ 백두산정계비를 건립하였다.
ㄴ 조선 숙종

문제 해결의 KEY 훈민정음 창제 + 『농사직설』 편찬 = 조선 세종

┃자료 읽기

조선 **태종** 때 성인 남자에게 일종의 신분증인 호패를 지니도록 한 **호패법**이 시행되었어요. 또한 태종은 금속 활자인 **계미자**를 주조하였으며, 전국을 **8도**로 나누어 정비하였어요.

┃정답 찾기

④ 조선 태종은 왕의 권한을 강화하기 위해 국가 중대사를 의정부를 거치지 않고 6조에서 논의한 후 국왕에게 바로 보고하도록 한 **6조 직계제**를 실시하였어요. 이후 세조 때에도 6조 직계제를 시행하였어요.

┃오답 피하기

① 조선 **영조**는 백성들의 군역 부담을 줄여주기 위해 백성들이 1년에 내야 하는 군포를 2필에서 1필로 줄여 주는 **균역법**을 시행하였어요.

② 조선 **세조**는 기존의 과전법과 달리 현직 관리에게만 토지의 수조권을 주는 **직전법**을 실시하였어요.

③ 조선 **숙종** 때 조선 후기의 중앙군 체제인 **5군영** 체제를 완성하였어요.

┃자료 읽기

조선 **세종**은 백성들이 쉽게 읽고 쓸 수 있도록 **훈민정음**을 창제하였어요. 또한 우리 풍토에 맞는 농사법을 정리한 **『농사직설』**도 편찬하였지요.

┃정답 찾기

① 조선 초기에 여진이 조선의 국경을 자주 침범하자, 세종은 압록강과 두만강 유역에 최윤덕과 김종서를 보내 여진의 근거지를 정벌하고 **4군**과 **6진**을 개척하였어요.

┃오답 피하기

② 조선 **성종**은 나라를 다스리는 기본 법전인 **『경국대전』**을 완성하여 반포하였어요.

③ 조선 후기에 **김정호**가 전국의 산천과 도로망 등을 상세하게 표현한 **대동여지도**를 제작하였어요.

④ 조선 **숙종** 때 **백두산정계비**를 세워 청나라와 국경을 정하였어요.

04 홍문관

답 ④

홍문관
이번에 [(가)] 의 교리에 임명
되셨다고 들었습니다. [(가)] 에
대해 알려 주세요.

홍문관의 역할
궁궐 내의 서적을 관리하고
왕의 각종 자문에 응하는 기구
입니다. 사헌부, 사간원과 함께
삼사로 불립니다. — 홍문관

① 승정원
국왕 비서
기관

② 어사대
관리의 비리
감찰(고려)

③ 집사부
신라의 최고
행정 관서

✓ 홍문관
경연 주관,
왕의 정책 자문

 왕의 자문 역할 + 3사 = 홍문관

자료 읽기
조선의 중앙 정치 기구 중 하나인 **홍문관**은 국왕의 각종 자문에
답하고 경연을 주관하였어요.

정답 찾기
④ 홍문관은 사헌부, 사간원과 함께 **3사**로 불리며 언론 기능을
담당하였어요.

오답 피하기
① **승정원**은 조선 시대에 왕명의 출납을 담당한 왕의 비서 기관
이에요.
② **어사대**는 고려 시대에 관리의 비리 감찰을 담당한 기관이
에요.
③ **집사부**는 왕의 명령을 집행하고 보고하던 신라의 최고 행정
관서예요.

12강 조선의 문화와 과학의 발전

01	②	02	③	03	①	04	④

01 경국대전

답 ②

조선 제9대 국왕인 성종의 재위 기간에는 통치에 관한 규범
들을 확립하기 위해 많은 서적이 편찬되었다. 국가 운영 전반에
대한 법률을 담은 [(가)] 이/가 반포되었으며, 국가의 의례
를 정비한 국조오례의와 궁중 음악을 집대성한 악학궤범이 완
성되었다.
└『경국대전』

① 택리지
조선 후기에
이중환이 지은 지리서

✓ 경국대전
조선 성종 때 반포된
조선의 기본 법전

③ 농사직설
조선 세종 때
편찬된 농법서

④ 동의보감
조선 광해군 때
허준이 지은 의학서

 조선 성종 때 법률 반포 =『경국대전』

자료 읽기
『경국대전』은 조선 세조 때 편찬하기 시작하여 성종 때 완성하
여 반포한 법전이에요. 『경국대전』에는 국가를 다스리는 전반
적인 법률이 규정되어 있어요.

정답 찾기
② 조선의 기본 법전인『경국대전』이에요.

오답 피하기
① 『택리지』는 조선 후기에 **이중환**이 저술한 지리서예요.
③ 『농사직설』은 조선 세종 때 우리 환경에 맞는 농사법을 정리
한 책이에요.
④ 『동의보감』은 조선 광해군 때 허준이 저술한 의학 서적이에
요. 『동의보감』은 유네스코 세계 기록 유산에 등재되었어요.

02 삼강행실도

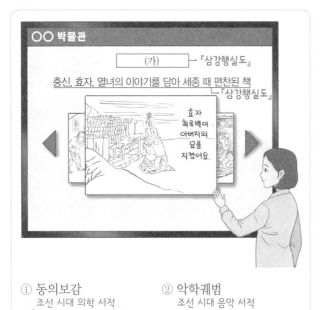

○○ 박물관

(가) → 『삼강행실도』

충신, 효자, 열녀의 이야기를 담아 세종 때 편찬된 책
└→ 『삼강행실도』

효자 최루백이 아버지의 묘를 지켰어요.

① 동의보감
조선 시대 의학 서적

② 악학궤범
조선 시대 음악 서적

✔ 삼강행실도
조선 시대 유교 윤리 보급

④ 용비어천가
조선 시대 왕실의 정통성 강조

문제 해결의 **KEY**
충신, 효자, 열녀 이야기 + 세종 = 『삼강행실도』

03 자격루

→ 자격루

(가) 는 자동으로 시간을 알려 주는 장치를 갖춘 물시계입니다. 이 시계가 알려 주는 시간에 따라 도성 문을 열고 닫았으며, 궁궐 호위병들은 임무를 교대하였습니다.

└→ 자격루의 원리

✔ 자격루
물시계

② 측우기
강우량 측정

③ 혼천의
천체 관측

④ 앙부일구
해시계

문제 해결의 **KEY**
자동으로 시간을 알려 주는 물시계 = 자격루

▌자료 읽기

조선 **세종** 때 백성들에게 유교 윤리를 보급하기 위해 글과 그림으로 쉽게 풀어 설명한 『**삼강행실도**』가 편찬되었어요.

▌정답 찾기

③ 『삼강행실도』는 조선 세종 때 간행된 윤리 서적으로, 우리나라와 중국의 서적에서 백성들에게 본보기가 될 만한 충신과 효자, 열녀의 사례를 모아 편찬한 서적이에요.

▌오답 피하기

① 『**동의보감**』은 조선 광해군 때 허준이 편찬한 의학 서적이에요.
② 『**악학궤범**』은 조선 성종 때 음악의 원리와 역사 등을 정리한 음악 서적이에요.
④ 『**용비어천가**』는 조선 세종 때 조선의 건국을 노래한 서사시예요. 『용비어천가』는 훈민정음으로도 쓰였어요.

▌자료 읽기

조선 **세종** 때 장영실 등이 왕의 명령을 받아 **자격루**를 제작하였어요.

▌정답 찾기

① 자격루는 시간에 따라 자동적으로 종, 북, 징을 쳐서 시각을 알리도록 설계된 물시계예요. 물의 변화량에 따라 시각을 알려 주어 날씨와 상관없이 시간을 알 수 있었어요.

▌오답 피하기

② **측우기**는 조선 세종 때 강우량을 측정하기 위해 제작된 과학 기구예요.
③ **혼천의**는 조선 세종 때 제작된 천체 관측 기구예요.
④ **앙부일구**는 조선 세종 때 제작된 해시계예요.

04 몽유도원도

답 ④

문제
해결의
KEY   안평 대군의 꿈 + 안견의 작품 = 몽유도원도

13강 유교의 전통과 생활

127쪽

| 01 | ① | 02 | ③ | 03 | ② | 04 | ① |

01 조선의 교육 기관

답 ①

문제
해결의
KEY   4부 학당 + 성균관 + 서원 = 조선

▌자료 읽기

몽유도원도는 화가 **안견**이 세종의 아들인 안평 대군에게 꿈 이야기를 듣고 그린 그림이에요. 안평 대군이 꿈에서 본 이상 세계가 표현되어 있어요.

▌정답 찾기

④ 몽유도원도는 조선 전기를 대표하는 그림이에요.

▌오답 피하기

① **무동도**는 조선 후기에 **김홍도**가 그린 풍속화예요. 연주자들의 음악에 맞춰 춤추는 아이의 모습을 그렸어요.
② **세한도**는 조선 후기에 **김정희**가 그린 문인화예요.
③ **인왕제색도**는 조선 후기에 **정선**이 인왕산의 모습을 그린 진경산수화예요.

▌자료 읽기

조선 시대에는 유교 교육을 진흥시키기 위한 여러 교육 기관이 있었어요. 수도인 한양(서울)에는 최고 교육 기관인 **성균관**과 중등 교육을 담당한 **4부 학당**이 있었어요. 지방에는 **향교**와 사림 세력이 세운 사립 교육 기관인 **서원**이 있었어요.

▌정답 찾기

① **경당**은 글과 활쏘기를 가르친 고구려의 지방 교육 기관이에요.

02 이황의 활동

답 ③

이곳은 도산 서원 상덕사로 (가) 의 위패를 모신 사당입니다. 그는 풍기 군수, 성균관 대사성 등의 관직을 역임하였으며 예안 향약을 만들었습니다.

① 거중기를 설계하였다.
  정약용
② 대마도를 정벌하였다.
  고려 말 박위, 조선 초 이종무
③ 성학십도를 저술하였다.
  이황
④ 대동여지도를 제작하였다.
  김정호

도산 서원 + 「성학십도」 = 이황

03 이이의 활동

답 ②

화폐로 보는 역사 인물

이 화폐에는 (가) 의 모습과 그가 태어난 강릉 오죽헌 등이 그려져 있습니다. 그는 조선 시대 유학자이자 정치가로 수미법을 주장하였습니다.

① 앙부일구를 제작하였다.
  이순지, 장영실 등
② 성학집요를 저술하였다.
  이이
③ 시무 28조를 건의하였다.
  최승로
④ 화통도감 설치를 제안하였다.
  최무선

오죽헌 + 수미법 = 이이

┃ 자료 읽기

조선 시대 성리학자 **이황**은 천 원권에 초상화가 그려진 인물이에요. 이황은 예안 향약을 만드는 등 성리학의 발전에 기여한 인물이지요. 그의 사상은 일본에 전해져 일본 성리학 발전의 토대가 되었고, 그의 학풍을 이은 제자들은 동인을 이루었어요. 도산 서원은 그의 제자들이 이황의 학문과 덕행을 기리기 위해 세운 것이랍니다.

┃ 정답 찾기

③ 이황은 군주의 도를 도식으로 설명한 「성학십도」를 지어 선조에게 바쳤어요.

┃ 오답 피하기

① 조선 후기 실학자 **정약용**은 **거중기**를 설계하였어요. 거중기는 수원 화성을 건설하는 데 활용되어 공사 기간을 단축하는 데 기여하였어요.

② 고려 말에 **박위**가 왜구의 근거지인 **대마도(쓰시마섬)를 정벌**하였어요. 조선 세종 때 **이종무**도 대마도를 정벌하였지요.

④ 조선 후기에 **김정호**가 전국의 산천과 하천, 도로망 등을 상세하게 표현한 **대동여지도**를 제작하였어요.

┃ 자료 읽기

조선 시대 성리학자 **이이**는 오천 원권에 초상화가 그려진 인물이에요. 이이는 수미법 등 여러 사회 개혁안을 왕에게 건의하였어요.

┃ 정답 찾기

② 이이는 국가 운영에 있어 현명한 신하의 역할을 강조한 『성학집요』를 저술하였어요.

┃ 오답 피하기

① 조선 세종 때 **이순지, 장영실** 등이 왕명을 받아 해시계인 **앙부일구**를 제작하였어요.

③ 고려 성종 때 **최승로**가 유교 통치 이념을 담은 **시무 28조**를 왕에게 건의해 유교 중심의 통치 질서가 확립되었어요.

④ 고려 말 **최무선**은 화약과 화포의 제작을 담당하는 **화통도감**의 설치를 건의하였어요.

04 민속놀이

답 ①

✓ **씨름**
상대방을 바닥에 넘어뜨리는 민속놀이

② **택견**
전통 무예

③ **강강술래**
손을 잡고 둥글게 도는 민속놀이

④ **남사당놀이**
유랑 광대극

 살바나 허리춤을 잡고 넘어뜨림 = 씨름

자료 읽기

씨름은 삼국 시대 이전부터 이루어진 것으로 추정되는 민속놀이예요. 고구려 고분에도 씨름을 하는 모습을 그린 벽화가 남아 있어요.

정답 찾기

① 씨름은 상대방의 살바나 허리춤을 잡아 넘어뜨리는 민속놀이로, 조선 시대에도 널리 행해졌어요.

오답 피하기

② **택견**은 독창적인 보법을 중심으로 상대를 발로 차거나 넘기는 기술을 사용하는 전통 무예예요.

③ **강강술래**는 추석이나 정월 대보름 등 명절날 밤에 마을의 부녀자들이 마당에서 서로 손을 잡고 둥글게 돌며 춤을 추는 민속놀이예요.

④ **남사당놀이**는 남자들로 구성된 유랑 광대극으로, 주로 농어촌이나 성곽 밖의 서민들을 대상으로 이루어진 공연이에요.

01	②	02	③	03	③		

01 임진왜란의 전개

답 ②

① 천리장성이 축조되었다.
　　　고구려, 고려

✓ 권율이 행주산성에서 승리하였다.
　　　임진왜란(조선)

③ 황룡사 9층 목탑이 불타 없어졌다.
　　　고려 몽골 항쟁 시기

④ 윤관이 별무반 편성을 건의하였다.
　　　고려

 김시민 + 곽재우 + 권율 = 임진왜란

자료 읽기

조선 선조 때인 1592년에 일본의 침입으로 **임진왜란**이 일어났어요. 전쟁 초기에는 전세가 조선군에 불리하였지만 **이순신**이 이끄는 수군과 **곽재우** 등이 이끈 의병 부대의 활약, **김시민**의 진주 대첩과 **권율**의 행주 대첩 승리 등 관군과 의병의 활약으로 조선군이 우세해졌어요. 결국 조선군은 일본군의 침략을 물리쳤고 1598년에 일본군이 철수하면서 전쟁은 막을 내렸지요.

정답 찾기

② 임진왜란 당시 권율이 이끄는 관군과 백성들이 힘을 합쳐 행주산성에서 일본군에 승리하였어요.(**행주 대첩**).

오답 피하기

① 고구려는 당의 침입에 대비하여 **천리장성**을 축조하였고, 고려는 거란의 침입을 막아 낸 후 천리장성을 축조하였어요.

③ 고려 시대에 몽골의 침입으로 **황룡사 9층 목탑**이 불타 없어졌어요.

④ 고려 시대에 윤관이 **별무반**을 이끌고 여진족을 정벌한 뒤 동북 9성을 세웠어요.

02 인조반정

답 ③

문제 해결의 KEY

임진왜란(곽재우) → 인조반정 → 북벌(효종)

📖 자료 읽기

1592년에 일본이 조선을 침략하여 **임진왜란**이 일어나자 **이순신**이 이끄는 수군, **곽재우**가 이끈 의병 등이 일본군에 맞서 싸웠어요. 왜란 이후 선조의 아들인 광해군이 즉위하여 전쟁으로 황폐화된 나라를 일으키고자 노력하였고, 명나라와 후금 사이에서 실리적인 **중립 외교**를 추진하였지요. 서인 세력은 광해군의 중립 외교 등에 반대하며 **인조반정**을 일으켜 실권을 장악하였어요. 인조 시기에는 명나라와 가까이하고 후금을 멀리하여 두 차례에 걸친 후금(청)의 침입을 받았어요. 인조의 아들인 효종은 청나라에 복수하기 위해 **북벌**을 추진하였지요.

📖 정답 찾기

③ 광해군 재위기에 정권에서 소외되었던 서인 세력은 **인조반정**을 일으켜 광해군을 폐위하였어요. 폐위된 광해군은 강화도로 유배되었어요.

📖 오답 피하기

① 고려 시대에 **묘청**과 서경 세력이 서경(평양)으로 천도하고 금나라를 정벌할 것을 주장하였어요(**묘청의 서경 천도 운동**).

② 고려 말 **이성계**는 요동을 정벌하기 위해 압록강 근처까지 진격하였다가 **위화도**에서 **회군**하여 정치적 실권을 장악하였어요.

④ 조선 세종 때 **이종무**가 왜구의 근거지인 **대마도(쓰시마섬)**를 정벌하였어요.

03 병자호란의 전개

답 ③

체험 학습 결과 보고서

이름	○○○	학번	제 △학년 △반 △번
기간	2020년 □□월 □□일 (1일)		
장소	남한산성 — 병자호란		
학습한 내용	남한산성은 북한산성과 함께 한양 도성을 지키던 산성으로, (가) 당시 인조가 이곳으로 피란하여 45일간 청에 항전하였다.		

수어장대 서문

① 보빙사의 활동을 조사한다.
조·미 수호 통상 조약 체결 이후 미국에 파견한 사절단

② 삼별초의 이동 경로를 찾아본다.
대몽 항쟁(강화도 → 진도 → 제주도)

✓ 삼전도비의 건립 배경을 파악한다.
병자호란

④ 을미의병이 일어난 계기를 살펴본다.
을미사변, 단발령

문제 해결의 KEY

남한산성 + 인조의 피란 = 병자호란

📖 자료 읽기

서인 세력의 친명배금 정책으로 후금(청)이 조선을 쳐들어와 **정묘호란**과 **병자호란**이 일어났어요. 1636년 병자호란 당시 인조는 **남한산성**으로 피신하여 청나라 군대에 저항하였으나, 결국 항복하였어요.

📖 정답 찾기

③ 병자호란의 결과 조선 인조가 **삼전도**에서 신하의 예를 갖추어 청나라 황제에게 항복하였어요. 청나라 황제는 이를 기념하여 삼전도에 비석을 세웠어요.

📖 오답 피하기

① 1882년 **조·미 수호 통상 조약**을 체결한 후 미국 공사가 조선에 부임하자, 이에 대한 답례로 조선이 미국에 **보빙사**라는 사절단을 파견하였어요.

② 고려 시대에 몽골이 쳐들어오자, 고려 조정은 강화도로 수도를 옮겨 항전하였어요. 고려 조정이 다시 개경으로 수도를 옮기려 하자, **삼별초**가 이에 반발하였어요. 삼별초는 강화도에서 진도, 제주도로 근거지를 옮기며 몽골군에 저항하였지요.

④ 1895년에 명성 황후가 일본에 무참히 살해당한 **을미사변**이 일어났고, **을미개혁**으로 단발령 실시가 공포되자 양반 유생을 중심으로 **을미의병**이 일어났어요.

④ 조선 후기

15강 전란의 극복과 조선 사회의 변화

147쪽

| 01 | ③ | 02 | ① | 03 | ② | 04 | ① |

01 대동법

답 ③

 특산물 대신 쌀, 베, 동전으로 납부 = 대동법

▌자료 읽기

조선 **광해군** 때부터 방납의 폐단을 바로잡기 위해 **대동법**을 시행하였어요. 대동법은 기존에 공납을 특산물로 내던 것을 대신하여 토지 결수를 기준으로 쌀이나 베, 동전 등으로 내게 하는 제도였어요. 대동법의 시행을 주관하는 관청이 선혜청이어서 대동법을 선혜법이라고 부르기도 하였지요.

▌정답 찾기

③ 대동법의 시행으로 국가에서 필요로 하는 물품을 구매해 주는 **공인**이 등장하였어요.

▌오답 피하기

① **과전법**은 고려 말 신진 사대부의 경제적 기반을 마련하기 위해 시행된 토지 제도예요. 과전법에 따라 전·현직 관리에게 토지의 수조권을 주었어요.

② **균역법**은 조선 영조 때 백성의 군포 부담을 줄여 주기 위해 시행한 군역 제도예요. 균역법의 시행으로 백성들은 1년에 2필씩 내던 군포를 1필만 내게 되었어요.

④ **영정법**은 조선 인조 때 실시한 토지 제도예요. 전세를 풍년과 흉년에 관계없이 일정 액수만 내게 하였어요.

02 독도와 안용복

답 ①

 일본에 건너가 울릉도와 독도를 지켜 냄 = 안용복

▌자료 읽기

안용복은 조선 숙종 때 울릉도에서 고기잡이를 하던 중 이곳을 침입한 일본 어민을 나무라다가 일본으로 잡혀갔어요. 그러나 안용복은 울릉도(부속 도서인 독도도 포함)가 조선의 땅임을 강력히 주장하여 일본으로부터 울릉도와 독도가 조선의 영토임을 확인하는 문서를 받아 내었어요.

▌정답 찾기

① 안용복은 조선 후기의 어민으로, 일본으로부터 울릉도와 독도가 조선 땅임을 확인받았어요.

▌오답 피하기

② **이범윤**은 대한 제국 시기에 간도 관리사가 되어 간도 지방의 한인 보호에 힘썼어요.

③ **정약전**은 조선 후기 흑산도에서 유배 생활을 하던 중 흑산도 주변의 수산 생물을 조사하여 『**자산어보**』를 지었어요.

④ 고려 말 **최무선**은 **화통도감**에서 화약과 화포를 제작하여 왜구를 격퇴하였어요.

03 조선 후기의 경제　　　답 ②

조선 후기 상업에 대해 이야기해 보자.

경강상인이 한강을 무대로 운송업에 종사했어.

한강을 중심으로 경기·충청 일대에서 활동

(가)

① 내상이 일본과의 무역을 주도했어.
　　　조선 후기
✓ 벽란도에서 송과의 무역이 이루어졌어.
　　　고려
③ 관청에 물품을 조달하는 공인이 활동했어.
　　　조선 후기
④ 정기 시장인 장시가 전국 각지에서 열렸어.
　　　조선 후기

경강상인 + 내상 + 공인 = 조선 후기 상업 발달

▌자료 읽기

조선 후기에는 농업 생산력이 증대되고 수공업 생산이 활발해지면서 상업도 발달하였어요. 이와 더불어 **공인**과 대상인이 성장하고 장시와 대외 무역이 활발하게 이루어져 상품 화폐 경제가 발달하였어요.

▌정답 찾기

② 고려 시대에는 예성강 하구의 **벽란도**에서 송나라, 아라비아 상인들과 교역하였어요.

▌오답 피하기

① **내상**은 조선 후기에 동래(부산) 지역을 중심으로 일본과의 무역에 종사하였어요.
③ **공인**은 대동법이 실시되면서 등장한 상인이에요. 공인은 조선 후기 상업 발달을 주도하였어요.
④ 조선 후기에는 **장시**가 전국 곳곳에서 열렸어요.

04 조선 후기 신분제의 동요　　　답 ①

조선 시대에 정부가 부족한 국가 재정을 보충하기 위해 곡물, 돈 등을 받고 그 대가로 신분을 상승시켜 주거나 벼슬을 내린 정책을 무엇이라 할까요?
└ 납속책

① 납속책
나라에 돈 등을 바치고 신분 상승
② 사창제
환곡의 운영을 민간에 맡김.
③ 영정법
전세를 일정 액수만 걷음.
④ 호포제
양반에게도 군포를 걷음.

조선 시대에 곡물, 돈 등을 내고 신분 상승 = 납속책

▌자료 읽기

왜란 이후 정치적·경제적인 변화는 신분 질서에도 변화를 가져왔어요. 중인과 부유한 상민이 **공명첩**을 사거나 **납속책**을 통해 양반으로 신분을 상승시켰고, 노비가 상민이 되는 경우도 많아졌지요. 그 결과 세금을 내지 않는 양반의 수가 늘어나고 상민의 수는 줄어들어 국가 재정이 어려워졌어요.

▌정답 찾기

① 납속책은 재정 확보를 목적으로 국가에서 일시적으로 일정한 혜택을 내걸고 곡식이나 돈을 받는 정책이었어요.

▌오답 피하기

② **사창제**는 조선 고종 때 흥선 대원군이 환곡의 운영을 민간에 맡기기 위해 실시한 제도예요.
③ **영정법**은 조선 인조 때 풍년과 흉년에 관계없이 전세를 고정하여 내게 한 제도예요.
④ **호포제**는 조선 고종 때 흥선 대원군이 양반에게도 군포를 징수하기 위해 실시한 제도예요.

16강 새로운 문물을 받아들인 조선

155쪽

01	①	02	②	03	①	04	③

01 정약용의 활동　　　　　　　　　　답 ①

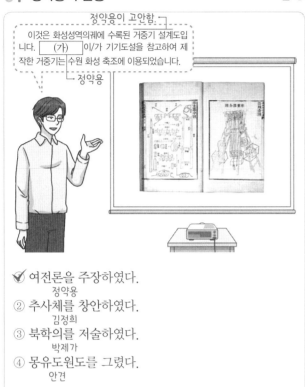

정약용이 고안함
이것은 화성성역의궤에 수록된 거중기 설계도입니다. (가) 이/가 기기도설을 참고하여 제작한 거중기는 수원 화성 축조에 이용되었습니다.
└ 정약용

✔ 여전론을 주장하였다.
　　정약용
② 추사체를 창안하였다.
　　김정희
③ 북학의를 저술하였다.
　　박제가
④ 몽유도원도를 그렸다.
　　안견

문제 해결의 KEY 거중기 설계 = 정약용

02 박지원의 활동　　　　　　　　　　답 ②

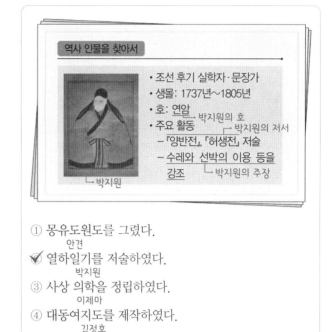

역사 인물을 찾아서

└ 박지원

• 조선 후기 실학자·문장가
• 생몰: 1737년~1805년
• 호: 연암 ─ 박지원의 호
• 주요 활동 ─ 박지원의 저서
　ー『양반전』, 『허생전』 저술
　ー 수레와 선박의 이용 등을
　　강조 └ 박지원의 주장

① 몽유도원도를 그렸다.
　　안견
✔ 열하일기를 저술하였다.
　　박지원
③ 사상 의학을 정립하였다.
　　이제마
④ 대동여지도를 제작하였다.
　　김정호

문제 해결의 KEY 『양반전』 + 수레와 선박 이용 강조 = 박지원

▮자료 읽기
조선 후기의 실학자 **정약용**은 수원 화성 축조에 활용된 **거중기**를 설계하였어요.

▮정답 찾기
① 정약용은 토지 개혁의 중요성을 강조한 중농학파의 대표적인 실학자예요. 그는 마을 단위로 땅을 공동 소유하고, 공동으로 경작한 후 노동량에 따라 수확물을 나누자는 **여전론**을 주장하였어요.

▮오답 피하기
② 조선 후기에 **김정희**가 **추사체**를 창안하였어요.
③ 조선 후기에 중상학파 실학자인 **박제가**가 『**북학의**』를 저술하고 소비의 중요성을 강조하였어요.
④ 조선 전기에 **안견**이 세종의 아들인 안평 대군이 꿈에서 본 이상 세계를 표현한 **몽유도원도**를 그렸어요.

▮자료 읽기
연암 **박지원**은 조선 후기의 대표적인 중상학파 실학자예요. 박지원은 상업 활동의 중요성을 이야기하며 수레와 선박의 이용을 강조하였지요. 또한 그는 『**양반전**』, 『**허생전**』 등을 지어 양반의 위선과 무능을 풍자하였어요.

▮정답 찾기
② 박지원은 청나라에 다녀와 보고 들은 것을 『**열하일기**』로 남겼어요.

▮오답 피하기
① 조선 전기에 **안견**이 세종의 아들인 안평 대군의 꿈 속 이야기를 듣고 **몽유도원도**를 그렸어요.
③ 조선 후기에 **이제마**가 사람의 체질을 연구하여 **사상 의학**을 정립하였어요.
④ 조선 후기에 **김정호**가 전국의 산천과 하천, 도로망을 상세하게 표현한 **대동여지도**를 제작하였어요.

03 조선 영조의 업적 답 ①

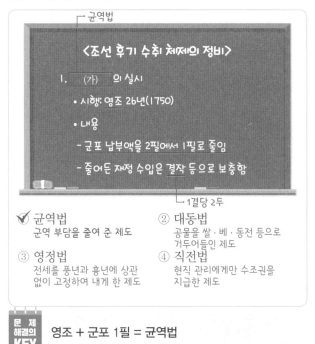

균역법

<조선 후기 수취 체제의 정비>

1. (가) 의 실시
- 시행: 영조 26년(1750)
- 내용
  - 군포 납부액을 2필에서 1필로 줄임
  - 줄어든 재정 수입은 결작 등으로 보충함

└ 1결당 2두

✓ ① 균역법
군역 부담을 줄여 준 제도

② 대동법
공물을 쌀·베·동전 등으로 거두어들인 제도

③ 영정법
전세를 풍년과 흉년에 상관 없이 고정하여 내게 한 제도

④ 직전법
현직 관리에게만 수조권을 지급한 제도

문제해결의 KEY 영조 + 군포 1필 = 균역법

04 조선 정조의 업적 답 ③

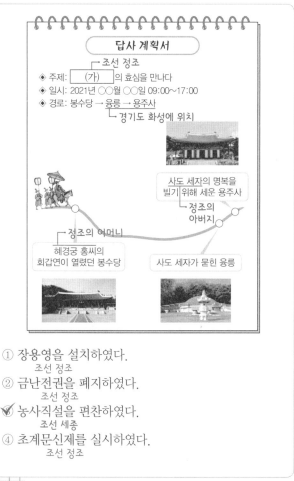

답사 계획서

┌ 조선 정조
◆ 주제: (가) 의 효심을 만나다
◆ 일시: 2021년 ○○월 ○○일 09:00~17:00
◆ 경로: 봉수당 → 융릉 → 용주사
└ 경기도 화성에 위치

사도 세자의 명복을 빌기 위해 세운 용주사
└ 정조의 아버지

정조의 어머니
혜경궁 홍씨의 회갑연이 열렸던 봉수당

사도 세자가 묻힌 융릉

① 장용영을 설치하였다.
조선 정조

② 금난전권을 폐지하였다.
조선 정조

✓ ③ 농사직설을 편찬하였다.
조선 세종

④ 초계문신제를 실시하였다.
조선 정조

문제해결의 KEY 융릉 + 사도 세자 = 조선 정조

📖 자료 읽기

조선 **영조**는 백성들의 군역 부담을 줄여 주기 위해 **균역법**을 실시하였어요. 균역법은 기존에 1년에 2필씩 내던 군포를 1필만 내게 해 준 법이었지요.

📖 정답 찾기

① 균역법을 시행하여 줄어든 재정 수입은 지주에게 **결작**을 걷거나 부유한 상민에게 선무군관이라는 칭호를 주고 선무군관포를 걷는 등의 방법으로 충당하였어요.

📖 오답 피하기

② 조선 광해군 때부터 공납을 토산물 대신 쌀, 베, 동전 등으로 내게 하는 **대동법**이 시행되었어요.

③ 조선 인조 때 전세 납부액을 풍년과 흉년에 상관없이 일정 액수만 고정하여 걷는 **영정법**이 시행되었어요.

④ 조선 세조 때 기존의 과전법과 달리 현직 관리에게만 토지의 수조권을 주는 **직전법**이 시행되었어요.

📖 자료 읽기

조선 **정조**는 영조의 손자이자 사도 세자와 혜경궁 홍씨(헌경 왕후)의 아들이에요. 정조는 사도 세자의 묘를 화성(당시 수원 화산)으로 옮기고 부근에 **수원 화성**을 축조하였어요.

📖 정답 찾기

③ 조선 세종 때 우리 풍토에 맞는 농사법을 정리한 『**농사직설**』이 편찬되었어요.

📖 오답 피하기

① 조선 정조는 국왕의 친위 부대인 **장용영**을 설치하여 왕권을 강화하고자 하였어요.

② 조선 정조는 시전 상인들의 특권인 금난전권을 폐지하여 자유로운 상업 활동을 보장하는 **신해통공**을 단행하였어요.

④ 조선 정조는 젊은 관리 중 유능한 인재를 재교육하는 **초계문신제**를 실시하였어요.

17강 서민 문화의 발달과 조선 시대 여성의 삶

01	④	02	④	03	②	

01 조선 후기 서민 문화의 발달   답 ④

① 중인층의 시사 활동이 활발하였다.
　　　　　조선 후기
② 춘향가 등의 판소리가 성행하였다.
　　　　　　　　조선 후기
③ 기존 형식에서 벗어난 사설시조가 유행하였다.
　　　　　　　　　　　　조선 후기
✔ 단군의 건국 이야기를 담은 제왕운기가 저술되었다.
　　　　　　　　　　　　　　고려

 전기수 + 상평통보 = 조선 후기

02 조선 후기 서민 문화의 발달   답 ④

① 한글 소설을 읽는 여인
　　　　조선 후기
② 청화 백자를 만드는 도공
　　　　조선 후기
③ 판소리 공연을 하는 소리꾼
　　　　　조선 후기
✔ 초조대장경을 제작하는 장인
　　　고려

 풍속화 + 한글 소설 + 판소리 = 조선 후기

자료 읽기

조선 후기에는 부유한 중인과 상민이 늘어나고 서당 교육이 확대되면서 서민 문화가 발달하였어요. **한글 소설**과 **판소리**, 기존 형식에서 벗어난 **사설시조**가 유행하였어요. 한글 소설은 소설을 읽어 주는 전문 낭독가인 **전기수**의 활동으로 널리 읽혔어요.

정답 찾기

④ 『**제왕운기**』는 고려 시대에 이승휴가 저술한 역사서로, 단군 왕검의 고조선 건국 이야기가 담겨 있어요.

오답 피하기

① **시사**(詩社)는 시를 짓고 즐기기 위한 모임을 말해요. 조선 후기에 중인들은 시사를 조직하여 문예 활동을 전개하였어요.
② 조선 후기에는 춘향가, 흥보가 등 **판소리**가 유행하였어요.
③ 조선 후기에는 기존 형식에서 벗어난 보다 자유로운 형식의 **사설시조**가 유행하였어요.

자료 읽기

조선 후기에는 **김홍도**, **신윤복** 등 여러 화가들이 서민의 일상생활을 소재로 한 **풍속화**를 그렸어요.

정답 찾기

④ **초조대장경**은 고려 시대에 부처의 힘으로 거란의 침입을 막아 내고자 만든 대장경이에요.

오답 피하기

① 조선 후기에는 서민 문화가 발달하여 **한글 소설**이 널리 읽혔어요. 장시에서 한글 소설을 읽어 주는 직업인 **전기수**도 생겨났어요.
② 조선 후기에는 백자 위에 청색 안료로 문양을 그려 넣은 **청화 백자**가 유행하였어요.
③ 조선 후기에는 **판소리** 공연이 유행하였어요.

03 조선 후기의 회화   답 ②

 조선 후기 진경산수화 = 정선의 인왕제색도

📜 자료 읽기

조선 후기에는 우리의 아름다운 산천을 소재로 한 **진경산수화**가 발달하였어요. 조선 후기의 대표적인 화가인 겸재 **정선**은 한성 근교와 강원도의 이름난 곳들을 직접 돌아보고 **진경산수화**인 **인왕제색도**와 금강전도 등을 남겼어요.

📜 정답 찾기

② 조선 후기에 정선이 그린 인왕제색도는 인왕산을 그린 작품이에요.

📜 오답 피하기

① 고구려 고분인 무용총에서 발견된 **수렵도**예요.
③ 조선 전기에 안견이 그린 **몽유도원도**예요.
④ 조선 전기에 강희안이 그린 **고사관수도**예요.

18강 조선을 뒤덮은 농민의 함성

01	④	02	③	03	③	04	①

01 홍경래의 난   답 ④

① 강화도 초지진에서 항전하였다.
   병인양요, 신미양요
② 서경 천도와 금국 정벌을 주장하였다.
   묘청의 서경 천도 운동
③ 제물포 조약이 체결되는 결과를 가져왔다.
   임오군란
✓ 서북 지역민에 대한 차별에 반발하여 일어났다.
   홍경래의 난

 홍경래 + 서북민 차별 = 홍경래의 난

📜 자료 읽기

홍경래의 난은 19세기 세도 정치기에 일어난 농민 봉기예요. 조선 시대에는 서북 지방(평안도)에 대한 차별이 있었는데, 홍경래 등이 이에 반발하여 반란을 일으켰어요. 이들은 한때 정주성을 점령하였으나 결국 관군에 의해 진압당하였어요.

📜 정답 찾기

④ 세도 정치기인 조선 후기에 서북 지역민에 대한 차별과 삼정의 문란에 반발하여 **홍경래**가 여러 계층을 모아 반란을 일으켰어요(홍경래의 난).

📜 오답 피하기

① 프랑스군이 침입한 **병인양요**, 미군이 침입한 **신미양요** 당시 조선군은 강화도 **초지진**에서 항전하였어요.
② 고려 시대에 묘청 등 서경 세력이 수도를 서경으로 옮길 것과 금나라를 정벌할 것을 주장하였어요(**묘청의 서경 천도 운동**).
③ **임오군란** 당시 구식 군대의 군인들은 일본 공사관을 습격하였어요. 군란이 진압된 이후 일본은 일본 경비병의 공사관 주둔을 허용하는 **제물포 조약**의 체결을 조선에 강요하였어요.

02 임술 농민 봉기(진주 농민 봉기)   답 ③

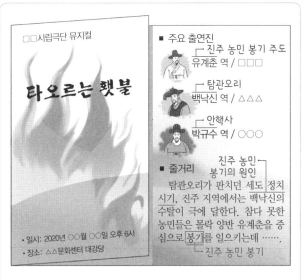

□□시립극단 뮤지컬

타오르는 햇불

- 일시: 2020년 ○○월 ○○일 오후 6시
- 장소: △△문화센터 대강당

■ 주요 출연진
┌ 진주 농민 봉기 주도
유계춘 역 / □□□
┌ 탐관오리
백낙신 역 / △△△
┌ 안핵사
박규수 역 / ○○○

■ 줄거리
┌ 진주 농민
봉기의 원인
탐관오리가 판치던 세도 정치 시기, 진주 지역에서는 백낙신의 수탈이 극에 달한다. 참다 못한 농민들은 몰락 양반 유계춘을 중심으로 봉기를 일으키는데 ……
└ 진주 농민 봉기

① 흑창을 두었다.
　고려 태조
② 신해통공을 실시하였다.
　조선 정조
③ ✔ 삼정이정청을 설치하였다.
　임술 농민 봉기(진주 농민 봉기) 결과
④ 전민변정도감을 운영하였다.
　고려 공민왕 등

문제 해결의 KEY 유계춘 + 백낙신 + 삼정이정청 = 임술 농민 봉기

자료 읽기

임술 농민 봉기(진주 농민 봉기)는 세도 정치기인 1862년에 탐관오리의 수탈과 삼정의 문란에 저항하여 일어난 농민 봉기예요. 경남 **진주**에서 **유계춘**의 주도로 시작되어 삼남 지방과 중·북부 지방까지 확산되었어요.

정답 찾기

③ 정부는 임술 농민 봉기(진주 농민 봉기)가 발생하자 **박규수**를 안핵사로 파견하고, **삼정이정청**을 설치하여 사태를 수습하고자 하였어요.

오답 피하기

① 고려 태조는 **흑창**을 설치하여 빈민을 구제하였어요.
② 조선 정조는 **신해통공**으로 사상의 자유로운 상업 활동을 보장하였어요.
④ 고려 공민왕은 **전민변정도감**을 운영하여 백성들이 억울하게 빼앗긴 땅을 돌려주고 권문세족의 힘을 억제하고자 하였어요.

03 천주교   답 ③

□□신문

제△△호   2014년 ○○월 ○○일

교황, 서소문 성지 방문
└ 천주교도가 많이 처형된 곳
프란치스코 교황은 지난 8월 16일 서울특별시의 서소문 순교 성지를 방문하였다. 이곳은 200여 년 전, 유교 윤리를 어겼다는 이유로 이승훈을 비롯한 (가) 을/를 믿는 사람들을 처형한 곳이다. 교황은 순교자들을 애도하며 이곳에 세워진 현양탑에 헌화하였다.
└ 천주교
└ 조선인 최초로 세례를 받음.

① 중광단 결성을 주도하였다.
　대종교
② 기관지로 만세보를 발간하였다.
　천도교
③ ✔ 초기에는 서학으로 소개되었다.
　천주교
④ 동경대전을 기본 경전으로 삼았다.
　동학

문제 해결의 KEY 교황 + 이승훈 처형 = 천주교

자료 읽기

이승훈은 조선인 최초로 세례를 받은 **천주교** 신자예요. 조선 정부는 유교 윤리를 어겼다는 이유로 이승훈을 처형하고 정약용 등 천주교 신자들을 유배 보냈어요.

정답 찾기

③ 천주교는 청나라를 다녀온 사신들에 의해 **서학**이라는 학문으로 조선에 처음 소개되었어요.

오답 피하기

① **대종교**는 단군을 모시는 종교로, 항일 무장 투쟁을 전개하기 위해 중광단을 결성하였어요.
② **천도교**는 동학을 발전시켜 만들어진 종교예요. 기관지로 『만세보』를 발행하였어요.
④ **동학**은 『동경대전』과 『용담유사』를 경전으로 삼았어요.

04 동학

답 ①

동경대전

경전

최제우 ── 창시자 ── (가) ── 주요 사상 ── 시천주, 인내천

└ 동학

✓ ① 동학
　최제우 창시

② 대종교
　단군 숭배

③ 원불교
　박중빈 창시

④ 천주교
　서학으로 수용

문제 해결의 KEY

최제우 + 인내천 = 동학

⑤ 근대 사회와 일제 강점기

19강 흥선 대원군의 정책과 조선의 개항

179쪽

01	②	02	①	03	②	04	①

01 흥선 대원군 집권기의 정치

답 ②

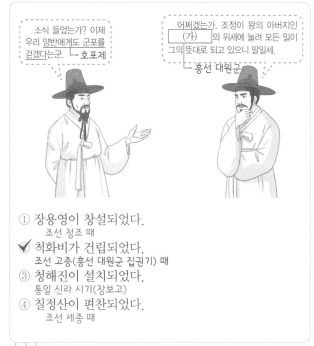

소식 들었는가? 이제 우리 양반에게도 군포를 걷겠다는군. └ 호포제

어쩌겠는가. 조정이 왕의 아버지인 (가) 의 위세에 눌려 모든 일이 그의 뜻대로 되고 있으니 말일세. └ 흥선 대원군

① 장용영이 창설되었다.
　조선 정조 때

✓ ② 척화비가 건립되었다.
　조선 고종(흥선 대원군 집권기) 때

③ 청해진이 설치되었다.
　통일 신라 시기(장보고)

④ 칠정산이 편찬되었다.
　조선 세종 때

문제 해결의 KEY

양반에게도 군포 징수 + 척화비 = 흥선 대원군

자료 읽기

동학은 조선 후기에 **최제우**가 유교·불교·도교·민간 신앙의 요소를 결합하여 창시한 종교예요. 동학은 사람이 곧 하늘이라는 **인내천**과 마음속에 있는 한울님을 모시는 **시천주** 사상을 강조하였어요.

정답 찾기

① 최제우가 창시한 동학은 인내천을 주요 사상으로 내세웠어요.

오답 피하기

② **대종교**는 단군을 섬기는 민족 종교로, 나철과 오기호 등이 창시하였어요.

③ **원불교**는 일제 강점기에 박중빈이 창시한 종교예요. 원불교는 새생활 운동을 전개하였지요.

④ **천주교**는 조선 후기에 서학이라는 학문의 형태로 수용되었다가 일부 남인 계열 학자에 의해 종교로 받아들여졌어요.

자료 읽기

조선 고종 때 **흥선 대원군**은 삼정의 문란을 시정하기 위해 **호포제**를 실시하였어요. 호포제는 기존에 군포를 내지 않던 양반들에게도 군포를 거두어들인 제도였어요.

정답 찾기

② 흥선 대원군이 집권하던 시기에 프랑스 군대의 침입으로 **병인양요**가 일어났어요. 몇 년 뒤에는 미국이 함대를 이끌고 강화도를 쳐들어왔지요(**신미양요**). 이후 흥선 대원군은 전국에 **척화비**를 세워 통상 수교 거부 의지를 나타냈어요.

오답 피하기

① 조선 정조 때 국왕의 친위 부대인 **장용영**이 설치되었어요.

③ 통일 신라 시기에 **장보고**가 완도에 **청해진**을 세웠어요.

④ 조선 세종 때 한양을 기준으로 천체 운동을 계산한 『**칠정산**』이 만들어졌어요.

02 병인양요
답 ①

병인양요

화면의 사진은 문수산성입니다. 이 사건 당시 한성근 부대는 이곳에서 프랑스군에 맞서 싸웠고, 이어서 양헌수 부대는 정족산성에서 프랑스군을 물리쳤습니다.
└ 병인양요 때 활약

✔ 흥선 대원군 집권기에 일어났다.
병인양요 등
② 제너럴 셔면호 사건의 배경이 되었다.
미국 상선의 통상 요구와 횡포
③ 삼정이정청이 설치되는 결과를 가져왔다.
임술 농민 봉기(진주 농민 봉기)
④ 군함 운요호가 강화도에 접근하여 위협하였다.
운요호 사건

양헌수 + 정족산성 = 병인양요

03 신미양요
답 ②

신미양요 당시 활약

이곳은 어재연 장군의 생가입니다. 미군이 통상을 강요하며 강화도를 침략한 이 사건 당시 그는 광성보에서 맞서 싸우다 전사하였습니다.
└ 신미양요

① 삼국 간섭이 일어나는 배경이 되었다.
청·일 전쟁
✔ 제너럴 셔면호 사건이 빌미가 되었다.
신미양요
③ 운요호의 초지진 공격으로 시작되었다.
운요호 사건
④ 제물포 조약이 체결되는 계기가 되었다.
임오군란

어재연 + 제너럴 셔면호 사건 = 신미양요

자료 읽기

흥선 대원군 집권기에 프랑스인 선교사와 조선인 천주교도를 처형한 사건(**병인박해**)이 원인이 되어 프랑스 군대가 강화도를 침략하였어요(**병인양요**). 당시 **한성근** 부대가 문수산성에서 항전하였고, **양헌수** 부대는 정족산성에서 프랑스 군대에 맞서 싸웠어요.

정답 찾기

① **흥선 대원군** 집권기에 병인박해를 구실로 병인양요가 일어났어요.

오답 피하기

② 흥선 대원군 집권기에 미국 상선 제너럴 셔면호가 통상을 요구하며 난동을 부려 평양 관민들에 의해 불탄 사건(**제너럴 셔면호 사건**)이 일어났어요.

③ 조선 후기인 세도 정치기에 삼정의 문란과 탐관오리의 횡포에 반발하며 **임술 농민 봉기(진주 농민 봉기)**가 일어났어요. 봉기의 원인인 삼정의 문란을 바로잡기 위해 조선 정부는 **삼정이정청**을 설치하였어요.

④ 1875년 일본 군함 운요호가 강화도 앞바다에서 조선의 진지를 향해 포격을 하는 사건(**운요호 사건**)이 발생하였어요. 일본은 이 사건을 구실로 조선에 개항할 것을 강요하였고, 결국 조선이 일본과 **강화도 조약**을 맺는 배경이 되었어요.

자료 읽기

흥선 대원군 집권기에 미국 상선 제너럴 셔면호가 대동강을 거슬러 올라와 평양에서 통상을 요구하며 난동을 부렸어요. 제너럴 셔면호는 결국 평양 관리와 백성들에 의해 불탔는데(**제너럴 셔면호 사건**), 이 사건을 구실로 1871년에 미국이 함대를 이끌고 와 강화도를 공격하였어요(**신미양요**).

정답 찾기

② 미국은 제너럴 셔면호 사건을 구실로 조선을 침입하여 신미양요를 일으켰어요.

오답 피하기

① **삼국 간섭**은 청·일 전쟁에서 승리한 일본이 청나라로부터 랴오둥반도와 타이완을 할양받기로 하자 러시아, 프랑스, 독일이 일본을 압박하여 이를 무효화시킨 사건이에요.

③ 1875년에 일본 군함 운요호가 조선에 문호 개방을 강요하기 위해 강화도 초지진을 공격하였어요(**운요호 사건**).

④ **임오군란**이 진압된 이후 일본은 배상금 지불과 일본 공사관의 경비병 주둔을 허용하는 **제물포 조약**의 체결을 조선에 강요하였어요.

04 조·미 수호 통상 조약   답 ①

① 보빙사가 파견되었다.
    조·미 수호 통상 조약 이후 미국 공사 부임에 대한 답례
② 별기군이 창설되었다.
    1881년
③ 탕평비가 건립되었다.
    조선 영조 때
④ 통리기무아문이 설치되었다.
    1880년

 문제 해결의 KEY 서양 국가와 맺은 최초의 근대적 조약 = 조·미 수호 통상 조약

20강 개화 정책의 추진과 반발

01 최익현의 활동   답 ④

① 허위
서울 진공
작전 전개

② 신돌석
평민 출신
의병장

③ 유인석
을미의병을
일으킴.

④ 최익현
왜양일체론,
을사의병

 문제 해결의 KEY 왜양일체론 + 항일 의병 운동 = 최익현

자료 읽기

조선이 일본과 강화도 조약을 체결한 이후 조선에서는 『조선책략』이 유포되며 미국에 대한 관심이 커졌고, 청나라는 러시아와 일본을 견제하기 위하여 조선과 미국의 수교를 적극적으로 알선하였어요. 이에 조선은 미국과 **조·미 수호 통상 조약**을 체결하였어요.

정답 찾기

① 조선은 조·미 수호 통상 조약 체결 이후 미국 공사가 조선에 부임하자 이에 대한 답례로 미국에 **보빙사**를 파견하였어요.

오답 피하기

② 신식 군대인 **별기군**은 개화 정책의 일환으로 창설되었어요.
③ 조선 영조는 탕평 정치의 의지를 나타내기 위해 성균관 입구에 **탕평비**를 세웠어요.
④ **통리기무아문**은 개화 정책을 총괄하기 위해 만들어진 기구예요.

자료 읽기

최익현은 흥선 대원군의 정책을 비판하여 고종의 친정을 이끌어냈어요. 이후 정부가 강화도 조약을 체결하려고 하자, 왜(일본)와 서양은 실체와 의도가 동일하다는 **왜양일체론**을 내세우며 조약 체결을 반대하였어요. 이후 을사늑약이 체결되자, **을사의병**을 일으켜 활약하였어요.

정답 찾기

④ 최익현은 을사늑약 체결에 반발하며 을사의병을 일으켰으나, 체포되어 쓰시마섬으로 유배되었어요.

오답 피하기

① **허위**는 정미의병 당시 13도 연합 의병 부대를 이끌고 **서울 진공 작전**을 전개하였어요.
② **신돌석**은 평민 출신의 의병장으로, **을사의병** 당시 활약하였어요.
③ **유인석**은 유학자로, **을미의병** 당시 활약하였어요.

02 임오군란   답 ④

특강 주제: 개화 정책을 둘러싼 갈등

신식 군대인 별기군에 비해 차별 대우를 받던 구식 군인들은 밀린 봉급을 겨와 모래가 섞인 쌀로 지급받게 되었습니다. 이들은 결국 분노하여 난을 일으켰고, 일부 백성들도 이에 합세하였습니다. └임오군란

① 운요호 사건이 일어났다.
    1875년
② 통리기무아문이 설치되었다.
    1880년
③ 외규장각 도서가 약탈되었다.
    병인양요(1866년)
✔ 청의 내정 간섭이 심화하였다.
    임오군란(1882년) 이후

 문제 해결의 KEY 구식 군인들의 반란 + 별기군 = 임오군란

03 갑신정변   답 ①

└김옥균   갑신정변
□는 개화 정책을 강력하게 추진하기 위해 1884년 이곳 우정총국의 개국 축하연을 이용해서 거사를 감행하였습니다. 이후 새로운 정부를 구성하였으나 청군의 개입으로 3일 만에 실패로 끝이 났습니다.

증강 현실 역사 여행

✔ 갑신정변
    급진 개화파가 정변을 일으킴
    (1884년).
③ 임오군란
    구식 군인들이 봉기함
    (1882년).
② 을미사변
    일본이 명성 황후를 시해함
    (1895년).
④ 아관 파천
    고종이 러시아 공사관으로
    처소를 옮김(1896년).

 문제 해결의 KEY 우정총국 개국 축하연을 이용 + 3일 만에 실패 = 갑신정변

▌자료 읽기

개항 이후 정부가 개화 정책의 일환으로 신식 군대인 **별기군**을 창설하였어요. 별기군에 비해 차별을 받던 구식 군대의 군인들은 밀린 급료로 받은 쌀이 양도 모자랄 뿐만 아니라 겨와 모래까지 섞여 있자, 폭동을 일으켰어요(**임오군란**). 시위대는 관청과 일본 공사관을 습격하고 정부 관료 및 일본인 교관을 살해하였어요. 결국 조선 정부는 청나라에 군란 진압을 위한 군대 파견을 요청하였지요.

▌정답 찾기

④ 청나라 군대가 임오군란을 진압하면서 조선 정부에 대한 청나라의 영향력이 크게 강화되었어요.

▌오답 피하기

① **운요호 사건**은 강화도 조약 체결 이전인 1875년에 발생하였어요.
② 조선 정부는 개화 정책을 추진하기 위해 총괄 기구로 **통리기무아문**을 설치하였어요.
③ **병인양요** 당시 프랑스 군대가 퇴각하면서 외규장각의 도서와 각종 문화재를 약탈하였어요.

▌자료 읽기

김옥균 등 **급진 개화파**는 정부의 온건적인 개화 정책 추진과 청에 대한 사대 정책 등에 반발하여 **갑신정변**을 일으켰어요. 정변을 주도한 세력은 개화당 정부를 세우고 근대적 개혁을 추진하였으나, 청나라 군대의 개입으로 3일 만에 실패로 끝이 났어요.

▌정답 찾기

① 갑신정변은 1884년에 급진 개화파가 **우정총국 개국 축하연**을 기회로 반대파 인사들을 제거한 사건이에요.

▌오답 피하기

② **을미사변**은 일본이 경복궁에 침입하여 명성 황후를 시해한 사건이에요.
③ **임오군란**은 구식 군대의 군인과 하층민들이 정부의 개화 정책에 반발하여 봉기한 사건이에요.
④ **아관 파천**은 을미사변 이후 신변의 위협을 받은 고종이 러시아 공사관으로 처소를 옮긴 사건이에요.

04 동학 농민 운동

답 ②

백산 집결
┗ 동학 농민군이 1차
봉기를 일으킴.

황룡촌 전투
┗ 동학 농민군이
관군에 승리함.

전주성 점령

우금치 전투
┗ 동학 농민군이 관군과
일본군에 패배함.

① 외규장각 도서가 약탈되었다.
    병인양요
✔ 집강소를 설치하여 폐정 개혁을 추진하였다.
    동학 농민 운동
③ 홍의 장군 곽재우가 의병장으로 활약하였다.
    임진왜란
④ 서북인에 대한 차별이 원인이 되어 일어났다.
    홍경래의 난

> **문제 해결의 KEY**
> 우금치 전투 + 집강소 = 동학 농민 운동

21강 자주독립 국가의 선포

193쪽

01	④	02	②	03	④	

01 근대적 개혁의 추진

답 ④

① 당백전이 발행되었다.
    조선 고종(흥선 대원군 집권 시기) 때
② 동시전이 설치되었다.
    신라 지증왕 때
③ 속대전이 편찬되었다.
    조선 영조 때
✔ 태양력이 채택되었다.
    을미개혁(1895년)

> **문제 해결의 KEY**
> 갑오개혁 → 을미개혁 → 광무개혁

📖 자료 읽기

동학 농민 운동의 1차 봉기 당시 농민군은 **백산**에 **집결**하여 강령을 발표하고, **황룡촌** 등지에서 관군을 물리친 뒤 전주성까지 점령하였어요. 농민군은 정부와 **전주 화약**을 체결하고 자진 해산하여 **집강소**를 중심으로 개혁을 추진하려 하였으나, 일본 군대가 경복궁을 무력으로 점령하자 다시 봉기하였어요. 2차 봉기 당시 농민군은 일본 군대를 몰아내기 위해 힘썼으나, **공주 우금치**에서 관군과 일본 군대에게 패배하였어요.

📖 정답 찾기

② 전주 화약 체결 이후 농민군은 **집강소**를 설치하여 폐정 개혁을 추진하였어요.

📖 오답 피하기

① **병인양요** 당시 프랑스 군대가 철수하는 과정에서 외규장각 도서 등 각종 문화재를 약탈하였어요.
③ 일본의 침입으로 임진왜란이 일어나자, **곽재우**가 경남 의령 지역에서 의병을 일으켜 활약하였어요.
④ 조선 후기에 홍경래 등이 서북 지역(평안도)에 대한 차별에 반발하며 봉기를 일으켰어요(**홍경래의 난**).

📖 자료 읽기

왼쪽 그림은 과거제가 폐지되었다는 점, **군국기무처**에서 결정하였다는 점을 통해 **갑오개혁**에 대한 내용임을 알 수 있어요. 오른쪽 그림은 **지계**를 발급받았다고 한 점을 통해 대한 제국 시기에 이루어진 **광무개혁**에 대한 내용임을 알 수 있어요.

📖 정답 찾기

④ 조선 정부는 **을미개혁** 때 **태양력** 채택, **단발령** 시행 등의 개혁을 추진하였어요.

📖 오답 피하기

① **당백전**은 조선 고종 때 흥선 대원군이 경복궁 중건 공사 비용을 마련하기 위해 발행한 고액 화폐예요.
② **동시전**은 신라 지증왕이 수도인 금성(경주)의 시장인 동시를 관리하기 위해 설치하였던 기관이에요.
③ 『**속대전**』은 조선 영조 때 편찬된 법전이에요.

02 독립 협회의 활동   답 ②

① 태극 서관을 운영하였다.
　　　신민회
✔ 독립문 건립을 주도하였다.
　　　독립 협회
③ 고종 강제 퇴위를 반대하였다.
　　　대한 자강회
④ 국채 보상 운동을 지원하였다.
　　　대한매일신보 등

만민 공동회 + 러시아 절영도 조차 반대 = 독립 협회

03 대한매일신보   답 ④

① 만세보
천도교 신문

② 독립신문
서재필이 창간

③ 해조신문
연해주 지역 신문

 대한매일신보
국채 보상 운동 지원

양기탁, 베델 + 국채 보상 운동 지원 = 대한매일신보

▌자료 읽기

독립 협회는 민중 집회인 **만민 공동회**를 열어 러시아의 절영도 조차 요구 등 외국의 이권 침탈을 저지하였어요.

▌정답 찾기

② 독립 협회는 중국에서 오는 사신을 맞이하던 영은문 터 근처에 **독립문**을 건립하였어요. 또한 중국 사신을 접대하던 모화관을 독립관으로 고쳐 사용하였어요.

▌오답 피하기

① **신민회**는 민족 산업을 성장시키기 위해 **태극 서관**을 운영하였어요.
③ **대한 자강회**는 고종의 강제 퇴위 반대 운동을 벌였어요.
④ **대한매일신보** 등은 국채 보상 운동을 홍보하며 운동을 지원하였어요.

▌자료 읽기

양기탁과 영국인 베델이 **대한매일신보**를 창간하였어요. 대한매일신보는 신채호, 박은식 등이 쓴 애국적인 논설과 항일 의병 운동에 대한 호의적인 기사를 실었어요.

▌정답 찾기

④ 대한매일신보는 **국채 보상 운동**에 앞장서 국민들의 큰 호응을 이끌어 냈어요.

▌오답 피하기

① **만세보**는 동학에서 발전한 종교인 천도교에서 창간한 신문이에요.
② **독립신문**은 서재필이 정부의 후원을 받아 발간하였던 최초의 민간 신문이에요.
③ **해조신문**은 연해주 지역에서 교민들이 발간한 신문이에요.

22강 나라를 지키기 위한 노력

199쪽

| 01 | ③ | 02 | ③ | 03 | ① | 04 | ③ |

01 을사늑약의 체결

답 ③

> ┌ 외교권 박탈 ┌ 1905년 ┌ 을사늑약
> 나인영은 진술하기를 "광무 9년 11월에 우리 대한 제
> 국의 외교권을 일본에 넘겨준 새 조약은 일본의 강제에
> 따른 것으로 황제 폐하가 윤허하지 않았고, 참정대신이
> 동의하지도 않았습니다. 슬프게도 5적 이지용, 이근택,
> 박제순 등이 제멋대로 가(可)하다고 쓰고 속여 2천만 민
> 족을 노예로 내몰았습니다."라고 하였다.
> └ 을사오적

① 운요호 사건을 계기로 체결되었다.
    강화도 조약
② 최혜국 대우를 처음으로 규정하였다.
    조·미 수호 통상 조약
✓ 통감부가 설치되는 결과를 가져왔다.
    을사늑약
④ 외국과 맺은 최초의 근대적 조약이었다.
    강화도 조약

문제 해결의 KEY 외교권을 일본에 넘겨준 조약 = 을사늑약

▌자료 읽기

1905년, 일본의 강압으로 **을사늑약**이 체결되었어요. 을사늑약이 체결되면서 대한 제국의 **외교권이 박탈**당하고, **통감부**가 설치되었어요.

▌정답 찾기

③ 일본은 을사늑약 체결 이후 한성(서울)에 일본 정부를 대표하는 통감부를 설치하였어요. 초대 통감으로는 이토 히로부미가 부임하였어요.

▌오답 피하기

① **운요호 사건**을 계기로 **강화도 조약**이 체결되며 조선이 일본에 개항하였어요.

② 최혜국 대우란 통상 조약을 맺은 상대국에게 지금까지 가장 좋은 조건을 부여한 국가와 동등한 대우를 자동으로 부여하는 것을 말해요. 외국에 대한 최혜국 대우를 처음으로 규정한 조약은 **조·미 수호 통상 조약**이에요.

④ 조선이 외국과 맺은 최초의 근대적 조약은 **강화도 조약**이에요.

02 1907년의 역사적 사실

답 ③

① (가) – (나) – (다)   ② (가) – (다) – (나)
✓ (나) – (다) – (가)   ④ (다) – (가) – (나)

문제 해결의 KEY 헤이그 특사 파견 → 고종 강제 퇴위 → 대한 제국 군대 강제 해산

▌자료 읽기

1905년에 **을사늑약**이 일본의 강압 속에 체결되자, 고종은 을사늑약이 무효임을 국제 사회에 알리고자 노력하였어요. 고종의 명령으로 1907년에 네덜란드 헤이그에서 열린 만국 평화 회의에 특사(**헤이그 특사**)가 파견되었으나, 강대국의 외면과 일본의 방해 속에 원하는 바를 이루지 못하였어요. 일본은 헤이그 특사 파견을 문제 삼아 **고종을 강제로 퇴위**시켰어요. 이후 일본은 한·일 신협약(1907년)의 후속 조치로 **대한 제국의 군대까지 강제 해산**시켰지요.

▌정답 찾기

③ 제시된 자료들을 일어난 순서대로 배열하면 (나) – (다) – (가)예요.

03 정미의병의 전개
답 ①

- 정미의병
화면의 사진은 1907년 영국 기자 매켄지가 의병들을 취재하면서 찍은 것입니다. 당시 의병 활동에 대해 말해 볼까요? — 당시 의병
— 서울 진공 작전 등

✓ 13도 창의군을 결성하였어요.
　정미의병
② 정부에 헌의 6조를 건의하였어요.
　독립 협회(관민 공동회)
③ 백산에 집결하여 4대 강령을 발표하였어요.
　동학 농민군
④ 곽재우, 고경명 등이 의병장으로 활약하였어요.
　임진왜란

문제 해결의 KEY
1907년 의병 + 13도 창의군 = 정미의병

▌자료 읽기
1907년에 일본이 고종 황제를 강제 퇴위시키고 대한 제국 군대를 강제 해산시키자, 의병의 항전은 더욱 거세졌어요. 이때 해산된 군인들이 의병 항쟁에 참여하면서 의병 부대의 전투력이 강화되고, 의병 투쟁도 더욱 치열하게 전개되었어요(**정미의병**).

▌정답 찾기
① 정미의병 당시 전국의 의병들이 모여 **13도 연합 의병 부대(13도 창의군)**를 결성하고, **서울 진공 작전**을 추진하였으나 실패하였어요.

▌오답 피하기
② **독립 협회**는 관민 공동회를 개최하여 정부에 **헌의 6조**를 건의하였어요.
③ 동학 농민군은 백산에 집결하여 1차 봉기를 일으켰고, 4대 강령을 발표하였어요.
④ 임진왜란 때 **곽재우**와 고경명 등의 의병장이 활약하였어요.

04 신민회의 활동
답 ③

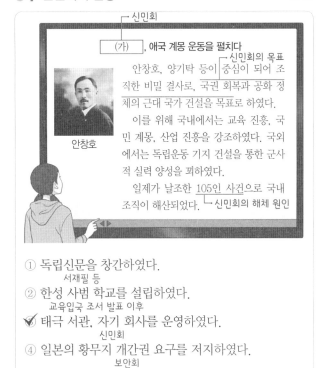

- 신민회
(가) , 애국 계몽 운동을 펼치다
안창호
안창호, 양기탁 등이 중심이 되어 조직한 비밀 결사로, 국권 회복과 공화 정체의 근대 국가 건설을 목표로 하였다. — 신민회의 목표
이를 위해 국내에서는 교육 진흥, 국민 계몽, 산업 진흥을 강조하였다. 국외에서는 독립운동 기지 건설을 통한 군사적 실력 양성을 꾀하였다.
일제가 날조한 105인 사건으로 국내 조직이 해산되었다. — 신민회의 해체 원인

① 독립신문을 창간하였다.
　서재필 등
② 한성 사범 학교를 설립하였다.
　교육입국 조서 발표 이후
✓ 태극 서관, 자기 회사를 운영하였다.
　신민회
④ 일본의 황무지 개간권 요구를 저지하였다.
　보안회

문제 해결의 KEY
안창호 + 태극 서관 + 자기 회사 = 신민회

▌자료 읽기
신민회는 대표적인 애국 계몽 운동 단체로, **안창호**와 양기탁이 중심이 되어 결성하였어요. 신민회는 국권 회복과 공화 정체의 근대 국가 건설을 목표로 하였고, 민족 산업의 육성에 힘썼으며, 만주 삼원보에 **신흥 강습소**를 건설하여 독립군을 양성하기 위해 노력하였어요.

▌정답 찾기
③ 신민회는 **태극 서관, 자기 회사** 등을 설립하여 민족의 산업을 키우고자 하였어요.

▌오답 피하기
① **독립신문**은 우리나라 최초로 민간에서 발행한 근대 신문이에요. **서재필** 등이 독립신문을 창간하고 독립 협회를 창립하였어요.
② **한성 사범 학교**는 갑오개혁 때 교육입국 조서가 발표된 이후 설립되었어요.
④ **보안회**는 일본의 황무지 개간권 요구를 저지하는 운동을 벌여 이를 성공시켰어요.

23강 나라를 되찾기 위한 노력(1)

205쪽

01	①	02	③	03	③	04	②

01 1910년대 일제의 식민 통치

답 ①

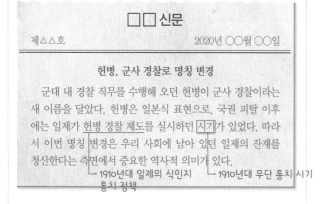

□□신문

제△△호   2020년 ○○월 ○○일

헌병, 군사 경찰로 명칭 변경

군대 내 경찰 직무를 수행해 오던 헌병이 군사 경찰이라는
새 이름을 달았다. 헌병은 일본식 표현으로, 국권 피탈 이후
에는 일제가 헌병 경찰 제도를 실시하던 시기가 있었다. 따라
서 이번 명칭 변경은 우리 사회에 남아 있던 일제의 잔재를
청산한다는 측면에서 중요한 역사적 의미가 있다.
└ 1910년대 일제의 식민지 └ 1910년대 무단 통치 시기
통치 정책

✔ 제복을 입고 칼을 찬 교사
   1910년대
② 브나로드 운동에 참여하는 학생
   1930년대 초
③ 조선책략 유포에 반발하는 유생
   1880년대 초
④ 치안 유지법 위반으로 구속된 독립운동가
   1925년 제정

헌병 경찰 제도 + 제복 입고 칼 찬 교사 = 1910년대 무단 통치

02 3·1 운동의 전개

답 ③

나는 충격적인 사건이 발생한 제암리에
와 있다. 이곳에서 일본군은 교회에 마을
사람들을 모이게 하고 사격을 가한 후 불
을 질렀다고 한다.
→ 제암리 학살 사건(1919년)

스코필드

제암리 학살 사건을 국제 사회에 알렸음.

1875	1897	1910	1932	1945
(가)	(나)	(다)	(라)	
운요호 사건	대한 제국 수립	국권 피탈	윤봉길 의거	8·15 광복

① (가)   ② (나)   ✔ (다)   ④ (라)

제암리 + 일본군의 만행 = 3·1 운동 당시 제암리 학살 사건(1919년)

❚자료 읽기

일제는 **1910년대**에 공포 분위기를 조성하기 위한 **무단 통치**를
실시하였어요. 이 시기에는 현역 군인인 헌병이 일반 경찰 업
무까지 담당하였고, 정식 재판 없이 한국인을 처벌할 수 있는
즉결 처분권도 부여받았어요.

❚정답 찾기

① 1910년대에는 관리나 교원도 칼을 차고 제복을 착용하였
   어요.

❚오답 피하기

② 동아일보가 주도한 **브나로드 운동**은 1930년대 초에 진행되
   었어요.
③ 『**조선책략**』은 제2차 수신사로 일본에 다녀온 김홍집이 들여
   온 책이에요. 『조선책략』이 국내에 유포되자, 이만손을 중심
   으로 한 영남 지역의 유생들이 만인소를 지어 올렸어요.
④ **치안 유지법**은 일제가 사회주의자와 독립운동가를 탄압하기
   위해 1925년에 제정한 법이에요.

❚자료 읽기

3·1 운동이 일어나고 있던 1919년, 수원군(오늘날 경기 화성)
제암리에서 일본군이 교회에 마을 사람들을 모이게 하고 사격
을 가한 후 불을 지른 사건(**제암리 학살 사건**)이 일어났어요.

❚정답 찾기

③ 1919년 3·1 운동 당시 일제는 제암리에서 한국인을 학살하
   는 만행을 저질렀어요. 이 사건은 캐나다인 프랭크 스코필
   드의 노력으로 해외에 알려졌어요.

03 대한민국 임시 정부의 활동   답 ③

이것은 1919년 ┌ 대한민국 임시 정부
(가)   직원들이 청사 앞에서 찍은 사진입니다. (가) 은/는 3·1 운동을 계기로 상하이에서 수립되어 독립을 위한 다양한 활동을 전개하였습니다.

연통제 조직, 독립 공채 발행,
『한·일 관계 사료집』발간 등

① 연통제를 실시하였다.
　　대한민국 임시 정부
② 독립 공채를 발행하였다.
　　대한민국 임시 정부
✔ 신흥 강습소를 설립하였다.
　　신민회
④ 한일 관계 사료집을 발간하였다.
　　대한민국 임시 정부

 문제해결의 KEY 3·1 운동을 계기로 상하이에서 수립 = 대한민국 임시 정부

📋 자료 읽기

3·1 운동을 계기로 국내외에서 민족 운동이 활성화되었어요. 이러한 흐름 속에 독립운동의 통일적 지도부가 필요하다는 인식이 생겨나면서 1919년 중국 상하이에 **대한민국 임시 정부**가 수립되었어요.

📋 정답 찾기

③ **신민회** 회원들을 중심으로 남만주 삼원보에 **신흥 강습소**가 설립되었어요.

📋 오답 피하기

① **연통제**는 대한민국 임시 정부가 국내에 설치한 비밀 행정 조직이에요.
② 대한민국 임시 정부는 **독립 공채**를 발행하여 독립운동 자금을 마련하였어요.
④ 대한민국 임시 정부는 『**한·일 관계 사료집**』을 편찬하였어요.

04 1920년대 사회 모습   답 ②

┌ 1920~1934년
이 저수지는 일제가 산미 증식 계획을 시행하던 시기에 만들어졌습니다. 이 시기 일제는 수리 시설을 확충하면서 조선 농민들에게 과중한 부담을 안겨 주었습니다.

대아 저수지(전북 완주)

① 제중원에서 환자를 돌보는 의사
　　1885~1904년
✔ 광주 학생 항일 운동을 취재하는 기자
　　1929년
③ 교조 신원 운동에 참여하는 동학교도
　　1892~1893년
④ 국채 보상 기성회에 성금을 내는 여성
　　1907년

 문제해결의 KEY 산미 증식 계획 + 광주 학생 항일 운동 = 1920년대

📋 자료 읽기

1920년대에 일본에서 쌀이 부족해지자, 일제는 부족한 쌀을 우리나라에서 생산하여 일본으로 가져가려고 하였어요. 이를 위해 **산미 증식 계획**을 실시하여 쌀 생산량이 늘어났지만, 일제가 증산된 양보다 훨씬 더 많은 쌀을 일본으로 가져가 우리나라의 식량 사정이 악화되었어요.

📋 정답 찾기

② **광주 학생 항일 운동**은 한·일 학생 간의 충돌이 계기가 되어 1929년에 발생하였어요.

📋 오답 피하기

① **제중원**(광혜원)은 개항 이후 설립된 서양식 병원이에요.
③ 교조 신원 운동은 동학교도들이 정부에 동학을 창시한 교조 최제우의 억울함을 풀어 달라며 전개한 운동이에요.
④ 국채 보상 기성회가 주도한 **국채 보상 운동**은 일본에 진 빚을 갚아 국권을 되찾고자 한 운동으로, 1907년에 대구에서 시작되어 전국으로 확산되었어요.

24강 나라를 되찾기 위한 노력(2)

213쪽

01	①	02	①	03	④	04	④

01 일제의 식민 통치 정책 변화

답 ①

일제 강점기 시행 법령

(가)	(나)	(다)
조선 태형령 실시	치안 유지법 제정	국가 총동원법 공포
1910년대	1920년대	1930년대 후반

✓ (가) - (나) - (다)　　② (가) - (다) - (나)

③ (나) - (가) - (다)　　④ (다) - (나) - (가)

 문제 해결의 KEY 조선 태형령 = 1910년대 / 치안 유지법 = 1920년대 / 국가 총동원법 = 1930년대 이후

▌자료 읽기

1910년대에 일제는 무단 통치를 실시하여 공포 분위기를 조성하였어요. **헌병 경찰 제도**를 시행하고, **조선 태형령**을 실시하여 한국인에 한해서만 태형을 적용할 수 있게 하였어요.

3·1 운동 이후 1920년대에 일제는 이른바 '**문화 통치**'를 실시하였어요. 이 시기에 일제는 친일 세력을 양성하여 우리 민족을 분열시키고자 하였고, 사회주의자와 독립운동가를 탄압하기 위해 **치안 유지법**을 제정하였어요.

1930년대 이후 일제는 침략 전쟁을 확대하면서 한국인을 전쟁에 원활하게 동원하기 위해 **국가 총동원법**을 공포하고 여러 정책을 펼쳤어요.

▌정답 찾기

① 제시된 자료들을 일어난 순서대로 배열하면 (가) - (나) - (다)예요.

02 북로 군정서

답 ①

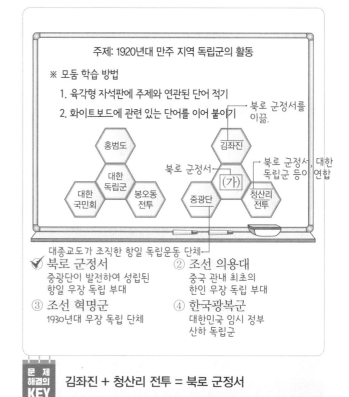

주제: 1920년대 만주 지역 독립군의 활동

※ 모둠 학습 방법
1. 육각형 자석판에 주제와 연관된 단어 적기
2. 화이트보드에 관련 있는 단어를 이어 붙이기

→ 북로 군정서를 이끎.

→ 북로 군정서, 대한 독립군 등이 연합

대종교도가 조직한 항일 독립운동 단체

✓ **북로 군정서**
중광단이 발전하여 성립된 항일 무장 독립 부대

② **조선 의용대**
중국 관내 최초의 한인 무장 독립 부대

③ **조선 혁명군**
1930년대 무장 독립 단체

④ **한국광복군**
대한민국 임시 정부 산하 독립군

 문제 해결의 KEY 김좌진 + 청산리 전투 = 북로 군정서

▌자료 읽기

봉오동 전투에서 패배한 일제는 만주에 대규모 병력을 파견하였어요. **김좌진**이 이끈 **북로 군정서**, 홍범도가 이끈 대한 독립군 등 독립군 연합 부대는 추격해 온 일본 군대를 청산리 일대로 유인하여 물리쳤어요(**청산리 전투**).

▌정답 찾기

① **중광단**은 대종교도가 중심이 되어 결성한 항일 독립운동 단체로, 북로 군정서로 발전하였어요. 북로 군정서는 청산리 전투에서 활약하였어요.

▌오답 피하기

② **조선 의용대**는 중국 관내에서 결성된 최초의 한인 무장 독립운동 부대예요.

③ **조선 혁명군**은 1930년대에 만주에서 중국 군대와 협력하여 영릉가 전투 · 흥경성 전투에서 일제에 맞서 싸웠어요.

④ **한국광복군**은 대한민국 임시 정부가 충칭에서 만든 정규 부대예요.

03 윤봉길의 활동

답 ④

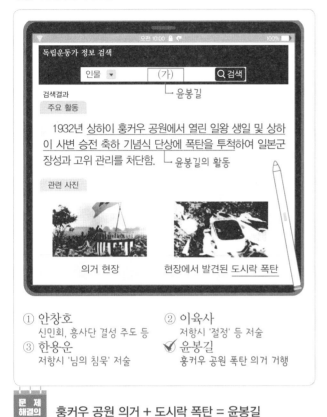

① 안창호
신민회, 흥사단 결성 주도 등
② 이육사
저항시 '절정' 등 저술
③ 한용운
저항시 '님의 침묵' 저술
✓ 윤봉길
훙커우 공원 폭탄 의거 거행

문제 해결의 KEY
훙커우 공원 의거 + 도시락 폭탄 = 윤봉길

04 조선어 학회의 국어 연구

답 ④

이것은 한글 맞춤법 통일안과 외래어 표기법 통일안을 마련한 단체에서 사전을 편찬하기 위해 만든 원고입니다. 이 단체의 이름은 무엇일까요? ㄴ 조선어 학회

① 보안회
일제의 황무지 개간권 요구 저지 운동 성공
② 독립 협회
만민 공동회 개최 등
③ 대한 광복회
친일 부호 처단, 군자금 모금
 조선어 학회
한글 맞춤법 통일안 제정, 『우리말 큰사전』 편찬 준비 등

문제 해결의 KEY
한글 맞춤법 통일안 = 조선어 학회

▮ 자료 읽기

한인 애국단의 단원 **윤봉길**은 일본인 장성과 고위 관료들이 모인 중국 상하이 훙커우 공원에서 폭탄 의거를 일으켰어요.

▮ 정답 찾기

④ 윤봉길의 의거는 한국 독립운동의 의지를 대외적으로 알리고, 중국이 대한민국 임시 정부를 지원하는 계기를 마련하였어요.

▮ 오답 피하기

① **안창호**는 애국 계몽 운동 단체인 신민회를 조직하고, 미국에서 항일 단체인 흥사단을 설립하였어요.
② **이육사**는 일제의 식민 지배에 반발하여 '절정', '광야' 등의 저항시를 지었어요.
③ **한용운**은 일제의 식민 지배에 반발하여 '님의 침묵' 등의 저항시를 지었어요.

▮ 자료 읽기

조선어 학회는 『우리말(조선말) 큰사전』 편찬을 위해 한글 맞춤법 통일안을 제정하고, 한글 표준화를 위해 **표준어**를 정하였어요.

▮ 정답 찾기

④ 조선어 학회는 **한글 맞춤법 통일안**과 외래어 표기법을 제정하였어요.

▮ 오답 피하기

① **보안회**는 일본의 황무지 개간권 요구를 저지하였던 애국 계몽 운동 단체예요.
② **독립 협회**는 서재필 등이 만든 단체로, 열강의 이권 침탈을 비판하였고 자주독립의 의지를 높이고자 하였어요.
③ **대한 광복회**는 박상진을 중심으로 결성된 국내 항일 비밀 결사로, 친일 부호를 처단하고 군자금을 모았어요.

6 현대 사회

25강 광복과 대한민국 정부 수립 및 6·25 전쟁

225쪽

01	②	02	②	03	③	04	①

01 대한민국 정부 수립 과정

답 ②

미·소 공동 위원회가 결렬된 이후 다시 열릴 기미가 보이지 않습니다. 통일 정부가 수립되길 원했으나 뜻대로 되지 않으니, 남방만이라도 임시 정부 혹은 위원회를 조직하고, 38도선 이북에서 소련이 물러가도록 세계에 호소해야 합니다.

└ 이승만의 정읍 발언(1946년)

이승만

① 한국광복군이 창설되었다.
　　　　　　　1940년
✓ 김구가 남북 협상을 추진하였다.
　　　　　　　1948년
③ 모스크바 삼국 외상 회의가 개최되었다.
　　　　　　　1945년
④ 여운형이 조선 건국 준비 위원회를 결성하였다.
　　　　　　　1945년

문제해결의 **KEY**　이승만 + 남한 단독 정부 수립 주장 = 정읍 발언

▌자료 읽기

한반도의 독립 문제를 논의하기 위해 **모스크바 3국 외상 회의**가 개최되었고, 여기에서 한반도의 임시 정부 수립을 위한 **미·소 공동 위원회** 개최가 결정되었어요. 그렇게 열린 미·소 공동 위원회가 임시 정부 수립의 참여 세력 등을 둘러싸고 결렬되자, **이승만**은 1946년 전북 정읍에서 남한만이라도 임시 정부 혹은 위원회를 조직해야 한다는 내용의 발언을 하였어요.

▌정답 찾기

② 남한만의 단독 선거 움직임이 나타나자 1948년 **김구**와 김규식이 남북 지도자 회의를 제의하였고, 북측 지도자들과 만남을 가졌어요(**남북 협상**).

▌오답 피하기

① **한국광복군**은 1940년에 창설되었어요.
③ 모스크바 3국 외상 회의는 1945년에 개최되었어요.
④ 여운형은 1945년 광복 직후에 **조선 건국 준비 위원회**를 결성하였어요.

02 대한민국 정부 수립 과정

답 ②

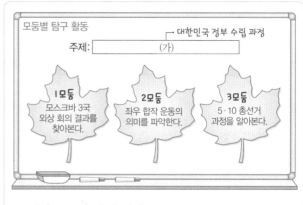

모둠별 탐구 활동

주제: ┌ 대한민국 정부 수립 과정
　　　　　　　(가)

1모둠
모스크바 3국 외상 회의의 결과를 찾아본다.

2모둠
좌우 합작 운동의 의미를 파악한다.

3모둠
5·10 총선거 과정을 알아본다.

① 헤이그 특사 파견 배경
　　을사늑약 체결
✓ 대한민국 정부 수립 과정
　　모스크바 3국 외상 회의 → 좌우 합작 운동 → 5·10 총선거
③ 국민대표 회의 개최 원인
　　대한민국 임시 정부의 침체
④ 한·일 기본 조약 체결 결과
　　한·일 국교 정상화

문제해결의 **KEY**　모스크바 3국 외상 회의 → 좌우 합작 운동 → 5·10 총선거 → 대한민국 정부 수립

▌자료 읽기

광복 이후 미국·영국·소련은 **모스크바 3국 외상 회의**에서 한반도에 임시 정부를 수립할 것을 결정하였고, 이를 위해 **미·소 공동 위원회**를 설치하기로 하였어요. 미·소 공동 위원회가 설치되었으나 성과를 보지 못하자, 중도 세력은 **좌우 합작 운동**을 전개하였지요. 그러나 미·소 공동 위원회가 결렬되고 한반도 문제가 국제 연합으로 이관된 후 여러 논의 끝에 남한만의 단독 선거가 결정되어 1948년 5월 10일 총선거가 실시되고, 같은 해 8월 15일 대한민국 정부가 수립되었어요.

▌정답 찾기

② 모스크바 3국 외상 회의, 좌우 합작 운동, **5·10 총선거** 등은 대한민국 정부 수립 과정에서 일어난 일들이에요.

▌오답 피하기

① 고종은 **을사늑약**의 부당함을 알리기 위해 네덜란드 **헤이그**에서 열리는 만국 평화 회의에 이상설, 이준, 이위종을 **특사**로 보냈으나 일제의 방해로 실패하였어요.
③ 국민대표 회의는 대한민국 임시 정부의 활동 방향을 논의하기 위해 1923년에 개최되었어요.
④ 박정희 정부가 일본과의 국교를 정상화하기 위한 한·일 회담을 추진하자, 굴욕적인 한·일 회담에 대해 국민들은 **6·3 시위**를 벌이며 반대하였어요. 하지만 결국 한·일 기본 조약(한·일 협정)이 체결되며 일본과의 국교가 정상화되었어요.

03 제주 4 · 3 사건   답 ③

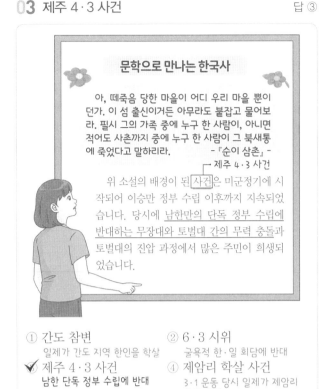

문학으로 만나는 한국사

아, 떼죽음 당한 마을이 어디 우리 마을 뿐이
던가. 이 섬 출신이거든 아무라도 붙잡고 물어보
라. 필시 그의 가족 중에 누구 한 사람이, 아니면
적어도 사촌까지 중에 누구 한 사람이 그 북새통
에 죽었다고 말하리라.   - 『순이 삼촌』 -
                                ┌ 제주 4 · 3 사건
위 소설의 배경이 된 사건은 미군정기에 시
작되어 이승만 정부 수립 이후까지 지속되었
습니다. 당시에 남한만의 단독 정부 수립에
반대하는 무장대와 토벌대 간의 무력 충돌과
토벌대의 진압 과정에서 많은 주민이 희생되
었습니다.

① 간도 참변
   일제가 간도 지역 한인을 학살
✓ 제주 4 · 3 사건
   남한 단독 정부 수립에 반대
② 6 · 3 시위
   굴욕적 한 · 일 회담에 반대
④ 제암리 학살 사건
   3 · 1 운동 당시 일제가 제암리
   주민 학살

 남한만의 단독 정부 수립 반대 + 토벌대의 진압 =
제주 4 · 3 사건

04 6 · 25 전쟁   답 ①

┌ 6 · 25 전쟁
1950년에 일어난 전쟁 때
폭탄을 맞아 생겨난 흔적이란
다. 이 전쟁으로 많은 이산가족
이 아픔을 겪고 있지. └ 6 · 25 전쟁의
                        결과

경의선 장단역
증기 기관차

이 기관차에는
왜 구멍이 많은 거
예요?

✓ 인천 상륙 작전을 전개하였다.
   6 · 25 전쟁
② 김원봉이 의열단을 조직하였다.
   1919년
③ 미 · 소 공동 위원회를 개최하였다.
   대한민국 정부 수립 이전
④ 쌍성보에서 한 · 중 연합 작전을 펼쳤다.
   1930년대 전반

 이산가족 + 인천 상륙 작전 = 6 · 25 전쟁

❙자료 읽기

국제 연합에서 남한만의 단독 정부 수립이 결정되고 이를 위한
선거가 진행될 움직임이 보이자, 제주에서는 좌익 세력이 이에
반대하여 무장대를 결성하였어요. 이를 탄압하기 위해 파견된
토벌대에 의해 많은 제주 주민이 희생되었어요(**제주 4 · 3 사건**).

❙정답 찾기

③ 제주 4 · 3 사건은 남한만의 단독 정부 수립에 반대하여 일어
   난 사건이에요.

❙오답 피하기

① **간도 참변**은 일제 강점기인 1920년에 일제가 간도 지역에
   살던 한인들을 무차별 학살한 사건이에요.
② **6 · 3 시위**는 박정희 정부가 경제 개발을 위해 일본과 국교를
   정상화하려고 하자, 국민들이 굴욕적인 한 · 일 회담에 반대
   한 시위에요.
④ **제암리 학살 사건**은 3 · 1 운동 당시 일본군이 제암리에서 마
   을 주민들을 무차별 학살한 사건이에요.

❙자료 읽기

1950년, 북한군의 기습 남침으로 일어난 **6 · 25 전쟁**으로 많은
피해를 입었고, **이산가족**의 아픔도 생겨났어요.

❙정답 찾기

① 6 · 25 전쟁 당시 국군과 국제 연합군은 **인천 상륙 작전**을 통
   해 전세를 역전시켜 서울을 탈환하고 압록강까지 진출하였
   어요.

❙오답 피하기

② 김원봉이 **의열단**을 조직한 시기는 1919년이에요.
③ **미 · 소 공동 위원회**가 개최된 시기는 대한민국 정부가 수립
   되기 이전이에요.
④ 한국 독립군이 쌍성보에서 **한 · 중 연합 작전**을 펼친 시기는
   1930년대 전반이에요.

26강 자유 민주주의의 시련과 발전

231쪽

| 01 | ① | 02 | ③ | 03 | ③ | 04 | ③ |

01 4·19 혁명

답 ①

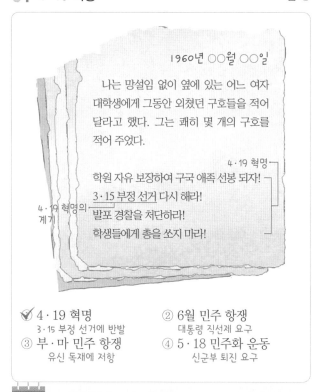

문제 해결의 KEY
3·15 부정 선거에 반발 = 4·19 혁명

02 부·마 민주 항쟁

답 ③

문제 해결의 KEY
유신 독재에 저항 = 부·마 민주 항쟁

자료 읽기
이승만 정부 시기인 1960년에 **3·15 부정 선거**에 반발하여 **4·19 혁명**이 일어났어요.

정답 찾기
① 4·19 혁명의 결과 이승만 대통령이 하야하였으며, 이후 장면 내각이 수립되었어요.

오답 피하기
② **6월 민주 항쟁**은 1987년에 대통령 직선제 개헌을 요구하며 전개된 민주화 운동이에요.

③ **부·마 민주 항쟁**은 1979년에 일어난 민주화 운동으로, 유신 독재가 붕괴되는 데 영향을 끼쳤어요.

④ **5·18 민주화 운동**은 1980년 신군부의 퇴진과 계엄령의 해제를 요구하며 전개되었어요.

자료 읽기
1979년 YH 무역 사건이 일어난 이후 야당이었던 신민당의 총재 김영삼이 국회 의원직에서 제명되는 일이 발생하였어요. 이에 맞서 1979년 10월 부산에서는 유신 체제에 저항하는 시위가 일어났고, 이후 마산까지 확대되었지요. 박정희 정부는 이를 탄압하였으나, 이후 10·26 사태가 발생하며 유신 체제가 끝이 났어요.

정답 찾기
③ 1979년 부산과 마산에서 학생과 시민들이 대규모 유신 반대 시위를 일으켰어요(**부·마 민주 항쟁**).

오답 피하기
① 1960년 이승만 정부의 부정부패와 3·15 부정 선거에 반발하여 **4·19 혁명**이 일어났어요.

② **6월 민주 항쟁**은 1987년 대통령 직선제 개헌을 요구하며 전개되었어요.

④ **5·18 민주화 운동**은 1980년 신군부의 퇴진과 민주화를 요구하며 일어났어요.

03 5 · 18 민주화 운동
답 ③

① 4 · 19 혁명
3 · 15 부정 선거에 반발

② 6월 민주 항쟁
대통령 직선제 개헌 요구

✓ 5 · 18 민주화 운동
신군부의 비상계엄 확대에 저항

④ 3선 개헌 반대 운동
대통령 3회 연임 허용에 반대

문제해결의 KEY 전남 도청 + 계엄군 + 시민군 = 5 · 18 민주화 운동

▮ 자료 읽기
1980년 초 민주화 시위가 일어나자, 신군부는 비상계엄을 전국으로 확대하였어요. 광주에서는 비상계엄 확대에 저항하는 시위가 일어났는데, 계엄군이 이를 무차별적으로 진압하였어요. 이에 광주 시민들은 시민군을 조직하고 계엄군에 저항하였으나, 계엄군의 무자비한 탄압으로 많은 시민들이 희생되었어요.

▮ 정답 찾기
③ 5 · 18 민주화 운동은 1980년에 광주를 중심으로 신군부의 독재와 민주화 탄압에 저항하여 일어났어요.

▮ 오답 피하기
① 1960년 3 · 15 부정 선거에 반발하여 4 · 19 혁명이 일어났어요.
② 6월 민주 항쟁은 1987년에 대통령 직선제 개헌을 요구하며 전개된 민주화 운동이에요.
④ 박정희가 장기 집권을 위해 대통령을 3회까지 연이어 할 수 있도록 헌법을 고치려고 하자, 이에 반대하는 민주화 운동이 일어났어요.

04 6월 민주 항쟁
답 ③

① 대통령이 하야하는 결과를 가져왔다.
4 · 19 혁명

② 유신 체제가 붕괴되는 계기가 되었다.
부 · 마 민주 항쟁 등

✓ 5년 단임의 대통령 직선제 개헌을 이끌어 냈다.
6월 민주 항쟁

④ 신군부의 비상계엄 확대에 반대하여 일어났다.
5 · 18 민주화 운동

문제해결의 KEY 박종철 + 이한열 + 대통령 직선제 개헌 = 6월 민주 항쟁

▮ 자료 읽기
전두환 정부가 민주화 운동을 탄압하고 시위를 하던 대학생 **박종철**을 고문 끝에 사망에 이르게 하자, 국민들은 정부를 비판하고 **직선제 개헌** 요구 시위를 전개하였어요. 전두환 정부가 직선제 개헌 요구를 거부하자 시위가 거세졌고, 시위 도중 대학생 **이한열**이 의식 불명에 빠지는 사건이 발생했어요. 직선제 개헌 요구 시위가 전국으로 퍼져 나가자, 결국 정부는 **6 · 29 민주화 선언**을 발표하여 대통령 직선제 개헌을 약속하였어요.

▮ 정답 찾기
③ 6월 민주 항쟁의 결과 5년 단임의 대통령 직선제 개헌을 이루어 냈어요.

▮ 오답 피하기
① 4 · 19 혁명은 이승만 대통령이 하야하는 결과를 가져왔어요.
② 부 · 마 민주 항쟁은 유신 체제가 붕괴되는 계기가 되었어요.
④ 5 · 18 민주화 운동은 신군부의 비상계엄 확대에 반대하여 일어났어요.

27강 경제 발전과 평화 통일을 위한 노력

01	①	02	②	03	④

01 1970년대의 경제
답 ①

 수출 100억 달러 달성 + 경부 고속 도로 개통 = 1970년대

자료 읽기

1970년대에는 **경제 개발 5개년 계획**이 추진되어 여러 산업 시설과 사회 간접 자본이 마련되었어요. 이 시기에 **경부 고속 국도가 개통**되고, 포항 종합 제철소가 준공되었어요.

정답 찾기

① 박정희 정부 시기인 1970년대에 수출 100억 달러를 달성하였어요.

오답 피하기

② 노태우 정부 시기에 **서울 올림픽 대회가 개최**되었어요.

③ 김영삼 정부 시기에 대한민국이 **경제 협력 개발 기구(OECD)에 가입**하였어요.

④ 노무현 정부 시기에 대한민국이 **아시아 · 태평양 경제 협력체(APEC) 정상 회의를 개최**하였어요.

02 통일을 위한 노력
답 ②

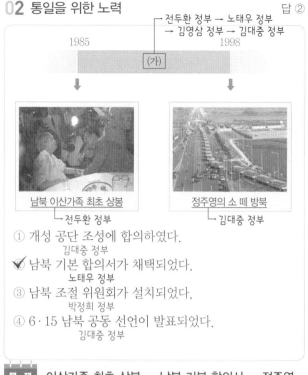

① 개성 공단 조성에 합의하였다. 김대중 정부
✔ 남북 기본 합의서가 채택되었다. 노태우 정부
③ 남북 조절 위원회가 설치되었다. 박정희 정부
④ 6 · 15 남북 공동 선언이 발표되었다. 김대중 정부

문제 해결의 KEY 이산가족 최초 상봉 → 남북 기본 합의서 → 정주영의 소 떼 방북

자료 읽기

자료에서 (가) 시기는 1985년부터 1998년 사이예요. 1980년대 말 출범한 노태우 정부는 1991년에 북한과 함께 **국제 연합에 가입**하였고, '남북한 사이의 화해와 불가침 및 교류 협력에 관한 합의서(남북 기본 합의서)'와 '한반도 비핵화 공동 선언'을 채택하기도 하였어요.

정답 찾기

② 노태우 정부는 1991년에 '남북한 사이의 화해와 불가침 및 교류 협력에 관한 합의서(**남북 기본 합의서**)'를 채택하였어요.

오답 피하기

① 김대중 정부는 남북 경제 협력을 위해 **개성 공단 조성에 합의**하였어요.

③ 박정희 정부 시기에 **7 · 4 남북 공동 성명**을 계기로 **남북 조절 위원회**를 설치하였어요.

④ 2000년에 김대중 대통령이 평양을 방문하여 김정일과 정상 회담을 개최(**제1차 남북 정상 회담**)하고 **6 · 15 남북 공동 선언**을 채택하였어요.

03 노무현 정부

답 ④

 10·4 남북 공동 선언 = 노무현 정부

📖 자료 읽기

노무현 정부는 2007년에 **제2차 남북 정상 회담**을 개최하고 **10·4 남북 공동 선언**을 발표하였지요. 또한 저소득층을 위한 복지 정책을 강화하고, 행정 중심 복합 도시 건설을 추진하였어요.

📖 정답 찾기

④ 노무현 정부는 2005년에 **아시아·태평양 경제 협력체(APEC) 정상 회의**를 개최하였어요.

📖 오답 피하기

① 박정희 정부 시기인 1970년에 **경부 고속 국도가 준공**되었어요.

② 문재인 정부 시기인 2018년에 평창 동계 올림픽 대회가 개최되었어요.

③ 김영삼 정부 시기인 1996년에 대한민국이 **경제 협력 개발 기구(OECD)에 가입**하였어요.

 ## 테마 한국사

28강 지역사, 세시 풍속과 민속놀이, 유네스코 등재 유산, 조선의 궁궐

253쪽

01	①	02	④	03	②	04	④

01 인천의 역사

답 ①

 미추홀 + 강화도 조약으로 개항 = 인천

📖 자료 읽기

미추홀은 **인천**의 옛 지명으로, 백제의 건국 설화와 관련하여 온조의 형 비류가 자리 잡았던 지역이에요. 인천은 **강화도 조약**으로 부산, 원산과 함께 개항되었으며, 2014년에는 인천 아시아 경기 대회가 개최되었어요.

📖 정답 찾기

① 학생들이 공통으로 이야기하고 있는 지역은 (가) 인천이에요.

02 평양의 역사
답 ④

① 원산
개항장, 원산 학사 설립 등

② 서울
조선, 대한 제국, 대한 민국의 수도

③ 파주
이이를 모신 자운 서원 위치 등

✓ 평양
장수왕이 천도, 물산 장려 운동 시작 등

문제 해결의 KEY 장수왕이 도읍 + 물산 장려 운동 + 최초의 남북 정상 회담 = 평양

03 정월 대보름
답 ②

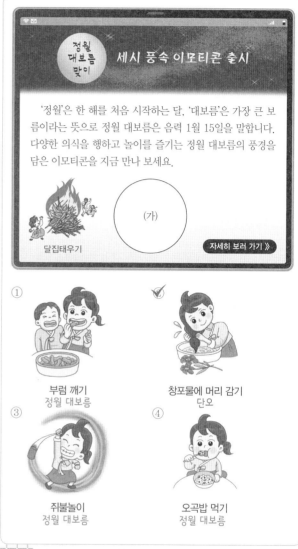

① 부럼 깨기
정월 대보름

② 창포물에 머리 감기
단오

③ 쥐불놀이
정월 대보름

④ 오곡밥 먹기
정월 대보름

문제 해결의 KEY 달집태우기, 부럼 깨기, 쥐불놀이, 오곡밥 먹기 = 정월 대보름

■ 자료 읽기
고구려 **장수왕**은 남진 정책을 추진하기 위해 **평양**으로 도읍을 옮겼어요. 일제 강점기에는 **물산 장려 운동**이 평양에서 시작되어 전국으로 퍼져 나갔지요. 또한 **제1, 2차 남북 정상 회담**이 평양에서 열렸어요.

■ 정답 찾기
④ 제시된 힌트에서 공통으로 언급된 지역은 평양이에요.

■ 자료 읽기
정월 대보름에는 부스럼을 예방하기 위해 밤, 호두, 잣 등을 깨무는 **부럼 깨기**를 하고, 귀가 밝아지고 좋은 소식만 듣기를 바란다는 의미로 귀밝이술을 마시며, 오곡밥을 지어 먹었어요. 또한 이날에는 줄다리기, 지신밟기, 달맞이 놀이, 달집태우기, 쥐불놀이 등을 하였어요.

■ 정답 찾기
② 창포물에 머리를 감는 것은 **단오**의 풍속이에요.

04 창덕궁 답 ④

2020 달빛 야행

태종 때 이궁으로 세워진 (가) 으로 초대합니다. 조선의 정원 조경이 잘 보존된 후원까지 관람할 수 있는 이번 행사에 많은 참여 바랍니다.

◆ 달빛 따라 걷는 길
돈화문 ▶ 인정전 ▶ 낙선재 ▶
연경당 ▶ 후원 숲길 ▶돈화문
◆ 일시: ○○월 ○○일~○○월
○○일 매주 목요일
20시~22시
◆ 주관: △△ 문화재단

창덕궁

① 경복궁   ② 경희궁   ③ 덕수궁   ✔ 창덕궁
조선의 법궁   광해군 때   경운궁에서   태종 때 지어짐
              지어짐   개칭

문제
해결의
KEY 태종 + 돈화문 + 후원 = 창덕궁

▌자료 읽기

창덕궁은 조선 시대에 가장 오랜 기간 정궁의 역할을 한 궁궐이에요. 현재 유네스코 세계 유산으로 등재되어 있어요.

▌정답 찾기

④ 조선 태종 때 지어진 창덕궁은 창경궁과 함께 동궐로 불리기도 하였어요.

▌오답 피하기

① **경복궁**은 조선 시대의 법궁으로, 임진왜란 때 불탔다가 조선 고종 때 흥선 대원군에 의해 다시 세워졌어요.

② **경희궁**은 조선 광해군 때 지어진 궁궐이에요.

③ **덕수궁**은 본래 경운궁으로 불렸던 곳으로, 조선 고종이 왕위에서 물러난 이후 머물게 되면서 덕수궁으로 이름이 바뀌었어요.

제1회

256쪽

01	②	02	③	03	④	04	③	05	②
06	④	07	①	08	④	09	①	10	②
11	①	12	③	13	①	14	④	15	④
16	①	17	②	18	②	19	③	20	③
21	②	22	④	23	③	24	②	25	③
26	①	27	③	28	④	29	①	30	②
31	④	32	①	33	④	34	④	35	④
36	④	37	④	38	①	39	②	40	②
41	④	42	①	43	②	44	①	45	④
46	①	47	③	48	④	49	④	50	③

01 신석기 시대의 생활 모습
답 ②

문제 해결의 KEY 가락바퀴 + 빗살무늬 토기 = 신석기 시대

┃ 자료 읽기

신석기 시대에는 농경과 목축이 시작되어 사람들이 한곳에 모여 살게 되었어요. 신석기 시대 사람들은 **가락바퀴**로 실을 뽑고 **뼈바늘**로 엮어 옷과 그물을 만들었고, 갈판과 갈돌로 곡식을 갈았어요.

┃ 정답 찾기

② 신석기 시대에는 수확한 곡식을 보관하고 음식을 조리하거나 저장하는 데 토기를 사용하였어요. **빗살무늬 토기**는 신석기 시대의 대표적인 토기예요.

┃ 오답 피하기

① **주먹도끼**는 구석기 시대의 대표적인 뗀석기예요.
③ 청동 방울은 청동기 시대의 유물이에요.
④ 가야의 문화유산인 **판갑옷과 투구**예요.

02 옥저
답 ③

문제 해결의 KEY 민며느리제 + 가족 공동 무덤 = 옥저

┃ 자료 읽기

옥저에는 여자아이를 신랑 집으로 데려와 기른 후 성인이 되면 신부 집에 대가를 주고 며느리로 삼는 풍속인 **민며느리제**가 있

었어요. 또한 가족이 죽으면 뼈만 추려 보관하다가 이후에 **가족 공동 무덤**에 옮기는 풍습이 있었어요.

┃ 정답 찾기

③ 민며느리제와 가족 공동 무덤의 풍속을 지닌 **옥저**의 위치는 (다)예요.

┃ 오답 피하기

① (가)는 중국 쑹화강 유역의 넓은 평야 지대에 위치하였던 **부여**예요.
② (나)는 압록강 유역의 졸본 지방에 위치하였던 **고구려**예요.
④ (라)는 강원도 북부 지방에 위치하였던 **동예**예요.

03 고구려의 진대법
답 ④

문제 해결의 KEY 무용총 + 진대법 = 고구려

┃ 자료 읽기

무용총은 중국 지린성에 있는 고구려의 무덤이에요. 무용총 안에는 말을 타고 사냥하는 모습을 그린 **수렵도**라는 벽화가 남아 있지요.

┃ 정답 찾기

④ 고구려 고국천왕은 가난한 백성들을 구제하기 위해 **진대법**을 실시하였어요.

┃ 오답 피하기

① 백제 무령왕은 지방의 요지에 설치된 **22담로에 왕족을 파견**하여 지방에 대한 통제를 강화하였어요.
② 고조선은 한나라와 한반도 남부 국가인 진국 사이에서 중계 무역을 바탕으로 성장하였어요. 이후 한나라 무제의 침입을 받아 멸망하였어요.
③ 삼한에는 정치 지배자인 **신지**, 읍차와 종교 지배자인 **천군**이 있었어요.

04 신라 지증왕의 업적
답 ③

문제 해결의 KEY '신라' 국호 + '왕' 칭호 사용 = 신라 지증왕

┃ 자료 읽기

신라 **지증왕**은 나라 이름을 '**신라**'로 변경하고, 최고 지배자를 부르는 칭호를 '마립간'에서 '**왕**'으로 고쳤어요.

┃ 정답 찾기

③ 신라 지증왕은 이사부를 보내 **우산국(울릉도, 독도)** 일대를 정복하였어요.

오답 피하기

① 신라 법흥왕은 **이차돈**의 순교를 계기로 귀족들의 반대를 무릅쓰고 **불교**를 공인하였어요.

② 고려 광종은 억울하게 노비가 된 사람을 본래의 신분으로 회복시켜 주는 **노비안검법**을 시행하였어요.

④ 신라 선덕 여왕은 승려 자장의 건의를 받아들여 **황룡사 9층 목탑**을 세웠어요.

05 가야 연맹
답 ②

 김해 + 고령 = 가야

자료 읽기

가야는 낙동강 유역에서 우수한 철 자원을 바탕으로 성장하였어요. 3세기경 김해의 **금관가야**를 중심으로 전기 가야 연맹을 이루어 낙랑과 왜를 잇는 해상 교역을 통해 발전하였어요.

정답 찾기

② 금동 대향로는 불교와 도교 사상의 영향을 받아 만들어진 **백제**의 문화유산이에요.

오답 피하기

① 가야의 문화유산인 금관이에요.

③ 가야의 우수한 제철 기술을 보여 주는 말머리 가리개에요.

④ 가야의 문화유산인 도기 기마인물형 뿔잔이에요.

06 안시성 전투
답 ④

 고구려와 당의 싸움 = 안시성 전투(645년)

자료 읽기

고구려군과 당나라군이 싸우고 있는 점. **안시성 전투**가 언급된 점을 통해 안시성 전투가 일어났던 시기를 묻고 있음을 알 수 있어요.

정답 찾기

④ 645년에 일어난 안시성 전투는 당나라의 침입에 맞서 고구려가 항전하였던 싸움이에요. 당나라 태종이 대군을 이끌고 고구려를 침입하자, 안시성에서 성주와 백성들이 합심하여 이를 막아 내었어요.

07 통일 신라의 대외 관계
답 ①

 장보고 + 청해진 = 통일 신라

자료 읽기

자료에서 교사가 통일 신라의 대외 교역에 대해 묻고 있어요.

따라서 통일 신라 시기에 해상 무역을 주도한 **장보고**에 관한 내용이 적절한 대답임을 알 수 있어요.

정답 찾기

① 장보고는 완도에 **청해진**을 설치하고 해적을 소탕하며 주변의 해상 무역을 장악하였어요.

오답 피하기

② 조선은 국경 지역에 무역소를 설치하고 여진에게 교역을 허락하였어요.

③ 조선 후기에는 청나라와 일본을 대상으로 한 **개시 무역**과 **후시 무역**이 성행하였어요.

④ 변한과 금관가야는 철이 많이 생산되어 질 좋은 철을 낙랑과 왜에 수출하였어요.

08 발해
답 ④

 고구려의 영향 + 해동성국 = 발해

자료 읽기

대조영은 고구려 멸망 이후 고구려 유민과 말갈인을 이끌고 발해를 건국하였어요. 발해는 **고구려를 계승**한 나라임을 나타냈는데, 발해 왕이 일본과 주고받은 국서에서 발해 왕을 '고려 국왕(고구려 왕)'으로 표현한 점 등을 통해 이를 알 수 있어요. 또한 발해의 고분과 기와, 치미, 온돌 유적 등에서도 고구려와의 문화적 연관성을 찾아볼 수 있어요.

정답 찾기

④ 발해의 무왕은 **인안**, 문왕은 **대흥**이라는 독자적인 연호를 사용하였어요.

오답 피하기

① 신라는 **상수리 제도**를 실시하여 지방 세력을 통제하였어요.

② 신라는 삼국을 통일한 이후에 전국을 **9주 5소경**으로 나누었어요.

③ 고구려는 귀족 대표들이 모인 **제가 회의**에서 국가의 중요한 일을 논의하고 결정하였어요.

09 견훤의 활동
답 ①

 완산주에 도읍 = 후백제 견훤

자료 읽기

신라 말 **견훤**은 전라도 일대에서 세력을 키워 완산주(전주)에 도읍을 정하고 **후백제**를 세웠어요. 견훤의 후백제는 궁예가 세운 후고구려와 함께 후삼국 시대를 열었어요. 하지만 견훤은 신라를 적대시하고, 농민에게 과도한 세금을 거두었으며, 호족을 포섭하는 데 실패하였어요.

정답 찾기

① 후백제에서는 견훤의 아들 간에 후계자 다툼이 벌어져 큰아들인 신검이 견훤을 금산사에 가두는 일이 발생하였어요. 이후 견훤은 금산사를 탈출하여 고려 태조(왕건)에게 귀순하였어요.

오답 피하기

② **궁예**는 송악(개성)을 도읍으로 **후고구려**를 세웠어요.

③ **만적**은 고려 시대의 노비예요. 최충헌이 무신 집권자로 정권을 장악한 시기에 반란을 계획하였다가 발각되었어요.

④ **양길**은 신라 말인 진성 여왕 시기에 봉기를 일으켰어요.

10 공주의 역사   답 ②

 석장리 + 송산리 고분군 + 우금치 = 공주

자료 읽기

공주에는 구석기 시대의 대표적 유적지인 **석장리 유적**이 있어요. 공주 **송산리 고분군**에는 백제 왕들의 무덤이 있고, 우금치에는 동학 농민 운동 과정에서 농민군과 관군 · 일본군의 전투가 벌어졌던 **우금치 전적지**를 만나볼 수 있어요.

정답 찾기

② 충남 공주에는 구석기 시대 유적지인 석장리 유적이 남아 있어요. 또한 이 지역은 백제의 수도인 **웅진**이었던 곳으로, 백제 왕릉을 비롯한 여러 문화유산이 남아 있지요.

11 고려 광종의 정책   답 ①

 노비안검법 = 고려 광종

자료 읽기

고려 **광종**은 **노비안검법**을 시행하여 불법적으로 노비가 된 사람을 본래의 신분으로 회복시켜 주었어요. 또한 쌍기의 건의를 받아들여 **과거제**를 시행하였지요. 광종의 정책들은 호족의 경제 기반을 약화시키고 신진 관료를 등용하여 왕권을 강화하기 위한 조치였어요.

정답 찾기

① 고려 광종은 노비안검법과 과거제 시행 등 여러 정책을 통해 왕권을 강화하고 호족 세력의 힘을 약화시키고자 하였어요.

오답 피하기

② 고려 인종 때 **묘청** 등 서경파가 **서경(평양)**으로 천도할 것을 주장하였고, 인종도 한때 이를 받아들여 서경으로 천도할 것을 계획하였어요.

③ 고려 태조(왕건)는 고구려 계승 의식을 바탕으로 옛 고구려

의 영토를 회복하기 위한 **북진 정책**을 추진하였어요.

④ 고려 현종은 거란의 침입을 격퇴하고, 지방 제도를 정비하였어요.

12 고려 국자감   답 ③

 고려의 최고 교육 기관 = 국자감

자료 읽기

국자감은 고려 **성종**이 설립한 최고 교육 기관이에요. 국자감에서는 유학뿐만 아니라 기술 교육도 실시하였어요.

정답 찾기

③ 고려 성종 때 최고 교육 기관으로 국자감을 설립하였어요.

오답 피하기

① **경당**은 고구려의 교육 기관으로, 글과 활쏘기를 가르쳤어요.

② **향교**는 고려와 조선 시대에 지방에 설치한 교육 기관이에요.

④ **주자감**은 발해의 최고 교육 기관이에요.

13 김부식의 활동   답 ①

 묘청의 반란 진압 + 『삼국사기』 = 김부식

자료 읽기

김부식은 고려 중기에 활동한 대표적인 문신이에요. 김부식은 인종의 명령을 받아 묘청 등이 서경에서 일으킨 반란을 진압하였고, 역사서인 『삼국사기』를 저술하였어요.

정답 찾기

① 김부식은 유교적 사관을 바탕으로 삼국의 역사를 정리한 『삼국사기』를 편찬하였어요.

오답 피하기

② 고려 전기 **묘청** 등 서경 세력은 서경(평양)으로 수도를 옮길 것, 금나라를 정벌할 것 등을 주장하였어요.

③ 고려 말 **최무선**은 **화통도감**을 세울 것을 건의하고, 이곳에서 화약과 화포를 만들었어요.

④ 고려 말 **안향**이 고려에 **성리학**을 처음 소개하였어요.

14 고려 공민왕의 업적   답 ④

 정동행성 이문소 폐지 + 쌍성총관부 공격 = 고려 공민왕

자료 읽기

고려 **공민왕**은 원나라가 쇠약해져 가는 상황을 이용하여 반원 자주 정책을 펼쳤어요. **쌍성총관부를 공격**하여 원나라에게 빼

앗겼던 영토를 되찾았고, 격하된 왕실의 칭호와 관제를 복구하였으며, **호복과 변발을 금지**하였지요.

▌정답 찾기

④ 고려 공민왕은 쌍성총관부를 공격하여 철령 이북 지역을 회복하였어요.

▌오답 피하기

① 고려 시대 무신 집권자인 **최충헌**은 **교정도감**을 설치하여 권력을 장악하였어요.

② **천리장성**은 고구려 말기와 고려 전기에 세워졌어요. 고구려 때에는 당나라의 침입을 막기 위해 축조하였고, 고려 시대에는 거란의 침입에 대비하기 위해 성을 쌓았어요.

③ 고려 말기에 **박위**가 쓰시마섬을 정벌하였고, 조선 세종 때 **이종무**도 쓰시마섬을 공격하여 왜구를 격퇴하였어요.

15 고려의 경제 답 ④

 벽란도 = 고려의 국제 무역항

▌자료 읽기

고려 시대에는 예성강 하구에 위치한 **벽란도**가 국제 무역항으로 번성하였어요. 한편 **건원중보, 해동통보, 삼한통보, 은병(활구)** 등의 화폐가 발행되었지만 널리 유통되지는 못하였어요.

▌정답 찾기

④ 고려 시대에는 활구라고 불린 은병이 화폐로 사용되었어요.

▌오답 피하기

① **고구마, 감자** 등이 널리 재배된 시기는 조선 후기예요.

② **모내기법**이 전국적으로 확산된 시기는 조선 후기예요.

③ **만상, 내상** 등 사상의 활동이 활발하였던 시기는 조선 후기예요.

16 우리나라의 석조 불상 답 ①

 서산 용현리 마애여래 삼존상 = 백제 / 경주 석굴암 본존불 = 통일 신라 / 파주 용미리 마애이불 입상 = 고려

▌자료 읽기

(가) **서산 용현리 마애여래 삼존상**은 백제의 불상이에요. 부드러운 미소를 띠고 있어 '백제의 미소'라고도 불려요.

(나) **경주 석굴암 본존불**은 통일 신라의 문화유산인 석굴암 내부에 위치한 불상이에요.

(다) 파주 **용미리 마애이불 입상**은 거대한 암벽을 깎아 만든 고려 초기의 불상이에요. 고려 시대 지방 세력의 개성을 잘 보여 주는 불상이지요.

▌정답 찾기

① 제시된 불상을 만들어진 순서대로 나열하면 (가) - (나) - (다)예요.

17 정도전의 활동 답 ②

 조선 태조 + 『조선경국전』 = 정도전

▌자료 읽기

고려 말, 급진파 신진 사대부였던 **정도전**은 고려 왕조를 무너뜨리고 새 왕조를 세울 것을 주장하였어요. 그는 이성계(조선 태조)와 협력하여 조선을 건국하는 데 앞장선 인물이에요.

▌정답 찾기

② 정도전은 조선의 도성인 한양을 설계하고, 궁궐 및 주요 건축물의 명칭을 지었으며, 국가의 통치 정책을 제시한 『**조선경국전**』 등을 남겼어요.

▌오답 피하기

① **송시열**은 조선 후기의 대표적인 유학자로, 효종 때 북벌을 주장하였어요.

③ **정약용**은 조선 후기의 대표적인 실학자로, 토지 개혁론인 **여전론**을 주장하고 『**목민심서**』 등 많은 책을 남겼어요.

④ **홍대용**은 조선 후기의 대표적인 실학자로, **지전설과 무한우주론**을 주장하였어요.

18 조선 세종의 업적 답 ②

 훈민정음 창제 = 조선 세종

▌자료 읽기

조선 **세종**은 백성들의 어려움을 해결하기 위한 여러 정책을 폈어요. 백성들이 문자를 익히지 못해 어려움을 겪자 우리 글자인 **훈민정음**을 창제하였어요. 또한 『**농사직설**』을 간행하였으며, **측우기** 등의 과학 기구도 만들었지요.

▌정답 찾기

② 조선 세종은 우리 풍토에 맞는 농사법을 정리한 『**농사직설**』을 간행하였어요.

▌오답 피하기

① 고려 원 간섭기에 충선왕이 원나라의 수도에 **만권당**을 세웠어요. 만권당은 일종의 독서당으로, 고려와 원나라의 학자들이 이곳에서 학문에 대한 견해를 나누었어요.

③ 조선 고종 때 흥선 대원군이 법전인 『**대전회통**』을 편찬하였어요.

④ 조선 정조는 유능한 관리들을 길러 내기 위해 **초계문신제**를 시행하였어요.

19 호패

문제해결의 KEY 조선 + 16세 이상 남자의 신분 증명 = 호패

▌자료 읽기

조선 시대에는 16세 이상의 남자들에게 신분 증명을 위해 몸에 **호패**를 차고 다니도록 하였어요.

▌정답 찾기

③ 호패는 조선 **태종** 때부터 발행된 일종의 신분증이에요. 호패에는 해당 인물의 성명과 출생 연도, 과거 합격 연도 등이 쓰여 있었어요.

▌오답 피하기

① **교지**는 임금의 명령이 적인 문서를 말해요.
② **족보**는 한 가문의 혈통 등을 기록한 서적이에요.
④ **공명첩**은 이름이 기재되어 있지 않은 관직 임명장이에요. 조선 후기에 국가가 부족한 재정을 보충하기 위해 돈을 받고, 돈을 낸 사람에게 공명첩을 통해 명예직 벼슬을 주었어요.

20 승정원

답 ③

문제해결의 KEY 조선 + 왕명 출납 = 승정원

▌자료 읽기

조선의 중앙 정치 기구 중 **승정원**은 왕의 명령을 전달하던 국왕의 비서 기관이에요.

▌정답 찾기

③ 승정원에는 좌승지, 우승지 등 총 6명의 승지가 있었어요.

▌오답 피하기

① **사간원**은 조선 시대에 왕에게 잘못된 일을 고치도록 이야기하는 역할을 한 기관이에요.
② **사헌부**는 조선 시대에 관리들의 비리를 감찰하던 기관이에요.
④ **홍문관**은 조선 시대에 왕의 자문에 답하는 기능을 담당하였어요.

21 성균관

답 ②

문제해결의 KEY 조선 최고 교육 기관 = 성균관

▌자료 읽기

조선의 최고 교육 기관인 **성균관**은 과거 시험 중 소과에 합격한 생원과 진사 등이 입학할 수 있었어요.

▌정답 찾기

② 고려 말에 만들어진 성균관은 조선 시대에도 이어져 최고 교육 기관의 역할을 담당하였어요.

▌오답 피하기

① **향교**는 고려와 조선 시대에 지방에 설치되었던 중등 교육 기관이에요.
③ **육영 공원**은 개항기에 설립된 우리나라 최초의 근대식 관립 교육 기관이에요. 육영 공원에는 외국인 교사가 초빙되어 학생들을 가르쳤어요.
④ **4부 학당**은 한양에 설치된 조선 시대의 중등 교육 기관이에요.

22 조선 광해군의 업적

답 ④

문제해결의 KEY 중립 외교 + 인조반정 = 조선 광해군

▌자료 읽기

조선 **광해군**은 왜란으로 입은 피해를 복구하고 명과 후금 사이에서 **중립 외교**를 펼쳤어요. 광해군의 중립 외교에 불만을 품었던 서인 세력은 반정을 일으켜 광해군을 몰아내고 인조를 왕으로 즉위시켰지요(**인조반정**).

▌정답 찾기

④ 조선 광해군은 백성들의 생활 안정을 위해 세금으로 특산물을 내는 대신 토지 면적에 따라 쌀이나 베·옷감 등으로 세금을 납부하는 **대동법**을 실시하였어요.

▌오답 피하기

① 조선 고종 때 흥선 대원군이 『**대전회통**』을 편찬하였어요.
② 조선 철종은 전국적으로 **임술 농민 봉기**가 일어나자, **삼정이정청**을 설치하여 삼정의 문란을 개선하려고 하였어요.
③ 조선 정조는 유능한 관리들을 길러 내기 위해 **초계문신제**를 시행하였어요.

23 추석

답 ③

문제해결의 KEY 차례 + 성묘 + 송편 = 추석

▌자료 읽기

추석은 음력 8월 15일로, **한가위**라고도 해요. 이날에는 햇곡식과 햇과일로 차례를 지내고 **송편**을 빚어 먹어요. 또한 **강강술래**를 하며 풍년을 기원하기도 하였지요.

▌정답 찾기

③ 추석에는 송편, 시루떡, 토란단자 등을 만들어 먹어요.

오답 피하기

① **단오**는 음력 5월 5일로, 수릿날이라고도 해요. 이날에는 창 포물에 머리와 얼굴을 씻고, 그네뛰기와 씨름을 하는 풍습 이 있어요.

② **설날**은 음력 1월 1일로, 세배를 하고 윷놀이와 연날리기 등 을 해요.

④ **한식**은 동지에서 105일째 되는 날로, 이날에는 불을 사용하 지 않고 찬 음식을 먹는 풍습이 있었어요.

24 조선 영조의 업적

답 ②

 탕평비 + 『속대전』 = 조선 영조

자료 읽기

조선 **영조**는 붕당 정치의 폐해를 바로잡고 균형 있는 정치를 실 현하기 위해 **탕평책**을 펼쳤어요. 그는 탕평책의 의지를 내보이 고자 성균관 입구에 **탕평비**를 세웠지요. 또한 영조는 백성들의 생활을 안정시키기 위해 **균역법**을 실시하고, **청계천**을 정비하 였어요.

정답 찾기

② 조선 영조는 『속대전』을 편찬하여 법전을 정비하였어요.

오답 피하기

① 조선 고종 때 흥선 대원군이 세도 가문의 정치 기반이 된 **비 변사를 혁파**하였어요.

③ 조선 효종 때 청나라의 요청으로 조총 부대를 파견하여 러 시아군과 전투를 벌었어요.(**나선 정벌**).

④ 조선 숙종 때 **백두산정계비**를 세워 청나라와의 경계를 정하 였어요.

25 정약용의 활동

답 ③

 여전론 + 『목민심서』 = 정약용

자료 읽기

정약용은 조선 후기의 대표적인 중농학파 실학자예요. 그는 토 지 개혁을 위해 **여전론** 등을 주장하였고 『**목민심서**』, 『**경세유표**』 등 방대한 저술을 남겼어요.

정답 찾기

③ 정약용은 목민관(지방관)이 지켜야 할 지침을 밝히면서 관 리들의 부패를 비판한 『목민심서』를 지었어요.

오답 피하기

① 조선 후기에 최제우가 천주교의 확산에 반발하며 **동학**을 창 시하였어요.

② 조선 후기에 김정희가 독자적인 서체인 **추사체**를 창안하였 어요.

④ 조선 후기에 이제마가 사람의 체질을 연구하여 **사상 의학**을 확립하였어요.

26 독도

답 ①

 안용복의 활약 = 독도

자료 읽기

독도는 우리나라 동쪽 끝에 있는 섬으로, 조선 숙종 때 **안용복** 이 일본에 건너가 우리 영토임을 확인시켰어요.

정답 찾기

① 독도는 신라 지증왕 때 **이사부**에 의해 복속된 이래로 우리 영토에 속하는 섬이에요.

오답 피하기

② 진도는 고려 시대에 **삼별초**가 항쟁을 벌였던 지역 중 하나 예요.

③ 거문도는 영국이 러시아의 남하를 견제한다는 이유로 불법 으로 점령하였던 섬이에요.

④ 제주도는 **삼별초**의 항쟁, **제주 4 · 3 사건** 등이 일어났던 지 역이에요.

27 상평통보

답 ③

 조선 숙종 때 공식 화폐 = 상평통보

자료 읽기

조선 숙종 때에는 국가의 공식 화폐인 **상평통보**를 주조하여 유 통시켰어요. 상평통보는 상품의 거래뿐만 아니라 세금 납부 등 에도 널리 사용되었어요.

정답 찾기

③ 상평통보는 조선 후기 숙종 때 전국적으로 유통된 화폐에요.

오답 피하기

① **건원중보**는 고려 성종 때 주조된 화폐예요.

② **해동통보**는 고려 숙종 때 의천의 건의에 따라 주조된 화폐 예요.

④ **백동화**는 개항 이후에 사용된 화폐예요.

28 임술 농민 봉기(진주 농민 봉기)

답 ④

 백낙신 + 유계춘 = 임술 농민 봉기(진주 농민 봉기)

자료 읽기

세도 정치 시기인 조선 철종 때 지배층의 부패와 삼정의 문란이 극심한 상황 속에서 경남 **진주**의 탐관오리 **백낙신**이 백성을 수탈하였어요. 이에 반발하여 **유계춘**의 주도로 농민 봉기가 일어났고, 봉기는 전국으로 확대되었어요(**임술 농민 봉기**).

정답 찾기

④ 조선 정부는 임술 농민 봉기가 일어나자 **안핵사 박규수**를 파견하여 사건의 진상을 조사하게 하는 한편, **삼정이정청**을 설치하여 삼정의 문란을 개선하고자 하였어요.

오답 피하기

① 국가의 도교 행사를 주관하던 **소격서**는 조선 중종 때 조광조의 건의로 폐지되었어요.

② **직전법**은 조선 세조 때 실시된 토지 제도로, 현직 관리에게만 토지의 수조권을 주었어요.

③ **척화비**는 조선 고종 때 흥선 대원군이 통상 수교 거부 의지를 나타내기 위해 전국 각지에 세운 비석이에요.

29 경복궁
답 ①

 조선의 법궁 + 근정전 + 경회루 = 경복궁

자료 읽기

경복궁은 조선의 법궁으로, 한양을 설계한 정도전이 이름을 붙였어요. 근정전은 경복궁의 정전이고, 경회루는 외국 사신 등이 방문하였을 때 연회를 베푼 장소이며, 향원정은 경복궁에 있는 누각이에요.

정답 찾기

① 조선의 궁궐 중 근정전, 경회루, 향원정이 있는 궁궐은 경복궁이에요.

오답 피하기

② **덕수궁**은 본래 경운궁으로 불렸던 곳으로, 조선 고종이 일제에 의해 강제 퇴위된 이후 머물게 되면서 이름을 덕수궁으로 바꾸었어요.

③ **창경궁**은 조선 성종 때 지은 궁궐로 일제 강점기에 동물원, 식물원이 설치되고 창경원으로 격하되기도 하였어요.

④ **창덕궁**은 조선 태종 때 경복궁 동쪽에 지은 궁궐로, 1997년에 유네스코 세계 유산에 등재되었어요.

30 보빙사
답 ②

 미국에 보낸 사절단 = 보빙사

자료 읽기

조선은 미국과 국교를 맺은 이후 미국 공사가 조선에 온 것에 대한 답례로 1883년 미국에 **보빙사**를 파견하였어요. 보빙사는 미국 대통령을 접견하고 미국의 발달된 문물을 접하였지요.

정답 찾기

② 보빙사는 민영익을 대표로 미국에 파견된 사절단이에요.

오답 피하기

① **수신사**는 강화도 조약 체결 이후 여러 차례 일본에 파견된 사절단이에요.

③ **영선사**는 근대식 무기 제조 기술을 배우기 위해 청나라에 파견되었던 사절단이에요.

④ **조사 시찰단**은 당시 좋지 않은 여론을 의식하여 비밀리에 일본에 파견된 사절단이에요.

31 동학 농민 운동
답 ④

 황토현 전투 + 보국안민 = 동학 농민 운동

자료 읽기

1894년에 탐관오리 **조병갑**의 수탈에 저항한 **고부 농민 봉기**를 시작으로 동학 농민 운동이 일어났어요. 고부 농민 봉기를 수습하기 위해 파견된 관리가 농민군을 탄압하자 **전봉준**을 중심으로 보국안민을 내세우며 봉기(1차 봉기)하였고, 농민군은 **황토현** 등지에서 관군에 승리하고 전주성을 점령하였어요.

정답 찾기

④ 전주성을 점령한 동학 농민군은 조선 정부와 **전주 화약**을 체결한 후 **집강소**를 중심으로 **폐정 개혁안**을 추진하였어요.

오답 피하기

① 1881년에 개화 정책의 일환으로 신식 군대인 **별기군**이 창설되었어요.

② **국채 보상 운동**은 일본에 진 빚을 갚아 국권을 되찾자는 운동으로, 1907년 대구에서 시작하여 전국으로 확산되었어요.

③ 일제는 1910년에 대한 제국의 국권을 빼앗고 식민 통치의 최고 기구로 **조선 총독부**를 설치하였어요. 조선 총독부의 탄압과 방해로 실패한 운동으로는 **민립 대학 설립 운동** 등이 있어요.

32 갑오개혁
답 ①

 군국기무처가 추진 = 갑오개혁

자료 읽기

1894년부터 1895년 사이에 기존의 낡은 제도를 고쳐 근대식으로 바꾸고자 **갑오개혁**이 실시되었어요. 일본의 압력에 의해 **김홍집**을 중심으로 내각이 구성되었고, 개혁 추진을 위해 만든 **군국기무처**를 중심으로 제1차 갑오개혁이 이루어졌어요.

정답 찾기

① 대한 제국이 실시한 **광무개혁**으로 근대적 토지 소유 증명서인 **지계**가 발급되었어요.

오답 피하기

② 갑오개혁으로 **과거제가 폐지**되었어요.

③ 갑오개혁으로 길이, 부피, 무게 등 각종 단위를 재는 **도량형이 통일**되었어요.

④ 갑오개혁으로 죄인의 가족이나 친척들이 함께 벌을 받는 **연좌제가 폐지**되었어요.

---

33 아관 파천

답 ④

왕의 탈출 + 러시아 공사관 = 아관 파천(1896년)

자료 읽기

왕과 세자가 궁을 탈출하였다는 점, 탈출한 왕과 세자가 러시아 공사관에 도착하였다는 점을 통해 제시된 사건이 **아관 파천**임을 알 수 있어요. 1895년 일본에 의해 명성 황후가 시해(**을미사변**)되자, 신변에 위험을 느낀 고종은 일본군이 의병 진압을 위해 지방으로 파견된 틈을 타 러시아 공사관으로 거처를 옮겼어요(아관 파천, 1896년). 이를 계기로 김홍집 내각은 붕괴되고, 을미개혁은 중단되었으며, 러시아의 정치적 간섭이 강화되었어요.

정답 찾기

④ 을미사변 이후 신변에 위험을 느낀 고종은 아관 파천(1896년)을 통해 일본을 견제하였어요.

---

34 국채 보상 운동

답 ④

대구 + 대한매일신보의 지원 = 국채 보상 운동

자료 읽기

국채 보상 운동은 1907년 대구에서 시작되어 **국채 보상 기성회**가 주도한 차관 갚기 운동이에요. 당시 일본이 대한 제국에 강요한 국채를 갚아 국권을 회복하자는 의식이 확산되어 추진된 운동으로, 부녀자들은 비녀와 가락지 등을 내고 남성들은 금연, 금주를 해 성금을 모았어요.

정답 찾기

④ 국채 보상 운동은 **대한매일신보** 등 언론의 지원을 받아 전국으로 확산되었으나, 통감부의 탄압을 받아 실패하였어요.

오답 피하기

① **근우회**는 1927년에 조직되어 여성 운동을 주도한 단체예요.

---

② **조선 총독부**는 1910년에 일제가 한국을 식민 통치하기 위해 설치한 최고 통치 기구예요.

③ 김홍집 등의 온건 개화파는 **갑오개혁** 등을 주도하였어요.

---

35 근대 문물의 수용

답 ④

고종의 접견실 + 서양식 건축물 = 덕수궁 석조전

자료 읽기

석조전은 고종의 접견실 등으로 사용된 덕수궁 내의 건물이에요. 이 건물은 궁궐 내의 서양식 건축물 중 가장 큰 규모를 자랑해요.

정답 찾기

④ 대한 제국 시기의 서양식 건축물인 덕수궁 석조전이에요.

오답 피하기

① **황궁우**는 대한 제국 시기에 고종이 하늘에 제사를 지냈던 **환구단**의 부속 건물이에요.

② **명동 성당**은 1898년에 서양 건축 양식으로 지어진 성당이에요.

③ **운현궁** 양관은 흥선 대원군의 집인 운현궁에 딸린 부속 건물로, 일제 강점기에 서양식 건축 양식으로 지어졌어요.

---

36 1910년대 일제의 식민 통치

답 ②

헌병 경찰 + 칼을 휴대한 교사 = 1910년대

자료 읽기

1910년대에 일제는 조선에 **무단 통치**를 시행하였어요. 이 시기에는 공포 분위기를 조성하기 위한 여러 정책이 시행되었는데 **헌병 경찰 제도**, 교원과 관리의 제복과 칼 착용, **조선 태형령** 제정 등이 대표적이었어요.

정답 찾기

② **토지 조사 사업**은 1910년대에 근대적 토지 소유권을 확립한다는 명목으로 실시되었으나, 실질적으로는 조선 총독부와 일본인의 토지 소유를 늘린 경제 침탈 정책이었어요.

오답 피하기

① **별기군**은 1881년 개화 정책에 따라 창설된 신식 군대예요.

③ **산미 증식 계획**은 일본이 본국의 쌀 문제를 해결하기 위해 실시한 것으로, 1920년부터 추진되었어요.

④ 강제 **공출**은 중·일 전쟁 등이 본격화된 1930년대 말부터 이루어졌어요.

37 프랭크 스코필드의 활동　답 ④

문제해결의 KEY　제암리 학살 사건 제보 = 프랭크 스코필드

▮**자료 읽기**

3·1 운동 당시 일제가 저지른 **제암리 학살 사건**의 참상을 외국 언론에 제보하였다는 점, 국립 서울 현충원에 안장된 최초의 외국인이라는 점 등을 통해 (가) 인물이 **프랭크 스코필드**임을 알 수 있어요.

▮**정답 찾기**

④ 프랭크 스코필드는 영국 태생의 캐나다인으로, 한국에 들어와 세브란스 의학 전문학교에서 세균학을 가르쳤어요. 3·1 운동이 일어났을 때 3·1 운동에 대한 기록을 남겼으며, 제암리 학살 사건의 진상을 해외에 알렸어요.

▮**오답 피하기**

① **호머 헐버트**는 육영 공원의 교사로 조선에 온 뒤, 고종의 밀사로 미국에 건너가 을사늑약의 부당함을 알리고자 하였어요.
② **메리 스크랜튼**은 이화 학당의 설립자이자 한국에 온 최초의 여성 선교사였어요.
③ **어니스트 베델**은 영국인 신문 기자로, 한국에 온 후 양기탁과 함께 **대한매일신보**를 창간하여 항일 운동에 기여하였어요.

38 대한민국 임시 정부　답 ①

문제해결의 KEY　연통제 + 독립 공채 = 대한민국 임시 정부

▮**자료 읽기**

자료에서 **대한민국 임시 정부**의 활동을 물어보았으므로 학생의 답변 중 대한민국 임시 정부의 활동으로 적절하지 않은 것을 찾아야 해요.
대한민국 임시 정부는 **연통제**와 **교통국** 등을 통해 국내와 연락을 취하였고, **독립(애국) 공채** 등을 발행하여 독립운동 자금을 마련하였어요. 또한 외교 업무를 위해 미국에 **구미 위원부**를 두었고, 충칭에 정착한 이후에 **한국광복군**을 창설하여 직접적인 무력 투쟁에 나서기도 하였지요.

▮**정답 찾기**

① **신흥 무관 학교**는 **신민회**가 만주 삼원보에 설립한 신흥 강습소를 모태로 하여 창설된 독립군 양성 학교로, 대한민국 임시 정부의 활동과는 관련이 없어요.

39 산미 증식 계획　답 ③

문제해결의 KEY　일본으로 쌀 반출 + 1920년대 = 산미 증식 계획

▮**자료 읽기**

1920년대에 일제는 본국의 쌀 부족 문제를 해결하기 위해 한반도에서 쌀 생산을 늘려 일본으로 반출하는 **산미 증식 계획**을 실시하였어요.

▮**정답 찾기**

③ 일본은 산미 증식 계획을 통해 증가된 생산량보다 더 많은 양의 쌀을 수탈해 갔고, 그로 인해 한반도에서는 쌀이 부족해졌어요.

▮**오답 피하기**

① **회사령**은 일제가 한국인 기업의 성장을 저지시키기 위해 1910년에 만든 법령이에요. 한국인이 기업을 설립하기 위해서는 조선 총독의 허가를 받아야 한다는 내용을 담고 있어요.
② **농지 개혁법**은 이승만 정부 시기인 1949년에 전국의 농지를 농민에게 적절히 분배하려는 목적으로 만들어진 법령이에요. 가질 수 있는 농지의 한계를 정해 그 이상을 소유하지 못하도록 하였어요.
④ **토지 조사 사업**은 1910년대 일제의 대표적인 경제 침탈 사례예요. 농민에게 토지의 주인, 가격, 용도 등을 신고하게 하였는데, 기한을 놓쳐 미처 신고되지 않거나 주인이 불분명한 토지들은 모두 일제가 차지하였어요.

40 물산 장려 운동　답 ②

문제해결의 KEY　물산 장려 + 토산 = 물산 장려 운동

▮**자료 읽기**

물산 장려 운동은 1920년 일제의 회사령 철폐와 일본 상품에 대한 관세 철폐 움직임에 맞서 일어난 실력 양성 운동이에요. 토산품을 애용하여 민족 기업 및 상업, 자본을 성장시키려고 하였으나 일제의 방해로 확산이 미흡하였고, 자본가의 이익만을 위한다는 이유로 사회주의 계열의 비판을 받았어요.

▮**정답 찾기**

② 물산 장려 운동은 1920년 **평양**에서 **조만식** 등이 **조선 물산 장려회**를 설립하며 시작되었어요.

▮**오답 피하기**

① 1907년에 시작된 **국채 보상 운동**은 대한매일신보 등 언론의 후원을 받았어요.
③ 1898년 시전 상인들은 **황국 중앙 총상회**를 조직하여 상권 수호 운동을 전개하였어요.
④ **독립 협회**는 독립문 건립을 위한 모금 활동을 추진하였어요.

41 광주 학생 항일 운동
답 ④

신간회의 진상 조사단 파견 = 광주 학생 항일 운동

자료 읽기

광주 학생 항일 운동은 일본인 학생이 한국인 여학생을 희롱한 사건에서 시작되었어요. 이 사건에 분노한 한국인 학생들과 일본인 학생들 사이에 충돌이 발생하였는데, 경찰이 한국인 학생들을 탄압하자 광주 등지에서 대대적인 항일 시위가 일어났어요. 이후 시위는 전국으로 확산되어 3·1 운동 이후 최대 규모의 항일 민족 운동으로 발전하였어요.

정답 찾기
④ **신간회**는 진상 조사단을 파견하고, 민중 대회를 준비하는 등의 방법으로 광주 학생 항일 운동을 지원하였어요.

오답 피하기
① **통감부**는 1905년에 체결된 을사늑약에 따라 1906년에 설치되었어요.
② 1919년 재일 유학생들이 일본 도쿄에서 **2·8 독립 선언서**를 발표하였어요. 이 선언은 이후 3·1 운동이 발발하는 데 영향을 주었어요.
③ **치안 유지법**은 일제가 사회주의자와 독립운동가들을 탄압하기 위해 1925년에 공포한 법령이에요.

42 의열단
답 ③

조선 혁명 선언 + 김원봉 = 의열단

자료 읽기

의열단은 김원봉이 중심이 되어 조직되었어요. 신채호가 작성한 '**조선 혁명 선언**'을 활동 지침으로 삼아 일제 요인 암살, 식민 통치 기관 파괴 등의 무력 투쟁을 하였지요. 의열단원으로는 **김익상, 김상옥, 나석주** 등이 있었어요.

정답 찾기
③ 김원봉을 중심으로 조직된 의열단은 일제 주요 인물 암살, 식민 통치 기관 파괴 등의 무력 투쟁을 벌였어요. 김익상은 조선 총독부에, 김상옥은 종로 경찰서에 폭탄을 던지는 의거를 단행하였어요.

오답 피하기
① **근우회**는 민족 유일당 운동의 영향으로 조직된 신간회의 자매단체에요.
② **보안회**는 일본의 황무지 개간권 요구 저지 운동을 추진하여 성공시켰어요.
④ **중광단**은 대종교를 믿는 사람들이 중심이 되어 만든 독립운동 단체에요.

43 1930년대 이후 민족 말살 통치
답 ②

황국 신민 서사 암송 강요 = 1930년대 이후 민족 말살 통치

자료 읽기

국민학교에서 이루어지는 상황이라는 점, **황국 신민 서사**의 암송을 강요하고 있다는 점을 통해 1930년대 이후 민족 말살 통치 시기의 상황임을 알 수 있어요.
일제는 1930년대부터 황국 신민화 정책을 펼쳐 황국 신민 서사 암송 등을 강요하였어요.

정답 찾기
② **신사 참배**는 1930년대 이후 일제가 실시한 황국 신민화 정책 중 하나에요.

오답 피하기
① 조선 광해군 때 처음 시행된 **대동법**은 세금을 특산물 대신 쌀·베·동전 등으로 납부하게 한 제도에요.
③ 1923~1924년에 전남 신안 암태도의 소작인들은 지주의 소작료 인상에 저항하였어요(**암태도 소작 쟁의**).
④ **한성순보**는 1883년부터 1884년까지 **박문국**에서 발행하였던 우리나라 최초의 근대 신문이에요.

44 일제의 국권 침탈에 대한 반발
답 ①

안중근의 의거 → 홍범도의 봉오동 전투 승리 → 윤봉길의 의거

자료 읽기
(가) 1909년 **안중근**은 을사늑약 체결에 반발하여 초대 통감인 이토 히로부미를 하얼빈역에서 처단하였어요.
(나) 1920년 **홍범도**가 이끄는 대한 독립군과 여러 독립군 부대가 연합하여 봉오동에서 수백 명의 일본군을 물리쳤어요 (**봉오동 전투**).
(다) 한인 애국단의 단원이었던 **윤봉길**은 1932년에 일왕의 생일 축하 및 상하이 사변 전승 기념식을 위해 상하이 훙커우 공원에 모인 일본인 장교들에게 폭탄을 던졌어요.

정답 찾기
① 제시된 자료를 일어난 순서대로 나열하면 (가) – (나) – (다)예요.

45 손기정의 활동
답 ③

베를린 올림픽 마라톤 금메달리스트 = 손기정

｜자료 읽기

손기정은 일제 강점기인 1936년에 열린 베를린 올림픽 대회 마라톤 경기에서 세계 신기록을 세우며 우승하였어요.

｜정답 찾기

③ 손기정은 1936년에 열린 제11회 베를린 올림픽 대회 마라톤 경기 금메달리스트예요.

｜오답 피하기

① **나운규**는 1926년에 영화 '아리랑'을 제작하였어요.

② **남승룡**은 손기정과 함께 베를린 올림픽 대회 마라톤 경기에 출전하여 동메달을 땄어요.

④ **안창남**은 일제 강점기에 활동한 우리나라 최초의 비행사이자 독립운동가예요.

46 김규식의 활동 답 ①

파리 강화 회의 파견 + 남북 협상 = 김규식

｜자료 읽기

일제 강점기에 **김규식**은 국제 사회에 한국의 독립을 호소하기 위해 **파리 강화 회의**에 민족 대표로 파견되었어요.

｜정답 찾기

① 김규식은 광복 이후 통일 정부 수립을 위해 여운형과 함께 **좌우 합작 운동**을 주도하였으며, 김구와 **남북 협상**에 참여하기도 하였어요.

｜오답 피하기

② **이승만**은 **정읍 발언**을 통해 남한만의 단독 정부 수립을 주장하였어요.

③ **신채호**는 의열단 선언이라고도 불린 '**조선 혁명 선언**'을 작성하였어요.

④ 의열단 단원인 **김상옥**은 **종로 경찰서**에 폭탄을 투척하였어요.

47 6·25 전쟁 답 ③

북한과의 싸움 + 동족상잔의 비극 = 6·25 전쟁

｜자료 읽기

자료에서 학도 의용군으로 포항여중 전투에서 북한군과 싸웠다는 점, 동족상잔의 비극이었다는 점을 통해 밑줄 그은 '이 전쟁'이 1950년에 발발한 **6·25 전쟁**임을 알 수 있어요.

｜정답 찾기

③ 1950년 6월 25일 북한이 남한을 침입하였어요. 국제 사회의 철수 요구에도 북한이 이를 무시하고 계속 공격을 하자,

국제 연합은 16개국으로 구성된 국제 연합군(유엔군)을 남한에 파견하였어요.

｜오답 피하기

① 미국이 발표한 **애치슨 선언**은 6·25 전쟁이 일어나는 배경이 되었어요. 따라서 애치슨 선언이 발표된 시기는 6·25 전쟁이 발발하기 이전이에요.

② **조선 건국 준비 위원회**는 광복 직후에 여운형 등이 새로운 정부 수립을 위해 조직한 단체예요.

④ 전국 각지에서 모인 의병이 **13도 연합 의병 부대(13도 창의군)**를 구성하고 **서울 진공 작전**을 전개한 시기는 **정미의병** 때인 1908년이에요.

48 박정희 정부 답 ④

한·일 국교 정상화 + 베트남 파병 = 박정희 정부

｜자료 읽기

박정희 정부는 경제 개발을 위한 자금 마련 등을 이유로 한·일 국교 정상화를 추진하였는데, 이러한 사실이 알려지자 1964년에 이에 반대하는 **6·3 시위**가 전개되었어요. 박정희 정부는 군대를 동원하여 시위를 진압하였고, 1965년 **한·일 협정**을 체결하여 일본과의 국교를 정상화하였어요.

｜정답 찾기

④ 김대중 정부 시기인 2002년에 **한·일 월드컵 축구 대회**가 개최되었어요.

｜오답 피하기

① 박정희 정부는 대통령직을 3회 연속으로 할 수 있도록 하는 3선 개헌안을 국회에 상정하여 국민 투표로 개헌을 확정하였어요.

② 박정희 정부는 경제 개발에 필요한 자금 마련 등을 위해 1964년부터 **베트남에 국군을 파병**하였어요.

③ 박정희 정부는 경제 개발을 위해 **경제 개발 5개년 계획**을 추진하였어요.

49 5·18 민주화 운동 답 ④

광주 시민의 저항 + 신군부 = 5·18 민주화 운동

｜자료 읽기

광주에서 민주화 운동이 일어나자 신군부는 광주 시민에게 무차별적인 폭력을 가하였어요. 이 과정에서 수많은 광주 시민들이 희생되었어요.

｜정답 찾기

④ 광주 시민들은 **5·18 민주화 운동**을 통해 신군부의 민주주

의 탄압에 저항하였어요.

▮오답 피하기
① **4·19 혁명**은 이승만 독재 체제를 타도한 민주화 운동이에요.
② **6월 민주 항쟁**은 전두환 정부의 독재 정치에 반발하여 일어난 민주화 운동으로, 대통령 직선제 개헌을 이끌어 냈어요.
③ **부·마 민주 항쟁**은 부산과 마산 지역을 중심으로 박정희 유신 체제에 저항한 민주화 운동이에요.

50 6·15 남북 공동 선언 답 ③

 김대중 + 최초의 남북 정상 회담 = 6·15 남북 공동 선언

▮자료 읽기
2000년 6월, 남북한의 정상이 분단 이후 처음 만나 통일 방안에 대한 회담을 진행하였어요(**제1차 남북 정상 회담**).

▮정답 찾기
③ 남한의 김대중 대통령과 북한의 김정일 국방 위원장이 제1차 남북 정상 회담을 진행하였어요. 그 결과 **6·15 남북 공동 선언**이 발표되었어요.

▮오답 피하기
① 노태우 정부 시기에 **남북 기본 합의서**가 발표되었어요.
② 박정희 정부 시기에 **7·4 남북 공동 성명**이 발표되었어요.
④ 노태우 정부 시기에 **한반도 비핵화 공동 선언**이 발표되었어요.

제2회

270쪽

01	④	02	②	03	④	04	③	05	②
06	③	07	①	08	④	09	④	10	①
11	②	12	③	13	①	14	②	15	①
16	②	17	②	18	①	19	②	20	②
21	③	22	①	23	②	24	②	25	①
26	④	27	①	28	②	29	①	30	①
31	②	32	②	33	②	34	①	35	②
36	③	37	②	38	②	39	③	40	②
41	②	42	②	43	①	44	①	45	④
46	②	47	③	48	④	49	③	50	①

01 청동기 시대의 생활 모습 답 ④

 벼농사 + 반달 돌칼 = 청동기 시대

▮자료 읽기
청동기 시대에는 한반도 일부 지역에서 처음으로 **벼농사**가 시작되었어요. 청동은 만들기가 어려워서 주로 지배 계급의 무기나 장신구를 만드는 데 사용되었고, 농사 도구는 여전히 돌과 나무로 만든 것이 사용되었어요. **반달 돌칼**은 곡식을 수확할 때 이삭을 자르는 데 사용한 간석기예요.

▮정답 찾기
④ 청동기 시대에는 부족장 등 지위가 높은 사람이 죽으면 **고인돌**이라는 무덤을 만들었어요.

▮오답 피하기
① **우경**은 소를 이용하여 밭을 가는 일을 말해요. 기록상 신라 지증왕 때 처음 실시된 것으로 나타나고, 고려 시대에 널리 보급되었어요.
② 철기 시대에 **철제 무기**가 만들어지면서 부족 간에 전쟁이 많이 일어났어요.
③ 구석기 시대에는 주로 **동굴**에서 살거나 **막집**을 짓고 생활하였어요.

02 삼한 답 ②

 신지·읍차 + 5월·10월 계절제 + 소도 = 삼한

▮자료 읽기
삼한에는 왕이 없고, **신지나 읍차** 등의 군장이 부족을 다스렸어

요. 5월과 10월에 **계절제**를 열어 하늘에 제사를 지냈고, 삼한 중 변한 지역에서 **철**이 많이 생산되어 주변 나라에 수출하기도 하였어요.

▋정답 찾기
② 삼한에는 종교 지배자인 **천군**이 다스리는 **소도**가 있었어요. 소도는 일종의 신성 지역으로, 이곳에는 정치 지배자의 힘이 미치지 못하였어요.

▋오답 피하기
① 고구려의 **서옥제**는 신랑이 신부 집 뒤편에 서옥이라는 집을 짓고 살다가 자식이 태어나 어느 정도 자라면 아내와 자식을 데리고 본래 자신의 집으로 돌아갔던 혼인 풍속이에요.

③ 고조선에는 사회 질서를 유지하기 위한 **범금 8조(8조법)**가 있었는데, 지금은 3개 조항만 전해져요.

④ 동예의 특산물로 **단궁, 과하마, 반어피** 등이 유명하였어요. 단궁은 짧은 활, 과하마는 작은 말, 반어피는 바다표범의 가죽이에요.

03 고구려 장수왕의 업적
답 ④

 남진 정책 + 한강 유역 진출 = 고구려 장수왕

▋자료 읽기
고구려 장수왕은 **평양**으로 도읍을 옮기고 **남진 정책**을 펼쳤어요. 장수왕은 백제를 공격하여 백제의 수도인 한성을 함락하고 개로왕을 죽여 한강 유역을 차지하였어요.

▋정답 찾기
④ 장수왕은 아버지인 광개토 대왕의 업적을 기리기 위해 **광개토 대왕릉비**를 세웠어요.

▋오답 피하기
① 고구려 소수림왕은 유학 교육 기관인 **태학**을 세웠어요.

② 신라 지증왕은 이사부로 하여금 **우산국(울릉도, 독도)** 일대를 정복하게 하였어요.

③ 왜에 **칠지도**를 보낸 나라는 백제예요.

04 백제 무령왕
답 ③

 충남 공주 + 벽돌무덤 = 백제 무령왕

▋자료 읽기
백제 **무령왕**은 중국 남조의 양나라와 활발하게 교류하여 문화를 발전시켰어요. 무령왕의 무덤인 **공주 무령왕릉**은 중국 남조의 영향을 받아 **벽돌무덤** 양식으로 만들어졌어요.

▋정답 찾기
③ 무령왕릉에서 무덤 주인을 기록한 묘지석이 발견되어 무덤

주인이 백제 무령왕이라는 것을 알게 되었어요.

▋오답 피하기
① 백제 성왕은 **사비(부여)**로 도읍을 옮기고 나라 이름을 '**남부여**'로 고치는 등 백제의 중흥을 위해 노력하였어요.

② 백제 고이왕은 **관등제**를 정비하는 등 중앙 집권 체제의 토대를 마련하였어요.

④ 백제 근초고왕은 고구려의 평양성을 공격하여 고국원왕을 전사시켰고, 주변 나라들과 활발히 교류하며 4세기 백제의 **전성기**를 이끌었어요.

05 신라 법흥왕의 업적
답 ②

 불교 공인 + 금관가야 병합 = 신라 법흥왕

▋자료 읽기
신라는 토속 신앙의 영향력이 강하였어요. 특히 귀족들은 중국에서 전해진 불교를 쉽게 받아들이지 않았는데, **법흥왕**은 이차돈의 순교를 계기로 **불교**를 공인하였어요. 또한 **금관가야**를 병합하여 영토를 넓혔어요.

▋정답 찾기
② 신라 법흥왕은 불교를 공인하고 금관가야를 병합하였어요. 또한 **율령**을 반포하고 '**건원**'이라는 연호를 사용하였어요.

▋오답 피하기
① 백제 성왕은 신라에게 빼앗긴 한강 유역을 되찾기 위해 신라를 공격하다가 **관산성 전투**에서 전사하였어요.

③ 신라 지증왕은 나라 이름을 '**신라**'로 정하고 '**왕**'이라는 칭호를 사용하였어요. 또한 **이사부**를 보내어 **우산국(울릉도, 독도)** 일대를 정복하였어요.

④ 백제 근초고왕은 4세기 백제의 **전성기**를 이끌었으며, 고구려 평양성을 공격해 고국원왕을 전사시켰어요.

06 백제의 문화유산
답 ③

 백제 문화유산 + 도교 = 산수무늬 벽돌

▋자료 읽기
백제 금동 대향로와 **산수무늬 벽돌**에는 도교의 이상 세계가 표현되어 있어요.

▋정답 찾기
③ 산수무늬 벽돌에는 산과 나무, 물과 바위가 구름과 함께 잘 묘사되어 있어 도교의 이상 세계가 표현되어 있음을 알 수 있어요.

▋오답 피하기
① 신라의 고분인 경주 천마총에서 발견된 **천마도**는 말을 탄 사

람의 옷에 흙이 튀지 않도록 안장에 달아 늘어뜨린 기구(장니)에 그려진 그림이에요.

② **청자 상감 운학문 매병**은 고려만의 독창적인 상감 기법을 사용하여 만든 고려청자예요.

④ 고구려에서 도교는 신선 사상 등과 결합되어 귀족층에서 유행하였어요. **사신도**는 도교에서 동서남북 네 방위를 지키는 신을 그린 고분 벽화예요. **현무도**는 북쪽을 지키는 신인 현무를 그린 그림이지요.

07 신라의 삼국 통일 답 ①

 신라의 고구려와의 동맹 시도 → 나·당 동맹 → 황산벌 전투 → 나·당 전쟁 → 신라의 삼국 통일

▌자료 읽기

7세기에 백제가 신라를 압박하자, 신라는 김춘추를 고구려에 보내 보장왕과 연개소문에게 군사적 도움을 요청하였어요. 하지만 고구려가 신라에게 영토의 일부를 돌려달라는 조건을 내걸어 고구려와 신라의 동맹은 성사되지 못하였어요. 이후 김춘추는 당으로 건너가 동맹(**나·당 동맹**)을 맺고 군사를 동원하여 백제를 공격하였어요.

계백 장군이 이끄는 백제군은 **황산벌**에서 신라군에 맞서 싸웠으나 패배하였고, 이로써 신라는 백제를 멸망시켰어요.

▌정답 찾기

① 신라는 고구려와의 동맹 체결에 실패하자, 당과 군사 동맹(**나·당 동맹**)을 맺었어요.

▌오답 피하기

② 6세기 백제 성왕 때 수도를 웅진(공주)에서 **사비(부여)**로 옮겼어요.

③ 금관가야가 이끈 전기 가야 연맹이 쇠퇴하자, 고령 지역의 **대가야**가 후기 가야 연맹을 주도하였어요.

④ 7세기 초 을지문덕이 이끈 고구려 군대가 수의 대군을 살수에서 격파하였어요(**살수 대첩**).

08 발해 답 ④

 해동성국 + 5경 15부 62주 = 발해

▌자료 읽기

발해와 신라의 유학생들은 당에서 유학생을 대상으로 열린 시험인 빈공과에 합격하기도 했어요. 발해는 선왕 무렵 전성기를 이루어 중국으로부터 '**해동성국**'이라 불렸고, 상경성은 발해의 수도였어요.

▌정답 찾기

④ 발해는 선왕 때 전국을 **5경 15부 62주**로 나누었어요.

▌오답 피하기

① 고구려는 지방 교육 기관으로 글과 활쏘기를 가르치는 **경당**을 두었어요.

② 백제의 귀족 대표들은 정사암에 모여 국가의 중요한 일을 결정하였어요(**정사암 회의**).

③ 신라의 **장보고**는 청해진을 설치하여 당, 일본과의 해상 무역을 이끌었어요.

09 고려의 후삼국 통일 답 ④

 신라 항복 → 후백제 멸망 → 고려의 후삼국 통일

▌자료 읽기

고려 태조 왕건은 신라 경순왕이 항복해 오자, 경순왕을 경주의 **사심관**으로 임명하였어요. 이후 신검이 이끄는 후백제군을 물리치고 **후삼국을 통일**하였어요.

▌정답 찾기

④ 신라 경순왕은 후백제의 공격으로 나라를 유지하기 어려워지자, 스스로 나라를 고려에 넘겼어요. 이후 고려 태조 왕건은 후백제를 공격하여 멸망시키고 후삼국을 통일하였어요.

10 신라 신문왕과 고려 광종의 업적 답 ①

 관료전 = 신라 신문왕 / 노비안검법 = 고려 광종

▌자료 읽기

신라 **신문왕**은 **관료전**을 지급하고 **녹읍**을 폐지하여 진골 귀족 세력을 견제하였어요. 고려 **광종**은 **노비안검법**과 **과거제**를 실시하여 호족 세력을 견제하였지요.

▌정답 찾기

① 신라 신문왕은 진골 귀족 세력을 누르기 위하여 관료전을 지급하고 녹읍을 폐지하였어요. 고려 광종은 호족 세력을 누르기 위하여 노비안검법을 실시하였고, 쌍기의 건의로 과거제를 시행하였어요.

▌오답 피하기

② **정방**은 고려 무신 집권기에 최우가 인사권을 차지하기 위해 자신의 집에 설치한 기구예요. **전시과**는 고려의 토지 제도예요.

③ **소격서**는 국가의 도교 행사를 담당했던 조선의 관청이고, **직전법**은 조선 세조 때 실시한 토지 제도예요.

④ **금난전권**은 조선 시대 시전 상인이 허가받지 않고 불법적으로 물건을 파는 상인을 단속할 수 있는 권한을 말해요. **호포제**는 조선 고종 때 흥선 대원군이 양반에게 군포를 내게 했던 제도예요.

11 고려의 대외 관계 답 ②

문제 해결의 KEY 귀주 대첩 → 여진 정벌 → 삼별초 항쟁

┃자료 읽기

(가) 배중손 등이 이끈 **삼별초**는 고려 정부가 개경으로 돌아가는 것에 반대하였어요. 삼별초는 강화도에서 진도, 제주도로 근거지를 옮기며 계속 몽골에 대항하였어요.

(나) 거란의 3차 침입 당시 **강감찬**은 귀주에서 거란군을 크게 물리쳤어요(**귀주 대첩**).

(다) 고려는 **윤관**의 건의로 **별무반**을 편성하였어요. 윤관은 별무반을 이끌고 여진을 정벌한 뒤 **동북 9성**을 쌓았어요.

┃정답 찾기

② 거란은 10세기 후반부터 세 차례에 걸쳐 고려를 침입하였는데 **서희**, **강감찬** 등의 활약으로 물리쳤어요. 12세기 초 여진이 고려의 국경을 침범하자, **윤관**은 별무반을 이끌고 여진을 정벌한 뒤 동북 9성을 쌓았어요. 13세기 초에는 몽골이 고려를 침략하였는데, **배중손** 등이 이끄는 삼별초가 강화도에서 진도, 제주도로 근거지를 옮기며 계속 싸웠지만 결국 고려와 몽골 연합군에 패했어요.

12 원 간섭기 답 ③

문제 해결의 KEY 원의 공주가 왕비 + 몽골식 변발 = 원 간섭기

┃자료 읽기

원 간섭기에는 고려 국왕이 원의 공주와 결혼하였어요. 고려에 변발, 몽골식 복장 등 몽골식 풍습이 유행하였지요.

┃정답 찾기

③ 12세기 초 **윤관**은 **별무반**을 편성하고, 여진을 정벌하여 **동북 9성**을 쌓았어요.

┃오답 피하기

① 원은 **정동행성**을 설치하여 고려의 정치를 간섭하였어요.

② 원 간섭기에 **권문세족**은 원의 세력에 기대어 권력을 얻었고, **음서**를 통해 관직을 세습하며 고위 관직을 독점하였어요.

④ 원 간섭기에 고려는 매년 금, 은, 인삼, 매 등을 원에 바쳤고, **공녀**를 보내기도 하였어요.

13 고려의 경제 답 ①

문제 해결의 KEY 수도 개경 + 청자 + 전시과 = 고려

┃자료 읽기

고려는 신비한 푸른빛의 아름다움을 지닌 **고려청자**를 만들어

냈어요. 특히 고려만의 독창적인 상감 기법을 사용하여 **상감 청자**를 만들었어요.

┃정답 찾기

① **전시과**는 고려의 토지 제도로, 관리들에게 관직의 높고 낮음에 따라 토지를 나누어 주었어요.

┃오답 피하기

② 조선 후기에는 면화, 담배, 고구마, 감자, 고추 등을 재배하여 시장에 내다 팔아 이익을 얻었어요.

③ 조선 후기에는 **모내기법**이 전국적으로 보급되면서 농사에 들어가는 노동력이 줄어들고 쌀 생산량이 늘어났어요.

④ 신라 지증왕은 시장인 동시를 관리하는 기구인 **동시전**을 설치하였어요.

14 고려 시대 인쇄술의 발달 답 ②

문제 해결의 KEY 청주 흥덕사 + 금속 활자본 = 『직지심체요절』

┃자료 읽기

고려 시대에는 금속 활자 인쇄술이 발전하였어요. 청주 흥덕사에서 간행된 『**직지심체요절**』은 현재 전해지는 것 중 세계에서 가장 오래된 금속 활자본이에요.

┃정답 찾기

② 『직지심체요절』은 대한 제국 시기에 프랑스로 반출되어 현재 프랑스 국립 도서관이 소장하고 있어요.

┃오답 피하기

① 『**신증동국여지승람**』은 조선 시대에 편찬된 인문 지리서예요.

③ 『**왕오천축국전**』은 신라의 승려 **혜초**가 인도와 중앙아시아를 여행하고 돌아와 남긴 기행문이에요.

④ 『**무구정광대다라니경**』은 현재 전해지는 것 중 세계에서 가장 오래된 목판 인쇄물이에요.

15 개성의 역사 답 ①

문제 해결의 KEY 만월대 + 선죽교 = 개성

┃자료 읽기

만월대는 고려 태조 왕건이 생활하던 궁궐의 터예요. **선죽교**는 고려 말에 새 왕조의 개창을 반대하였던 정몽주가 이방원이 보낸 사람에게 죽임을 당한 곳으로 유명해요. **고려 첨성대**는 고려의 문화유산으로, 개성에 위치해 있어요.

┃정답 찾기

① 개성은 고려의 도읍이었던 곳으로 만월대, 선죽교 등 고려의 많은 문화유산이 남아 있는 지역이에요.

■ 오답 피하기
② 공주의 옛날 이름은 웅진으로, 백제의 도읍이었던 곳이에요.
③ 전주의 옛날 이름은 완산주로, 견훤이 세운 후백제의 도읍이었던 곳이에요.
④ 철원은 궁예가 세운 후고구려의 도읍이었던 곳이에요.

16 조선의 건국 과정　　　　　　　　　　　답 ②

 위화도 회군 → 과전법 실시 → 조선 건국

■ 자료 읽기

위화도 회군으로 권력을 장악한 이성계와 신진 사대부들은 자신들의 경제적 기반 마련을 위해 **과전법**을 실시하였어요. 이후 이성계와 급진파 신진 사대부들은 정몽주 등 반대 세력을 제거하고 조선을 건국하였어요.

■ 정답 찾기

② 위화도 회군은 과전법 실시 이전에 일어났어요.

■ 오답 피하기

① **비변사** 혁파는 조선 말 고종 때 흥선 대원군이 실시하였어요.
③ 『**대전회통**』은 조선 말 고종 때 흥선 대원군의 주도로 편찬된 조선의 법전이에요.
④ 세종은 한자가 어려워 일반 백성이 문자 사용에 어려움을 겪자, 직접 연구하여 **훈민정음**을 창제·반포하였어요.

17 조선 세조의 정책　　　　　　　　　　　답 ②

 6조 직계제 재시행 + 직전법 = 조선 세조

■ 자료 읽기

조선 제7대 국왕인 **세조**는 태종 이방원이 실시하였던 **6조 직계제**를 다시 시행해 왕권을 강화하였어요.

■ 정답 찾기

② 조선 세조는 현직 관리에게 토지의 수조권을 지급하는 **직전법**을 실시하였어요.

■ 오답 피하기

① 조선 말 고종 때 흥선 대원군은 왕실이 권위를 세우기 위해 임진왜란 때 불타 없어졌던 **경복궁**을 다시 세웠어요.
③ 조선 정조는 젊은 신하들을 뽑아 다시 가르치는 **초계문신제**를 실시하였어요. 젊고 유능한 관리들을 선발하여 규장각에 소속시켜 학문을 연구하게 하였어요.
④ 조선 숙종은 금위영을 만들어 조선 후기 중앙군 체제인 **5군영**을 완성하였어요.

18 경국대전　　　　　　　　　　　답 ①

 세조 때 시작하고 성종 때 완성한 법전 =『경국대전』

■ 자료 읽기

조선의 기본 법전인 『**경국대전**』은 세조 때부터 만들기 시작해 성종 때 완성하여 반포하였어요.

■ 정답 찾기

① 조선 정부는 『경국대전』을 통해 유교 이념을 바탕으로 백성을 다스리고 사회 질서를 유지하였어요.

■ 오답 피하기

② 『**동국통감**』은 조선 성종 때 서거정이 지은 역사서로, 고조선부터 고려까지의 역사를 정리하였어요.
③ 『**동의보감**』은 조선 광해군 때 **허준**이 완성한 의학 서적이에요.
④ 『**반계수록**』은 조선 후기에 농업을 중시한 실학자인 **유형원**이 지은 책이에요.

19 무오사화　　　　　　　　　　　답 ②

 「조의제문」 + 김종직 = 무오사화

■ 자료 읽기

조선 성종은 훈구 세력의 힘을 누르고자 **사림** 세력을 등용하였어요. 사림 세력은 주로 **3사**에 소속되어 훈구 세력을 견제하였는데, 이후 두 세력 사이의 대립이 심해지면서 사림 세력이 피해를 입은 **사화**가 일어났어요.

■ 정답 찾기

② 사림의 대표 인물인 **김종직**이 지은 「조의제문」이 성종의 아들인 연산군 때 사초에 실리는 일이 발생하였어요. 연산군은 「조의제문」을 보고 세조가 단종의 왕위를 빼앗은 일을 비판한 것이라 여겼지요. 이 일이 원인이 되어 **무오사화**가 일어나 사림이 큰 피해를 입었어요.

■ 오답 피하기

① 조선 숙종 때에는 왕이 왕권 강화를 위해 정치를 주도하는 붕당을 급격하게 바꾸는 일이 발생했는데, 이를 **환국**이라고 해요. 숙종 때 경신환국, 기사환국, 갑술환국이 일어났어요.
③ 광해군의 **중립 외교** 등에 반발하여 서인 세력이 광해군을 몰아내고 인조를 왕으로 세웠어요(**인조반정**).
④ 1882년에 구식 군인들에 대한 차별 대우가 문제가 되어 **임오군란**이 일어났어요.

20 유성룡의 활동
답 ②

『징비록』 + 훈련도감 설치 건의 = 유성룡

█ 자료 읽기
조선 선조 때 활약한 문신 **유성룡**은 이순신을 천거하고 임진왜란 당시 군제 개편을 위해 **훈련도감** 설치를 건의하였어요.

█ 정답 찾기
② 유성룡은 왜란 당시 겪은 일을 정리한 『징비록』을 남겼어요.

█ 오답 피하기
① 조선 후기의 실학자 **박지원**은 『양반전』 등 한문 소설을 지어 양반의 위선과 무능함을 비판하였어요.
③ 조선 시대에 병자호란이 일어나 청나라 군대가 조선을 쳐들어오자 **임경업**이 백마산성에서 청군에 항전하였어요.
④ 조선 후기의 실학자 **정약용**은 『목민심서』 등 방대한 저술을 남겼고, **거중기**를 설계하였어요.

21 임진왜란
답 ③

탄금대 + 이순신 + 권율 = 임진왜란

█ 자료 읽기
첫 번째 그림은 임진왜란 초기 신립이 **탄금대**에서 배수의 진을 치고 일본군과 싸웠으나 패한 상황을 나타낸 것이에요.
두 번째 그림은 열두 척의 배가 남아 있다는 이순신의 말을 통해 **명량 대첩**이 일어나기 전의 상황을 나타낸 것임을 알 수 있어요.

█ 정답 찾기
③ 조선은 탄금대 전투 패배 이후 한성까지 일본에 빼앗기자 명에 지원군을 요청하였어요. 조 · 명 연합군은 일본군에 빼앗긴 평양성을 되찾았고, 권율은 행주산성에서 일본군에 큰 승리를 거두었어요.(**행주 대첩**).

█ 오답 피하기
① 고려 말 최영은 홍산에서 왜구를 물리쳤어요.(**홍산 대첩**).
② 거란의 3차 침입 당시 고려의 강감찬은 귀주에서 거란군을 물리쳤어요.(**귀주 대첩**).
④ 고려 시대에 몽골이 침입하자 김윤후는 처인성에서 몽골군을 물리쳤어요.(**처인성 전투**).

22 종묘
답 ①

조선 역대 왕과 왕비의 신주를 모신 곳 = 종묘

█ 자료 읽기
종묘는 조선 왕조의 역대 왕과 왕비의 **신주**(죽은 사람의 이름과 죽은 날짜를 적은 나무패)를 모신 사당으로, 경복궁을 등지고 섰을 때 왼쪽(동쪽)에 위치해 있어요.

█ 정답 찾기
① 종묘는 유네스코 세계 유산으로 등재되었어요.

█ 오답 피하기
② **사직단**은 조선 시대에 국왕이 땅의 신과 곡식의 신에게 제사를 지내던 장소로, 경복궁을 등지고 섰을 때 오른쪽(서쪽)에 있어요.
③ **성균관**은 조선의 최고 교육 기관으로, 한양에 있었어요.
④ **서원**은 조선 시대에 지방의 양반이 주도하여 세운 사립 교육 기관으로, 도산 서원은 퇴계 이황이 죽은 후 그의 제자들에 의하여 세워졌어요.

23 한식
답 ②

동지 후 105일 + 찬 음식 = 한식

█ 자료 읽기
한식은 동지에서 105일째 되는 날로, 이날에는 불을 사용하지 않고 찬 음식을 먹었어요.

█ 정답 찾기
② 한식은 농사가 시작되는 시기로, 풍년을 기원하며 성묘를 하는 풍속이 있었어요.

█ 오답 피하기
① **설날**은 음력 1월 1일로, 차례를 지내고 세배를 해요.
③ **중양절**은 음력 9월 9일로, 국화를 따서 술을 빚은 국화주를 마시고 국화전을 만들어 먹었어요.
④ **정월 대보름**은 음력 1월 15일로 밤, 호두, 잣 등을 깨무는 부럼 깨기를 하고 오곡밥을 지어 먹었어요.

24 예송
답 ②

상복 + 서인과 남인의 대립 = 예송

█ 자료 읽기
조선 현종 때 효종과 효종의 비가 죽은 후 자의 대비가 상복을 입는 기간을 둘러싸고 서인과 남인 간에 **예송**이 일어났어요. 서인 세력은 효종이 인조의 둘째 아들이기 때문에 상복 입는 기간을 일반 사대부의 둘째 아들과 똑같이 해야 한다고 주장하였어요. 반면에 남인은 효종이 왕위에 올랐기 때문에 사대부와 다르게 큰아들의 예법으로 대우해야 한다고 주장하였어요.

정답 찾기

② 조선 중종 때 **기묘사화**가 일어나 **조광조**를 비롯한 사림 세력이 제거되었어요.

25 조선 정조의 업적　　　　답 ①

 사도 세자의 아들 + 장용영 = 조선 정조

자료 읽기

조선의 제22대 왕인 **정조**의 아버지는 사도 세자예요. 사도 세자는 영조에 의해 나무로 만든 곡식을 담는 통에 갇혀 죽음을 맞았어요.

정답 찾기

① 조선 정조가 설치한 **장용영**은 국왕의 친위 부대로, 왕권을 강화하는 역할을 하였어요.

오답 피하기

② 조선 세종은 학문을 연구하는 기관인 **집현전**을 설치하였어요.

③ 조선 고종 때 흥선 대원군은 전국에 **척화비**를 세워 다른 나라와 무역 등의 교류를 하지 않겠다는 뜻을 널리 알렸어요.

④ 『**경국대전**』은 조선 세조 때부터 만들기 시작하여 성종 때 완성·반포하였어요.

26 홍경래의 난　　　　답 ④

 평안도 차별이 원인 + 세도 정치기 = 홍경래의 난

자료 읽기

자료에서 관서 지역(평안도 지역) 사람들을 '평안도 놈'이라고 부르며 차별하였다는 것을 통해 **홍경래의 난**임을 알 수 있어요. 조선 후기인 세도 정치기에는 삼정의 문란이 심해 전국적으로 농민 봉기가 발생하였어요. 서북인에 대한 차별에 반발한 홍경래의 난, 탐관오리 백낙신의 수탈에 저항한 **임술 농민 봉기(진주 농민 봉기)**가 대표적이에요.

정답 찾기

④ 홍경래의 난이 발생한 세도 정치기에는 관리들의 부정부패로 삼정이 문란하여 백성들의 생활이 어려웠어요.

오답 피하기

① 고려 시대에 문신과의 차별에 반발한 무신들이 정변을 일으켜 정권을 장악하였어요.(**무신 정변**).

② 개화 정책의 일환으로 신식 군대인 **별기군**이 창설되었어요.

③ 신라 말, 6두품 유학자 **최치원**이 사회 개혁을 위해 진성 여왕에게 시무 10여 조를 건의하였으나, 진골 귀족들의 반대로 받아들여지지 않았어요.

27 정약용의 활동　　　　답 ①

 거중기 + 수원 화성 = 정약용

자료 읽기

정약용은 중국에서 들여온 『기기도설』이라는 책을 참고하여 **거중기**를 만들었어요. 거중기는 무거운 물건을 쉽게 들 수 있도록 고안한 기계로, **수원 화성**을 축조할 때 이용되었어요.

정답 찾기

① 정약용은 공동 경작과 노동량에 따른 분배를 강조한 **여전론**을 주장하였어요.

오답 피하기

② 김정희는 우리의 정서를 담은 독자적 필체인 **추사체**를 창안하였어요.

③ 박제가는 청나라의 풍속과 제도를 둘러보고 돌아와 『**북학의**』를 지었어요. 여기서 박제가는 청나라의 문물을 받아들이고, 소비가 활발하게 이루어져야 한다고 주장하였어요.

④ 몽유도원도는 안견이 안평 대군의 꿈 이야기를 듣고 그린 조선 전기의 그림이에요.

28 조선 후기 서민 문화의 등장　　　　답 ②

 한글 소설 + 전기수 + 판소리 + 탈춤 = 조선 후기 서민 문화

자료 읽기

조선 후기에는 서민들의 경제적·사회적 지위가 높아지면서 **판소리, 탈춤** 등의 **서민 문화**가 발달하였어요. 특히 **한글 소설**이 유행하면서 책을 읽어 주는 **전기수**가 새로운 직업으로 등장하였어요.

정답 찾기

② 조선 후기에 유행한 탈춤은 양반 사회를 풍자하였고, 판소리는 서민의 솔직한 감정을 표현하였어요.

오답 피하기

① 고려 시대 원 간섭기에 **변발, 호복** 등 몽골식 풍습이 유행하였어요.

③ 신라에는 신분의 등급에 따라 오를 수 있는 관직, 집의 크기, 옷의 색깔까지 정해진 **골품제**가 있었어요.

④ 통일 신라 시기에는 특수 행정 구역으로 **향·부곡**이 있었어요.

29 병인양요　　　　답 ①

 양헌수 + 정족산성 + 프랑스 = 병인양요

‖자료 읽기

조선 말 흥선 대원군 집권기에 일어난 **병인박해**를 구실로 프랑스가 강화도를 침입하였어요(**병인양요**). **양헌수**가 이끈 부대가 **정족산성**에서 프랑스 군대와 맞서 싸우는 등 치열한 전투 끝에 프랑스군이 물러갔어요.

‖정답 찾기

① 조선 말 조선 정부가 프랑스 선교사를 비롯한 천주교 신자들을 탄압한 사건(병인박해)을 구실로 프랑스가 강화도를 침입하였어요.

‖오답 피하기

② 영국은 러시아가 남쪽으로 진출하는 것을 견제한다는 구실로 거문도를 불법으로 점령하였어요(**거문도 사건**).

③ 독일 상인 **오페르트**는 조선 정부에 교류를 하자고 제안하였지만 거절당하였어요. 이에 흥선 대원군의 아버지인 남연군의 묘를 도굴하려고 하였어요.

④ 서인 세력은 **인조반정**을 일으켜 광해군을 몰아내고 인조를 왕으로 올리며 정권을 차지하였어요. 이후 명나라와 친하게 지내고 후금을 멀리하는 **친명배금** 정책을 펼쳤어요.

30 임오군란
답 ①

문제해결의 KEY 구식 군인들의 일본 공사관 습격 = 임오군란

‖자료 읽기

신식 군대인 **별기군**에 비해 대우가 나빴던 구식 군인들의 분노가 폭발하여 **임오군란**이 일어났어요. 구식 군인들이 봉기를 일으키자 도시 빈민도 참여하였고, 이들은 정부 관리와 일본인 교관을 죽이고 일본 공사관을 습격하였어요.

‖정답 찾기

① 별기군은 신식 군대로, 신식 무기와 복장을 지급받고 일본인 교관에게 신식 군사 기술을 배웠어요. 반면, 구식 군인은 신식 군대에 비해 매우 낮은 대우를 받았어요. 불만이 컸던 구식 군인들이 난을 일으킨 사건이 임오군란이에요.

‖오답 피하기

② 청 · 일 전쟁이 일본의 승리로 끝나자 청나라는 일본과 시모노세키 조약을 맺고 랴오둥반도를 내어 줬어요. 그런데 러시아, 프랑스, 독일이 주도한 **삼국 간섭**이 일어나면서 일본은 랴오둥반도를 다시 청에게 돌려주었어요.

③ 영국은 러시아가 남쪽으로 진출하는 것을 견제한다는 구실로 거문도를 불법으로 점령하였어요(**거문도 사건**).

④ 진주에서 유계춘 등이 삼정의 문란과 탐관오리의 부정부패에 항거하여 농민 봉기를 일으켰고(**진주 농민 봉기**), 이 봉기를 시작으로 농민 봉기가 전국 각지에서 일어났어요(**임술 농민 봉기**).

31 동학 농민 운동
답 ②

문제해결의 KEY 전주 화약 + 집강소 + 전봉준 = 동학 농민 운동

‖자료 읽기

동학 농민군은 전주성을 점령한 후 정부와 **전주 화약**을 맺고 스스로 흩어졌어요. 이후 동학 농민군은 전라도 일대에 **집강소**를 설치하여 개혁을 추진하였고, 조선 정부는 조선에 들어온 청나라 군대와 일본 군대에 물러갈 것을 요청하였어요. 하지만 일본 군대가 이를 거부하고 경복궁을 점령한 후 청 · 일 전쟁을 일으켰어요.

‖정답 찾기

② 집강소는 전주 화약 체결 이후 동학 농민군이 개혁안을 실행하기 위해 전라도 지역에 설치한 농민 자치 기구예요.

‖오답 피하기

① **기기창**은 신식 무기를 만들기 위해 설치한 무기 제조 공장이에요.

③ **도평의사사**는 도병마사의 기능이 확대 개편된 고려 말 최고 정치 기구예요.

④ **통리기무아문**은 조선 정부가 개화 정책을 추진하기 위해 설치한 기구예요.

32 독립 협회
답 ②

문제해결의 KEY 독립문 건설 + 만민 공동회 = 독립 협회

‖자료 읽기

서재필 등 개화사상을 가진 지식인, 관료들이 중심이 되어 **독립 협회**를 창립하였어요. 독립 협회는 영은문 자리 근처에 **독립문**을 세우고, 중국 사신을 맞이하던 모화관을 **독립관**으로 고쳐 불렀어요.

‖정답 찾기

② 독립 협회는 **만민 공동회**를 열어 한 · 러 은행을 폐쇄시키고 절영도 조차 요구를 저지시키는 등 러시아의 이권 침탈을 막기 위해 노력하였어요.

‖오답 피하기

① 조선 형평사는 1920년대 백정에 대한 사회적 차별 철폐를 목표로 **형평 운동**을 전개하였어요.

③ 대한민국 임시 정부는 1940년에 충칭에 정착한 뒤 정규군으로 **한국광복군**을 창설하고 총사령관으로 지청천을 임명하였어요.

④ 조선어 학회는 **한글 맞춤법 통일안**을 제정하고 『**우리말 큰사전**』 편찬을 시도하였어요.

33 한성순보
답 ②

 박문국에서 순 한문으로 발행 = 한성순보

▌자료 읽기

박문국은 인쇄, 출판 업무를 담당하였던 기구로, 우리나라 최초의 근대 신문인 **한성순보**를 발행하였어요.

▌정답 찾기

② 한성순보는 순 한문으로 발행되었고, 정부의 개화 정책과 국내외 소식을 소개하였어요.

▌오답 피하기

① **만세보**는 천도교에서 발행한 기관지예요.

③ **황성신문**은 국한문 혼용체로 발행되어 유생들이 주로 읽었어요. 장지연의 '시일야방성대곡'을 싣기도 하였어요.

④ **대한매일신보**는 양기탁과 영국인 베델이 함께 창간하였어요. 일제에 비판적인 기사를 많이 실었고, 국채 보상 운동을 적극적으로 지원하였어요.

34 을사늑약
답 ①

 1905년 강제 체결 + 외교권 박탈 + 헤이그 특사 = 을사늑약

▌자료 읽기

러·일 전쟁에서 승리한 일본은 무력을 동원하여 강제로 **을사늑약**을 체결하였어요. 이로 인해 대한 제국은 **외교권**을 일본에 빼앗겼고, 일본은 **통감부**를 설치하였어요.

▌정답 찾기

① 러·일 전쟁에서 승리한 일본은 대한 제국의 외교권을 빼앗고, 통감부를 설치한다는 내용의 을사늑약을 강제로 체결하였어요.

▌오답 피하기

② 조선과 프랑스가 맺은 조·프 수호 통상 조약을 통해 조선에서의 천주교 포교가 허용되었어요.

③ 제1차 한·일 협약으로 파견된 재정 고문 메가타가 **화폐 정리 사업**을 주도하였어요.

④ 한·일 신협약(정미 7조약)의 비밀 각서에 따라 **대한 제국의 군대가 강제로 해산**되었어요.

35 안중근의 활동
답 ②

 이토 히로부미 처단 + 『동양 평화론』 = 안중근

▌자료 읽기

안중근은 만주 하얼빈 역에서 초대 통감이자 을사늑약 체결에 앞장섰던 **이토 히로부미**를 처단하였어요.

▌정답 찾기

② 안중근은 그가 지은 『**동양 평화론**』에서 한국·청·일본의 세 나라가 협력해서 서양의 침략을 방어하고 동양 평화를 위해 노력하자고 주장하였어요.

▌오답 피하기

① 나철은 단군을 섬기는 **대종교**를 창시하였어요.

③ 신채호는 의열단의 강령인 '**조선 혁명 선언**'을 집필하였어요.

④ 김규식은 **파리 강화 회의**에 참가하여 국제 사회에 한국의 독립을 호소하였어요.

36 신민회
답 ②

 105인 사건 + 안창호 + 양기탁 = 신민회

▌자료 읽기

신민회는 1907년 안창호, 양기탁, 이승훈 등에 의해 비밀리에 조직되었어요. 국권 회복과 공화정 수립을 목표로 활동하였고 **대성 학교, 오산 학교** 등을 세워 민족 교육을 실시하였어요.

▌정답 찾기

② 신민회는 일제가 조작한 105인 사건으로 와해되었어요.

▌오답 피하기

① **보안회**는 일본의 **황무지 개간권 요구 저지 운동**을 추진하여 성공시켰어요.

③ **대한 자강회**는 고종이 일본에 의해 강제로 물러나는 것에 반대하는 운동을 전개하였어요.

④ **헌정 연구회**는 국민의 정치의식을 높이려 노력하였고, 친일 단체의 반민족 행위를 비판하였어요.

37 일제의 경제 침탈
답 ②

 토지 조사령 → 산미 증식 계획 → 공출제

▌자료 읽기

(가) 일제는 1910년대 토지 조사령을 공포하여 **토지 조사 사업**을 실시하였어요. 토지를 소유한 사람이 기한 안에 직접 신고한 토지만 소유권을 인정해 주었어요. 신고가 되지 않은 토지나 주인이 누구인지 불분명한 토지는 조선 총독부의 소유가 되었어요.

(나) 일제는 1930년대 이후 전쟁 물자 확보를 위해 농기구, 식기, 곡식 등을 **공출**해 갔어요. 공출이란 나라의 필요에 따라 물자를 강제로 내놓는 것을 말해요.

(다) 일제는 1920년대 일본 내 부족한 식량을 한국에서 가져가 보충하기 위해 **산미 증식 계획**을 실시하였어요. 이로 인해 한국에서 쌀이 부족하게 되었어요.

정답 찾기

② (가)~(다)를 일어난 순서대로 나열하면 (가) – (다) – (나) 예요.

---

38 신흥 강습소   답 ③

 삼원보 + 무장 독립 투쟁 = 신흥 강습소

자료 읽기

1910년대에는 만주와 연해주 지역에 독립운동 기지가 활발하게 건설되었어요. 이회영, 이상룡 등 신민회의 중심 인사들은 만주 삼원보에 **신흥 강습소**를 설립하였어요. 신흥 강습소는 이후 **신흥 무관 학교**로 발전해 많은 독립군을 배출하였어요.

정답 찾기

③ 신흥 강습소는 만주 삼원보에 있었던 독립군 양성 기관이에요.

오답 피하기

① **동문학**은 통역관 양성을 위해 설립된 관립 외국어 학교예요.
② **배재 학당**은 개신교 선교사인 아펜젤러가 세운 근대식 학교예요.
④ **한성 사범 학교**는 제2차 갑오개혁으로 **교육입국 조서**가 반포된 후 근대 교육의 보급을 위해 설립된 교원 양성 기관이에요.

---

39 3·1 운동   답 ②

 탑골 공원 + 만세 시위 = 3·1 운동

자료 읽기

일제의 식민 통치에 대한 반발로 일어난 **3·1 운동**은 태화관에서 종교계 인사들이 민족 대표의 이름으로 독립 선언서를 낭독한 것과 서울 탑골 공원에서 학생들과 시민들이 독립 선언서를 낭독하고 만세 시위를 한 것에서 시작되었어요.

정답 찾기

② 3·1 운동은 서울 탑골 공원 등에서 시작되었고, 이 무렵 전국 주요 도시에서도 만세 시위가 일어났어요. 이후 중소 도시와 농촌으로 확산되었고 만주, 연해주, 미주 등 국외에서도 만세 시위가 일어났어요.

오답 피하기

① 순종의 인산일(장례일)을 계기로 일어난 항일 운동은 6·10 **만세 운동**이에요. 3·1 운동은 고종의 인산일을 기회로 일어났어요.
③ 일제의 황무지 개간권 요구를 저지시킨 항일 단체는 **보안회**예요.
④ **만민 공동회**를 열어 러시아의 이권 침탈을 막기 위해 노력한 단체는 **독립 협회**예요.

---

40 나석주의 활동   답 ②

 의열단원 + 조선 식산 은행과 동양 척식 주식회사에 폭탄 투척 = 나석주

자료 읽기

3·1 운동 이후 무장 투쟁의 필요성을 느낀 **김원봉**은 만주에서 **의열단**을 조직하였어요. **김익상**, **김상옥**, **나석주** 등이 의열단 단원으로 의열 투쟁을 거행하였어요.

정답 찾기

② 나석주는 의열단의 단원으로, 1926년에 **조선 식산 은행**과 **동양 척식 주식회사**에 폭탄을 투척하였어요.

오답 피하기

① 김규식은 신한 청년당의 당원으로, **파리 강화 회의**에 대표로 파견된 인물이에요. 그는 광복 이후에 **좌우 합작 운동**과 **남북 협상**에 참여하였어요.
③ 안창호는 **신민회** 결성을 주도하고 민족 교육을 위해 **대성 학교**를 설립하였어요. 또한 **대한인 국민회**와 **흥사단** 결성 등을 주도하였지요.
④ 이육사는 일제 강점기의 대표적인 저항 시인으로 '**절정**', '**광야**' 등의 저항시를 남겼어요.

---

41 신간회   답 ②

 이상재 + 기회주의 배격 = 신간회

자료 읽기

신간회는 1920년대 사회주의 세력과 비타협적 민족주의 세력의 연합으로 조직되어 일제 강점기 최대 규모의 항일 운동 단체로 발전하였어요. '정치적·경제적 각성을 촉진함', '단결을 공고히 함', '기회주의를 일체 부인함'이라는 강령을 내걸고 활동하였어요.

정답 찾기

② 신간회는 각종 사회단체를 지원하고 광주 학생 항일 운동에 **진상 조사단**을 파견하였어요.

오답 피하기
① 보안회는 일본의 **황무지 개간권 요구 저지 운동**을 추진하여 성공시켰어요.
③ 진단 학회는 이병도, 손진태 등이 창립하여 우리 역사를 실증적으로 연구하였어요.
④ 조선 형평사는 사회적으로 천대를 받던 백정의 신분 차별 철폐를 주장하는 **형평 운동**을 전개하였어요.

42 원산 총파업

답 ③

 1920년대 + 라이징 선 석유 회사 = 원산 총파업

▌자료 읽기

원산 총파업은 1920년대에 전개된 노동자들의 파업으로, 영국인이 경영하는 문평 라이징 선 석유 회사의 일본인 감독이 한국인 노동자를 폭행한 사건이 원인이 되어 일어났어요.

▌정답 찾기

③ 원산 총파업에서 노동자들은 저임금 반대, 노동 조건 개선 등을 요구하였어요.

▌오답 피하기

① **6·3 시위**는 박정희 정부 때 한·일 국교 정상화에 대한 반발로 일어났던 시위예요.
② **새마을 운동**은 박정희 정부 때 농촌 경제 발전을 위해 추진된 운동이에요.
④ **제주 4·3 사건**은 제주도에서 남한만의 단독 정부 수립에 반대하는 무장봉기가 일어나자, 이를 진압하는 과정에서 많은 제주도민이 희생된 사건이에요.

43 1930년대 이후 민족 말살 통치

답 ④

 국가 총동원법 + 황국 신민 서사 암송 강요 = 1930년대 이후 민족 말살 통치

▌자료 읽기

1930년대 이후 일제는 침략 전쟁의 확대에 따라 한국을 군사 작전에 필요한 인적·물적 자원을 보급하고 지원하는 근거지로 삼았어요(병참 기지화). 일제는 **국가 총동원법**을 제정하여 인적·물적 자원의 수탈을 본격화하였어요.

▌정답 찾기

④ 1930년대 이후 일제는 한국인을 침략 전쟁에 동원하기 위해 한국인의 민족정신을 없애고 일본인으로 만들고자 하였어요. 이에 **신사 참배, 황국 신민 서사 암송**을 강요하였어요.

▌오답 피하기

① 1910년대 일제는 헌병이 경찰 업무는 물론 일반 행정 업무까지 담당하는 **헌병 경찰제**를 실시하였어요.

② 1920년대 일제의 식민지 교육에 맞서 민족 교육을 담당할 고등 교육 기관의 설립을 목적으로 **민립 대학 설립 운동**이 일어났어요. 일제는 민립 대학 설립 운동을 와해시킬 명분으로 **경성 제국 대학**을 설립하였어요.
③ 1907년 대구에서 시작된 **국채 보상 운동**은 일본에 진 빚을 갚아 국권을 되찾고자 한 운동이었어요.

44 신채호의 활동

답 ①

 「독사신론」 + 『조선상고사』 = 신채호

▌자료 읽기

신채호는 「독사신론」, 『조선상고사』, 『조선사연구초』 등을 저술하는 등 고대사 연구에 초점을 맞춰 민족주의 사학을 확립하였어요.

▌정답 찾기

① 신채호는 의열단의 활동 지침이 된 '**조선 혁명 선언**'을 작성하였어요.

▌오답 피하기

② 김규식은 **파리 강화 회의**에 참가하여 국제 사회에 한국의 독립을 호소하였어요.
③ 박용만은 미국 하와이에서 **대조선 국민 군단**을 창설하여 독립군을 양성하였어요.
④ 최현배, 이윤재 등이 소속된 **조선어 학회**에서 『조선말(우리말) 큰사전』 편찬을 시도하였어요.

45 대한민국 정부 수립 과정

답 ④

 신탁 통치 반대(1945년) → 5·10 총선거(1948년) → 대한민국 정부 수립(1948년)

▌자료 읽기

첫 번째 사진은 **모스크바 3국 외상 회의**에서 결정된 한반도 신탁 통치 실시 소식이 국내에 알려지면서 신탁 통치 반대 시위가 벌어진 모습이에요.
두 번째 사진은 **5·10 총선거**가 실시된 후 1948년 8월 15일에 **대한민국 정부 수립**을 선포하는 모습이에요.

▌정답 찾기

④ 1948년에 5·10 총선거라는 민주적인 총선거로 국회 의원을 뽑았어요. 이렇게 뽑힌 국회 의원으로 구성된 국회에서 **제헌 헌법**을 제정하였고, 초대 대통령으로 **이승만**을 선출하였어요. 이후 1948년 8월 15일에 대한민국 정부 수립을 선포하였어요.

오답 피하기

① **경부 고속 국도**는 박정희 정부 시기인 1970년에 개통되었어요.
② **4 · 19 혁명**은 이승만 정부 시기인 1960년에 일어났어요.
③ **유신 헌법**은 박정희 정부 시기인 1972년에 공포되었어요.

46 6 · 25 전쟁

답 ②

 1951년 + 동족상잔의 비극 = 6 · 25 전쟁

자료 읽기

6 · 25 전쟁은 1950년 6월 25일 북한군의 기습적인 남한 침략으로 시작되었어요. 북한군은 3일 만에 서울을 점령하였고, 국군은 낙동강 유역까지 후퇴하였어요. 그러나 국군과 국제 연합군의 **인천 상륙 작전**이 성공하면서 서울을 되찾았어요.

정답 찾기

② 북한의 기습적인 남한 침략으로 6 · 25 전쟁이 시작되었어요. 처음에는 남한에게 전세가 불리하였으나 인천 상륙 작전으로 전세가 바뀌었어요.

오답 피하기

① **제물포 조약**은 임오군란의 결과로 체결되었어요.
③ 서울과 신의주를 잇는 **경의선** 철도는 일본이 러 · 일 전쟁에 활용하기 위해 부설되었어요.
④ **신흥 무관 학교**는 일제 강점기에 항일 무장 투쟁을 위해 만주 삼원보에 설립되었어요.

47 박정희 정부

답 ③

 중화학 공업화 추진 + 1975년 = 박정희 정부

자료 읽기

박정희 정부는 철강, 석유 산업 등 중화학 공업과 전자 공업 육성에 중점을 두고 **제3 · 4차 경제 개발 5개년 계획**을 추진하였어요.

정답 찾기

③ 박정희 정부 때인 1977년에 처음으로 **수출 100억 달러 달성**에 성공하였어요.

오답 피하기

① 다른 사람 이름이나 가짜 이름의 금융 거래로 부정부패가 일어나자, 본인의 실제 이름으로만 금융 거래를 하도록 한 **금융 실명제**가 처음 실시되었던 시기는 김영삼 정부 때예요.
② 유상 매수 · 유상 분배 원칙의 **농지 개혁법**을 제정한 시기는 이승만 정부 때예요.
④ **한 · 미 자유 무역 협정(FTA)**은 노무현 정부 때 체결되고 이명박 정부 때 발효되었어요.

48 6월 민주 항쟁

답 ③

 1987년 + 박종철 = 6월 민주 항쟁

자료 읽기

전두환 정부는 언론을 통제하고 민주화를 요구하는 국민을 탄압하였어요. 대학생 **박종철**이 경찰 조사 중 고문으로 숨지는 사건이 일어나자, 사건의 진실을 밝히고 대통령을 국민의 손으로 직접 뽑을 수 있도록 헌법을 고칠 것을 요구하는 목소리가 높아졌지요. 하지만 전두환 정부는 헌법을 고치지 않겠다고 발표(**4 · 13 호헌 조치**)하였고, 이에 **6월 민주 항쟁**(1987년)이 일어났어요.

정답 찾기

③ 6월 민주 항쟁으로 대통령 직선제 개헌을 수용한다는 내용의 **6 · 29 민주화 선언**이 발표되었어요. 이에 따라 5년 단임의 대통령 직선제 개헌이 이루어졌어요.

오답 피하기

① **3 · 15 부정 선거**에 대한 반발로 일어난 **4 · 19 혁명**으로 인해 이승만이 대통령 자리에서 물러났어요.
② 박정희 정부 시기에 일본과의 국교를 정상화하기 위해 한 · 일 회담이 추진되었어요. 굴욕적인 한 · 일 회담에 반대하여 국민들이 **6 · 3 시위**를 벌이기도 하였으나, 결국 **한 · 일 협정**이 체결되면서 한 · 일 국교가 정상화되었어요.
④ 전두환을 중심으로 한 신군부 세력이 권력을 장악하자, 광주에서 민주주의를 요구하는 **5 · 18 민주화 운동**이 일어났어요. 신군부는 군인을 투입하여 폭력적으로 시위를 진압하였고, 이에 맞서 시민들은 시민군을 조직하여 대항하였어요.

49 노태우 정부

답 ③

 서울 올림픽 개최 + 남북 기본 합의서 = 노태우 정부

자료 읽기

노태우 정부는 소련, 중국 등 사회주의 국가와 외교 관계를 맺어 교류를 확대하는 정책을 펼쳤어요. 이 시기에 남북한이 **국제 연합(유엔)에 동시 가입**하였고, 남북한이 화해 및 불가침, 교류 · 협력에 관해 공동으로 합의한 **남북 기본 합의서**를 채택하여 발표하였어요.

정답 찾기

③ 노태우 정부는 **북방 외교**를 추진하여 소련, 중국 등 사회주의 국가와 외교 관계를 맺었어요.

오답 피하기

① 이승만 정부 시기에 유상 매수 · 유상 분배 원칙의 **농지 개혁법**이 제정되었어요.

② 박정희 정부 시기에 경제 개발에 필요한 자본을 마련하기 위해 **베트남에 국군을 파병**하였어요.

④ 김대중 정부 시기에 최초의 남북 정상 회담을 개최하였고, **6 · 15 남북 공동 선언**을 발표하였어요.

50 김대중 정부 답 ①

 2000년 + 햇볕 정책 = 김대중 정부

▎자료 읽기

김대중 정부 시기에는 햇볕 정책에 따라 최초로 남북 정상 회담이 열렸고, **6 · 15 남북 공동 선언**이 발표되었어요. 이에 따라 **개성 공단** 조성이 합의되었고, **금강산** 관광 사업이 추진되었어요.

▎정답 찾기

① 김대중 정부 시기에 발표된 6 · 15 남북 공동 선언에 따라 개성 공단 조성이 합의되었어요. 개성 공단 조성 공사 및 가동은 노무현 정부 시기에 이루어졌어요.

▎오답 피하기

② 노태우 정부 시기에 남북한 화해 및 불가침 등의 내용을 담은 **남북 기본 합의서**가 채택되었어요.

③ 노태우 정부 시기에 남북한이 동시에 **국제 연합(유엔)에 가입**하였어요.

④ 박정희 정부 시기에 자주, 평화, 민족 대단결의 3대 통일 원칙에 합의한 **7 · 4 남북 공동 성명**이 발표되었어요.

memo

에듀윌 한국사능력검정시험
비주얼씽킹 초급완료자

에듀윌 한국사능력검정시험

정답과 해설

고객의 꿈, 직원의 꿈, 지역사회의 꿈을 실현한다

펴낸곳 (주)에듀윌　**펴낸이** 양형남　**출판총괄** 오용철
주소 서울시 구로구 디지털로34길 55 코오롱싸이언스밸리 2차 3층
대표번호 1600-6700　**등록번호** 제25100-2002-000052호
협의 없는 무단 복제는 법으로 금지되어 있습니다.

에듀윌 도서몰 book.eduwill.net
• 부가학습자료 및 정오표: 에듀윌 도서몰 → 도서자료실
• 교재 문의: 에듀윌 도서몰 → 문의하기 → 교재(내용, 출간) / 주문 및 배송

꿈을 현실로 만드는
에듀윌

DREAM

공무원 교육
- 선호도 1위, 신뢰도 1위! 브랜드만족도 1위!
- 합격자 수 2,100% 폭등시킨 독한 커리큘럼

자격증 교육
- 8년간 아무도 깨지 못한 기록 합격자 수 1위
- 가장 많은 합격자를 배출한 최고의 합격 시스템

직영학원
- 직영학원 수 1위
- 표준화된 커리큘럼과 호텔급 시설 자랑하는 전국 22개 학원

종합출판
- 온라인서점 베스트셀러 1위!
- 출제위원급 전문 교수진이 직접 집필한 합격 교재

어학 교육
- 토익 베스트셀러 1위
- 토익 동영상 강의 무료 제공
- 업계 최초 '토익 공식' 추천 AI 앱 서비스

콘텐츠 제휴 · B2B 교육
- 고객 맞춤형 위탁 교육 서비스 제공
- 기업, 기관, 대학 등 각 단체에 최적화된 고객 맞춤형 교육 및 제휴 서비스

부동산 아카데미
- 부동산 실무 교육 1위!
- 상위 1% 고소득 창업/취업 비법
- 부동산 실전 재테크 성공 비법

학점은행제
- 99%의 과목이수율
- 16년 연속 교육부 평가 인정 기관 선정

대학 편입
- 편입 교육 1위!
- 업계 유일 500% 환급 상품 서비스

국비무료 교육
- '5년우수훈련기관' 선정
- K-디지털, 산대특 등 특화 훈련과정
- 원격국비교육원 오픈

에듀윌 교육서비스 **공무원 교육** 9급공무원/7급공무원/경찰공무원/소방공무원/계리직공무원/기술직공무원/군무원 **자격증 교육** 공인중개사/주택관리사/감정평가사/노무사/전기기사/ 경비지도사/검정고시/소방설비기사/소방시설관리사/사회복지사1급/건축기사/토목기사/직업상담사/전기기능사/산업안전기사/위험물산업기사/위험물기능사/유통관리사/물류관리사/ 행정사/한국사능력검정/한경TESAT/매경TEST/KBS한국어능력시험/실용글쓰기/IT자격증/국제무역사/무역영어 **어학 교육** 토익 교재/토익 동영상 강의/인공지능 토익 앱 **세무/회계** 회계사/ 세무사/전산세무회계/ERP정보관리사/재경관리사 **대학 편입** 편입 교재/편입 영어·수학/경찰대/의치대/편입 컨설팅·면접 **직영학원** 공무원학원/경찰학원/소방학원/공인중개사 학원/ 주택관리사 학원/전기기사학원/세무사·회계사 학원/편입학원 **종합출판** 공무원·자격증 수험교재 및 단행본 **학점은행제** 교육부 평가인정기관 원격평생교육원(사회복지사2급/경영학/ CPA)/교육부 평가인정기관 원격 사회교육원(사회복지사2급/심리학) **콘텐츠 제휴·B2B 교육** 교육 콘텐츠 제휴/기업 맞춤 자격증 교육/대학 취업역량 강화 교육 **부동산 아카데미** 부동산 창업CEO/부동산 경매 마스터/부동산 컨설팅 **국비무료 교육 (국비교육원)** 전기기능사/전기(산업)기사/소방설비(산업)기사/IT(빅데이터/자바프로그램/파이썬)/게임그래픽/3D프린터/ 실내건축디자인/웹퍼블리셔/그래픽디자인/영상편집(유튜브)디자인/온라인 쇼핑몰광고 및 제작(쿠팡, 스마트스토어)/전산세무회계/컴퓨터활용능력/ITQ/GTQ/직업상담사

교육 문의 **1600-6700** www.eduwill.net

- 2022 소비자가 선택한 최고의 브랜드 공무원·자격증 교육 1위 (조선일보) • 2023 대한민국 브랜드만족도 공무원·자격증·취업·학원·편입·부동산 실무 교육 1위 (한경비즈니스) • 2017/2022 에듀윌 공무원 과정 최종 환급자 수 기준 • 2023년 성인 자격증, 공무원 직영학원 기준 • YES24 공인중개사 부문, 2024 공인중개사 오시훈 합격서 부동산공법 이론+체계도(2023년 12월 월별 베스트) 그 외 다수 교보문고 취업/수험서 부문, 2020 에듀윌 농협은행 6급 NCS 직무능력평가+실전모의고사 4회 (2020년 1월 27일~2월 5일, 인터넷 주간 베스트) 그 외 다수 YES24 컴퓨터활용능력 부문, 2024 컴퓨터활용능력 1급 필기 초단기끝장(2023년 10월 3~4주 주별 베스트) 그 외 다수 인터파크 자격서/수험서 부문, 에듀윌 한국사능력검정시험 2주끝장 심화 (1, 2, 3급) (2020년 6~8월 월간 베스트) 그 외 다수 • YES24 국어 외국어사전 영어 토익/TOEIC 기출문제/모의고사 분야 베스트셀러 1위 (에듀윌 토익 READING RC 4주끝장 리딩 종합서, 2022년 9월 4주 주별 베스트) • 에듀윌 토익 교재 입문~실전 인강 무료 제공 (2022년 최신 강좌 기준/109강) • 2023년 종강반 중 모든 평가항목 정상 참여자 기준, 99% (평생교육원, 사회교육원 기준) • 2008년 ~2023년까지 약 220만 누적수강학점으로 과목 운영 (평생교육원 기준) • A사, B사 최대 200% 환급 서비스 (2022년 6월 기준) • 에듀윌 국비교육원 구로센터 고용노동부 지정 "5년우수훈련기관" 선정 (2023~2027) • KRI 한국기록원 2016, 2017, 2019년 공인중개사 최다 합격자 배출 공식 인증 (2024년 현재까지 업계 최고 기록)

eduwill